ISBN 978-1-334-53555-0
PIBN 10702417

This book is a reproduction of an important historical work. Forgotten Books uses state-of-the-art technology to digitally reconstruct the work, preserving the original format whilst repairing imperfections present in the aged copy. In rare cases, an imperfection in the original, such as a blemish or missing page, may be replicated in our edition. We do, however, repair the vast majority of imperfections successfully; any imperfections that remain are intentionally left to preserve the state of such historical works.

English
Français
Deutsche
Italiano
Español
Português

www.forgottenbooks.com

Mythology Photography **Fiction**
Fishing Christianity **Art** Cooking
Essays Buddhism Freemasonry
Medicine **Biology** Music **Ancient**
Egypt Evolution Carpentry Physics
Dance Geology **Mathematics** Fitness
Shakespeare **Folklore** Yoga Marketing
Confidence Immortality Biographies
Poetry **Psychology** Witchcraft
Electronics Chemistry History **Law**
Accounting **Philosophy** Anthropology
Alchemy Drama Quantum Mechanics
Atheism Sexual Health **Ancient History**
Entrepreneurship Languages Sport
Paleontology Needlework Islam
Metaphysics Investment Archaeology
Parenting Statistics Criminology
Motivational

ENGLISCHE STUDIEN.

ZWEIUNDZWANZIGSTER BAND.

ENGLISCHE STUDIEN.

Organ für englische philologie

unter mitberücksichtigung des englischen unterrichtes auf höheren schulen.

Herausgegeben von

DR. EUGEN KÖLBING,

o. ö. professor der englischen philologie an der universität Breslau.

XXII. band.

Leipzig.
O. R. REISLAND.
1896.

INHALT
DES ZWEIUNDZWANZIGSTEN BANDES.

I.

**

MISCELLEN.

I.

II.

I.

ZU DEN ENGLISCHEN LIEDERN UND BALLADEN AUS DEM 16. JAHRHUNDERT ED. BÖDDEKER.

(Lemcke's Jahrb. XIV, p. 81 ff., p. 210 ff. und p. 347 ff.; bd. XV, p. 92 ff.)

I.

In Lemcke's »Jahrbuch für romanische und englische sprache und litteratur« bd. XIV, s. 81 ff. und XV, s. 92 ff. hat Böddeker aus der hs. Cotton. Vesp. A 25 des Brit. Mus. eine anzahl gedichte des 16. jahrhunderts herausgegeben, deren text an gar manchen stellen der erklärung und emendation bedarf. Obwohl ich nicht alle verderbten oder schwierigen verse zu bessern, resp. zu interpretiren vermag, glaube ich doch, dass die folgenden bemerkungen einen willkommenen beitrag zum studium der theilweise sehr interessanten dichtungen bilden dürften.

p. 86, II, v. 5: *Neuer sute, smalle medlynge & a quyete mynde.* In der anmerkung hierzu schreibt B.: »*sute = þued* [l. *sued!*], gerichtlich verklagt«. Natürlich ist *sute = ne. suit* 'process'. nicht das part. prät. — ib. 9: *Neuer dronke, but money in þe tyme of nyghte,* L. *merry* statt *money.* — p. 87, v. 33 f.:

Happy is he þat is wrapped in woo,
Nott cobred wit welthe þat is Dethes foo.

Lies *combred* st. *cobred* in v. 34. — p. 88, v. 3 f.:

So longe trewthe may thrall,
þat it shall scarce be knowen.

Ergänze *be* vor *thrall.* — p. 89, v. 21 ff.:

So longe we may be blynde,
Yf we fele not þe greefe,
þat harte will be to fynde
For our disease reefe.

Für *harte* im v. 23 ist mit den Rel. ant. I, 238 *harde* zu lesen; st. *reefe* ir
v. 24 lies *preefe* = ne. *proof* 'beweis'. B. erklärt es durch *confession!* —
p. 90, v. 7: *Our dame mylked the mares talle.* Wie der reim mit *flayle* (v. 9)
ergiebt, ist *taile* zu lesen. — ib. v. 17 f.:

> A cowe had stolyn a clafe away,
> And put hor in a sake,

Lies *claspe* st. *clafe?* — ib. v. 24 f.:

> Lyke spip, my yongost son,
> Was huntyng of a snalle.

Für *spip* lies *as Phip* (= *Philip*); für *snalle* in v. 25 *snaile* (: *flayle*, v. 23). —
b. v. 27 ff.:

> Our maid John was her to-morowe,
> I wote not where she for wend;
> Our cate lyet syke,
> And takyte gret sorow.

Die verse entsprechen nicht dem reimschema (abab), sind aber mit einer
kleinen umstellung und ergänzung leicht in ordnung zu bringen:

> Our maid John was her to-morowe,
> I wote not where she wend for;
> Our cate takyte gret sorow
> And lyet syke [and sore].

p. 91, v. 22 ff.:

> Some with þer tong, some with þer knyff,
> & some the thing shuld kepe þer lyff
> Away from them to plucke.

B. möchte die verderbte z. 23 dadurch bessern, dass er *nothing shuld care* st.
the thing shuld kepe einsetzt; vielleicht sei jedoch *the thing* richtig und bedeute
'soviel', d. h. 'nichts'. Ich muss gestehen, dass mir dann der vers ebenso
dunkel bleibt wie zuvor. Sollte etwa *be* (wie in v. 19) *prest* 'sind bereit' st.
& some zu lesen sein? Vor *shuld* wäre dann ein relativ-pronomen zu ergänzen. Oder ist einfach *do* st. *to* in v. 24 zu lesen? — **p. 92,** v. 3 ff.:

> Seaventh chapyter of Isai
> A signe & token ye shall se,
> Where — þat þat he haith sayd:

Lies *Where-at þat.* — ib. v. 6 ff.:

> Lo, a ma[i]d shall conceyve a chyld,
> Of mans knowing, be vndefiled
> And still shall be a maide.

Die interpunction ist zu berichtigen: das komma in v. 7 gehört hinter *vnde
filed.* — ib. v. 15 ff.:

> Signes now vpon this maiden be,
> That she maye in virginitie,
> Onelye by will of god,
> And still be a maiden pure,
> A childe bringe furthe etc.

Lies *being* st. *be* in v. 18. — **p. 93,** v. 36: *Why dost þou here, now muse now
than,* — B. meint, das erste *now* sei überflüssig, wesshalb er es einklammert.
Das zweite ist vielmehr zu streichen und das komma nach *here* ebenfalls. —

ib. IX, v. 4: *The oxe betokenithe menkenes here*, — *menkenes* ist nicht mit B. als *mankind* zu fassen, sondern offenbar in *meekenes* zu bessern. Allerdings kann ich nicht angeben, aus welcher quelle diese mystische deutung des ochsen an der krippe stammt[1]). Die weissagung Habakuk's, auf die hier angespielt wird, findet sich in der Septuaginta 3, 2: *ἐν μέσῳ δύο ζώων γνωσθήσῃ*, woraus es in die Itala überging. — **p. 94**, v. 35: *The pover, the riche, or greate estate,* Lies *on* st. *or*. — Als **titel** des gedichtes könnte man mit fug 'In der mitte' schreiben; dies ist die sich durch alle strophen hindurchziehende idee. — **p. 95**, v. 15 f.:

> Before the court of heaven
> Was this conflicte of holy stephen.

v. 15 ist zu kurz, es ist wohl *hye* 'hoch' vor *court* ausgefallen. — ib. v. 23: *When stoone of him did glied*, Lies *stoones*. — **p. 96**, v. 37: *The creuell stone þat perche his br[a]ine*, Lies *perced* st. *perche*. — **p. 97**, v. 3 ff. Vgl. zu diesem gedanken, dass der mensch wohl erlöst wurde, aber nicht der engel, was Sarrazin, Engl. stud. VI, 26 anm., aus Aelfric und Orrm zusammenstellt. — ib. v. 5: *For what enchison | Thou heare my reason:* Hinter *enchison* gehört ein fragezeichen. — ib. v. 11: *And which not man | As I shall shew than.* Lies *whi* st. *which* und setze fragezeichen hinter *man*. — ib. v. 14: *For that mercye whan*, Lies *For that [he] mercye wan*, nicht wie B., der *he* hinter *mercye* ergänzt. — ib. v. 17: *In when angell | I shull you tell.* Lies *gainst whom* st. *in when*, *shall* st. *shull* und setze ein fragezeichen hinter *angell*. B.'s erklärungs- versuch von *In when* == 'wo hingegen' ist gänzlich verfehlt. — ib. v. 19: *Which all in no worlde remite*, Lies *shall* st. *all* und erg. *be* vor *remite*. — ib. v. 21: *Angell subventid wistelie*, Lies *subvertid*! — ib. v. 23: *For what intent [?] A man to subvent*, Lies *shend* st. *subvent*. In v. 26 ist dann *[did] spend* st. *spent* zu bessern. — **p. 99**, v. 50: *Widowehede cla[i]med heaven, her tille is this*, Lies *title* st. *tille*, vgl. v. 57. — **p. 101**, v. 33: *The meane is more melo- dious*, Ergänze *ofte* am ende (: *softe* v. 31). — **p. 102**, v. 5 f.:

> Whos grapes, as ye maye vinde,
> Their licoure forthe dothe shede,

Lies *rede* statt *vinde*. — **p. 103**, v. 17 ff.:

> Wyne, taken with excesse,
> As scripture dothe expres,
> Causethe great hevines
> Vnto the mynde.

Vgl. Jesus Sirach, cap. 32, 36 und zu den folgenden zeilen ib. vv. 32 und 35. — **p. 104**, v. 84: *Euen for the wynes.* Wegen des reimes mit *bones* (v. 88) ist *nones* st. *wynes* zu schreiben. — **p. 212**, v. 25: *Sume thinkes, all theres þat they do seke*, — *theres* ist nicht mit B. als *there is* zu erklären, sondern als *theirs*. Das komma hinter *thinkes* muss fort, denn der vers bedeutet: 'einige halten alles für das ihrige, was sie suchen'. — ib. v. 39: *Craft can cloke muche*, — *cloke* ist nicht == *clutch*, wie B. meint, sondern ne. *cloak*. — **p. 215**, v. 34 f.:

---

[1]) P. S. Liebmann, Kleines handwörterb. d. christl. symbolik (Reclam's univ.-bibl.) sagt s. 27 sub esel: »Der ochs bedeutet daher die für das heil empfänglichen, der esel aber die dasselbe zurückweisenden seelen.«

> And kepe not stylle
> That noughtye wylle,

Lies *now* statt *not*. — ib. XIX, v. 1 ff.:

> Wyll ye complayne without a cawse,
> Even as the foxe shall blame the graye?
> What nede yow staine at mootes and strawes,
> When beames blake lythe in youre waye?

Lies *straine* statt *staine* und im reime *grape* : *wape*. Letzteres (ne. *wap*) bedeutet 'strohbündel'. — **p. 216**, v. 14 f.:

> Leave shecking tantes and relynge rymes,
> Where into flute yowe beke the stere,

Lies *shocking* statt *shecking*; *flute* halte ich nicht mit B. für ne. *flood*, sondern für ne. *flout*. Ueber *beke* äussert er sich gar nicht, und ich weiss auch nichts damit anzufangen. — ib. 30 f.:

> The nedfulnes of wemen sure
> Ys fore mennes helte, in earth to dwell;

Lies *helthe* statt *helte*, das B. unrichtig durch 'old age' übersetzt, also = *elde* fasst, und streiche das komma nach *helthe*. Vgl. 364, XXXIX, 11 f.: *And for to comforte man also In helth, in sicknes, welth & wo.* — **p. 218**, v. 11: *Cullered wordes for outward feaning*, *Cullered* ist nicht = *culled*, wie B. bemerkt, sondern = *coloured*; statt *feaning* verlangt der reim (: *craving*, v. 12) wohl *saving*. — **p, 219**, v. 35 f.:

> Langhe love, lowre love, all one matter,
> Lyke the nature of þe water.

Für *lowre* vermuthe ich *lowe* oder *slowe*. — ib. v. 45 ff.:

> To my harte no joy nor easing,
> Nnr to other nothing pleasing,
> Voto my paine in þe writing
> Paine to other in resyting.

Für *Nnr* in v. 46 lies *Nor*, für *Voto my* (v. 47) lies *Vnto me*. — **p. 220**, v. 4: *Of two yonge folkes in say*. Lies *fay* statt *say*. — **p. 221**, v. 65: *And not his wrath vpon her wyrke*, Wegen des reimes auf *teache* (v. 67) ist *wyrke* wohl in *wreke* = ne. *wreak* zu ändern. — **p. 222**, v. 92 ff.:

> She held so fast hys neke.
> In a bande,
> »Alas!« quod she,

Die interpunction ist falsch, denn der punkt gehört nicht hinter *neke*, sondern hinter *bande*. — ib. v. 97 f.: *His neyboures then were sore afrayed*, Da *afrayed* auf *sparred* reimen soll, ist es in *aferd* zu ändern. — ib. v. 111: *Yet was the man hymselfe so lust*, Lies *lusht* (: *dust*). — ib. v. 103 ff.:

> And he well blowen abowt the face
> Began to stande vpright.
> Nere made,

Auch hier ist der punkt hinter *made* zu setzen. — **p. 223**, v. 127 f.:

> God send all them: [h]ys quiet rest
> May be with man and wyffe.

Der doppelpunkt hinter *them* ist zu streichen und dafür ein komma hinter *rest* zu setzen, das hier ἀπὸ κοινοῦ als object zu *send* und als subject zu *may*

be gebraucht ist. — ib. XXIII, v. 12: *Saving the tre of good and evyll.* Das
metrum verlangt *yll!* — **p. 224**, v. 19 f.:

Then did þe serpent most subtillie,

Caused þe woman to breke godes will,

Streiche das komma hinter *subtillie* und lies *cause* statt *caused.* — ib. v. 27 f.:

And to þe woman he saide thus: »In woe

And paine þou shall bere child;

In woe gehört zur folgenden zeile, da *thus* auf *cursse* (v. 25) reimt. — **p. 225**,
v. 11: *And saythe, she must his sellow be,* Lies *fellow* statt *sellow.* — ib. v. 19:
For offt goode wyffe do so reporte, Lies *wyffes,* wie sich auch aus dem *there*
der folgenden zeile ergiebt. — **p. 226**, v. 7 f.:

O let þe droppes of mercy waige

The rigoure of my smarte!«

Lies *swaige* = ne. *assuage.* — ib. v. 10: *With cairefull clodges of synne,*
Lies *clogges.* — ib. 15 f.:

Whosse mornfull crye to the, o god,

To the for mercy call!«

Lies *cryes.* — ib. v. 23: *My lyfe hat lyke to treade the pathe,* Lies *hath.* —
p. 227, v. 34: *I do þi merry crave.* Lies *mercy!* — **p. 228**, v. 9: »Go
forthe,« *he said, »and do not stant,* Die hs. hat *stynt,* das natürlich beizubehalten war (: *judgment*). — ib. v. 23: *Cosume them with a burning fyer,*
Lies *Consume.* — ib. v. 33 f.:

Devision was maide without delaye,

The good from bade continuallye;

Lies *Devided* und streiche *maide!* — **p. 229**, v. 48: *Even in þe thwinkling
of an eye.«* Lies *twinkling.* — ib. v. 49: *Vnto the evyll the lord wyll terme,*
Lies *torne* oder *turne* (: *burne*). — **p. 232**, v. 39: *Shall clene consume and
torne do nowght,* Lies *to* statt *do.* — **p. 233**, v. 71: *Ye may be alse heyres
with hym,* Lies *also.* — ib. v. 80: *Feare least yt cause the dye.* Der zusammenhang erfordert *you* statt *the.* — **p. 234**, v. 124: *With that whisch ye
shuld eate,* Lies *whitch.* — **p. 236**, v. 168: *To held you in his hand,* Lies
hold. — **p. 238**, v. 34: *That living here at sattans thrall,* Lies *as* statt *at.* —
p. 239, v. 85: *Against the godly in fhis aige,* Lies *this.* — **p. 348**, v. 41:
From sattan rage, þat ys so fell, Lies *sattans.* — **p. 350**, v. 92: *þat Christ
souldioures doth pursewe,* Lies *Christes.* — **p. 351**, v. 25 ff.:

Feare-nowght spede better

Then dowbte of offendinge;

Marre-all, that micher,

Think never of amendinge;

Lies *spedes* und *Thinkes.* — ib. v. 31: *But nedye helpe who lysteth,* Hinter
lysteth gehört ein fragezeichen. — **p. 352**, v. 37: *And Seketh-praisse, canne
[but] promise,* Die hs. hat *seke-praise,* das beizubehalten war (vgl. die anderen
allegorischen namen!). — ib. v. 40: *He absentes hym.* Wie der rhythmus der
übrigen strophenschlüsse zeigt, fehlt hinter *he* ein zweisilbiges wort von der
form $\perp \cup$ — **p. 353**, v. 23 f.:

And beare a sonne, whose name shall have

The gloryous name of Jesus.

Für *whose name* ist vielleicht *who sen* (= ne. *since*) zu lesen? — **p. 354,**
v. 74 f.:

> For sending doune his only sonne
> For our salvocyone (sic!) to be . . . . . .

Das fehlende wort ist wohl *borne*, vgl. denselben reim v. 50 f. *(gonne : borne).* —
p. 355, v. 5 f.:

> Cupido then his force had bent
> & golden boure in vaine;

Lies *bowe* statt *boure*. — **p. 356,** XXXIV: *A Songe of Ladie Sion the churche.*
Die überschrift dieses liedes lautet: *A Balet of Sir Peter Hartforth, making
upon the . . . . spalme* (sic!), *vicare of Hovedon departed.* Der herausgeber
hat sich nicht einmal die mühe gegeben, zu eruiren, welcher psalm dem gedichte zu grunde liegt. Es ist der 87. nach dem Hebr. (der 86. nach der
Vulg.). Bei *Hovedon* kommt einmal *Hoveton* in Norfolk (bei Norwich), sodann *Howden* in Yorksh. (East Riding) in betracht. — ib. v. 1 ff.:

> Ego, ros campi in the feld,
> The farest that can be,
> Et lilium convalium
> Among my lovers fre.

Das citat stammt aus Cant. cant. 2, 1, wonach *ros* in *rosa, convalium* in *con-
vallium* zu bessern ist. — **p. 357,** v. 23 f.:

> A people old full long ago
> Where borne & there did rysse.

Lies *Were* statt *Where*. — **p. 358,** v. 25 f.:

> No flower so freshe or fragraunt smell,
> But yt haith loste his vewe;

Lies *of* statt *or*. — ib. v. 37: *And call on god, our heaven by king,* Lies
heavenly statt *heaven by*. — **p. 359,** v. 3: *Tere-lesse thow kindlest a flamyng
fyer.* Lies *Fere lesse* wie in v. 23: *Feare lesse in hell therein thou bourne,* wo
lesse = lest steht. — ib. v. 13:

> And as the woolfe devoure the lambe,
>   Which of the fleshe & blode do feede,

Lies *woolfes* oder *devoureth* und *doth*! — ib. v. 19: *So man shall leave his
mynde & vaine sute,* Streiche *vaine*! — **p. 361,** v. 20: *For more & my
twedges growe grene«* möchte ich bessern: *For more & [more] my twegges
growe grene.«* — ib. v. 37: *What that she harde this marvelous dowbte,* Lies
Whan statt *What*. — **p. 365,** v. 25: *For thes triftles companyons.* Lies
thriftles. — ib. v. 37: *gaine when lucke did vaunce my staite,* Lies *Againe.* —
p. 366, v. 100: *For Tyborne tyde men gave attemptes,* Lies *Tyborne-tryde*? —
p. 367, v. 140 f.:

> Which path god graunt hus all to lend,
>   The well to walke therein.

Streiche das komma nach *lend* und lies *will* statt *well*!

II.

Bd. XV, **p. 93,** v. 23: *Por þer is nought þat lyves . . . .* Lies *For*
statt *Por*. — ib. v. 25 f.:

O rightfull Judge, þat dost spaire
For gold nor yet for fee,

Ergänze *not* nach *dost* ! — ib. v. 29: *When þou dost come with resting maice,* Lies *thresting* (= *thrusting*) statt *resting.* Der wegfall des *th* erklärt sich leicht aus dem vorhergehenden auslaut. — ib. v. 38: *Shall g› to grisy grave;* Lies *grisly.* — **p. 94**, v. 61: *Wherefore welcome, jentill dethe,* Das metrum verlangt die einsetzung von *o* vor *jentill.* — ib. v. 63: *Sence thou, death, ceme to stope my breth,* Lies *came.* — ib. v. 71: *Dothe yeld the thankes most hartely.* Der zusammenhang erfordert *Do I* oder einfach *I* statt *Dothe.* — **p. 95**, v. 88: *Let thes ony verfe be founde,* Lies *one verse.* — ib. XLII, v. 1 ff.:

I selly crosse þat here do spande
With clubbes & staves all te-brast,
I praye þe people hold þer hande
And beate me owt so fast.

Z. 1 lies *stande* (vgl. p. 97, v. 72: *standing here*); in z. 2 streiche *all*, weil die 2. und 4. zeile jedesmal nur drei hebungen haben; in z. 3 lies *þer* statt *per* und in z. 4 lies *nor* statt *and.* — ib. v. 11: *For beringe of christes only sonne,* Lies *Christ, gods* oder bloss *Gods* statt *christes.* — ib. v. 16: *All to ransome synne?* Ergänze des metrums wegen *for* vor *to.* — **p. 96**, v. 19 f.:

And whye hast thou, mankind, forgott
The lorde & makers blode?

Lies *Thy* statt *The.* — ib. v. 47: *For all in lyke do pershewes,* Lies *persewe* (= *persue*). Die falsche schreibung ist jedenfalls dadurch entstanden, dass der copist den reim auf *Jewes* (z. 45) herstellen wollte. Aber auch in mehreren andern strophen finden wir keinen entsprechenden reim in den versen 1 und 3. — **p. 97**, v. 64: *I wyll do the no evyll,* Lies des metrums wegen *yll.* — **p. 98**, v. 16 f.:

þat swet hummer
Of his lycoure

Lies *humour* statt *hummer* ! — **p. 100**, v. 57 f.:

The butler in the fen
Treades not the turtell hen,

Lies *butrel* 'kröte' (afrz. *boterel*), das in der afrz. form im Ayenbite vorkommt. — ib. v. 66 f.:

þat shall be cast in the nosse
Which the dead bodies shoes,

Der sinn ist mir zwar nicht klar, doch ist gewiss *nose* für *nosse* und *with* für *which* zu lesen. — **p. 101**, v. 70: *In care & jobisye.* Das letztere wort, offenbar eine ableitung von *Job* (wie ne. *jobation*), habe ich nirgends sonst belegt gefunden. — ib. schluss: *Experte, criede Roberte.* Lies *Experto crede* ! *Roberte.* — **p. 102**, v. 23: *For evyll report shall be his gaine,* Lies *yll.* — **p. 103**, v. 11: *No tong nor hart the proffe or knowe,* Lies *dothe* statt *the.* — **p. 104**, v. 1: *Drawes nere, dood frendes, ...* Lies *good.* — ib. v. 9 f.: *Ys now by-common brute abrode,* Lies *by common.* — ib. v. 14: *Aiffe & children thre,* Lies *A wiffe;* vgl. v. 29: *My wiffe & children* etc. — **p. 105**, v. 50: *There hungry for to slake:* Lies *hunger.* — **p. 106**, v. 84: *And stright way to the dodge yt cast,* Lies *dogge.* — **p. 107**, v. 88: *The poore man homwarde wend,* Ergänze etwa *dreary* hinter *man,* da der vers vier hebungen verlangt. — ib. v. 99: *Your bread the dodges did eate*, Lies *dogges*. —— ib. v. 103: *He despereth, doth hym sley*, Lies *Despered he doth* etc. — ib. **v. 110**: *& as she goes, her husband handged*, Lies *hanged* (= v. 101). — **p. 109,** v. 20: *To . . . the world we be so faine*, Ergänze etwa *keep*. — ib. v. **23 f.:**

> Or that our bodye by dethe be . . .
> Our lord . . . . . let (h)us be faine,

Ergänze *slaine* in v. 23 und *above* oder *in heven* in v. 24. — 111 unten ff. LI: »Todtentanz«. Dieser text, eine modernisirung und theilweise umarbeitung von Lydgate's übersetzung der franz. *Danse macabre* (vgl. Schick, *Temple of Glas*, p. XCIII) ist von Seelmann in seinem aufsatze: »Die todtentänze des mittelalters«, Jahrbuch des vereins für niederd. sprachforsch. XVII, p. 1 ff. (vgl. bes. s. 37 f. und 54 f.) nicht näher besprochen worden [1]), vermuthlich weil ihm Böddeker's publication desselben unbekannt war. Eine strophe kommt bei Lydgate überhaupt nicht vor, vgl. Böddeker's anm. s. 121 zu v. 208; an anderen stellen constatirt dieser bloss starke abweichungen. Da mir Lydgate's text nicht zur hand ist, muss ich mir leider ein näheres eingehen auf die ziemlich schlecht überlieferte jüngere fassung versagen. — **p. 127,** v. 40: *& I will make the a bande*[2]). Da das letzte wort auf *lord* (v. 42) reimen soll, ist wohl *borde* dafür zu lesen. — ib. v. 54: *Fetche me my postilett,* Lies *pistolett* (Percy Rel. 53: *pistol*). — ib. v. 58 f.:

> Styfly stod her castle wall,
> & lett the peblettes flee;

Percy Rel. 57 f. bietet dafür:

> She stude upon hir castle wa,
> And let twa bullets flee.

— ib. v. 62: *[I shall] not gyne ouer my hous*, Lies *gyue*. — **p. 128,** v. 77: *The captayne sayd vnto him, sayd* steht wohl für *assayd*, nicht für *set*, wie B. meint. Bei Percy fehlt die strophe. — ib. v. 99 f.:

> I wold geue my gold, she saith,
> & so I wolde my ree,

Lies mit Percy *fee* statt *ree*. — ib. v. 102 f.:

> »Fye vpon þe, John Hamleton,
> That ouer I paid the hyre,

Lies *euer* statt *ouer*. — ib. v. 115: *Whether þe fighte or slee*, Lies *flee*. — **p. 129,** v. 122 f.: »*Bush & bowne, my mery men all*, Lies mit Percy *busk* statt *bush*. — ib. v. 133 f.: *Twenty s..re of halentons*, Ergänze *score* in der lücke und lies *halentors* = frz. *alentours*.

GÖTEBORG, August 1895.   F. Holthausen.

---

   [1]) Er erwähnt bloss s. 54 nach Douce, dass sich der text in Wortley Hall befand und auf L. beruhte.
   [2]) Die schottische fassung des gedichtes findet sich in Schröer's ausgabe von Percy's *Reliques* bd. I, s. 88 ff.

SHELLEY'S ›QUEEN MAB‹ UND VOLNEY'S ›LES RUINES‹.

Das erstlingswerk Shelley's, »Queen Mab«, ist vielfach gegenstand freundlicher und abfälliger kritik gewesen, und zwar nicht
nur in England, wo fast ausschliesslich der religiöse standpunkt
der kritiker maassgebend war für lob oder verurtheilung, sondern
auch in Deutschland, wo man das werk in erster reihe als dichtung und erst an zweiter stelle als radicales pamphlet betrachtet.
Leider verfügt die litterarische kritik bezüglich Shelley's über ein
sehr geringes material.   An biographischen daten ist freilich kein
mangel; wir wissen ziemlich genau, wann und wo die einzelnen
werke entstanden.   Aber die grösseren dichtungen Shelley's weichen
so sehr von den überlieferten litterarischen gattungen ab, dass es
der beurtheilung an jedem maassstabe fehlt, so dass man sich nicht
wundern muss, wenn selbst die besten abhandlungen über Shelley
viel, viel mehr worte als gedanken enthalten.   Queen Mab, Alastor,
Revolt of Islam scheinen jeder traditionellen terminologie sowie
jeder analyse zu spotten — gehören sie zur lyrischen oder
epischen poesie?   Sind sie geburten des gefühls, des verstandes
oder der phantasie?   Wie sind diese dichtungen entstanden?   Man
wird in den vorhandenen werken über Shelley vergeblich eine
befriedigende antwort auf diese fragen suchen.   Deswegen war es
mir doppelt interessant, auf die quelle eines dieser werke zu
stossen [1]).   Die dichtung ›Queen Mab‹, welche bei ihrem erscheinen
1813 grosses aufsehen erregte und bis auf den heutigen tag beim
grossen publicum die trägerin von Shelley's ruhm ist, rückt dadurch vielfach in eine neue beleuchtung, und sogar der bildungs-

---

[1]) Nachdem ich das verhältniss von »Queen Mab« zu Volney's »Ruines«
selbständig gefunden hatte, suchte ich in den bekannten werken über Shelley
nach, ob meine ansicht bereits irgendwo vorgetragen worden sei, ohne irgend
etwas darauf bezügliches zu finden; anfragen bei mitgliedern der nicht sehr
zahlreichen gemeinde von Shelley-verehrern ergaben ebenfalls ein verneinendes
ergebniss.   Erst nachdem ich meine hypothese im »Neuphilologischen verein«
in Wien vorgetragen und diesen aufsatz geschrieben hatte, erfuhr ich durch
fräulein Helene Richter, der wir die ausgezeichnete übersetzung von Shelley's
»Prometheus« (Reclam's univ.-bibl. nr. 3321/2) verdanken, dass schon Rabbe
in seinem buche über Shelley die abhängigkeit der »Queen Mab« von den
»Ruinen« constatirt, allerdings ohne begründung und beweis.

gang und charakter Shelley's wird dadurch nicht unwesent berührt.

Freilich ist eine quellenuntersuchung zu Shelley's »Qu Mab« entweder eine überflüssige oder eine sehr schwierige a gabe. Sind die autoren, welche Shelley in den »Notes« zu sein erstlingswerke anführt, wirklich die einzigen gewesen, welche benützte, oder — vorsichtiger ausgedrückt — die wichtigsten g wesen, mit denen er sich zur zeit beschäftigte, als er sich mit d abfassung der dichtung trug? Der inhalt von »Queen Mab«, sowi die von Dowden angegebenen buchlisten scheinen diese fragen z bejahen. Der atheismus dieser dichtung, die lehre von der noth wendigkeit alles geschehenden — mit einem worte, die mechanische weltanschauung geht deutlich auf Holbach's »Système de la Nature« zurück, der ja auch zweimal in den »Notes« zur sprache kommt: Forman IV, 484, 496. In bezug auf staat und gesellschaft folgt Shelley seinem abgöttisch verehrten Godwin, dessen »Political Justice« und »Enquirer« in den »Notes« als höchste instanz in solchen fragen angeführt werden: Forman IV, 468, 476, 517. Es wäre leicht, eine ganze reihe von stellen der dichtung durch aussprüche Godwin's zu illustriren.

Und doch ergiebt eine genauere prüfung von »Queen Mab«, dass zwar vieles in diesem werke vom geiste Holbach's und Godwin's ist, dass aber die eigentliche dichterische flamme sich nicht am lichte dieser herren entzündet hat.

Um aber meine meinung überzeugend darzustellen, ist es vor allem nöthig, den inhalt von »Queen Mab« in aller kürze zu wiederholen (v. 1—275).

I.

Die fahrt.

Die herrliche gestalt Ianthe's liegt in todähnlichem schlafe da (v. 1—44):

> Die feuchten augen sind geschlossen,
> Und auf den lidern, deren zart gewebe
> Das dunkle blau der sterne kaum verbirgt,
> Ruht jetzt das kindlein schlaf.

Aber die tiefe stille wird auf einmal durch ein geisterhaftes geräusch unterbrochen; ein geräusch, wie es der wanderer wohl nach sonnenuntergang unter den schatten einer ruine vernimmt (v. 45—58). Es ist der wagen der feenkönigin, von himmlischen rennern gezogen, der vor der schlafenden halt macht (v. 59—78).

Die durchsichtige lichtgestalt entsteigt dem wagen, schwingt dreimal ihren zauberstab (v. 79—113) und beschwört die seele
Ianthe's, sich aus den fesseln des körpers zu erheben (114—129).
Die seele entschwebt dem körper (v. 130—156) und wird von
der fee aufgefordert, zum lohne für ihre tugend den zauberwagen
zu besteigen (157—161). Auf die bitte der seele (162—166)
nennt die fee ihren namen und ihre bestimmung (167—187):

> Mein nam' ist Mab: mir ist das amt gegeben,
> Die wunder eurer menschenwelt zu wahren;
> Der unermesslichen vergangenheit
> Geheimniss find' ich in dem treu'n gewissen,
> Dem ernsten, unnachsichtigen chronisten.
> Die zukunft lehrt mich die vergangenheit,
> Die mir des werdens urgrund stets enthüllt.

Fee und seele besteigen den wagen, der sich bald durch wolken
den weg bahnt und zu den sternen erhebt (v. 188—248):

> Und immer höher flog der zauberwagen.
> Der ferne erdball schien
> Das kleinste licht im grossen sternenheer (244—275).

II.

Die vergangenheit.

Endlich macht der wagen vor dem palaste der feenkönigin
halt (1—39), und nun geht fee Mab daran, der seele Ianthe's
vergangenheit, gegenwart und zukunft zu zeigen (40—77). Sie
lenkt den blick Ianthe's nach dem fernen lichtpünktlein, dessen
schimmer kaum die nebel der ungeheuren entfernung durchdringt
(68—108):

> Ein geisterauge nur
> Drang leis zu jenem ball,
> Ein geisterauge nur
> Und nur von solchem ort
> Sah noch der menschen thun
> Auf ihrer erdenwelt.

Die ruinen Palmyra's sind der ausgangspunkt für eine flüchtige
rundschau über die reiche der alten welt (109—125).

> Sieh, rief die fee,
> Palmyra's trümmer, einst paläste,
> Wo grösse stolz getrotzt,
> Wo glück und lust gelacht;
> Was blieb? An schmach und wahnwitz
> Die erinnerung.
> Was ist unsterblich dort? — Nichts.

Trübsel'ge kunde nur
Und grause lehre giebt der ort.
Bald raubt vergessenheit
Von seinem ruhm den letzten überrest.
Monarchen und erob'rer schritten
Stolz über millionen sklaven dort dahin,
— Erdbeben sie fürs menschliche geschlecht —
Gleich ihnen ganz vergessen,
Wenn die zerstörung nicht mehr
Von ihrem wirken zeugt.

Von Palmyra schweift der blick nach Aegypten (126—133), von da nach Palästina (134—161), Athen und Rom (162—181). Die fee gedenkt auch der welt im fernen westen mit ihrer alten cultur (182—210) und zieht dann den schluss, dass kaum *ein* fleckchen erde da ist, auf dem nicht in früher zeit menschen sich ihres daseins gefreut hätten (211—224). Dann tadelt die *fee in* ganz unvermittelter weise den stolz des menschen und stellt seiner vergänglichkeit und schwäche die ewigen, allwaltenden natur*gesetze* gegenüber (225—257).

III.—V.

Die gegenwart.

Die seele dankt der fee für die vision und bittet um weitere belehrung (1—13). Darauf lenkt die fee ihren blick auf einen prächtigen königspalast und zeigt ihr den allbeneideten, allgefürchteten herrscher (14—43):

Sieh' dort den prachtpalast inmitten
Der dichtbewohnten stadt; mit seinen tausend thürmen
Scheint selbst er eine stadt, von düstren wachen
In finstern, stillen reih'n umstanden.

Der da wohnt
Kann frei nicht sein und glücklich; hörst du nicht
Der vaterlosen flüche, das stöhnen derer,
Die keinen freund besitzen? Er geht vorbei:
Der könig, träger einer gold'nen kette,
Die seine seele bindet an verworfenheit,
Der thor, den schranzen herrscher nennen,
Dieweil er unterthan den niedrigsten begierden —
Der mann hört nicht des elends jammerruf.

Denn er ist selbst über die maassen elend, ohne sein schicksal ändern zu können: ihm schmeckt kein noch so leckeres mahl (44—57), er kennt nicht die süssigkeit eines ruhigen schlafes (58—73), er hat die hölle auf erden (74—84) — und doch kann er nichts thun, um sein loos zu mildern, denn die gewohnheit

(85—106) und die parasiten des hofes (107—117) lassen keine änderung zu. Woher aber die hofschranzen und ihre macht? Das laster ist die quelle aller tyrannei (118—138):

> Und woher kamen kön'ge und schmarotzer?
> Woher der drohnen schwarm, der wider die
> Natur stets elend häuft und endlos mühn
> Auf jene, die paläste ihnen bau'n
> Und ihnen stets ihr täglich brod gewinnen?
> Vom laster stammen sie, dem schwarzen, dem verhassten,
> Von raub und wahnsinn, von verrath, bedrückung,
> Von allem, was da elend zeugt und aus
> Der erde diese dornenwüste macht;
> Von wollust, rachgier, mord . . .
> Doch wenn die stimme der vernunft, laut wie
> Die stimme der natur, die nationen weckt
> Und erst die menschheit merkt, dass laster
> Das elend ist und krieg und zwietracht nur,
> Dass tugend friede ist und glück und eintracht;
> Wenn erst des mannes reifere natur
> Das spielzeug seiner kindheit voll scham zerbricht:
> Dann ist das königliche blendwerk auch geschwunden,
> Dann ist die macht der herrscher auch dahin,
> Der gold'ne thron im saal steht unbeachtet,
> Dem staube bald verfallen, und das gewerbe
> Der lüge verhasst und so unfruchtbar,
> Wie jetzt die wahrheit ist.

Eitel und vergänglich ist alle tyrannenmacht (139—149); die tugend überdauert ruhm und herrlichkeit (150—169). Die natur ist gegen herrschaft und befehl (170—179):

> Die tugend will nicht herrschen, nicht gehorchen,
> Die macht, dem pesthauch gleich, befleckt,
> Was sie berührt.

Die macht, das blosse machtbewusstsein, hat Neronen erzeugt (180—192). Die natur kennt keinen unterschied der geburt und des standes, die natur verkündet gleichheit und brüderlichkeit (193—240).

IV.

Mitten in die herrlichkeit und stille der nacht dringt der misston eines schlachtgetümmels — der wunderbare friede der natur wird durch die gräuel eines frevelhaften krieges gestört (1—69). Der seele graut's vor all dem elend, das die menschen muthwillig selbst heraufbeschwören; die fee beschwichtigt sie dadurch, dass sie ihr die wurzel der gräuel aufdeckt: die könige, priester und staatsmänner sind die urheber aller kriege (70—89).

Denn die natur hat es mit dem menschen wie mit **allen geschöpf**
gut gemeint (89—103). Die menschenseele ist der **höchsten tugend**
und erkenntniss wie des tiefsten lasters und rohesten **aberglaubens**
fähig, nur die erziehung, die gewohnheit ist für **das eine wie** für
das andere entscheidend: die priester haben die **menschen zu**
dem gemacht, was sie sind (104—265).

V.

Einen nicht geringeren antheil an dem **menschlichen elend**
als die religion hat die selbstsucht; wie die **priester den aber**-
glauben, so haben die reichen, die kaufleute das **laster erzeugt**
und gezüchtet (1—146). Die selbstsucht, die allen **reichthum** der
mutter erde an sich gerissen, hat alles in ihrem solde (147—176),
licht, luft, freiheit, sogar glauben und gewissen (177—230). Nur
die tugend kann und wird dieses ungeheuer besiegen (231—259).

VI—VIII.

Die zukunft.

Die seele hat mit grösster spannung zugehört (1—10) und
ist durch die empfangenen lehren auf's tiefste erschüttert (11—22):

> Die welt ist eine wildniss voll von elend,
> Voll dornen, mühsalsvoll,
> Die jeder teufel leicht zu seiner beute macht.
> O fee! ist keine hoffnung
> In aller jahre lauf?
> Und werden jene sonnen all
> In ewigkeit die nacht erhellen
> So vieler elender geschlechter
> Und nie den schimmer einer hoffnung seh'n?
> Wird nicht der weltgeist einst
> Dies welke glied des himmels neu beleben?

Die fee beruhigt zum zweiten male die seele und stellt in ferner
zukunft ein himmelreich auf erden in aussicht (23—46). Aber
erst muss der aberglaube vom erdball verschwinden (47—71).
Und nun giebt die fee einen raschen überblick über die entstehung
der verschiedenen religionen (72—138). Erst betete der mensch
die naturkräfte an, jeder baum und jeder bach wurde als gottheit
verehrt; später abstrahirte man aus allen triebkräften der natur
eine einzige und nannte sie gott! Und noch später wurden dem
einen gotte viele andere zugesellt. Doch dieser aberglaube ist
im schwinden begriffen (139—145), und die erkenntniss von der

nothwendigkeit, von der unabänderlichkeit der naturgesetze beginnt die menschheit zu erleuchten (146—238).

VII.

Die seele gedenkt eines atheisten, der öffentlich verbrannt wurde (1—13), und die fee bestätigt die worte des atheisten: Es giebt keinen gott (14—48):

> Der name gott hat
> Jede frevelthat mit heiligkeit geweiht . . .
> Die erde stöhnt im eisenalter der religion.
> Indess der priester schwätzt von einem gott
> Des friedens, rauchet ihm die hand von blut.
> Er mordet, rottet mit der wurzel aus
> Die wahrheit, labt an raub sich und vernichtung
> Und macht die welt zu einem schlächterhaus.

Hierauf beschwört die fee die gestalt des Ahasverus herauf und stellt ihm die frage: Ist ein gott (49—83)? Ahasverus schildert nun mit worten glühenden hasses den gott des alten und des neuen testamentes — jedes wort eine blasphemie (84—275).

VIII. und IX.

Und jetzt erst schildert die fee die zukunft, ein goldenes zeitalter des friedens und der liebe, eine zeit ohne priester und tyrannen. —

Ich habe mich in der knappen analyse der dichtung aller kritischen bemerkungen enthalten; aber jeder aufmerksame leser hat sicherlich im geiste von selbst alle jene ausstellungen gemacht, welche die litterarische kritik in England und Deutschland immer von neuem wiederholt. Der einfall, die seele einer tugendhaften jungfrau von einer fee entführen und sie in die geheimnisse des welträthsels einweihen zu lassen, ohne dass besagte jungfrau den wunsch geäussert hat, ist sehr leicht zu parodiren und wird selbst von wohlwollenden litterarhistorikern bespöttelt[1]). Die fee will der seele die grossen reiche der vergangenheit vorführen, und siehe da! sie beginnt mit dem allerkleinsten, spätesten, am wenigsten bekannten — mit Palmyra; erst später geht sie auf Aegypten und die anderen reiche des alterthums über.

Am ende des zweiten abschnittes spricht die fee die behauptung aus, dass die ganze erde einst von menschen besäet ge-

---

[1]) Vgl. Mrs. Oliphant, The Literary History of England, III, 48.

wesen sei, und ohne jeden übergang stimmt sie einen hymnus an auf die unabänderlichkeit der naturgesetze. Und wie schnell hat die fee die vergangenheit der menschen absolvirt! Die sonst so wortreiche hat in hundert versen die ganze geschichte des alterthums erledigt (109—210)!

Ganz ohne noth und in der flüchtigsten weise erwähnt die fee die verschiedenen religionssysteme, ohne irgendwelche folgerungen oder lehren aus der darstellung zu ziehen (VI, 72—138). Vollends absurd ist die Ahasverusepisode, die, genau genommen, zu dem atheismus des vorhergehenden abschnittes in widerspruch steht.

Es wäre thöricht, in einer dichtung Shelley's, noch dazu in einem jugendwerke, strenge folgerichtigkeit und regelrechte entwicklung eines gedankens zu suchen; aber in »Queen Mab« gehen gar zu deutlich zwei weltanschauungen nebeneinander her, der atheismus Holbach's und dessen praktische consequenzen, wie sie Shelley in Godwin's »Political Justice« [1]) fand, einerseits, andererseits eine art von deistischem optimismus, den er weder Holbach noch Godwin entnehmen konnte.

In wahrheit aber sind die zwei werke, welche Shelley in seinen anmerkungen zur »Queen Mab« citirt, nicht die ersten und nicht die vornehmsten quellen dieser dichtung gewesen. Ich glaube vielmehr, dass Volney's seiner zeit sehr berühmtes und viel gelesenes werk, »Die ruinen«, dem dichter in erster reihe den rahmen und den gedankengang geliehen. Ich will es versuchen, mittelst einer knappen inhaltsangabe dieses werkes meine behauptung zu begründen.

Dem werke geht eine invocation voraus, die aber nicht an die musen oder götter, sondern an die ruinen gerichtet ist. Die ruinen und gräber waren von jeher die verkünder der wahrheit von der gleichheit aller menschen [2]); von ihnen will der verfasser die geheimnisse der welt- und menschenordnung erfahren. Hierauf erzählt Volney: Im jahre 1784 bereiste er Syrien und Aegypten. Seine aufmerksamkeit galt, wie er sagt, in erster reihe allem, was das glück der menschen befördern kann, wir würden heute sagen: den socialen zuständen. Und schmerz und unwille bemächtigen sich seiner, denn allenthalben sieht er nur raub und verheerung,

---

[1]) Der volle titel lautet: Enquiry concerning Political Justice and its Influence on Morals and Happiness. By William Godwin, London 1793.
[2]) Vgl. Hiob 3, 13 ff.

tyrannei und elend; verlassene felder, verödete dörfer, verfallene städte. Auf seinen märschen kommt er auch nach den ruinen von Palmyra, wo er längere zeit verweilt. Und an einem abend versinkt er, auf dem schaft einer säule sitzend, in eine tiefe betrachtung (cap. 1).

Hier, sagt er zu sich selbst, blühte ehemals eine prächtige stadt; hier war der sitz eines mächtigen reiches, der mittelpunkt eines weltumfassenden handels. Was ist von all der herrlichkeit geblieben? Ein trauriges skelett, eine leere erinnerung! Und von Palmyra schweift der geist an die ufer des Tigris, des Euphrat, des Indus — überall dieselbe erscheinung einstiger blüthe und tiefen verfalls. Da gedenkt er seines eigenen blühenden vaterlandes, und es drängt sich ihm die frage auf, ob nicht einst auch Frankreich, das fruchtbare, städtereiche, zur einöde werden wird. Und er versinkt in tiefe trauer über das blinde geschick, dem die menschheit rettungslos preisgegeben scheint (cap. 2).

Da vernimmt er plötzlich ein geräusch, gleich der bewegung eines schrittes, der über dürres gras dahinschwebt. Er sieht sich um und bemerkt zwischen den säulen und ruinen eine erscheinung, wie man die geister malt, die den gräbern entsteigen, und er hört folgende worte:

»Wie lange wird der mensch den himmel mit ungerechten klagen belästigen? . . . . Werden seine augen stets dem lichte, wird sein herz stets den eingebungen der vernunft und wahrheit verschlossen sein? Allenthalben bietet sie sich ihm dar, diese leuchtende wahrheit, und er sieht sie nicht. Das geschrei der vernunft dringt in sein ohr, und er hört es nicht! Ungerechter mensch! Wenn du einen augenblick die verblendung entfernen kannst, die deine sinne umnebelt; wenn dein herz fähig ist, die sprache der vernunft zu fassen, so befrage diese ruinen! Lies die lehren, welche sie dir vorhalten! — Und ihr, zeugen von zwanzig verschiedenen jahrhunderten — heilige tempel! Ehrwürdige gräber! Einst glorreiche mauern, erscheint in der sache der natur. Kommet und zeugt vor dem tribunale eines gesunden verstandes gegen eine ungerechte anklage! Schlagt das geschrei einer falschen weisheit oder heuchlerischen frömmigkeit zu boden, und rächt erde und himmel an dem menschen, der sie verleumdet!

Sprecht, ihr denkmäler vergangener zeiten, haben die himmel ihre gesetze, hat die erde ihren lauf verändert? Ist das feuer der sonne während dieser zeit erloschen? Steigen keine wolken mehr

aus dem meere empor? Bleiben regen und thau in der luft verschlossen? Behalten die berge ihre schätze zurück? Sind die. flüsse
vertrocknet? Sind die pflanzen ihrer saat und früchte beraubt?
Antworte, lügenhaftes, gottloses geschlecht! Hat gott die ursprüngliche feste ordnung, die er selbst der natur anwies, unterbrochen?
Hat der himmel der erde und die erde ihren bewohnern die güter
verringert, die sie ihnen vormals verstatteten? Wenn nichts in
der schöpfung sich verändert hat, wenn dieselben hülfsquellen,
die vormals vorhanden waren, es noch sind, warum sind denn
die gegenwärtigen geschlechter nicht mehr, was die vergangenen
waren?«

Der wanderer bittet den geist, ihm die schriftzüge der geschichte zu deuten, denn eben dazu sei er ja, von wahrheitsdurst
erfüllt, in diese einöden gezogen. Darauf antwortet der geist:
»O junger mann, da dein herz die wahrheit sucht, so soll deine
bitte nicht vergebens sein.« Er nahte sich dem wanderer, legte
ihm die hand auf's haupt und sprach: »Erhebe dich, sterblicher,
und mache deine sinne von dem staube los, in dem du kriechst.«
Und es fielen die bande, die uns an's irdische fesseln, und gleich
einem lufthauche wurde die seele vom fluge des genius fortgerissen
und zur höhe entführt. Die erde erschien ihm von dort aus kaum
so gross, wie der mond uns auf der erde erscheint. Der genius
aber berührte seine augen, und alsbald wurden sie schärfer als
die augen des adlers; aber immer noch schienen die flüsse streifen,
die berge furchen, die städte wie schachfiguren (cap. 4).

Hierauf beginnt der genius seine belehrung, und zwar schildert er die stellung des menschen in der natur (cap. 5): Als die
geheime macht, die das universum beseelt, den erdball bildete,
welchen der mensch bewohnt, verleibte sie den dingen, woraus
er besteht, wesentliche eigenschaften ein, welche die regel ihrer
individuellen bewegungen, das band ihrer gegenseitigen beziehungen,
die ursache der harmonie des ganzen wurden. Sie gründete dadurch eine regelmässige ordnung von ursachen und wirkungen,
von grundursachen und folgen, die unter dem anschein des zufalls
das universum regiert und das gleichgewicht in der welt erhält.
Sie machte dem feuer bewegung und thätigkeit, der luft elasticität,
der materie schwere und consistenz zu eigen; sie machte die luft
leichter als das wasser, das metall schwerer als die erde, das
holz weniger dicht als den stahl; sie befahl der flamme, empor-
zusteigen, dem steine, herabzustürzen, der pflanze, zu wachsen, sie gab

dem menschen, den sie der einwirkung so vieler verschiedener dinge aussetzen und dessen gebrechliches leben sie dennoch erhalten wollte, die fähigkeit, zu empfinden. Vermöge dieser fähigkeit erregt ihm jede seiner existenz schädliche handlung eine empfindung von übel und schmerz, jede ihr zuträgliche handlung ein gefühl von vergnügen und wohlbehagen. Durch diese empfindungen wird der mensch einerseits von dem, was seinen sinnen unangenehm ist, abgestossen, andererseits zu dem, was ihnen schmeichelt, hingezogen, in die nothwendigkeit gesetzt, sein leben zu lieben und zu erhalten. Selbstliebe, verlangen nach wohlbefinden, abneigung vor schmerzen, das sind die wesentlichen, von der natur selbst dem menschen auferlegten ursprünglichen gesetze, die gesetze, welche die anordnende macht, wer sie auch sei, gegründet hat, um ihn zu regieren; diese gesetze sind es, die, gleich den gesetzen der bewegung in der physischen welt, das einfache und fruchtbare princip von allem, was in der moralischen welt vorgeht, geworden sind.

Hierauf wird der urzustand des menschen geschildert (cap. 6).

In seinem ursprunge fand sich der geschaffene mensch, nackt an körper und geist, dem zufalle preisgegeben, auf die wüste und wilde erde geworfen. Ein hülfloser fremdling, verlassen von der unbekannten macht, die ihn hervorgebracht, sah er keine wesen neben sich, die vom himmel herabgestiegen wären, um ihn über die bedürfnisse zu unterrichten, die nur durch seine sinne erzeugt werden, ihn die pflichten kennen zu lehren, die einzig aus seinen bedürfnissen entspringen. Gleich anderen thieren ohne erfahrung des vergangenen, ohne vorhersehung des zukünftigen, irrte er in dichten wäldern umher, einzig von dem instinct der natur gelenkt und regiert. Der schmerz des hungers veranlasste ihn, nahrung aufzusuchen, und er sorgte für seine erhaltung; die strenge der jahreszeit lies ihn bedeckung seines körpers wünschen, und er verfertigte sich kleider; infolge des noch mächtigeren reizes des vergnügens näherte er sich einem ihm gleichen wesen und pflanzte seine gattung fort.

Auf solche art waren selbstliebe, abneigung vor schmerz, verlangen nach wohlgenuss die einfachen und mächtigen triebfedern, die den menschen aus dem wilden, barbarischen zustande, worein die natur ihn gesetzt hatte, herausrissen; und wenn jetzt sein leben mit genüssen bestreut ist, wenn er jeden seiner tage durch annehmlichkeiten bezeichnen kann, so hat er das recht, sich selbst beifall zuzurufen und sich zu sagen: Ich selbst habe das gute, das mich umgiebt, hervorgebracht: ich bin meines glückes schmied.

Durch die vereinigung der kräfte, also durch die entstehung der gesellschaft (cap. 7), entwickelte sich die cultur; aber bald artete die gesellschaft aus (cap. 8).

Kaum konnten die menschen ihre fähigkeiten entwickeln, als sie, von dem reiz der gegenstände, welche den sinnen schmeicheln, ergriffen, sich zügellosen begierden überliessen. Das maass der sanften empfindungen, welche die natur mit ihren wahren bedürfnissen verbunden hat, um sie an das dasein zu knüpfen, genügte ihnen nicht mehr; nicht zufrieden mit den gütern, welche ihnen die erde bot, oder die ihr fleiss hervorbrachte, wollten sie genüsse häufen und gelüsteten nach dem, was ihre brüder besassen. Ein starker mensch erhob sich gegen einen schwachen, um ihm die frucht seiner arbeit zu rauben; der schwache rief einen andern schwachen zu hülfe, um der gewalt zu widerstehen, und zwei starke sagten zueinander: »Warum sollen wir uns anstrengen, um genüsse hervorzubringen, die in den händen der schwachen sind? Lasst uns zusammentreten und sie plündern; sie sollen für uns arbeiten, und wir können ohne mühe geniessen.« Und so wie die starken sich verbanden, um zu unterdrücken, die schwachen, um zu widerstehen, quälten die menschen einander gegenseitig. Allgemeine und verderbliche zwietracht entstand auf der erde; die leidenschaften des menschen zeigten sich in tausend neuen gestalten und haben nicht aufgehört, eine aufeianderfolgende kette von unglück hervorzubringen.

Also hat eben diese selbstliebe, welche gemässigt und weise eine quelle von glück und vollkommenheit war, sich in ein verderbliches gift verwandelt, sobald sie blind und regellos wurde; und gierigkeit, die tochter und gefährtin der unwissenheit, ist die quelle aller übel geworden, welche die erde verheert haben.

Ja, unwissenheit und gierigkeit! sehet da die doppelte quelle aller leiden im leben des menschen! Durch sie hat er falsche begriffe von seinem glück bekommen, er hat die gesetze der natur missverstanden oder sie in den verhältnissen zwischen sich und den äusseren gegenständen überschritten und so zugleich seiner eigenen existenz geschadet und die moral, welche dem wesen eines jeden eingeprägt ist, verletzt. Unwissenheit und gierigkeit bewaffneten den menschen gegen den menschen, familie gegen familie, stamm gegen stamm, und die erde wurde der blutige schauplatz von zwietracht und räuberei. Durch unwissenheit und gierigkeit hat heimlicher krieg, der im schoosse jedes staates gohr, den bürger vom bürger getrennt, und einerlei gesellschaft hat sich in unterdrücker und unterdrückte, in herren und sklaven getheilt; durch sie haben die oberhäupter einer nation bald kühn ihre waffen aus dem schoosse der nation selbst gezogen, und lohnsüchtige habsucht hat den politischen despotismus gegründet; bald haben sie voll heuchelei und list lügnerische mächte, ein gotteslästerliches joch vom himmel herabsteigen lassen, und leichtgläubige gierigkeit hat den religionsdespotismus gegründet.

Nun entstanden regierungen und gesetze (cap. 9), die nichts anderes sind als dämme gegen eben diese selbstsucht. Hierauf wird ein bild von dem wohlstande der alten staaten entworfen (cap. 10) und dann deren verfall und untergang erklärt (cap. 11). Die tyrannen waren es, welche alles unglück der nationen herbeiführten; die unwissenden menschen aber schrieben die ursachen dieser übel höheren mächten zu. »Weil sie nun auf erden tyrannen hatten, vermutheten sie auch welche im himmel; und der aberglaube erschwerte das unglück der nationen. Es entstanden menschenfeindliche religionssysteme, welche boshafte und neidische götter nach dem ebenbilde der irdischen despoten malten.« Und während der genius aus dieser vergangenheit die zukunft erschliesst und die vernichtung aller von tyrannen regierten staaten voraussagt, bemerkt der wanderer eine grosse bewegung auf der erde, etwa wie das gewimmel eines angegriffenen ameisenhaufens. Der genius berührt seine augen, und da ruft er aus: »Ich sehe säulen von flammen und rauch, und o, ich unglücklicher, was ich für insecten hielt, das sind menschen, und diese feuersäulen, es sind die verwüstungen des krieges! Diese flammenströme kommen von städten und dörfern.« Und nun werden die gräuel eines krieges zwischen Russen und Türken geschildert und an den beiden völkern, die zu gleicher zeit zu gott um den sieg der wahren religion beten, das verderbliche aller positiven religion erläutert (cap. 12). Ueberwältigt von schmerz über die raserei und das selbstmörderische treiben der völker, bricht der wanderer in verzweifelte klagen aus und will sterben, um das elend der menschheit nicht länger ansehen zu müssen. Der genius sucht ihn vergeblich zu beruhigen (cap. 13, 14), er ist zu sehr von dem elend der gegenwart erschüttert. »Eines, o genius, hat vor allem mich tief betroffen. Ich sah, als ich meine blicke auf **den** erdball richtete, ihn in zwanzig verschiedene glaubenssysteme **ge**theilt. Jede nation hat religionsmeinungen entwickelt, die **denen** der andern entgegengesetzt sind; jede schreibt sich ausschliesslich die wahrheit zu und glaubt die andern in irrthum befangen. Wenn nun, wie es wirklich der fall ist, die grosse masse **der** menschen sich irrt und sich redlich irrt, so folgt daraus, **dass** unser geist sich ebenso gut von der lüge wie von der wahrheit überreden lässt — und was für mittel haben wir dann, ihn aufzuklären? Wie sollen wir das vorurtheil wegräumen, das sich zuerst des menschen bemächtigt hat? Wir sollen wir, vor allem, ihm die binde abnehmen, wenn der erste artikel jedes glaubens in der gänzlichen verbannung des zweifels, dem verbot aller untersuchung und der verleugnung des eigenen urtheils besteht? Was soll die wahrheit thun, dass man sie erkenne? Stellt sie sich mit den beweisen der vernunft dar, so wird sie von dem gewissen des kleinmüthigen menschen verworfen; ruft sie die autorität himmlicher mächte zu hülfe, so stellt der von vorurtheilen erfüllte mensch ihr eine andere autorität von gleicher art entgegen und behandelt alle neuerung als blasphemie. Auf solche weise hat der mensch sich selber seine fesseln geschmiedet, sich auf immer, ohne vertheidigung, zum spielball seiner unwissenheit und seiner leiden gemacht. Es bedürfte eines unerhörten zusammentreffens glücklicher umstände, um solche fesseln zu brechen. Eine ganze nation müsste, von dem wahnsinn des aberglaubens geheilt, den eingebungen des fanatismus unzugänglich sein. Von dem joch einer falschen lehre befreit, müsste ein volk sich selbst die lehren der wahren moral und der vernunft aneignen, es müsste zugleich kühn und vorsichtig, unterrichtet und gelehrig sein; jeder einzelne müsste seine rechte kennen und dürfte ihre grenze nicht überschreiten, der arme müsste der bestechung, der reiche dem geiz widerstehen können; es müssten sich uneigennützige und gerechte richter finden; die tyrannen müssten von einem geiste des schwindels und aberwitzes ergriffen werden; das volk, seine macht wieder erlangend, müsste einsehen, dass es allein diese macht nicht ausüben könne, sondern die nöthigen organe zur ausübung derselben schaffen müsste. Schöpfer seiner regenten, müsste es sie gleichzeitig richten und ehren; bei der plötzlichen reform einer in missbräuchen lebenden nation müsste jeder aus seiner reihe versetzte einzelne entbehrungen und veränderung seiner gewohnheiten geduldig ertragen; mit einem worte, diese nation müsste muthig genug sein, ihre freiheit zu erobern, einsichtsvoll genug, sie zu vertheidigen und grossmüthig genug, sie allen zu theil werden zu lassen. Werden aber so viele bedingungen jemals erfüllt werden? Und wenn das schicksal unter seinen unendlichen verbindungen jemals diese hervorbrächte, werde ich diese glücklichen tage sehen? wird nicht meine asche längst erkaltet sein?« Von dieser klage gerührt, beschliesst der genius, dem wanderer die ereignisse des kommenden jahrhunderts zu enthüllen; und nun werden in den capiteln XV—XXIV vorgänge geschildert, die sich wie eine geschichte der französischen revolution lesen.

Am äussersten ende des mittelländischen meeres (also in Frankreich) sammelt sich das volk in ungezählter menge in den strassen, die empörung gegen die reichen bedrücker bricht los. Vergebens suchen die tyrannen das volk durch die soldaten, die priester vergebens durch ihren fluch zu schrecken (cap. 15). Die tyrannen werden verjagt und dafür vom volke eingesetzte männer an die spitze des staates gestellt (cap. 16). Und diese männer gehen nun daran, die wahren grundsätze der moral und vernunft aufzusuchen, und theilen dann dem volke die ergebnisse ihrer untersuchung mit.

»Die thätige macht, die bewegende ursache, welche das weltall regiert, sei sie auch welche sie wolle, hat, indem sie allen menschen dieselben organe, dieselben bedürfnisse zutheilte, durch diese handlung selbst erklärt, dass sie allen gleiche rechte auf den gebrauch ihrer güter giebt, und dass alle menschen nach der weltordnung gleich sind.

Weil die natur also jedem hinlängliche mittel ertheilt hat, für sich selbst zu sorgen, so folgt daraus, dass sie alle unabhängig von einander, alle frei geschaffen hat, dass keiner dem andern unterworfen, dass jeder unumschränkter herr seiner selbst ist.

Also sind gleichheit und freiheit zwei dem menschen wesentliche eigenschaften, zwei gesetze der gottheit, seinem wesen unvertilgbar einverleibt, wie die physischen eigenschaften der elemente.

Weil aber jeder einzelne unumschränkter herr seiner person ist, so folgt daraus, dass seine volle, freie einwilligung eine von jedem vertrag und jeder verpflichtung unzertrennliche bedingung ist.

Und weil jeder einzelne dem andern gleich ist, so folgt, dass dasjenige, was er giebt, in strengem gleichgewicht mit dem stehen

muss, was er erhält, so dass der begriff der gerechtigkeit und
billigkeit den begriff der gleichheit wesentlich in sich schliesst.«

Und augenblicklich nahte eine menge menschen sich dem
throne, schwur alle ihre auszeichnungen, alle ihre reichthümer ab
und rief: »Sagt uns die gesetze der gleichheit und freiheit, wir
wollen in zukunft nur das besitzen, was uns im namen der heiligen
gerechtigkeit gebührt. Gleichheit, freiheit, gerechtigkeit sollen für
immer unser gesetzbuch und unsere fahne sein!« (Cap. 17).

Vergeblich verbinden sich priester und tyrannen gegen das
neue gesetz, das volk widersteht sowohl der drohung wie der
verführung. Die führer des volkes aber sprechen zu den priestern:
»Wenn ihr die wahrheit besitzt, so lasst sie uns sehen; mit dank
werden wir sie empfangen, denn wir suchen sie mit begierde, und
es ist unser vortheil, sie zu finden. Wir sind menschen und
können uns irren, allein auch ihr seid menschen und ebenso des
irrthums fähig. Leitet uns in diesem labyrinth, in dem seit so
vielen jahrhunderten die menschen irren, helft uns den nebel so
vieler vorurtheile und fehlerhafter gewohnheiten zerstreuen, arbeitet
gemeinschaftlich mit uns, damit wir unter so vielen meinungen, die
unsern glauben bestürmen, das eigenthümliche und unterscheidende
gepräge der wahrheit zu erkennen vermögen. Lasst uns in einem
tage diesen langen kampf des irrthums zu ende bringen, zwischen
ihm und der wahrheit einen feierlichen wettkampf veranstalten,
die meinungen der menschen aller nationen befragen! Lasst
uns eine allgemeine völkerversammlung berufen, lasst die völker
selbst in ihrer eigenen sache urtheilen! Keine vertheidigung, kein
argument der vernunft noch der vorurtheile fehle bei diesem
wettkampf aller systeme, auf dass das gefühl einer einmüthigen
und allgemeinen überzeugung endlich die allgemeine eintracht der
geister und herzen erzeuge!« (Cap. 18).

Der vorschlag findet beifall, und nun kommen die menschen
von allen seiten herbei, um die wahrheit zu erforschen. Alle
völker und bekenntnisse sind vertreten. Da reizten die priester
die bekenner der einen religion gegen die bekenner der anderen
auf, und die alte zwietracht drohte wieder auszubrechen. »Ihr
seid im irrthum,« sagte eine partei zu der andern und zeigte mit
dem finger auf sie; »wir allein besitzen die wahrheit und die
vernunft. Wir allein haben das wahre gesetz, die wahre richt-
schnur alles rechtes, aller gerechtigkeit, das einzige mittel zum

glück, zur vollkommenheit; alle andern menschen sind blinde
oder rebellen.«

Es entstand ein ausserordentlicher aufruhr, die gesetzgeber
aber geboten stillschweigen: »Völker,« sagten sie, »welche leidenschaft treibt euch? Wohin soll dieser streit führen? O nationen,
lasst eure eigene weisheit euch rathen! Wenn unter euch ein streit
die einzelnen familienmitglieder trennt, was thut ihr denn, um sie
auszusöhnen? Gebt ihr ihnen nicht schiedsrichter?« »Ja,« rief
einmüthig die menge. »Nun wohl denn! Gebt sie auch den
urhebern eurer streitigkeiten! Gebietet denjenigen, die sich eure
lehrer nennen und euch ihren glauben auferlegen, die gründe
desselben vor eurem angesicht zu vertheidigen. Da sie sich auf
euren vortheil berufen, so lasst sehen, wie sie ihn wahren. Und
ihr, oberhäupter und lehrer der völker, untersucht die gegen
einander streitenden lehren, ehe ihr sie in den kampf eurer meinungen verwickelt. Lasst uns eine feierliche controverse, eine
öffentliche untersuchung der wahrheit anstellen, nicht vor dem
richterstuhle eines bestechlichen richters oder einer betheiligten
partei, sondern vor der ganzen menschheit!«

Die völker bezeugen ihren beifall. Darauf stellen sich die
vertreter der verschiedenen religionen in einem ungeheuren halb-
kreise um den altar der eintracht auf. Der genius benennt und
schildert nun die einzelnen gruppen (20. cap.): »Tiefes schweigen
war auf das geräusch der menge gefolgt, als die gesetzgeber
sagten: Oberhäupter und lehrer der völker! Ihr seht, wie bisher
die vereinzelt lebenden nationen verschiedene wege gewandelt
sind; jede glaubt, der bahn der wahrheit zu folgen; wenn aber
die wahrheit nur eine bahn hat und die meinungen einander entgegengesetzt sind, so ist es sehr natürlich, dass jede irrt. Wenn
so viele menschen sich täuschen, wer kann dafür einstehen, dass
er selbst sich nicht täuscht? Seid also duldsam bei euern spal-
tungen und zwistigkeiten. Lasst uns die wahrheit suchen, als
wenn keiner sie besässe; bis auf den heutigen tag haben die
meinungen, welche die erde regierten, die durch zufall entstanden sind und sich, ohne untersuchung zuzulassen, im dunkel
weiterverbreitet haben, gewissermaassen heimlich ihr recht behauptet. Sind sie wirklich begründet, so ist es zeit, ihnen den
feierlichen stempel der gewissheit aufzudrücken und ihr dasein zu
rechtfertigen. Lasst sie uns also heute zu einer gemeinschaftlichen und allgemeinen prüfung berufen; jeder lege seinen glauben

dar, alle seien richter eines jeden, und nur das werde für **wahr** erkannt, was das ganze menschengeschlecht dafür hält.‹

Der ordnung nach erhielt die erste gruppe zur linken **das** wort. ›Es ist nicht erlaubt zu zweifeln,‹ sagten die oberhäup**ter,** ›dass unsere lehre die einzig wahre, die einzig unfehlbare **sei,** denn erstens hat gott selbst sie offenbart.‹

›Die unsrige auch,‹ riefen alle gruppen zugleich, ›niema**nd** darf daran zweifeln.‹

›Dann muss sie dargestellt werden,‹ riefen die gesetzgeber, ›denn man kann nicht glauben, was man nicht kennt.‹

›Unsere lehre,‹ fuhr die erste gruppe fort, ›ist durch viele thatsachen, durch unzählige wunder, durch auferstehung der todten, durch ausgetrocknete ströme, durch versetzte berge erwiesen.‹

›Auch wir,‹ riefen alle andern, ›haben viele wunder auf- zuweisen,‹ und jeder begann die unglaublichsten dinge zu er- zählen.

›Eure wunder,‹ sagte die erste gruppe, ›sind vermeintliche wunder, blendwerke des bösen geistes, der euch betrogen hat.‹

›Das sind die eurigen,‹ erwiderten sie, und jeder sagte: ›Nur die unsrigen sind wahr, alle andern sind falsch.‹

Nun werden die bekenntnisse einander gegenübergestellt und alles, was der deismus und skepticismus des 18. jahrhunderts an's licht gebracht hatte, gegen die positiven religionen in's feld ge- führt (cap. 21).

Jetzt treten einige männer vor, die verschiedenen gruppen angehören, und suchen licht in die verwirrung und dunkelheit hineinzubringen. Sie gehen nämlich auf den ursprung und die kindheit aller religionsbegriffe ein, um die entwicklung und mannigfache spaltung derselben zu begreifen. ›Gesetzgeber! freunde der überzeugung und wahrheit! Es ist nicht zu ver- wundern, dass der gegenstand, den wir behandeln, in so viele wolken gehüllt ist, denn abgesehen von den schwierigkeiten, die seiner natur nach damit verbunden sind, ist der verstand unauf- hörlich auf neue hindernisse gestossen, weil alle freie behandlung, alle untersuchung ihm durch die unduldsamkeit jedes einzelnen systems unmöglich gemacht wurde. Da aber dem verstande, der kritik die freiheit wiedergegeben ist, so wollen wir das, was auf- geklärte geister als ergebniss langer untersuchungen an's tageslicht gebracht haben, eurem gemeinschaftlichen urtheile unterwerfen.

Wir werden es darlegen, nicht mit der forderung, den glauben daran zu erzwingen, sondern in der absicht, neues licht und grössere aufklärung zu verbreiten.«

Es werden nun der reihe nach folgende 13 religionssysteme entwickelt:

1. Ursprung des begriffs von gott; verehrung der elemente und physischen kräfte der natur.
2. Verehrung der gestirne oder sabäismus.
3. Verehrung der bilder oder abgötterei.
4. Verehrung der zwei principe oder dualismus.
5. Mystische und moralische verehrung oder system einer andern welt.
6. Die beseelte welt oder verehrung des weltalls unter verschiedenen sinnbildern.
7. Verehrung der seele der welt, das heisst, des feuerelements, des belebenden urstoffs der welt.
8. Die welt als maschine. Verehrung des demi-urgos oder des grossen werkmeisters.
9. Mosis religion oder verehrung der seele der welt (Jupiter).
10. Zoroaster's religion.
11. Buddhismus oder religion der Samanäer.
12. Bramismus oder indisches system.
13. Christianismus oder allegorische verehrung der sonne unter dem kabbalistischen namen Christen oder Christ und Jesus.

»Ihr seht,« schliessen die weisen ihre darstellung, »dass die geschichte der religion nichts anderes ist als eine geschichte der ungewissheiten des menschlichen geistes, der, in eine welt gesetzt, die er nicht ergründen kann, dennoch ihre räthsel enthüllen will.« (Cap. 22).

Bei dieser darstellung bricht ein sturm der entrüstung von allen seiten aus; die priester und tyrannen thun das ihrige, um die verwirrung zu steigern. Aber endlich gelingt es den weisen, die priester vor allen völkern blosszustellen.

Die völker, von wuth überwältigt, wollten jetzt die menschen, welche sie so hintergangen hatten, in stücke zerreissen, allein die gesetzgeber hemmten diese heftige bewegung und wandten sich an die oberhäupter und gottesgelehrten: »Wie?« sagten sie zu ihnen, »lehrer der völker, habt ihr sie so betrogen?«

Und die erschrockenen priester antworteten: »Oh gesetz geber! Wir sind menschen, und die völker sind abergläubisch Sie selbst haben unsere irrthümer hervorgerufen!«

Und die könige sagten: »Oh gesetzgeber, die völker sind so knechtisch und so unwissend! Sie haben sich freiwillig unter das joch gebeugt, das wir ihnen kaum zu zeigen wagten.«

Nunmehr wendeten sich die gesetzgeber zu den völkern: »Völker,« sagten sie zu ihnen, »denkt daran, was ihr jetzt gehört habt: es sind zwei wichtige wahrheiten. Ja, ihr selbst verursacht die übel, über die ihr euch beklagt, ihr ermuntert die tyrannen durch feige anbetung ihrer macht, indem ihr euch von ihrer erheuchelten güte täuschen lasset, durch erniedrigung im gehorchen, durch ausschweifung in der freiheit, durch leichtgläubigkeit.« Und die beschämten völker blieben in trauriges stillschweigen versenkt (cap. 23).

Hierauf ziehen die weisen den letzten schluss, dass nämlich die erkenntniss der naturgesetze die einzig mögliche positive erkenntniss sei, und dass nur auf grundlage dieser erkenntniss moral und gesetz aufgebaut werden können (cap. 24).

In der that wird im anhange »das natürliche gesetz« oder der katechismus des französischen bürgers entwickelt.

Schon die nebeneinanderstellung der inhaltsangaben von »Queen Mab« und Volney's »Les Ruines« lässt erkennen, dass Shelley diesem evangelium des französischen revolutionszeitalters mehr als den rahmen entliehen hat. Eine genaue vergleichung einzelner stellen bestärkte mich vollends in der überzeugung, dass Volney, obgleich er von Shelley in den anmerkungen zu »Queen Mab« nicht angeführt wird, weit mehr auf die dichtung eingewirkt hat, als die Holbach und Godwin, deren werke Shelley mit so grosser verehrung citirt.

Der titel von Volney's werk, der vortrefflich zu dem rahmen und zum geiste des ganzen passt, hatte natürlich bei Shelley keinerlei berechtigung. Nichtsdestoweniger ist die scenerie, von der Volney ausgeht, nämlich die »ruine«, in »Queen Mab« nicht ganz vergessen. Zweimal wird die ruine genannt:

> Hark! whence that rushing sound?
> 'Tis like the wondrous strain
> That round *a lonely ruin* swells,
> Which wandering on the echoing shore,
> The enthusiast hears at evening. I, 45—49.

Ferner in der beschwörung der fee:

> Let not a breath be seen to stir
> Around *yon grass-grown ruin's* height[1]).   I, 118/19.

Im folgenden stelle ich jene stellen aus beiden werken nebeneinander, die mir besonders beweiskräftig scheinen. »Queen Mab« wird nach Forman IV, 385, »Les Ruines« nach der 12. auflage (Paris, Bossange Frères 1822) citirt.

Shelley.

Die schlafende jungfrau.
I, 1—44.

___

Das erscheinen der fee Mab.
I, 45—113.

___

Die seele der jungfrau wird von den fesseln des leibes befreit. I, 114—138; 157—161; 188—194.

Stars! your balmiest influence shed!
Elements! your wrath suspend!
Sleep, Ocean, in the rocky bounds
That circle thy domain!
Let not a breath be seen to stir
Around *you grass-grown ruin's* height,
Let even the restless gossamer
Sleep on the moveless air!
Soul of Ianthe! Thou,
Judged alone worthy of the envied
boon,
That waits the good and the sincere;
that waits
Those who have struggled, and with
resolute will
Vanquished earth's pride and meanness,
burst the chains,
The icy chains of custom, and have
shone
The day-stars of their age; — Soul
of Ianthe!
Awake! arise!
Sudden arose

Volney.

Der wanderer.
Cap. 1 u. 2.

___

Das erscheinen des genius (»le fantôme«). Cap. 3.

___

Die seele des wanderers wird von den fesseln des leibes befreit. Cap. 4.

Je me tus; et, les yeux baissés, j'attendis la réponse du Génie. »La paix,« dit-il, »et le bonheur descendent sur celui qui pratique la justice. O jeune homme! puisque ton cœur cherche avec droiture la vérité, puisque tes yeux peuvent encore la reconnaître à travers le bandeau des préjugés, ta prière ne sera point vaine: j'exposerai à tes regards cette vérité que tu appelles; j'enseignerai à ta raison cette sagesse que tu réclames; je te révélerai la sagesse des tombeaux et la science des siècles« . . . . . Alors s'approchant de moi et posant sa main sur ma tête: »Élève-toi, mortel,« dit-il, »et dégage tes sens de la poussière où tu rampes« . . . . . Et soudain, pénétré d'un feu céleste, les liens qui nous fixent ici-bas me semblèrent se dissoudre; et, tel qu'une vapeur légère, enlevé par le vol du Génie, je me sentis transporté dans la région supérieure.

___

[1]) In der Revised Edition ist die zweite anspielung auf die ruine weggeblieben.

Ianthe's Soul; it stood
All beautiful in naked purity,
The perfect semblance of its bodily
　　　　frame.
Instinct with inexpressible beauty and
　　　　grace,
Each stain of earthliness
Had passed away, it reassumed
Its native dignity, and stood
Immortal amid ruin. . . . . . .
　　　　　Fairy.
Spirit! who hast dived so deep;
Spirit! who hast soared so high;
Thou the fearless, thou the mild,
Accept the boon thy worth hath earned,
Ascend the car with me. ·. . . . . .
　　The chains of earth's immurement
Fell from Ianthe's spirit;
They shrank and brake like bandages
　　　　of straw
Beneath a wakened giant's strength.
She knew her glorious change,
And felt in apprehension uncontrolled
New raptures opening round.

Die fahrt durch den welten-
raum. I, 199—263.

Die fahrt durch den welten-
raum. Cap. 4.

Die fee verspricht Ianthe, ihr
vergangenheit, gegenwart
und zukunft zu enthüllen.
II, 55—67.

Der genius verspricht dem
wanderer, ihm aus den ruinen
der vergangenheit die gegenwart und zukunft zu ent-
hüllen. Cap. 4, schluss.

Spirit! the Fairy said,
And pointed to the gorgeous dome,
This is a wondrous sight
And mocks all human grandeur;
But, were it virtue's only meed, to
　　　　dwell
In a celestial palace, all resigned
To pleasurable impulses, immured
Within the prison of itself, the will
Of changeless nature would be unful-
　　　　filled.
Learn to make others happy. Spirit,
　　　　come!
This is thine high reward: — the past
　　　　shall rise;

»Souvenirs des temps passés, reve-
nez à ma pensée! Lieux témoins de la
vie de l'homme en tant de divers âges,
retracez-moi les révolutions de sa fortune? Dites quels en furent les mobiles
et les ressorts! Dites à quelles sources
il puisa ses succès et ses disgrâces?
Dévoilez à lui-même les causes de ses
maux! Redressez-le par la vue de ses
erreurs! Enseignez-lui sa propre sagesse,
et que l'expérience des races passées
devienne un tableau d'instruction et
un germe de bonheur pour les races
présentes et futures!«

Thou shalt behold the present; I will
        teach
The secrets of the future.

_____

Die fee zeigt Ianthe die ruinen von Palmyra, Aegypten, Jerusalem u. s. w. II, 109—125.

Der genius zeigt dem wanderer die ruinen Asien's und Afrika's. Cap. 4.

Thörichter wahn des menschen, der nicht weiss, dass er genau denselben gesetzen unterworfen ist wie die ihn umgebende natur. II, 225—243.

Der mensch ist den naturgesetzen unterworfen. Cap. 5.

How strange is human pride!
I tell thee that those living things,
To whom the fragile blade of grass,
That springeth in the morn
And perisheth ere noon,
Is an unbounded world;
I tell thee that those viewless beings,
Whose mansion is the smallest particle
Of the impassive atmosphere,
Think, feel, and live like man;
That their affections and antipathies,
Like his, produce the laws
Ruling their moral state;
And the minutest throb
That through their frame diffuses
The slightest, faintest motion,
Is fixed and indispensable
As the majestic laws
That rule yon rolling orbs.

»Je te l'ai dit, ô ami de la vérité! l'homme reporte en vain ses malheurs à des agens obscurs et imaginaires; il recherche en vain à ses maux des causes mystérieuses . . . . Dans l'ordre général de l'univers, sans doute sa condition est assujétie à des inconvéniens; sans doute son existence est dominée par des puissances supérieures; mais ces puissances ne sont, ni les décrets d'un destin aveugle, ni les caprices d'êtres fantastiques et bizarres: ainsi que le monde dont il fait partie, l'homme est régi par des lois naturelles, régulières dans leurs cours, conséquentes dans leurs effets, immuables dans leur essence; et ces lois, source commune des biens et des maux, ne soient point écrites au loin dans les astres, ou cachées dans des codes mystérieux: inhérentes à la nature des êtres terrestres, identifiées à leur existence, en tout temps, en tout lieu elles sont présentes à l'homme, elles agissent sur ses sens, elles avertissent son intelligence, et portent à chaque action sa peine et sa récompense. Que l'homme connaisse ces lois, qu'il comprenne la nature des êtres qui l'environnent, et sa propre nature, et il connaîtra les moteurs de sa destinée; il saura qu'elles sont les causes de ses maux, et quels peuvent en être les remèdes.«

Ein übersättigter tyrann und sein hof. III, 14—117.

Despoten und ihre genusssuch t. Cap. 11, 12.

Das laster ist die quelle aller tyrannei. III, 118—138; 192—213.

Die genusssucht ist die quelle aller übel. Cap. 8; 12.

Whence, thinkest thou, kings and parasites arose?	»Oui, l'Ignorance et la Cupidité l voilà la double source de tous les

Whence, thinkest thou, kings and
  parasites arose?
Whence that unnatural line of drones,
  who heap
Toil and unvanquishable penury
On those who build their palaces, and
  bring
Their daily bread? — From vice,
  black loathsome vice;
From rapine, madness, treachery, and
  wrong;
From all that genders misery, and
  makes
Of earth this thorny wilderness; from
  lust,
Revenge, and murder .... And when
  reason's voice,
Loud as the voice of nature, shall
  have waked
The nations; and mankind perceive
  that vice
Is discord, war, and misery; that
  virtue
Is peace, and happiness and harmony;
When man's maturer nature shall dis-
  dain
The playthings of its childhood; —
  kingly glare
Will lose its power to dazzle; its
  authority
Will silently pass by; the gorgeous
  throne
Shall stand unnoticed in the regal hall,
Fast falling to decay; whilst false-
  hood's trade
Shall be as hateful and unprofitable
As that of truth is now.

Look on yonder earth:
The golden harvests spring; the unfailing sun

»Oui, l'Ignorance et la Cupidité l voilà la double source de tous les tourmens de la vie de l'homme l C'est par elles que, se faisant de fausses idées de bonheur il a méconnu ou enfreint les lois de la nature dans les rapports de lui-même aux objets extérieurs, et que, nuisant à son existence, il a violé la morale individuelle; c'est par elles que, fermant son cœur à la compassion et son esprit à l'équité, il a vexé, affligé son semblable, et violé la morale sociale. Par l'ignorance et la cupidité, l'homme s'est armé contre l'homme, la famille contre la famille, la tribu contre la tribu, et la terre est devenue un théâtre sanglant de discorde et de brigandage: par l'ignorance et la cupidité, une guerre secrète, fermentant au sein de chaque État, a divisé le citoyen du citoyen; et une même société s'est partagée en oppresseurs et en opprimés, en maîtres et en esclaves: par elles, tantôt insolents et audacieux, les chefs d'une nation ont tiré ses fers de son propre sein, et l'avidité mercenaire a fondé le despotisme politique: tantôt, hypocrites et rusés, ils ont fait descendre du ciel des pouvoirs menteurs, un joug sacrilége; et la cupidité crédule a fondé le despotisme réligieux; par elles enfin se sont dénaturées les idées du bien et du mal, du juste et de l'injuste, du vice et de la vertu; et les nations se sont égarées dans un labyrinthe d'erreurs et de calamités .... La cupidité de l'homme et son ignorance l .... voilà les génies malfaisans qui ont perdu la terre l voilà les décrets du sort qui ont renversé les empires l

Sheds light and life; the fruits, the
    flowers, the trees,
Arise in due succession; all things
    speak
Peace, harmony, and love. The universe,
In nature's silent eloquence, declares
That all fulfil the works of love and
    joy, —
All but the outcast man. He fabricates
The sword which stabs his peace; he
    cherisheth
The snakes that gnaw his heart; he
    raiseth up
The tyrant, whose delight is in his woe,
Whose sport is in his agony. Yon sun,
Lights it the great alone? Yon silver
    beams,
Sleep they less sweetly on the cottage
    thatch,
Than on the dome of kings? Is mother
    earth
A step-dame to her numerous sons,
    who earn
Her unshared gifts with unremitting
    toil;
A mother only to those puling babes
Who, nursed in ease and luxury, make
    men
The playthings of their babyhood, and
    mar,
In self-important childishness, that
    peace
Which men alone appreciate?

voilà les anathèmes célestes qui ont frappé ces murs jadis glorieux, et converti la splendeur d'une ville populeuse en une solitude de deuil et de ruines! . . . . Mais puisque ce fut du sein de l'homme que sortirent tous les maux qui l'ont déchiré, ce fut aussi là qu'il en dut trouver les remèdes, et c'est là qu'il faut les chercher. — Puisque les maux des sociétés viennent de la cupidité et de l'ignorance, les hommes ne cesseront d'être tourmentés qu'ils ne soient éclairés et sages, qu'ils ne pratiquent l'art de la justice, fondé sur la connaissance de leurs rapports et des lois de leurs organisation.«

Die gräuel des krieges. IV,
33—58.

    Ah! whence yon glare
That fires the arch of heaven? — that
    dark red smoke
Blotting the silver moon? The stars
    are quenched
In darkness, and the pure and spangling
    snow
Gleams faintly through the gloom that
    gathers round!
Hark to that roar, whose swift and
    deaf'ning peals

Die gräuel des krieges. Cap. 12.

    »Vois-tu,« me dit le Génie, »ces feux qui courent sur la terre, et comprends-tu leurs effets et leurs causes?« — »O Génie,« répondis-je, »je vois des colonnes de flammes et de fumée, et comme des insectes qui les accompagnent; mais quand déjà je saisis à peine les masses des villes et des monumens, comment pourrais-je discerner de si petites créatures? Seulement on dirait que ces insectes simulent des combats;

In countless echoes through the moun-
    tains ring,
Startling pale midnight on her starry
    throne!
Now swells the intermingling din; the
    jar
Frequent and frightful of the bursting
    bomb;
The falling beam, the shriek, the
    groan, the shout,
The ceaseless clangor, and the rush
    of men
Inebriate with rage: — loud, and
    more loud
The discord grows; till pale death
    shuts the scene,
And o'er the conqueror and the con-
    quered draws
His cold and bloody shroud. — Of
    all the men
Whom day's departing beam saw
    blooming there,
In proud and vigorous health; of all
    the hearts
That beat with anxious life at sun-set
    there;
How few survive, how few are beating
    now!
All is deep silence, like the fearful calm
That slumbers in the storm's portentous
    pause;
Save when the frantic wail of widowed
    love
Comes shuddering on the blast, or
    the faint moan
With which some soul bursts from the
    frame of clay
Wrapt round its struggling powers.

car ils vont, viennent, se choquent,
se poursuivent.« — »Ils ne les simu-
lent pas,« dit le Génie, »ils les réa-
lisent.« — »Et quels sont, « repris-je,
»ces animalcules insensés qui se dé-
truisent? ne périront-ils pas assez tôt,
eux qui ne vivent qu'un jour? . . . .«
Alors le Génie me touchant encore
une fois la vue et l'ouïe: »Vois,« me
dit il, »et entends.« — Aussitôt diri-
geant mes yeux sur les mêmes objets:
»Ah, malheureux«, m'écriai-je, saisi de
douleur, »ces colonnes de feux! ces
insectes! ô Génie! ce sont les hommes,
ce sont les ravages de la guerre! . . . .
Ils partent des villes et des hameaux,
ces torrens de flammes!«

Die empfindung ist die quelle
    des guten und bösen. IV,
    121—150.

Ah! to the stranger-soul, when first
    it peeps
From its new tenement, and looks
    abroad
For happiness and sympathy, how stern

Die empfindung ist die quelle
    des guten und bösen. Cap. 6.

»Dans l'origine, l'homme, formé
nu de corps et d'esprit, se trouva jeté
au hasard sur la terre confuse et sauvage:
orphelin délaissé de la puissance in-
connue qui l'avait produit, il ne vit

And desolate a tract is this wide world!
How withered all the buds of natural
    good!
No shade, no shelter from the sweep-
    ing storms
Of pityless power! On its wretched
    frame,
Poisoned, perchance, by the disease
    and woe
Heaped on the wretched parent whence
    it sprung
By morals, law, and custom, the pure
    winds
Of heaven, that renovate the insect
    tribes,
May breathe not. The untainting light
    of day
May visit not its longings. It is bound
Ere it has life: yea, all the chains are
    forged
Long ere its being: all liberty and love
And peace is torn from its defence-
    lessness;
Cursed from its birth, even from its
    cradle doomed
To abjectness and bondage!
Throughout this varied and eternal
    world
Soul is the only element, the block
That for uncounted ages has remained.
The moveless pillar of a mountain's
    weight
Is active, living spirit. Every grain
Is sentient both in unity and part,
And the minutest atom comprehends
A world of loves and hatreds; these
    beget
Evil and good: hence truth and false-
    hood spring;
Hence will and thought and action,
    all the germs
Of pain or pleasure, sympathy or hate,
That variegate the eternal universe.

point à ses côtés des êtres descendus des cieux pour l'avertir de besoins qu'il ne doit qu'à ses sens, pour l'instruire de devoirs qui naissent uniquement de ses besoins. Semblable aux autres animaux, sans expérience du passé, sans prévoyance de l'avenir, il erra au sein des forêts, guidé seulement et gouverné par les affections de sa nature: par la douleur de la faim, il fut conduit aux alimens, et il pourvut à sa subsistance; par les intempéries de l'air, il désira de couvrir son corps, et il se fit des vêtemens; par l'attrait d'un plaisir puissant, il s'approcha d'un être semblable à lui, et il perpétua son espèce . . . . .

Ainsi, les impressions qu'il reçut de chaque objet, éveillant ses facultés, développèrent par degrés son entendement et commencèrent d'instruire sa profonde ignorance; ses besoins suscitèrent son industrie, ses périls formèrent son courage, il apprit à distinguer les plantes utiles des nuisibles, à combattre les élémens, à saisir une proie, à défendre sa vie, et il allégea sa misère.

Ainsi, l'amour de soi, l'aversion de la douleur, le désir du bien-être, furent les mobiles simples et puissans qu retirèrent l'homme de l'état sauvage et barbare où la Nature l'avait placé; et lorsque maintenant sa vie est semée de jouissances, lorsqu'il peut compter chacun de ses jours par quelques douceurs, il a le droit de s'applaudir et de se dire: »C'est moi qui ai produit les biens qui m'environnent; c'est moi qui suis l'artisan de mon bonheur: habitation sûre, vêtemens commodes, alimens abondans et sains, campagnes riantes, coteaux fertiles, empires peuplés, tout est mon ouvrage; sans moi, cette terre livrée au désordre ne serait qu'un marais immonde, qu'une forêt sauvage, qu'un désert hideux. Oui, homme créateur, reçois mon hommage! Tu as mesuré l'**étendue** des cieux, calculé la masse des **astres**, saisi l'éclair dans les nuages, dompté **la** mer et les orages, asservi tous **les** élémens: ah! comment tant **d'élans** sublimes se sont-ils mélangés de **tant** d'égaremens!«

Die seele Ianthe's ist von den gesehenen bildern auf's tiefste erschüttert. VI, 11—22.	Die seele des wanderers ist von den gesehenen bildern auf's tiefste erschüttert. Cap. 13.

Then thus the Spirit spoke:
It is a wild and miserable world!
Thorny, and full of care,
Which every fiend can make his prey
    at will.
O Fairy! in the lapse of years,
Is there no hope in store?
Will yon vast suns roll on
Interminably, still illuming
The night of so many wretched souls,
And see no hope for them?
Will not the universal Spirit e'er
Revivify this withered limb of Heaven?

A ces mots, oppressé du sentiment douloureux dont m'accabla leur sévérité: »Malheur aux nations,« m'écriai-je, en fondant en larmes, »malheur à moi-même! Ah! c'est maintenant que j'ai désespéré du bonheur de l'homme. Puisque ses maux procèdent de son cœur, puisque lui seul peut y porter remède, malheur à jamais à son existence! Qui pourra, en effet, mettre un frein à la cupidité du fort et du puissant? Qui pourra éclairer l'ignorance du faible? Qui instruira la multitude de ses droits, et forcera les chefs de remplir leurs devoirs? Ainsi, la race des hommes est pour toujours dévouée à la souffrance! Ainsi, l'individu ne cessera d'opprimer l'individu, une nation d'attaquer une autre nation, et jamais il ne renaîtra pour les contrées des jours de prospérité et de gloire. Hélas! des conquérans viendront; ils chasseront les oppresseurs et s'établiront à leur place; mais, succédant à leur pouvoir, ils succéderont à leur rapacité, et la terre aura changé de tyrans sans changer de tyrannie.«

Alors me tournant vers le Génie: »O Génie!« lui dis-je, »le désespoir est descendu dans mon âme: en connaissant la nature de l'homme, la perversité de ceux qui gouvernent et l'avilissement de ceux qui sont gouvernés, m'ont dégoûté de la vie; et

> quand il n'est de choix que d'être
> complice ou victime de l'oppression,
> que reste-t-il à l'homme vertueux, que
> de joindre sa cendre à celle des tom-
> beaux !«

. . . .

Es wäre ein leichtes, die anzahl der stellen zu vermehren, welche den einfluss Volney's auch im kleinen zeigen; aber das ist eine arbeit, welche jeder nachtragen kann, der die oben angegebenen analysen miteinander vergleicht. Dagegen ist es wohl bemerkenswerth, dass sich der einfluss des Volney'schen werkes auch auf die umfangreichste dichtung Shelley's, nämlich auf ›The Revolt auf Islam‹ erstreckt. Man könnte vielleicht, ohne sich den vorwurf der übertreibung zuzuziehen, sagen, dass Volney's ›Ruinen‹ auch zu dieser dichtung vielfach anregung und material geliefert hat. So wie in ›Queen Mab‹ der einleitende theil des französischen werkes, also die gespräche zwischen dem wanderer und dem genius, namentlich des letzteren belehrung über vergangenheit und gegenwart sich widerspiegeln, so kommt in ›Revolt of Islam‹ der zweite theil der ›Ruinen‹, also die schilderung der neuen zeit, des letzten kampfes zwischen den versammelten völkern und den tyrannen zur geltung. Ich gebe auch aus ›Revolt of Islam‹ einige parallelen, indem ich mich wieder auf sehr wenige stellen beschränke.

Vor allem finden wir wieder die ruinen als ausgangs- und wendepunkt im 2. gesange, strophe 10—12 (Cap. 1, 2).

I wandered thro' the wrecks of days
    departed .
Far by the desolated shore, when even
O'er the still sea and jagged islets
    darted
The light of moonrise; in the northern
    Heaven,
Among the clouds. near the horizon
    driven,
The mountains lay beneath one planet
    pale;
Around me, broken tombs and columns
    riven
Looked vast in twilight, and the sor-
    rowing gale
Waked in those ruins grey its ever-
    lasting wail !

Et j'arrivai à la ville de Hems, sur les bords de l'Oronte; et là, me trouvant rapproché de celle de Palmyre, située dans le désert, je résolus de connaître par moi-même ses monumens si vantés; et, après trois jours de marche dans des solitudes arides, ayant traversé une vallée remplie de grottes et de sépulcres, tout à coup, au sortir de cette vallée, j'aperçus dans la plaine la scène de ruines la plus étonnante: c'était une multitude innombrable de superbes colonnes debout, qui, telles que les avenues de nos parcs, s'étendaient à perte de vue en files symétriques. Parmi ces colonnes étaient de grands édifices, les uns entiers, les autres demi-écroulés. De toutes parts

I knew not who had framed these
    wonders then,
Nor had I heard the story of their
    deeds;
But dwelling of a race of mightier men,
And monuments of less ungentle creeds
Tell their own tale to him who wisely
    heeds
The language which they speak; and
    now to me
The moonlight making pale the bloom-
    ing weeds,
The bright stars shining in the breath-
    less sea,
Interpreted those scrolls of mortal
    mystery.

———

Such man has been, and such may
    yet become!
Ay, wiser, greater, gentler, even than
    they
Who on the fragments of yon shattered
    dome
Have stamped the sign of power — I
    felt the sway
Of the vast stream of ages bear away
My floating thoughts — my heart beat
    loud and fast —
Even as a storm let loose beneath
    the ray
Of the still moon, my spirit onward
    past,
Beneath truth's steady beams upon its
    tumult cast.

Damit vgl. man auch VI, 27:

Within that ruin, where a shattered
    portal
Looks to the eastern stars (abandoned
    now

la terre était jonchée de **semblables**
débris, de corniches, de **chapiteaux,**
de fûts, d'entablemens, de **pilastres.**
tous de marbre blanc, d'**un travail**
exquis . . . . Ici, **me dis-je,**
ici fleurit jadis une ville op**ulente**: *ici*
fut le siége d'un empire puis**sant.** Oui!
ces lieux maintenant si déserts, jadis
une multitude vivante ani**mait leur**
enceinte; une foule active circulait
dans ces routes aujourd'hui *solitaires.*
En ces murs où règne un **morne**
silence, retentissaient sans **cesse** *le*
bruit des arts et les cris d'**allégresse**
et de fête: ces marbres amon**celés**
formaient des palais réguliers; **ces**
colonnes abattues ornaient la **majesté**
des temples; ces galéries **écroulées**
dessinaient les places publiques. **Là,**
pour les devoirs respectables de *son*
culte, pour les soins touchans de sa
subsistance, affluait un peuple nom-
breux . . . . Et maintenant voilà ce
qui subsiste de cette ville puissante:
un lugubre squelette! Voilà ce qui
reste d'une vaste domination, un souvenir obscur et vain! Au concours
bruyant qui se pressait sous ces por-
tiques, a succédé une solitude de mort.
Le silence des tombeaux s'est sub-
stitué au murmure des places publiques.
L'opulence d'une cité de commerce
s'est changée en une pauvreté hideuse.
Les palais des rois sont devenus le
repaire des fauves; les troupeaux par-
quent au seuil des temples, et les
reptiles immondes habitent les sanctu-
aires des dieux! . . . Ah, comment
s'est éclipsée tant de gloire! . . .
Comment se sont anéantis tant de
travaux! . . . Ainsi donc périssent
les ouvrages des hommes! Ainsi s'é-
vanouissent les empires et les nations!

By man, to be the home of things
    immortal,
Memories like awful ghosts which come
    and go,
And must inherit all he builds below,
When he is gone), a hall stood; o'er
    whose roof
Fair clinging weeds with ivy pale did
    grow,
Clasping its grey rents with a ver-
    durous woof
A hanging dome of leaves, a canopy
    moon-proof.

Revolt of Islam V, str. 40, 41, 42.

To see like some vast island from
    the Ocean,
The Altar of the Federation rear
Its pile i' the midst, — a work which
    the devotion
Of millions in one night created there,
Sudden, as when the moonrise makes
    appear
Strange clouds in the east; a marble
    pyramid
Distinct with steps; that mighty shape
    did wear
The light of genius; its still shadow hid
Far ships: to know its height the
    morning mists forbid!

———

To hear the restless multitudes for ever
Around the base of that great Altar flow,
As on some mountain islet burst and
    shiver
Atlantic waves; and solemnly and slow
As the wind bore that tumult to and fro,
To feel the dreamlike music, which
    did swim
Like beams thro' floating clouds on
    waves below,
Falling in pauses, from that Altar dim,
As silver sounding tongues breathed an
    aërial hymn.

———

To hear, to see, to live, was on that
    morn
Lethean joy! so that all those assembled

Volney, Les Ruines. Cap. 17.

Et sur-le-champ le peuple éleva un drapeau immense, inscrit de ces trois mots, auxquels il assigna trois couleurs: *Égalité, Justice, Liberté!* Et, l'ayant planté sur le siége du législateur, l'étendard de la justice universelle flotta pour la première fois sur la terre; et le peuple dressa en avant du siége un autel nouveau, sur lequel il plaça une balance d'or, une épée et un livre avec cette inscription:

A la loi égale, qui juge et protège. Puis, ayant environné le siége et l'autel d'un amphithéâtre immense, cette nation s'y assit tout entière pour entendre la publication de la loi. Et des millions d'hommes, levant à la fois les bras vers le ciel, firent le serment solennel de vivre libres et justes; de respecter leurs droits réciproques, leurs propriétés, d'obéir à la loi et à ses agens régulièrement préposés.

Et ce spectacle si imposant de force et de grandeur, si touchant de générosité, m'émut jusqu'aux larmes, et m'adressant au Génie: »Que je vive maintenant,« lui dis-je, »car désormais je puis espérer.«

Cast off their memories of the past
        outworn;
Two only bosoms with their own life
        trembled,
And mine was one, — and we had
        both dissembled;
So with a beating heart I went, and one,
Who, having much, covets yet more,
        resembled;
A lost and dear possession, which not
        won,
He walks in lonely gloom beneath the
        noonday sun.

     Es wird natürlich die frage gestellt werden, warum Shelley nicht Volney's werk erwähnt, und man wird mit recht auch *nach* einem äusseren anhaltspunkte für meine behauptung verlangen. Die frage könnte ich nur mit vermuthungen beantworten, *mache* also lieber erst keinen versuch; einen äusseren anhaltspunkt aber bietet der bericht Hogg's über seine und Shelley's gemeinsamen studien: ›We read also certain popular french works that treat of man, for the most part in a mixed method, metaphysically, morally and politically.‹ (Dowden I, 75.)

    Wien, Mai 1895.   L. Kellner.

II.

DIE ENTWICKLUNG DER LOCALVERWALTUNG IN ENGLAND IM LETZTEN JAHRZEHNT.

     Weit mehr als die grossen politischen ereignisse, die kämpfe der parteien um die herrschaft und der wechsel von parlamenten und ministerien greift das getriebe der verwaltung in stadt und land in das leben des einzelnen ein, und desshalb spielen auch in der englischen litteratur, soweit sie ein spiegelbild der wirklichkeit sein will, die localen verhältnisse eine viel grössere rolle, als die wichtigsten staatlichen veränderungen. Das gilt sowohl vom drama des 17. als vom roman des 18. und 19. jahrhunderts. Ben Jonson, Fielding, Smollet und Dickens, um nur die bedeutendsten ›realisten‹ zu nennen, lassen uns einen einblick thun in das gesellschaftliche leben auf dem lande wie in der stadt, und die beamten der selbstverwaltung vom friedensrichter, der in der grafschaft herrscht, herab bis zum kirchspielbüttel, dem nach Dickens »wichtigsten mitgliede der localverwaltung«, sind uns aus ihren werken wohl bekannt. Aber die zustände, die uns jene dichter mit so lebendigen farben schildern, sind jetzt nicht mehr. Einige menschenalter lang hat die uralte selbstverwaltung die demokratisirung der verfassung überdauert, allerdings ihrer früheren bedeutung schon längst beraubt; jetzt ist sie nun endgiltig zu grabe getragen worden, und auf ihren trümmern sind durch das grafschaftsrath-gesetz vom jahre 1888 und des kirchspielraths-gesetz von 1894 neue gebilde errichtet worden, die mehr im einklange stehen mit den anschauungen und anforderungen der neuzeit. Bevor wir auf diese gesetze näher eingehen, wird es gut sein, einen kurzen rückblick auf das alte Self-government zu werfen.

Wie bei der parlamentsverfassung sind die anfänge desselben schon unter den Angelsachsen zu suchen. Besonders geht die bildung der alten englischen c o u n t i e s auf die zeit von 871—975 zurück, wo diese eintheilung und dann die weitere in hundert- und zehntschaften zum zwecke der rechtsprechung angenommen wurde. Diese anfänge sind auf den normannischen staat übergegangen und besonders von Eduard I. und Eduard III. weiter ausgebildet worden. Wie die entstehung des ober- und unterhauses in seiner endgiltigen gestalt, so ist auch das Self-government in den grafschaften ein werk jener zeit. Damals wurde der g e s c h w o r e n e n d i e n s t geregelt, zu dem die freisassen (freeholders) von 40 sh. grundeinkommen zugelassen wurden, ein census, der auch dem parlamentswahlrecht zu grunde gelegt wurde. Und im jahre 1360 wurde das amt der f r i e d e n s r i c h t e r geschaffen, der wichtigsten behörde im gesammten englischen staatsleben. »In jeder grafschaft,« so verordnet das gesetz, »sollen ernannt werden zur erhaltung des friedens ein lord und drei oder vier der respectabelsten in der grafschaft, und sie sollen gewalt haben, zu bändigen die gesetzübertreter, aufrührer und alle anderen ruhestörer und sie zu verfolgen, zu ergreifen, in haft zu nehmen und sie gebührend zu bestrafen nach dem gesetz« etc. Diese friedensrichter handhaben die polizei und bestrafen kleinere vergehen selbständig, während sie wirkliche criminalstrafen nur collegialisch in ihren quartalsitzungen (Quarter sessions) unter zuziehung einer jury verhängen. Auch die ortsschulzen, die den namen c o n s t a b l e s erhalten, werden ihnen untergeordnet. Ernannt werden konnten zu diesem amte nur besitzer von 20 ₤ grundeinkommen, d. h. dieselbe classe, auf die auch das passive wahlrecht zum parlamente beschränkt war. Die städte, soweit sie nicht zu den grafschaften gehörten, sondern eigene stadtverfassungen (Charters) erhielten, wurden ähnlich geregelt. Diese verwaltung durch die ritterschaft, die zugleich das leitende element im unterhause bildet, im verein mit den freisassen und pächtern, sowie den honoratioren der städte hat die stürme der rosenkriege überdauert und dann unter der kraftvollen monarchie der Tudors ihre ergänzung und weitere entwicklung gefunden. Heinrich VIII. ernennt in den grafschaften lieutenants (d. h. statthalter) des königs, später lord-lieutenants genannt, die die miliz befestigen und aus dem hohen adel genommen sind. Das amt der friedensrichter, welches von dem niederen adel, der gentry, verwaltet wird, gewinnt durch eine umfassende und für jene zeit mustergiltige arbeits- und armengesetzgebung immer grössere bedeutung, und endlich wird durch den ausbau der verfassung des kirchspiels (parish) auch den mittelständen lebendige betheiligung am gemeindeleben und eine festere organisation gegeben. Das kirchspiel wird die grundlage der armenpflege. Durch das gesetz von 1601 wird die armenpflege zur allgemeinen gesetzmässigen last eines jeden kirchspiels, in welchem der arme geboren und seit drei jahren wohnhaft ist. Zu diesem zwecke wird das amt der armenaufseher (overseers of the poor) gebildet, die zusammen mit den kirchenvorstehern (church-wardens) für die beschäftigung und unterstützung der bedürftigen sorgen und zur armensteuer einschätzen. Daneben sind für die instandhaltung der wege wegeaufseher (surveyors of the highways) bestellt, die die wegelast unter die gemeinde vertheilen. In den gemeindeversammlungen (vestries) werden die wirthschaftlichen aufgaben der gemeinde erledigt. Alle diese ämter, ebenso wie das der constables, die die ortspolizei verwalten, sind — das ist das wesen des alten Self-government — verantwortliche ehrenämter, die unter der controle der friedensrichter stehen.

In dem stürmischen jahrhundert der revolutionen und der restauration hat sich diese selbstverwaltung glänzend bewährt. »An dem festen gliederbau der englischen grafschaft,« sagt Gneist[1]), »in ihrer jetzt vorhandenen festen cohärenz mit den

---

[1]) Das englische verwaltungsrecht der gegenwart. Berlin 1883, p. 54.

stadt- und kirchspielverfassungen scheitert der absolutismus.‹ Selbst der mächtige wille Cromwell's, der sechsmal vergebens versucht hat, parlamentarisch zu regieren, bricht sich an diesem unterbau der englischen verfassung und kann deshalb nichts organisches, bleibendes zu stande bringen.

Nach der restauration wird die grafschafts-· und kirchspielsverwaltung wieder hergestellt, und sie belebt die opposition gegen die neuen versuche der Stuarts, die verfassung zu untergraben und zu beseitigen. Jakob II. fand es unmöglich, gefügige friedenscommissionen und geschworenengerichte zu erlangen.

Mit der vertreibung der Stuarts durch die sog. ›glorreiche revolution‹ und der ›erklärung der rechte‹ sind verfassung und verwaltung zu einem abschlusse gelangt, und das 18. jahrhundert ist die zeit ihrer blüthe. Beide beruhen auf der herrschaft der grundaristokratie unter bescheidener und immer abnehmender mitwirkung der mittelstände. Der lord befehligt als lord-lieutenant die miliz der grafschaft, führt den vorsitz bei den quartalsitzungen der friedenscommission als custos rotulorum (bewahrer der rollen) und ist zugleich mitglied des oberhauses. Die squires und die patricier der städte bilden die friedenscommissionen und vertreten ihren bezirk im unterhaus, für das unter königin Anna ein census von 600 £ grundrente für die grafschaftsritter und von 300 £ für die abgeordneten der städte festgesetzt wird, während von den friedensrichtern eine grundrente von 100 £ verlangt wird. Die wahlberechtigten freisassen der grafschaft und die corporationsfähigen bürger der städte erscheinen als der politische mittelstand, versehen den dienst als geschworene und kirchspielbeamte und wählen zum parlament. Die grosse masse des volkes ist zwar persönlich frei, aber ohne politische rechte. So waren die stände begrenzt, aber nicht wie kasten von einander abgeschlossen Jeder konnte, wenn er die nöthigen bedingungen erfüllte, in die gentry und nobility aufgenommen und, abgesehen von zeitweiligen religiösen beschränkungen, zum grafschafts- oder kirchspieldienst herangezogen werden. Hier erwarb sich der parlamentarier die praktische lebenserfahrung und geschäftskenntniss, die ihn vor theoretischer einseitigkeit schützte und fähig machte, die grossen aufgaben des staates zu erfüllen. Von einem wahlrecht war bei diesen ämtern im allgemeinen nicht die rede. Fast alle beamte der grafschaft und des kirchspiels wurden aus den dazu berechtigten personen ihres bezirkes ernannt, die höheren von der regierung, die niederen vom friedensrichter. Eine ausnahme bestand nur für einen der kirchenvorsteher, den die gemeinde wählte, während der pfarrer den anderen ernannte. Am schlusse des 18. jahrhunderts sind in England und Wales etwa 200000 personen im Self-government thätig [1]), eine zahl, die auch die höchste grenze der parlamentswählerschaft darstellt.

Die allmähliche erstarrung und verknöcherung des politischen lebens im 18. jahrhundert lässt sich vorzüglich auf zwei ursachen zurückführen, die zunehmende verdrängung des ländlichen *freisassenthums* durch den grossgrundbesitz, welche aus freien bauern abhängige pächter macht, und das absterben der thätigkeit *der* bürgerversammlungen in den städten, an deren stelle stehende ausschüsse (select bodies und select vestries) treten. Der mittelstand tritt immer mehr von der politischen thätigkeit zurück, die zahl der wähler nimmt ab, und der bestechung und beeinflussung ist thür und thor geöffnet. Dies macht sich zunächst bei den parlamentswahlen fühlbar. Das wahlrecht ist in den meisten fällen zu einem nur historisch zu erklärenden vorrecht, zu einem unrecht geworden. Die grossen, neu emporgeblühten städte sind meist rechtlos, während heruntergekommene flecken, wie das bis auf ein haus vom meere verschlungene Old Sarum, 1 oder 2 abgeordnete in das unterhaus senden. Wo die vertretung nicht im festen besitze der krone oder des grundadels ist, wird sie meistens im einzelnen oder im ganzen verkauft und verhandelt.

Stürmisch fordern desshalb die durch den handel und die industrie, besonders die erfindung der maschine, zu bedeutung gelangten classen ihren antheil an der macht. Das reformgesetz von 1832, welches die wahlkreise neu vertheilt und die zahl der wähler verdoppelt, kommt ihrem wunsche nach. Es folgen dann die beiden reformgesetze von 1867 und 1885, die das wahlrecht fast allgemein machen und die alte aristokratie in eine demokratie verwandeln. Wir können hier auf die einzelheiten dieser friedlichen revolution nicht eingehen. Man beachte nur, dass beide parteien, die Whigs wie die Tories, daran antheil haben. Jenen zwar gebührt der ruhm, den anfang gemacht zu haben, diese aber sind ihnen gefolgt. Die zweite reformbill knüpft sich an den namen Disraeli's, wie die dritte an den Gladstone's.

---

[1]) Das nähere s. bei Gneist, Das englische parlament, p. 299.

Durch diese umwälzung war aber der zusammenhang zwischen verfassung und verwaltung gelöst. Der alte grundsatz, dass nur die erfüllung von pflichten in gemeinde oder grafschaft das recht verleihe, im staate mitzusprechen, war durchbrochen. Auch im Self-government musste früher oder später eine ähnliche umwälzung erfolgen.

Ohnehin genügte es schon längst nicht mehr den anforderungen der neuzeit. Die gesellschaft, die sich früher bei seinen bestimmungen wohl gefühlt hatte, war ihnen jetzt völlig entwachsen und fühlte sich durch sie auf allen seiten eingeengt und gedrückt. So folgt denn auf das erste reformgesetz eine ganze reihe von gesetzen über armenpflege und wegeordnung, gesundheits - und baupolizei, stadtverwaltung und schulwesen, deren grundzug meistens eine bureaukratische centralisirung ist, die mehr an französische muster als an den bewährten geist der englischen verfassung erinnert.

Das erste und wichtigste dieser gesetze ist das n e u e a r m e n - g e s e t z von 1834 (ergänzt 1841), welches zugleich das muster für alle folgenden bildet und desshalb eine nähere besprechung verdient. Das alte armengesetz, welches 233 jahre bestanden hat, war längst zu einer landplage geworden. Besonders das verwickelte niederlassungsrecht, welches ursprünglich zum schutze der schwer belasteten gemeinden dienen sollte, konnte dazu verwandt werden, die nichtbesitzenden auf alle weise zu chicaniren, und störte den arbeitsmarkt und die arbeitsgelegenheit [1]). Diese missstände nahmen natürlich mit dem anwachsen der industrie und dem daraus folgenden steigen und rascheren wechsel der bevölkerung immer mehr zu. Ferner machte es die kleinheit der bezirke unmöglich, wirksame maassregeln für die beschäftigung der armen zu ergreifen, und endlich war durch eine nachlässige, wenig vernünftige verwaltung die armenlast ungeheuer angeschwollen.

Durch das gesetz von 1834 wurden zunächst mehrere kirchspiele zu einer u n i o n zusammengelegt mit einem gemeinsamen arbeitshause (w o r k h o u s e), in welchem allein arbeitsfähigen armen (paupers) unterstützung zu theil wurde. Solcher unions

---

[1]) Vgl. hierüber Fielding, Joseph Andrews IV, 2, 3, 5, wo gezeigt wird, wie das niederlassungsrecht von der herrschenden classe zum schaden der landarbeiter ausgebeutet werden konnte. S. ferner die ausführliche und lichtvolle darlegung bei Adam Smith, Wealth of Nations, buch I, cap. X, theil II (ausg. von Routledge, p. 107 ff.).

umfasst England etwa 647. In den Union-workhouses herrscht eine harte disciplin; die familien werden von einander getrennt, das leben dort ist gefängnissartig, so dass der aufenthalt in denselben fast als eine schande gilt. An der spitze einer solchen union steht ein aufsichtsrath (Board of Guardians), bestehend zum theil aus den friedensrichtern, zum theil aus kirchspielmitgliedern, die nach einem classificirten stimmrecht von 1—6 stimmen gewählt werden, indem auf je 50 £ steuerquote eine stimme fällt. Die wahl geschieht möglichst geschäftsmässig durch vorschläge und abgeholte zettel. Der Board beschränkt sich darauf, beschlüsse zu fassen und unterstützungsgesuche zu prüfen und zu bewilligen. Die eigentliche verwaltung geschieht durch von ihm angestellte, besoldete beamte. Der staat controlirt auf das genaueste die gesammte armenpflege, die dem Local Government Board als centralbehörde unterstellt ist.

In ähnlicher weise und möglichst im anschluss an die so gebildeten armenverbände werden durch eine reihe von gesetzen die sicherheits-, gesundheits- und baupolizei, die wegeordnung und das schulwesen geregelt [1]). In letzterem besteht jedoch ein wesentlicher unterschied mit bezug auf den wahlmodus der Boards. Die schulverwaltungsräthe werden mit gleichem stimmrecht gewählt, indem man von der ansicht ausgeht, dass alle familienväter an den schulen ein gleiches interesse haben; doch können mehrere oder auch alle stimmen auf ein bevorzugtes mitglied vereinigt werden. Daher kommt es wohl auch, dass die wahlen zu diesen körperschaften allein schon seit langer zeit ein lebhafteres interesse erregt haben.

Dieser zeit der verwaltungsreformen gehört auch die neubildung der städtischen verwaltung durch die Municipal Corporation Acts von 1835 und 1882 an. Sie haben die alten corporationscharten und innungsprivilegien aufgehoben und eine geregelte stadtverwaltung durch Town Council, Aldermen und Mayor an ihre stelle gesetzt. Die stadtverordneten (Town Councillors) werden von allen 1 jahr lang ansässigen bürgern der stadt, die eigenthümer oder miether eines wohnhauses oder geschäftslocals sind und ihre abgaben bezahlt haben, auf 3 jahre gewählt. Ihre zahl beträgt 12—48, von denen ein drittel jährlich ausscheidet. Aus

---

[1]) Nuisances Renoval and Diseases Prevention Acts 1848, 1849, 1855. — Health Acts 1848, 1858, 1875. — Highway Acts 1836, 1863, 1864, 1878. — Elementary Education Acts 1870, 1876.

diesen geht der engere ausschuss der Aldermen hervor, deren zahl ein drittel der stadtverordneten beträgt, und die von diesen auf 6 jahre gewählt werden, indem alle 3 jahre die hälfte ausscheidet. Beide zusammen wählen auf 1 jahr den bürgermeister (Mayor). Die polizeiliche verwaltung und rechtsprechung liegen in den händen von städtischen friedensrichtern, zu deren zahl der jedesmalige und der vorjährige bürgermeister ex officio gehören, und an deren spitze ein königlicher stadtrichter (Recorder) steht.

Alle diese maassregeln waren gewiss nothwendig, um die aufgaben der gesellschaft zu erfüllen. Aber sie zerstörten das communalleben, die betheiligung und das interesse der bevölkerung an den örtlichen angelegenheiten. Dem kirchspiel war seine bedeutung genommen. Die früher von seinen mitgliedern im ehrenamte versehenen persönlichen dienste waren an besoldete kleine beamte übergegangen; das örtliche gemeindeleben (parochial mind) erlosch immer mehr. In den grafschaften hatten die friedensrichter einen grossen theil ihrer befugnisse an die neuen Boards abgeben müssen und waren auf die verwaltungsrechtsprechung und einzelne aufsichtsrechte beschränkt worden. Zwar nahm in den städten die ganze bürgerschaft wieder an der verwaltung theil, aber diese verwaltung hatte durch die absonderung der polizeigewalt, der armenpflege und anderer zweige einen so dürftigen inhalt bekommen, dass sie auch kein lebendiges communales interesse zu erregen vermochte. Noch weniger lag das in der macht der unverantwortlichen Boards, bei denen der persönliche charakter des amtes, die auffassung des verbandes als einer pflichtgenossenschaft ganz in den hintergrund trat, und an ihre stelle die auffassung desselben als einer erwerbs- oder actiengesellschaft gesetzt wurde, die zu gunsten der steuerzahler möglichst billig, und ohne sie viel zu belästigen, von besoldeten beamten verwaltet wurde. Nur an den schulverhältnissen nahm das publicum antheil.

Der widerspruch lag in diesem erstarren und erlöschen des gemeingefühls im kleineren bezirke und der ausdehnung der parlamentsrechte. Während früher für wähler wie gewählte das gemeindeleben die vorschule der staatlichen wirksamkeit gewesen war, fehlte jetzt der zusammenhang, das gefühl der verantwortlichkeit und die praktische geschäftskenntniss, die vor theoretischer überspanntheit schützt. Ein freies gemeinwesen kann aber nur bestehen und blühen, wenn der sinn für das öffentliche leben alle classen der gesellschaft durchdringt und verbindet.

Diesen sinn wieder herzustellen, die neuen machthaber, die massen, für das öffentliche leben zu erziehen, verfassung und verwaltung von neuem in einklang zu bringen — das scheint mir der zweck der beiden gesetze von 1888 und 1894, zu deren besprechung wir jetzt übergehen wollen.

Zunächst muss bemerkt werden, dass die reform der verwaltung, wie früher die der verfassung, nicht die ausschliessliche domäne einer, etwa der liberalen partei gewesen ist. Seit Disraeli die conservative partei reorganisirt oder, wie er 1867 in Edinburgh sagte, »erzogen« und dieser so erzogenen partei die zweite reformbill abgerungen hat, suchen sich beide parteien in der reformthätigkeit den rang abzulaufen. So verdankt das grafschaftsrathsgesetz einer conservativen regierung seine entstehung. Am 19. März 1888 brachte der präsident des Local Government Board, Ritchie, seine local-regierungsbill ein, die am 27. Juli vom unterhause und am 9. August vom oberhause angenommen wurde.

Dies gesetz gab dem lande eine neue eintheilung. Bis dahin zerfiel England in 40 und Wales in 12 grafschaften, die meistens noch aus der angelsächsischen zeit herrührten, wie das ihre, an die alten königreiche und angelsächsischen städte erinnernden namen beweisen. Diese alten grafschaften blieben bestehen und bewahrten eine gewisse bedeutung für das militär- und gerichtswesen, sowie für die parlamentswahlen. Einige von ihnen aber, die für verwaltungszwecke zu gross erschienen, wie z. b. Lancashire, wurden in zwei oder drei theile getheilt, und ausserdem wurde London und 61 anderen städten der charakter einer grafschaft verliehen; diese städte heissen jetzt County Boroughs. Die meisten derselben haben 50 000 einwohner und darüber; einige, wie Exeter, Lincoln, Chester, Gloucester, Worcester und Canterbury, verdanken diese bevorzugung ihrer geschichtlichen bedeutung. So umfassen England und Wales jetzt 124 grafschaften, an deren spitze je ein grafschaftsrath (County Council) steht. Die anzahl der mitglieder dieser versammlung richtet sich nach der grösse der verwaltungsdistricte; Lancaster hat 140, Radnor (Wales) nur 32 räthe.

Das wahlrecht und die zusammensetzung des grafschaftsraths ist im allgemeinen nach dem muster der städteverordnung von 1835 und 1882 geregelt. Es stimmen alle steuerzahler der grafschaft, wozu auch die pächter, miether oder nutzenden inhaber gehören, die nach dem verbreiteten systeme des compounding-rathes nur scheinbar steuern zahlen, während dieselben in wirklichkeit von den eigenthümern entrichtet werden. Diese wählen die County-councillors direct auf 3 jahre, welche ihrerseits wieder auf 6 jahre die County-aldermen cooptiren. Die zahl der aldermen beträgt ein drittel der councillors, also ein viertel der ganzen versammlung, und die hälfte von ihnen scheidet alle 3 jahre aus mit dem vorbehalt der wiederwahl. Beide zusammen wählen den vorsitzenden (chairman) auf 3 jahre.

Auf diese versammlung sind alle befugnisse übergegangen, welche die friedensrichter früher in den quartalsitzungen ausübten, und ausserdem zum theil noch die geschäfte, die von den Boards bis dahin erledigt wurden. Der grafschaftsrath verwaltet das bewegliche sowie unbewegliche vermögen der grafschaft, die irrenhäuser, gefängnisse, brücken u. s. w., sorgt für die erhaltung der landstrassen und die reinerhaltung der flüsse, ist überhaupt die oberste sanitäts- und baubehörde, stellt die beamten der grafschaft an, schreibt die grafschaftssteuer aus und nimmt anleihen auf, ertheilt die concession zu theatralischen aufführungen und für den verkauf von sprengstoffen und führt die wahllisten. Auch die concession für den verkauf alkoholartiger getränke sollte ihm ursprünglich übertragen werden, aber dies scheiterte an der entschädigungsclausel. Die grosse mässigkeitspartei in England, die anhänger in beiden politischen lagern hat, war einer entschädigung der wirthe, denen etwa die concession genommen würde, abgeneigt, und da die regierung die entschädigungsclausel nicht fallen lassen wollte, so blieb das schankgewerbe den friedensrichtern unterstellt. In bezug auf die grafschaftspolizei wurde ein mittelweg eingeschlagen, wonach dieselbe einer aus friedensrichtern und grafschaftsräthen zu gleichen theilen zusammengesetzten commission anvertraut werden sollte. Nur in der hauptstadt wurde die sache, wie wir sehen werden, anders geregelt. Das elementarschulwesen wird auch noch weiterhin von gewählten School Boards verwaltet. Den einst allmächtigen friedensrichtern verbleiben nur noch untergeordnete befugnisse, die niedere gerichtsbarkeit und zum theil die polizeiaufsicht, die schankconcessionen, die reclamationen gegen die einschätzung zur grafschaftssteuer und noch für kurze zeit ein theil der armenpflege.

Ein ganz besonderes interesse hat in England die neuorganisation der verwaltung von London erregt. Bis zum jahre

1888 war London allerdings die grösste zusammenhängende häuser-
und menschenmasse der welt; aber es war keine stadt, kein gemeinwesen, wie Berlin, Paris und andere hauptstädte. Es bestand
zunächst aus der uralten City, die durch die stürme der jahrhunderte und den wechsel aller verhältnisse hindurch ihre mittel-
alterliche verfassung mit allen privilegien und gebräuchen bewahrt
hat. Sie hat es aber nicht verstanden, die allmählich sich bildenden und zu der ungeheuren weltstadt zusammenwachsenden ort-
schaften in sich aufzunehmen. So wurden denn diese von den
gemeindevorständen (vestries), den verschiedenen Boards, unter
denen besonders der Metropolitan Board of Works und der School
Board zu nennen sind, sowie von den friedensrichtern und übrigen
beamten der grafschaften Middlesex, Surrey und Kent, in denen
das gebiet der stadt lag, so gut oder schlecht es ging, auf jeden
fall nicht nach einem einheitlichen plane, verwaltet. Da ist es
kein wunder, dass London zwar die volk- und verkehrsreichste,
aber auch die hässlichste, schmutzigste und am planlosesten gebaute hauptstadt der welt ist.

Durch das gesetz von 1888 wurde London zu einer grafschaft gemacht, deren höchste behörde die befugnisse des früheren
Metropolitan Board of Works und der magistrate von Middlesex,
Surrey und Kent übernahm. Der Londoner grafschaftsrath wird
in derselben weise gewählt und setzt sich ebenso zusammen, wie
die übrigen grafschaftsräthe. Nur beträgt die zahl der Aldermen
in demselben weniger als ein sechstel der Councillors, 19 gegen
118. Der Chairman kann, aber braucht kein Councillor zu sein.
Die befugnisse dieser versammlung von 137 mitgliedern, deren
erster präsident der Earl of Roseberry war, sind im allgemeinen
dieselben, wie die der übrigen grafschaftsräthe. Doch steht die
polizei, weil sie nicht als eine städtische, sondern als eine staat-
liche betrachtet wird, die zugleich zum schutze des königlichen
hauses, der regierung und des parlaments dient, direct unter dem
minister des innern. Nur die Citypolizei ist selbständig, wie
überhaupt die City als eine »stadt in der stadt« mit selbständiger
verwaltung fortbesteht. Auch die schulen unterstehen, wie seither,
dem London School Board, einer 1870 gegründeten und aus 55
mitgliedern bestehenden versammlung.

Seit seinem bestehen hat der Londoner grafschaftsrath ein
reges leben entfaltet. Die ersten männer aller berufsclassen, lords,
parlamentarier, finanzgrössen, bedeutende industrielle, gelehrte,

künstler, schriftsteller, haben sich um einen sitz in demselben be-
werben und weitausschauende pläne für die neuorganisation der
gewaltigen metropole gefasst. Zwei parteien stehen sich in ihm
gegenüber: die fortschrittspartei (Progressive Party) und die gemässigten (Moderates). Die fortschrittler, die bis vor kurzem bei
weitem über die majorität verfügten, erstreben die wirkliche um-
wandlung London's zu einem mächtigen gemeinwesen, zunächst
durch die »verstadtlichung« — sit venia verbo — aller ver-
kehrsmittel, des wassers, des gases, der badeanstalten, märkte,
docks u. s. w., dann durch die wirkliche einigung (unification)
der stadt durch einverleibung der alten City. Sie sind den arbeitern sehr entgegengekommen durch die sog. Fair Wages Clause,
nach der der grafschaftsrath seinen arbeitern die löhne zahlt,
die von den gewerbevereinen als billig (fair) betrachtet werden.
Ferner beabsichtigen sie, die grossgrundbesitzer, denen bekanntlich ein grosser theil des grund und bodens von London gehört, welchen sie auf 99 jahre verpachten, durch eine grundrente zu den steuern heranzuziehen. Neuerdings ist ein rückschlag gegen diese umfassenden pläne, die eine bedeutende er-
höhung der städtischen steuern herbeigeführt haben, eingetreten.
Die »gemässigten« haben bei den diesjährigen wahlen die majorität der fortschrittspartei vernichtet, und es ist zu erwarten,
dass für die nächste zeit eine verlangsamung der reformthätigkeit
platz greifen wird. Auch zeigt die City wenig lust, ihre sonder-
stellung und ihre privilegien zu gunsten der gesammtheit aufzugeben. Doch ist nicht zu verkennen, dass seit der errichtung
dieser neuen behörde in die verwaltung London's nach jahr-
hundertelangem stillstand leben gekommen ist, und dass dieselbe
ihr schwieriges amt mit energie und ernst aufgefasst hat.

Schon bei der berathung der grafschaftsvorlage war von einem
abgeordneten der wunsch geäussert worden, dass dieselbe auch
auf die kirchspiele und districte ausgedehnt würde, aber die regierung hatte dies als zu weitgehend vorläufig von der hand ge-
wiesen. Das liberale ministerium Gladstone's, welches in folge
der wahlen von 1892 zur herrschaft gelangte, übernahm diese
aufgabe des ausbaues der verwaltung nach unten hin. Die Local
Government Bill for England and Wales, gewöhnlich Parish
Councils Bill genannt, des präsidenten der localverwaltung, H.
Fowler, ist neben der erbschaftssteuer Sir William Harcourt's die
einzige grössere maassregel von dem umfassenden Newcastle-pro-

gramm, welche bis jetzt gesetz geworden ist. Lange und hartnäckig tobte der kampf um dieselbe. Im März 1893 wurde sie eingebracht, am 2. November desselben jahres begann die zweite lesung, und erst am 5. März 1894 nahm sie das oberhaus in dritter lesung an, nachdem es hartnäckig versucht hatte, sie durch amendements abzuschwächen, was ihm nur zu geringem theile gelang. Dass schliesslich nach langem hin- und hersenden von einem haus zum andern die Bill doch gesetz wurde, ist vor allem der haltung der liberalen unionisten zuzuschreiben, die in diesem punkte nicht mit den conservativen zusammen gingen. — Die annahme dieses gesetzes fällt zusammen mit dem wichtigsten ereigniss der neuesten geschichte England's, dem rücktritt Gladstone's vom politischen schauplatz. Seine letzte rede im unterhause (1. März 1894), in welcher er die widerwillige annahme der amendements der lords durch die regierung erklärte, um dem ewigen hin- und hersenden ein ende zu machen, war ein aufruf zum kampfe gegen den letzten rest der alten aristokratischen verfassung, das oberhaus. Es war der consequente abschluss eines politischen lebens, das der demokratisirung England's gewidmet war.

Wir wollen nun den inhalt des gesetzes darlegen, wie es schliesslich aus den langen berathungen hervorging. Es bestimmt die einrichtung von kirchspiel- und districtsräthen (Parish- and District Councils) in England und Wales, und zwar sowohl auf dem lande wie in den städten. An der spitze jedes kirchspiels von 300 einwohnern und darüber muss ein gewählter kirchspielrath stehen, während in einem kirchspiel mit unter 300 einwohnern jährlich wenigstens einmal eine kirchspielversammlung (Parish meeting) stattfinden soll, die also den alten vestries entsprechen würde, während der kirchspielrath in etwa an die select vestries[1]) erinnert. Doch kann der grafschaftsrath auf besonderen antrag auch einen kirchspielrath in einem kleinen kirchspiel errichten. Ausserdem sollen die districte, die den früher

---

[1]) Eine solche select vestry konnte nach dem früheren gesetze in einem kirchspiel von über 800 einwohnern gebildet werden. Es sollten ungefähr 12 vestrymen auf 1000 gemeindemitglieder kommen, aber nie mehr als 120. — Bei der berathung über die Parish Councils konnte man sich über die untere bevölkerungsgrenze schwer einigen. Die conservativen schlugen 500 einwohner vor; die radicalen verlangten 200 einwohner. Man einigte sich schliesslich auf diesen ursprünglichen vorschlag der regierung, den sie später, den radicalen zu gefallen, geändert hatte. Die anzahl der ländlichen kirchspiele über 300 einwohner beträgt in England und Wales etwa 13 000, die darunter etwa 6000.

gebildeten Sanitary Districts entsprechen und mit unseren kreisen verglichen werden können, District Councils erhalten, zu denen die kirchspiele je einen gewählten vertreter senden. Der kirchspielrath besteht aus 5—15 mitgliedern; die grösse eines districtrathes hängt natürlich von der anzahl der kirchspiele in demselben ab.

Das wahlrecht ist das umfassendste, welches jemals in England oder in irgend einem anderen lande in wirksamkeit gewesen ist. Es können wählen und sind wählbar alle diejenigen wähler, die in den listen für die grafschafts- und parlamentswahlen geführt werden, d. h. auf der einen seite alle diejenigen, welche irgend einen selbständigen besitz in der gemeinde haben, und zwar frauen ebensowohl wie männer, verheirathete frauen nicht weniger als unverheirathete, auf der anderen seite auch die landarbeiter und dienstboten [1]). Alle früheren vorrechte, besonders der census und das recht, mehrere stimmen abzugeben, sind abgeschafft.

Was nun die befugnisse dieser neuen behörden angeht, so sind im allgemeinen die rechte der vestries auf die kirchspielräthe und die der verschiedenen boards für die armenpflege, gesundheits-, bau- und wegepolizei auf die districtsräthe übergegangen Auch die friedensrichter haben wieder einen theil ihres einflusses eingebüsst.

Auf einzelne punkte, die von besonderem interesse sind, wird es gut sein etwas näher einzugehen. Heftigen widerspruch bei den lords fand der vorschlag der regierung, den kirchspielräthen den zwangsweisen ankauf oder die pacht von kleinen äckern zur überlassung an arbeiter und handwerker zu gestatten. Schon seit längerer zeit herrscht in England das bestreben, der entvölkerung des flachen landes, wo alljährlich der getreidebau abnimmt und das land zu weideplätzen verwandt wird, und dem daraus folgenden zusammenströmen eines immer wachsenden proletariats in die grossen städte dadurch vorzubeugen, dass man den landarbeitern und handwerkern gelegenheit giebt, land durch pacht oder käuflich zu erwerben. Mehrere gesetze, die Allotment Acts von 1887 und 1890 und die Small Holdings Act von 1892, verdanken diesem

---

[1]) Bei den ersten wahlen wurden viele damen gewählt, es kam sogar vor, dass ein mann und seine frau gewählt wurden. Vgl. Times, Weekly Edition 21. December 1894, p. 1015.

rufe nach »three acres and a cow« ihre entstehung. Bis jetzt haben sich dieselben übrigens noch wenig wirksam erwiesen.

Nun soll der kirchspielrath das recht haben, ein stück land bis zur grösse eines acre (4046,78 ☐meter) zwangsweise zu pachten. Von conservativer seite wurde hiergegen geltend gemacht, dass der fall eintreten könnte, dass die mehrzahl der kirchspielräthe aus arbeitern bestehe, die sich die besten stücke landes aussuchten. Man suchte desshalb die sache möglichst zu erschweren. Schliesslich kam es zu einem compromiss, nach welchem in streitigen fällen die entscheidung des grafschaftsraths und in letzter instanz die das Local Government Board, d. h. der regierung, angerufen werden soll. Ob nun dies gesetz die jahrhunderte lange entwicklung des grundbesitzes in England aufhalten oder in andere bahnen leiten wird, das ist eine frage, die schwer zu entscheiden ist, die wir aber natürlich hier nicht erörtern können.

Eine andere bestimmung des gesetzes, durch die besonders die kirche sich in ihren rechten betroffen fühlte, betrifft die verwaltung der mildthätigen stiftungen, der sog. »charities«. Dieselben waren bis dahin von den kirchlichen behörden, d. h. dem pfarrer und den kirchenvorstehern, verwaltet worden. Jetzt sollte dies recht, sofern nicht »ecclesiastical charities«, d. h. solche, die ausdrücklich für kirchliche zwecke bestimmt waren, in betracht kamen, auf die vom kirchspielrath eingesetzten bevollmächtigten (trustees) übergehen Hiergegen erhob die staatskirche widerspruch, und es kam schliesslich auch in diesem punkte zu einem compromiss, nach welchem die verwaltung dem kirchspiel und der Charity Commission [1]) gemeinsam übertragen wurde.

Eine vollständige niederlage erlitt jedoch die sache des grossgrundbesitzes in der armenpflege. Bis dahin war man von dem grundsatze ausgegangen, dass es nur denen zukäme, über die vertheilung und verwendung der armensteuer zu bestimmen, die dieselbe zahlten. In folge dessen hatte man das wahlrecht zum armenpflegeramte durch einen hohen census und die pluralität der stimmen beschränkt und ferner bestimmt, dass die friedensrichter ex officio armenpfleger (guardians) sein sollten. Jetzt wurde die armenpflege dem auf der grundlage des breitesten wahlrechts gewählten districtsrathe übertragen und den friedensrichtern ihre be-

---

[1]) Die Charity Commission, die höchste verwaltungsbehörde für milde stiftungen, ist im jahre 1853 errichtet worden. Sie hat seit 1874 auch die aufsicht über die stiftungsschulen (Endowed Schools).

fugniss entzogen. Auch milderte man die strengen bestimmungen über die ertheilung von unterstützungen ausser dem arbeitshause (out-door relief). Die gefahr, die in dieser änderung liegt, ist die, dass es vorkommen kann, dass die armensteuern von leuten ausgeschrieben und vertheilt werden, die selbst nichts dazu beitragen und vielmehr in die lage kommen können, eine unterstützung in anspruch zu nehmen. Es ist das ein sehr gewichtiges bedenken; dasselbe passt aber ebensosehr auf alle übrigen bestimmungen dieses gesetzes, welches noch in weit höherem maasse, als das viel gemässigtere grafschaftsgesetz, nicht auf das misstrauen, sondern auf das vertrauen zu den massen gegründet ist.

Die übrigen bestimmungen des gesetzes bieten wenig interessantes. Die befugnisse des kirchspielrathes erstrecken sich auf das wegerecht[1]), die freihaltung offener plätze im allgemeinen interesse, die einrichtung von badeanstalten, öffentlichen bibliotheken, waschhäusern, die beschaffung von arbeiterwohnungen, die anstellung der kleinen beamten, der armenaufseher u. s. w. Der districtsrath hat die functionen der früheren wege-, sanitäts- und armenbehörden übernommen, ertheilt concessionen, führt die aufsicht über die märkte u. s. w. Sein vorsitzender ist ex officio friedensrichter seines bezirks, ausgenommen, wenn derselbe — ein sehr wohl denkbarer und gewiss vorkommender fall — eine dame ist.

Das sind die grundzüge des neuen gesetzes. Am 8. November 1894 trat es in kraft, und noch im December desselben jahres fanden die ersten kirchspiel- und districtsraths-wahlen statt. Dieselben riefen, wie das schon bei der neuheit der sache anzunehmen war, ein allgemeines interesse hervor. Die resultate waren natürlich nach den jeweiligen politischen und örtlichen verhältnissen verschieden. Soviel geht aber aus denselben hervor, dass alle stände vom magnaten, dessen besitz nach quadratmeilen zählt, bis zum ärmlichen tagelöhner in seiner hütte aus lehm und stroh in den neuen localparlamenten vertreten sind. Da tagen arbeiter und pächter, geistliche und lehrer, handwerker und krämer, lords

---

[1]) Ein correspondent der Times berichtet derselben folgenden hübschen fall: »In einem benachbarten kirchspiel ist ein rath gewählt worden, der fast ganz aus arbeitern oder sehr kleinen pächtern von ausgesprochen radicaler gesinnung besteht. Das erste, was dieser rath beschlossen hat, ist, dass ein weg durch einen obstgarten, der einem der mitglieder gehört, zugemacht werden soll, weil die jungens die kirschen stehlen, wenn sie reif sind. Jeder commentar zu dieser hübschen geschichte ist überflüssig.« Times, Weekly Edition 28. December 1894, p. 1034.

und grossindustrielle, feine damen und pächtersfrauen neben einander und lernen sich durch gemeinsames wirken gegenseitig kennen und verstehen. Wenn hiermit auch noch nicht die zeit herangekommen ist, wo der löwe neben dem lamm weidet, so dürften doch manche classenvorurtheile schwinden, und vielfach ein besseres verhältniss zwischen reichen und armen, vornehmen und geringen sich anbahnen.

Der hauptnutzen des gesetzes ist aber auch noch ein anderer. Als im jahre 1867 die damalige conservative regierung »den sprung ins dunkle« [1]) der zweiten reformbill wagte, da rief einer der bedeutendsten parlamentarier, Robert Lowe, aus : »Jetzt müssen wir wenigstens unsere neuen herren erziehen.« Diese erziehung für das öffentliche leben zu geben, das wird die aufgabe der 13 000 kirchspielräthe, 564 district- und 124 grafschaftsräthe sein, die durch die beiden gesetze geschaffen worden sind.

Die alte classenherrschaft, die des grundbesitzes (»squirearchy«) [2]) und der staatskirche, wie sie im 17. und 18. jahrhundert geblüht und noch weit bis in unser jahrhundert hinein fortbestanden hat, ist endgiltig zu grabe getragen. Der friedensrichter, der früher zusammen mit dem pfarrer allmächtig war, ist zu einem schatten herabgesunken und theilt jetzt die macht mit dem kleinbürger, bauer und arbeiter. Nur noch das oberhaus und die staatskirche bestehen fort, aber auch an ihnen rüttelt mächtig der sturm des modernen gleichheitsprincips, wie dies die geschichte der letzten monate beweist. Die herrschaft der massen ist an ihre stelle getreten, und die englischen staatsmänner haben ernst und vertrauensvoll die consequenzen dieser friedlichen umwälzung gezogen. Den unterbau, den die alte aristokratie in dem Self-government hatte, haben sie der neuen demokratie in der localverwaltung gegeben. Die folgen hiervon werden auch für das wirthschaftliche und gesellschaftliche leben gewiss nicht ausbleiben.

OFFENBACH a. M., März 1895.   Ph. Aronstein.

---

[1]) Dieser ausdruck rührt nach McCarthy von dem damaligen Lord Cranborne, jetzigen Marquis of Salisbury her. A short History of our own Times, II, 118.

[2]) »The Lord of the manor has been reduced to a King Log« schreibt die Times am 26. Januar 1895.

LITTERATUR.

~~~~~~~~~~

I.

Dr. F. Liebermann: 1. Ueber Pseudo-Cnut's Constitutiones de Foresta. Halle a./S., Max Niemeyer. 1894. IV + 55 ss. 8°. Pr.: mk. 1,60. 2. The Text of Henry I's Coronation Charter (Transactions of the Royal historical Society. N. S. vol. VIII, s. 21—48). 1895.

Wiederum habe ich über zwei neuere arbeiten dr. Liebermann's bericht zu erstatten, welche beide die geschichte der älteren englischen rechtsquellen betreffen und deren erkenntniss in sehr erheblichem grade fördern.

Die erste und ältere dieser arbeiten behandelt das räthselhafte rechtsdenkmal, welches den namen der Constitutiones Canuti regis de foresta trägt. In einer quellengeschichtlichen einleitung (s. 1—49) untersucht dabei der verfasser zunächst die bisherige behandlung des denkmales, die überlieferung seines textes und seine quellen; ferner dessen entstehungsgeschichte, dessen fälscher, endlich den quellenwerth, welcher ihm beigelegt werden darf.

Wir erfahren vorab, dass das denkmal den ältesten antiquaren und juristen England's unbekannt war. Erst unter der königin Elisabeth wurde dasselbe abgeschrieben und von Wil. Harrison in seiner »Description of England« veröffentlicht (1577), worauf es dann bald auch bei den forstjuristen, jagdschriftstellern und naturhistorikern beachtung fand. Man hielt es im ganzen für echt oder doch für eine spätere lateinische übersetzung eines verlorenen ags. oder dänischen originales, wenn man auch hin und wieder einzelne interpolationen zugab; erst in neuerer zeit regten sich ausnahmsweise auch wohl zweifel an der echtheit des ganzen. Der verfasser aber stellt fest, dass aus sachlichen sowohl als aus paläographischen gründen jedenfalls nicht an eine fälschung des 16. jahrhunderts gedacht und zumal Harrison einer solchen nicht verdächtigt werden dürfe, der zu einer derartigen unternehmung weder gelehrt noch gewissenlos genug war.

Die überlieferung des textes der Constitutiones beruht auf einer zweifachen grundlage. Einmal kommt in betracht deren bereits erwähnte Editio princeps in Wil. Harrison's Description of England, welche im jahre 1577 als einleitung zu Holinshed's Chronicle erschien; sie wird vom verfasser als Ho. bezeichnet

Sodann aber liegt noch eine handschrift der universitätsbibliotbek zu Cambridge vor, Ji VI. 53 in 12°, welche um das jahr 1570 geschrieben ist und vom verfasser als Cii. bezeichnet wird, deren sonstiger inhalt zumeist ebenfalls forstrechtlicher natur ist. Beide texte weisen auf eine gemeinsame vorlage zurück, welche bald der eine, bald der andere von ihnen getreuer wiedergiebt, welche aber selbst erst kurz vor dem 16. jahrhundert geschrieben zu sein scheint und jedenfalls nur lange nach dem 12. jahrhundert geschrieben sein kann. Die Cambridger hs. wurde erst im jahre 1894 von Liebermann aufgefunden und war somit bisher unbenützt geblieben; aber auch Harrison's druck wurde nur von dem alten forstjuristen Marwood benützt (1592 und 1598), während alle übrigen schriftsteller sich eines neudruckes von Holinshed aus dem jahre 1587 bedient haben, welcher durch druckfehler und willkürliche correcturen mehrfach entstellt ist und somit für die gestaltung des textes überhaupt gar nicht in betracht kommen darf. Nur aus diesem späteren drucke stammt insbesondere auch eine lesung, welche den germanisten schweres kopfzerbrechen veranlasst hat, nämlich der beisatz in § 33: »secundum legem Werinorum, i. e. Thuringorum«. In Ho. lauten die worte: »secundum legem merimorum«, während Cii. offenbar richtiger liest: »secundum legem Mercinorum«; da die Instituta Canuti, cap. 125[1]), denen die stelle entlehnt ist, lesen: »secundum legem Merciorum«, ist also die Myrcna-lagu gemeint, d. h. das recht des königreichs Mercien. Der neudruck von 1587 aber hat, doch wohl unter dem einflusse der von Herold besorgten ausgabe der »Lex Angliorum et Werinorum id est Thuringorum« (1557), jene worte durch »secundum legem Werinorum id est Churingorum« wiedergegeben, und in dieser gestalt ist die stelle in den viel benützten abdruck des denkmals in Henr. Spelmann's Glossarium archaiologicum (1687), s. 242, und weiterhin in die späteren ausgaben übergegangen, nur etwa, wie bei B. Thorpe und R. Schmid, mit der nabeliegenden emendation »Thuringorum« für »Churingorum«. Liebermann hat bereits an einer anderen stelle[2]) darauf aufmerksam gemacht, dass durch diesen nachweis Karl von Richthofen's vermuthung[3]), die fraglichen worte seien auf Herold's ausgabe zurückzuführen, eine schlagende bestätigung erhält.

Als quelle haben den Constitutiones die Instituta Canuti gedient; es ist dies aber auch das einzige altenglische denkmal, das sich in ihnen benützt zeigt. Die verwerthung dieser quelle ist dabei eine ziemlich oberflächliche; aber sie zieht sich durch das ganze werk hindurch und lässt zugleich klar erkennen, dass dessen verfasser ein bewusster fälscher war, und dass er erst geraume zeit nach der abfassung der Instituta seine fälschung ausgearbeitet haben kann.

Die entstehungszeit der Constitutiones untersucht der verfasser in zwei abschnitten, deren erster nur die allgemeinen kriterien ins auge fasst. Aus der buchstäblichen übereinstimmung einzelner stellen derselben mit der wortfassung der Instituta ergiebt sich zunächst, dass erstere von anfang an lateinisch geschrieben und nicht etwa aus dem Angelsächsischen übersetzt waren; anderer-

---

[1]) Ed. Kolderup-Rosenvinge, s. 111; Reinh. Schmid, anhang XX, § 42, s. 429.
[2]) Zeitschrift der Savignystiftung f. Rechtsg., bd. XV, germ. abth. s. 174 (1894).
[3]) Zur Lex Saxorum, s. 409—10, anm. 3 (1868).

seits aber schliesst auch die entstehungszeit der Instituta jede möglichkeit einer abfassung der Constitutiones vor dem 12. jahrhundert aus. Ebendahin weist der durchgängige gebrauch normännischer ausdrücke, die verwendung des pluralis majestatis seitens des als sprechend eingeführten königs Knut, sowie das gelegentliche missverstehen der bedeutung einzelner ags. worte. Endlich fällt schwer ins gewicht, dass man bis in die mitte des 12. jahrhunderts herab den könig Knut als gesetzgeber sehr hoch schätzte, aber von einem forstrechte desselben nichts wusste, während schon seit dem schlusse des 11. jahrhunderts über die härte des von könig Wilhelm I. eingeführten forstrechtes bitter geklagt wird, was denn doch kaum erklärlich wäre, wenn schon unter könig Knut so strenge satzungen erlassen worden wären, wie sie unsere Constitutiones enthalten. — Im folgenden abschnitte werden sodann weitere schlüsse aus der entwickelung des englischen forstrechtes gezogen, und dieser abschnitt ist nicht nur der umfangreichste (s. 14—32), sondern auch inhaltlich von ganz besonderer bedeutung, soferne er in aller kürze eine auf umsichtige benützung der urkunden sowohl als der gesammten übrigen litteratur gestützte übersicht über die geschichte dieses forstrechtes bietet. Zunächst stellt der verfasser dabei fest, dass die Angelsachsen zwar bereits eine geregelte waldwirthschaft sowohl als einen kunstgerechten betrieb der jagd kannten und auch bereits eigene bedienstete für den waldschutz hielten, dass aber die jagd bei ihnen noch keineswegs als ein besonderes hocharistokratisches vergnügen galt, und dass jene bediensteten noch ganz und gar nicht dieselbe rolle spielten, wie die forstbeamten der normännischen zeit. Insbesondere enthalten zwar die gesetze könig Knut's, II, cap. 80, bereits eine bestimmung über die jagd; aber diese wird in wald und feld jedermann auf eigenem grund und boden freigegeben und nur innerhalb der befriedeten gehege des königs deren betrieb »be fullan wíte« verboten, während zugleich aus den Const. de for. § 21 dringend wahrscheinlich gemacht wird, dass zu könig Knut's zeiten überhaupt nur die höhere bestrafung des wildfrevels, nicht auch des waldfrevels, den königlichen bannwald vor anderen wäldern ausgezeichnet habe, indem dort nur das »crimen veneris«, nicht auch das »crimen viridis« als »ab antiquo« zu den schwereren verbrechen gezählt bezeichnet wird. Dann wird hervorgehoben, dass die ganze behandlung des forst- und jagdwesens eine völlig andere sei, als die in den echten gesetzen Knut's. Die vorhin besprochene vorschrift von Knut II, cap. 80, ist zwar in § 30 der Constitutiones übergangen, aber nur in sehr wesentlich veränderter gestalt. Nicht mehr jedermann (ælc man), sondern nur der adelige (liberalis homo) soll nach diesen letzteren die jagd auf eigenem grunde haben, und auch er nicht mehr in wald und feld (on wuda and on felda), sondern nur noch im feld (in planis), auch nicht mehr uneingeschränkt, sondern nur noch mit ausnahme der edelhetze (sine chacea tamen); es erscheint ferner die androhung der geldstrafe für den im bannforste begangenen wildfrevel gestrichen, weil das spätere forstrecht diesen mit verbannung oder leibesstrafe bedrohte. Es wird ferner darauf hingewiesen, dass die geschichtsquellen sehr energisch den grossen wildfrieden, welchen könig Wilhelm I. setzte, und die strengen gesetze betonen, durch welche er ihn schützte, wie sie denn von ihm sagen: »er liebte das hochwild so sehr, wie wenn er dessen vater wäre«[1]);

---

[1]) Chron. anglos. a. 1086 (ed. Earle, s. 222).

dass ferner könig Heinrich I. in seiner krönungsurkunde, cap. 10, erklärt, »forestas« so behaupten zu wollen, wie sie sein vater besessen habe, während er cap. 13 im übrigen »lagam regis Eadwardi — — cum illis emendationibus quibus pater meus eam emendavit« wiederhergestellt wissen will; dass endlich das spätere englische forstrecht, wie so manche einrichtung der normännischen zeit, sichtlich aus der verfassung des Frankenreiches herstammt, — alles beweise dafür, dass das strenge forstrecht der späteren zeit in England erst durch könig Wilhelm I. und nicht schon durch könig Knut eingeführt wurde. Weiterhin giebt dann der verfasser eine skizze der entwickelung des forstrechtes in den jahren 1067—1135, d. h. bis zum tode könig Heinrich's I., für welche zeit freilich nur ziemlich dürftige nachrichten zu gebote stehen. Ausgegangen wird dabei von der unterscheidung des offenen waldes (silva, nemus), des geschlossenen waldes (parcus), und des mit besonderen rechten ausgestatteten forstes (foresta). Waldungen der ersten und zweiten art kann jeder unterthan ebensogut besitzen, wie der könig, dagegen ist der forst, der übrigens keineswegs bloss aus wald zu bestehen braucht, jederzeit königlich. Als angesehene königliche beamte kommen jetzt bereits forestarii vor, wenn auch von den custodes silvæ und den venatores regis noch nicht scharf geschieden. Die unterscheidung der jagd auf hirsche und auf schwarzwild von der auf hasen, wie sie in den Constitutiones § 22—27 durchgeführt wird, führt die ags. chronik schon auf könig Wilhelm's I. gesetzgebung zurück, und strenge strafen für die hirschdiebe sind auch für die nächstfolgende zeit bezeugt. Auch forstgerichte und forstbesichtigungen kommen in dieser zeit bereits vor, während eine forstassise allerdings erst von könig Heinrich II. erhalten ist. Im ganzen scheint unter könig Heinrich I. das forstrecht noch verschärft worden zu sein. Unter ihm soll insbesondere die lähmung der im privatbesitze stehenden hunde eingeführt worden sein, welche unsere Const. de for. bereits kennen, und vielleicht hat auch erst er die »chacea« sich vorbehalten; jedenfalls figuriren ferner die »foresæ« in den Leges Henrici I, cap. 10, § 1, bereits unter den regalien, und werden in deren cap. 17 auch schon rügefragen an den forsttagen besprochen, für welche ganz ähnliche rechtsgrundsätze wie die in unseren Constitutiones geltenden maassgebend sind. Erst unter Heinrich's I. regierung festigte sich auch die unterscheidung »viridis et veneris«, d. h. von holz und jagd, wie sie in diesen Constitutiones hervortritt, und erst nach seiner zeit können somit diese entstanden sein, wogegen allerdings schwer zu entscheiden ist, wie lange nachher, da das forstrecht in den jahren 1130—1216 wesentlich gleich blieb. Indessen hat doch könig Heinrich II. (1154—89) das forstrecht auf seiner früheren grundlage etwas weiter ausgebaut und scheinen die Const. de for. einzelne seiner anordnungen zu kennen. So erinnern z. b. die strafsatzungen der Constitutiones an die zeit Heinrich's II., und zumal die unterstellung der cleriker ebensowohl als der laien unter die forstgerichte, dann die ständeeintheilung, von welcher jene ausgehen, weisen auf seine zeit. Jedenfalls scheint ferner die in den Constitutiones § 1 als neuerung bezeichnete einsetzung von je vier reichsförstern für jede provinz mit einer anordnung zusammenzuhängen, welche der könig im jahre 1184 traf, während andererseits auch der umstand hierzu stimmt, dass der um das jahr 1177 schreibende verfasser des Dialogus de scaccario sie noch nicht gekannt zu haben scheint. Unter allen umständen kann die compilation nicht nach der Magna Charta von 1215 und der Charta de foresta von 1217 entstanden sein, da diese dem älteren forstrechte ein ende machten; aber auch schon in die zeit könig Richard's I. (1189—99) scheint sie nicht wohl zu passen, da unter diesem könige das forstrecht bereits gemildert wurde, wenn er auch das gesetz von 1184 im jahre 1198 in erweiterter form nochmals publicirte.

Im sechsten abschnitte wird die person des fälschers besprochen. Ausser den Instituta Canuti regis kennt dieser von den älteren englischen rechtsquellen keine, und in der ags. sowohl als dänischen sprache zeigt er grosse unkenntniss; er wird demnach wohl normännischer abkunft gewesen sein. Dem geistlichen stande scheint er nicht angehört zu haben, da er unbedenklich selbst den äbten den betrieb der jagd gestattet und gegen die unterwerfung clericaler wildfrevler unter die forstgerichtsbarkeit nichts einzuwenden hat; vielmehr deutet die scharfe betonung des rechts, nicht auch der pflichten, der höheren, nicht auch der niederen, forstbeamten und des adels darauf hin, dass der verfasser der compilation ein höherer forstbeamter von ritterlicher abkunft gewesen sein mag, und hierzu stimmt auch seine ziemlich geringe schriftstellerische sowohl als juristische schulung. Die tendenz der fälschung scheint dahin gegangen zu sein, nicht nur den thatsächlich gegebenen zustand des forstrechtes durch dessen begründung auf ein angeblich altes schriftstück sicher zu stellen, sondern auch eine gleichmässigere handhabung dieses rechtes durch die übertragung der forstgerichtsbarkeit an barone in unabhängiger stellung gegenüber der reinen willkür des königs zu befördern. Den namen könig Knut's aber seinem machwerke beizulegen, dazu mochte den fälscher der ruhm bestimmen, dessen gerade dieser könig im 12. jahrhundert als gesetzgeber genoss, und ausserdem vielleicht auch noch der zwiefache umstand, dass die von ihm benützten Instituta wirklich dessen namen tragen, und dass eine aus dessen gesetzen stammende vorschrift über das jagdrecht thatsächlich, wenn auch einigermaassen verändert, aus den Instituta in die compilation herübergenommen wurde; jedenfalls sollte des königs name dieser den schein höheren alters und grösseres ansehen verschaffen.

Im letzten abschnitte endlich prüft der verfasser noch, und zwar sehr eingehend, den quellenwerth, welcher den Constitutiones zuzuerkennen ist. Natürlich kann dieser werth nur auf die zustände des 12. jahrhunderts sich beziehen, in welchem die compilation entstand, nicht auf die des 11. jahrhunderts, in welchem sie entstanden zu sein angiebt; aber auch für jene spätere zeit ist er nicht sehr hoch anzuschlagen, da der compilator die von ihm selbst beobachteten zustände fortwährend mit den älteren angaben, welche er den Instituta entlehnte, und mit einem systeme vermischte, welches nicht der wirklichkeit, sondern nur seinen eigenen wünschen entsprach. Mit der grössten vorsicht ist hiernach seine arbeit von der rechtsgeschichtlichen forschung zu benützen; von den erörterungen, welche Liebermann in dieser richtung im einzelnen giebt, bleibt natürlich gar manches zweifelhaft, und ich beschränke mich hier um so mehr auf die besprechung einiger weniger punkte, weil sonst mehrfaches zurückgreifen auf die schon früher behandelte geschichte des englischen forstrechtes unvermeidlich wäre. — Zunächst mögen einige sprachlich interessante vorkommnisse erwähnt werden. Die »canes, quos Angli greihounds appellant« in den Constitutiones § 31 erinnern an die altnordische bezeichnung des hundes als grey, welche durch den bekannten, von Hjalti Skeggjason im jahre 999 gesprochenen spottvers schon für sehr frühe zeit sicher bezeugt ist *); aber freilich gilt das wort hier als allgemeine bezeichnung des hundes überhaupt, nicht als specielle benennung einer bestimmten art von hunden. Bezüglich der anderen hunde, »quos reinehound (ramhundt) vocant« (Constitutiones § 35), halte ich die vom verfasser vorgeschlagene zurückführung auf ags. hránhund, d. h. rennthierhund, für richtig und bemerke dazu, dass nicht nur die Orkneyinga-saga²) einmal von einer rennthierjagd in Caithness spricht, sondern dass auch schon Egill Skallagrímsson einmal das nordenglische gebirgsland als hrein-braut, d. h. weg der renthiere, bezeichnet³). Will man ferner für die wind-hunde nicht »langeran«, sondern mit einer anderen quelle⁴) »langlegeran« lesen, so wird man wohl an altnord. »langleggr« denken dürfen, welches wort, wenn auch zunächst für den vorderfussknochen des schafes gebraucht, doch ganz wohl auch adjectivisch gleichbedeutend mit »háleggr« verwendet werden konnte und somit für einen hoch- oder langbeinigen hund eine ganz gute bezeichnung abgeben mochte. »Warscot« (Constitutiones § 9) als »wardscot« aufzufassen, dürfte sich in der that empfehlen; dagegen scheint mir doch etwas gewagt, »muchehunt« oder »muchiunt« (§ 11) als »muchimot«, d. h. magnum placitum, zu deuten, und ganz räthselhaft bleibt auch mir michni in § 6. Sachlich kommt in betracht, dass die Constitutiones »cum concilio primariorum hominum«, oder »prim. hom. de foresta« erlassen sein wollen. Allerdings beruht das forstrecht nach dem Dialogus de scaccario nicht auf dem »jus commune«, sondern auf der »voluntaria principum institutio«; aber eine betheiligung der höheren forst-beamten bei dessen weiterbildung, wie sie die zweite lesart voraussetzt, wäre dadurch natürlich nicht ausgeschlossen, und da die forstassisen könig Hein-rich's II. und Richard's I. die beistimmung der grossen erwähnen, könnte selbst deren mitwirkung bei einem neuen forstgesetze zur zeit der entstehung unserer compilation nicht auffallen. Das volk theilen die Constitutiones in drei stände: hochfreie, mittelfreie und unfreie; aber diese dreitheilung ist der wirklichkeit fremd, und die bezeichnungen der drei classen werden theils, mit mancherlei missverständnissen, den Instituta entlehnt, theils aber auch der rechtssprache des 12. jahrhunderts entnommen. Diese dreitheilung wird ferner mit den abstufungen der forstlichen beamtenhierarchie in verbindung gebracht, indem die forstrichter der ersten, die förster der zweiten und die gehilfen der dritten classe entnommen werden sollten; aber auch diese parallelisirung ent-spricht nicht der wirklichkeit, und jedenfalls ist zuviel gesagt, wenn angegeben wird, dass der eintritt in die classe der förster oder gehilfen den mittelfreien zum hochfreien und den unfreien mittelfrei mache (§ 3 u. 5). In jeder pro-vinz, d. h. grafschaft, sollen nach den Constitutiones vier forstrichter (primarii forestæ) bestellt werden; aber das entsprach zwar einem gelegentlich gehegten reformprojecte, dagegen nicht der vollen wirklichkeit, welche selbst diesen titel nicht kannte, wenn auch ein anklang an denselben vereinzelt nachweisbar ist. Die angaben über die besetzung der würde mit immunitätsherren aus der

---

¹) Íslendingabók, cap. 10 u. öfter.
²) Flateyjarbók, II, § 441, s. 508.
³) Eigla, cap. 55, s. 179, ed. Finnur Jónsson (Kopenhagen, s. 1886 bis 1888).
⁴) Leges Anglorum Londoniæ collectæ, s. 2 (bei Liebermann).

gegend stehen ebenso wie die über die competenz und die rangverhältnisse der forstrichter mit den wirklichen zuständen nicht im einklang; ebensowenig entspricht dieser, was über die zahl und stellung der mediocres und minuti, dann über die besoldung der forstbeamten gesagt wird. Nur theilweise richtig sind ferner die angaben über die viermal im jahre von den primarii abzuhaltenden forstgerichte; die vorschriften über den forstprocess aber sind gutentheils mit mehrfachen missverständnissen aus den Instituta herübergenommen und konnten in dieser gestalt im 12. jahrhundert unmöglich mehr gegolten haben. Unsicheren werthes ist auch, was über die classificirung der thiere im forst und deren verschiedene behandlung, dann über die jagdprivilegien der barone, einschliesslich der bischöfe und äbte, und über die bestrafung des wildfrevels je nach der beschaffenheit der that und dem stande des thäters gesagt wird. Mit einigen bemerkungen über die hunde, dann über die vorkommenden jagdbaren thiere schliesst die einleitung, von deren reichhaltigkeit das obige nur einen schwachen begriff zu geben vermag.

An die einleitung schliesst sich sodann (s. 49—55) noch eine ausgabe des textes der Constitutiones de foresta an. Sie ist auf die beiden allein brauchbaren überlieferungen, Ho. und Cii., gebaut, deren abweichungen von einander sorgfältig verzeichnet werden; nur ausnahmsweise werden auch wohl einzelne interessante lesarten aus Marwood und dem späteren abdrucke von Holinshed, dann einige textesbesserungen von Liebermann selbst berücksichtigt und überdies am rande die stellen der Instituta angegeben, welche den Constit. als quelle gedient haben. Damit erhalten wir zum ersten male eine wirkliche kritische ausgabe der wunderlichen compilation, welche fortan bei deren benutzung allein wird gebraucht werden dürfen.

Weit kürzer kann ich mich über die zweite arbeit Liebermann's fassen, welche die krönungsurkunde könig Heinrich's I. behandelt. Auch sie besteht aus zwei theilen, nämlich einer quellengeschichtlichen einleitung (s. 20—40) und einer textausgabe (s. 40—48). Die einleitung erörtert zunächst die ungewöhnlichen schwierigkeiten, welche der ermittelung des authentischen textes dieser urkunde im wege stehen. Gelegentlich der am 5. August des jahres 1100 erfolgten krönung des königs erhielt jede einzelne grafschaft in England eine eigne ausfertigung derselben, und ein anderes exemplar wurde im schatze zu Winchester niedergelegt; es gab demnach schon von anfang an eine grössere anzahl authentischer ausfertigungen, die unter sich recht wohl manche abweichung zeigen konnten, ja zum theil sogar mussten. Andererseits sind alle diese originalurkunden längst verloren gegangen, und bei den zahlreichen abschriften, welche allein erhalten sind, haben theils unabsichtliche fehler der verschiedenen abschreiber, theils auch absichtliche veränderungen des textes, welche diese sich erlaubten, und selbst bewusste fälschungen weitere abweichungen in der wortfassung zur folge gehabt. Der verfasser sucht festzustellen, wie weit im einzelnen falle die zwischen den verschiedenen überlieferungen der urkunde sich zeigenden abweichungen auf den einen oder andern urprung zurückzuführen seien; aber es versteht sich von selbst, dass trotz alles aufgewandten scharfsinns in dieser beziehung nicht immer volle sicherheit zu erreichen ist. Die adressen wenigstens der verschiedenen originalausgaben mussten selbstverständlich schon von anfang an verschieden sein, und wirklich sind uns die verschieden lautenden adressen an Worcestershire und Hertfordshire erhalten, während eine anderwärts vorfindliche, allgemein an ganz England gerichtete adresse allenfalls aus dem für Winchester bestimmten exemplare herstammen kann. Die am schlusse der urkunde beigefügte zeugenliste tritt in 6 verschiedenen gestalten auf, und es mag ja sein, dass die verschiedenen ausfertigungen in dieser beziehung von anfang an abweichungen der fassung gezeigt hatten; andre male ergaben sich solche aber auch wohl dadurch, dass spätere abschreiber einzelne zeugennamen willkürlich wegliessen, oder auch angehörige ihrer eigenen domkirche oder ihres eigenen klosters ebenso willkürlich einschoben. Ein schlagendes beispiel solchen vorgehens zeigt der, leider mit unrecht sehr überschätzte, text von Rochester. Nachdem er schon in seiner überschrift eine selbstverständlich nicht dahin gehörige und überdiess chronologisch falsch datirte historische notiz eingeschoben hatte, lässt er am schlusse in der zeugenliste nicht nur mehrere anderwärts genannte namen aus, sondern er interpolirt auch den namen des b. Gundulf von Rochester, welcher in keinem der anderen texte sich findet, und dessen nennung auch aus anderen gründen sehr verdächtig erscheint. Ein anderer, auf Westminster zurückzuführender text nennt ferner unter den zeugen den abt dieses klosters, Gilbert Crispinus; aber der name seiner abtei wird dabei nicht genannt, wie der gebrauch dies forderte, und umgekehrt war die nennung des familiennamens in einem officiellen documente überhaupt und zumal auch gerade in bezug auf Gilbert nicht üblich, so dass die worte »et G. abbate Crispino« doch wohl als eine privatinterpolation aufgefasst werden müssen. Eine weitere fassung, welche der Quadripartitus enthält, nennt überhaupt keine zeugennamen, sondern sagt nur ganz allgemein: »Testibus archiepiscopis, episcopis, comitibus, baronibus, vicecomitibus et optimatibus totius regni Angliae«. Aber derartige formeln sind zwar in der adresse von urkunden ganz gebräuchlich, aber nicht an deren schluss, und widersprechen der rechtlichen natur des zeugnisses, welches mit nothwendigkeit die verantwortlichkeit bestimmter einzelner personen voraussetzt. Ueberdies pflegen sherifs nicht als zeugen, sondern als empfänger königlicher verfügungen aufzutreten, und die anwesenheit der gesammten geistlichen und weltlichen aristokratie England's bei der hastigen krönung könig Heinrich's, nur vier tage nach dem jähen tode Wilhelm's II., ist undenkbar und bezüglich erzb. Anselm's von Canterbury absolut unmöglich, da dieser sich zur zeit noch ausser landes befand; hier wird also der compilator des Quadripartitus, wie so oft, gefälscht haben. Bezüglich der aus dem kloster St. Albans stammenden textesgestaltungen stossen wir zunächst auf die angeblich historische notiz, dass könig Heinrich I. alle an die grafschaften ergangenen ausfertigungen in deren abteien habe niederlegen lassen, dass er sie dann aber sämmtlich zurückgezogen habe, wobei nur die beiden metropolitankirchen und das kloster St. Albans je ein exemplar zurückbehalten hätten; beides ebenso unglaubhaft wie die verwandlung des vicecomes Hugo de Boclande in einen justiciarius Angliae und beides nur auf die verherrlichung des genannten klosters berechnet. Die letzte, das datum enthaltende zeile fehlt oder steht nur verkürzt in solchen textesgestaltungen, welche auch einzelne zeugen auslassen; wenn die fassung von Rochester statt Westminster London als ausstellungsort nennt, so ist dies eine sachlich bedeutungslose änderung des ursprünglichen textes, und wenn zwei sonst gute fassungen den in königlichen urkunden nicht üblichen gruss »Valete« beifügen, so mag dieses wohl ein hinterher von einzelnen schreibern willkürlich gemachter zusatz sein. Die herkömmliche eintheilung der urkunde in zwei capitel ist aufzugeben, weil nur von einem rubricator der Leges Henrici I. herrührend; ebenso eine reihe von rubriken im text, welche entweder ebendaher stammen oder nachträglichen randbemerkungen in einer anderen textesgestaltung entnommen sind. Die handschriften numeriren die einzelnen artikel nicht und weichen auch hinsichtlich des gebrauches oder nichtgebrauches des majuskel am anfange neuer sätze vielfach von einander ab. In diesem punkte scheinen demnach wohl schon die originalausfertigungen unter sich nicht übereingestimmt zu haben. In seiner textausgabe behält Liebermann, beiläufig bemerkt, die übliche eintheilung in capitel bei und fügt überdies noch eine weitere unterabtheilung in paragraphen hinzu. — Auch im texte der einzelnen artikel brachte es jedenfalls die ungenauigkeit, mit welcher die schreiber ihre vorlagen zu copiren pflegten, mit sich, dass sich schon in der originalausfertigung mancherlei kleine abweichungen von einander fanden; gerade in dieser richtung hält es aber ganz besonders schwer, diese ursprünglichen verschiedenheiten von den erst hinterher dazu gekommenen zu unterscheiden. Liebermann nimmt in 15 fällen, in welchen mehrere ganze classen von handschriften von mehreren anderen gemeinsam abweichen, ursprüngliche verschiedenheiten unter den verschiedenen authentischen ausfertigungen an; er bezeichnet diese, sachlich übrigens völlig bedeutungslosen, abweichungen in seiner ausgabe mit einem stern (*). In 50 anderen fällen, welche er mit einem kreuz (†) bezeichnet, findet er eine eigenthümliche lesart nur auf einem einzigen prototype beruhend, so dass zweifelhaft bleibt, ob diese auf der unachtsamkeit oder willkürlichkeit des schreibers einer originalausfertigung beruht oder nur auf der eines späteren abschreibers; auch diese abweichungen haben aber sammt und sonders sachlich nichts zu bedeuten. Alle übrigen abweichungen endlich, deren mehr als 200 sind, betrachtet er lediglich als von späteren abschreibern verschuldete verderbnisse, die aber selbst wieder verschiedener art sind. Zumeist handelt es sich dabei um ganz absichtslose versehen; zuweilen aber auch um das bestreben, den ausdruck deutlicher oder eleganter zu machen, und in einigen wenigen ausnahmsfällen auch wohl um tendentiöse fälschungen zu gunsten der kirche. Im Quadripartitus findet sich einmal eine nichtssagende phrase der schwülstigsten art eingeschoben; in einer textesgruppe aber, derselben, welche den abt Gilbert Crispin unter die zeugen einschreibt, findet sich am schlusse der zusatz beigefügt: »Presentis vero ecclesie monachis libertates, dignitates regiasque consuetudines sibi per cartas regum olim confirmatas concedo,« welcher sich aus schlagenden gründen als eine spätere mönchische fälschung erweist.

Der verfasser theilt sodann die 28 von ihm benützten hss. in 7 classen, welche theils auf die originalausfertigungen für Worcestershire, dann für Hertfordshire (diese in St. Albans abgeschrieben) zurückführen, theils auf die textesgestaltung von Rochester, dann von Hexham, auf ein fragment in Ms. Cotton Domitian VIII, auf den Quadripartitus, von welchem aus die urkunde auch in die Leges Henrici überging, oder endlich auf einen aus Westminster stammenden text, welcher wieder durch sehr verschiedenartige classen von hss. vertreten wird. Ausserdem liegt aber in einer hs. aus der mitte des 13. jahrhunderts auch noch eine französische übersetzung der urkunde vor, deren verfasser aus praktischen gründen ein Normanne gewesen sein muss.

Während die bisherigen, sehr zahlreichen, ausgaben der urkunde deren lateinischen text nur nach einer einzigen hs. gegeben oder doch nur dürftige varianten aus einigen wenigen hss. beigefügt hatten, bringt Liebermann's ausgabe diesen lateinischen text auf grund der sämmtlichen, soeben verzeichneten sieben hss.-classen, und zwar mit so reichlichen varianten, dass der leser dadurch in stand gesetzt wird, die von dem herausgeber gewählte classificirung der hss. selbst zu controliren; die ausgabe bringt aber überdies auch die französische übersetzung, welche bisher völlig unbeachtet gelassen worden war. So ist nunmehr durch Liebermann's verdienst für die in der verfassungsgeschichte England's eine so bedeutsame rolle spielende urkunde in jeder beziehung vortrefflich gesorgt.

MÜNCHEN, März 1895. K. Maurer.

The Legal Code of Aelfred the Great edited with an introduction by Milton Haight Turk, Ph. D. White Professor of English in Hobart College. Halle, Max Niemeyer, 1893. Gr. 8°. VIII + 147 ss. Pr.: mk. 4.

Königs Aelfred's gesetzsammlung ist für uns wichtig, weil sie in einer sehr alten handschrift erhalten ist und den litterarischen geschmack eines für die angelsächsische litteratur so wichtigen mannes an vielen stellen durchblicken lässt. Thorpe's ausgabe vom jahre 1840 reproducirt die handschrift E ziemlich ungenau. Turk druckt nach eigener collation die handschriften E, B und die fragmente Ot und Bu. Die theile der Vulgata, die von Aelfred in seiner einleitung benutzt wurden, sind neben E abgedruckt. Ausser der bibliographie, der beschreibung und untersuchung der handschriften, an die sich eine untersuchung von Lambarde's text anschliesst, bemüht sich der verfasser, die stellung der sogenannten gesetze Ine's innerhalb der sammlung zu kennzeichnen und die zeit ihrer veröffentlichung festzusetzen. Die bibliographie verdankt natürlich manches Wülker's Grundriss zur Geschichte der angelsächsischen litteratur, sowie Schmidt's Gesetzen der Angelsachsen (2. auflage, Leipzig 1858) und Liebermann's schrift: Zu den gesetzen der Angelsachsen (Zeitschrift der Savignystiftung für rechtsgeschichte 1884, 5. bd., germanistische abtheilung s. 198—226). S. 5—8 giebt der verfasser ein verzeichniss der auszüge aus der gesetzsammlung und der übersetzungen, die bis jetzt erschienen sind; darauf verzeichnet er alle abhandlungen über unser werk, auch diejenigen, die in irgend welchem zusammenhang damit stehen. Das material ist vollständig gesammelt und gut geordnet. Es folgt die ausführliche geschichte und genaue beschreibung jeder einzelnen von den 7 handschriften.

MS. E (Corpus Christi College, Cambridge no. 173) stammt aus dem zweiten viertel des 10. jahrhunderts. Jedes capitel beginnt mit einem grossen, oft künstlich ausgeführten anfangsbuchstaben und schliesst mit einem zeichen, das aus zwei punkten mit einem komma darunter besteht. Innerhalb der capitel ist der punkt oberhalb der zeile die einzige interpunction. Ein solcher punkt steht auch vor und hinter den zahlen und gelegentlich zwischen X und V. Nur einmal ist etwas wichtiges über der linie hinzugefügt, und dort wird die stelle der einschaltung durch ein kommaähnliches zeichen angedeutet.

Das MS. Ot. ist im British Museum als Cottoniana Otho B XI verzeichnet. Nach Wanley's Catalogus enthielt diese handschrift urprünglich die chronik bis zum jahre 1001, abgeschrieben aus der Parker chronik, ferner

Aelfred's Beda, unsere gesetzsammlung und einen theil der gesetze von Æþelstan. Beim þrande von 1731 wurden die einzelnen blätter arg beschädigt. Die gesetzsammlung und die chronik sind von derselben hand geschrieben und stammen deshalb wohl beide aus Winchester oder Canterbury. Von herausgebern der gesetze ist diese handschrift noch nicht benutzt worden; es sind auch nur die fragmente von 3 blättern erhalten. Das MS., das aus dem ersten viertel des 11. jahrhunderts stammt, ist nahe mit E verwandt.

MS. Bu. (Burney 277 im British Museum), erst von Liebermann entdeckt, und MS. G. (Cottoniana Nero A I) enthalten ebenfalls nur fragmente; was vom letzteren übrig ist, ist aber. gut erhalten und gehört dem letzten viertel des 11. jahrhunderts an. Vollständig ist unser gesetzbuch wieder im MS. H enthalten, dass sich in der Rochester Cathedral befindet. Es entstand während der regierung Heinrich's I. auf befehl des bischofs Ernulf von Rochester, der 1124 starb.

Von fol. 9a bis 31b stehen die gesetze vollständig. Die handschrift ist schön, doch durch zahlreiche rasuren und einschaltungen über der zeile verunziert. Lambarde benutzte dies MS. 1576 in 'the Perambulation of Kent', Hearne veröffentlichte 'Textus Roffensis, Oxonii, 1720', Wilkins 1721 und Thorpe 1840 geben varianten daraus. H hat mehr initialen und weniger accente als die übrigen handschriften. MS. B (Corpus Christi College, Cambridge, no. 383), welches Liebermann nach Essex weist, ist vielfach überarbeitet; die alten theile gehören wahrscheinlich dem zweiten viertel des 12. jahrhunderts an.

Wichtig ist die frage nach den quellen von Lambarde's[1]) text, den Whelock, Wilkins und Schmid abdrucken. Er war 1536 in Kent geboren, studirte unter L. Nowell. Seine Archaionomia 1568 war die erste frucht seiner angelsächsischen studien. Er sagt in der vorrede:

Obtulit mihi superiori anno Laurentius Noelus diligentissimus inuestigator antiquitatis, mihique multa et iucunda consuetudine coniunctus, ac qui me (quicunque in hoc genere sim) effecit, priscas Anglorum leges, antiquissima Saxonum lingua et literis conscriptas, atque a me (quoniam ei tum erat trans mare eundum) ut latinas facerem ac peruulgarem vehementer flagitauit . . . . Jam vero ne quis domi nostrae has natas esse leges arbitretur, plane suscipio atque profiteor magna fide et religione ex vetustissimis (ut quae ante quingentos annos, uti coniectura autumo, saxonicis depicta sunt literis) exemplaribus fuisse desumptas, quorum pleraque in Reuerend. in Christo patris, atque optime de Antiquitate meriti, D. Matthei Cantuariensis Archiepiscopi Bibliotheca, alia aliorum in librarijs visenda supersunt.

Lambarde benutzte also mehrere handschriften, wahrscheinlich E, B und G. Er muss aber ausserdem noch Bromton's chronik gekannt haben, die die alte lateinische übersetzung mit ausnahme von 1—48 der einleitung enthielt; den fehlenden theil der übersetzung hat er sicher auch gekannt. Es erhebt sich also die wichtige frage, ob Lambarde seine ziemlich freie paraphrase nach dem

---

[1]) Lambarde. APXAIONOMIA, sive de priscis anglorum legibus libri, sermone Anglico, vetustate antiquissimo, aliquot abhinc seculis conscripti, atque nunc demum, magno iurisperitorum & amantium antiquitatis omnium commodo, è tenebris in lucem vocati. Gulielmo Lambardo interprete. Londini, ex officina Joannis Daij. An. 1568. (4 to.)

lateinischen oder nach dem angelsächsischen text gemacht hat. Dazu ist zuerst
die verwandtschaft der einzelnen handschriften unter einander zu untersuchen.

An der spitze steht wegen ihres alters und des correcten textes MS. E.
Der schreiber von E im zweiten viertel des 10. jahrhunderts hatte ein
Aelfred'sches original vor sich, welches er respectirte, denn zu jener zeit waren
Aelfred's gesetze noch in lebendigem gebrauch. Mit ausnahme weniger schreibfehler ist es eine gute abschrift. Als dann mit der zeit Aelfred's gesetze ihre
bedeutung verloren, wurden die schreiber nachlässig und änderten willkürlich;
da entstanden G und besonders H und B. MS. Ot steht E am nächsten; die
wenigen varianten giebt Turk auf s. 19 und 20. Ebenso weicht Bu wenig
von E ab. Ot ist vielleicht von derselben vorlage abgeschrieben, wie E, Bu
von einer, die sehr eng mit E und ihrem original verwandt war. Bu muss
wie Ot als ein jüngerer repräsentant der gruppe angesehen werden, von der
ein Aelfred'sches MS. die quelle und E das älteste glied ist.

G. ist jünger und weicht etwas mehr von E ab, obgleich die vorlage
auch zu der gruppe von E gehörte.

Einer anderen gruppe gehören H und B an, die beide auf eine gemeinsame vorlage zurückweisen. Ein vergleich beweist nur die vorzüglichkeit des
textes von E. Folgendes schema beweist die zusammengehörigkeit der einzelnen handschriften:

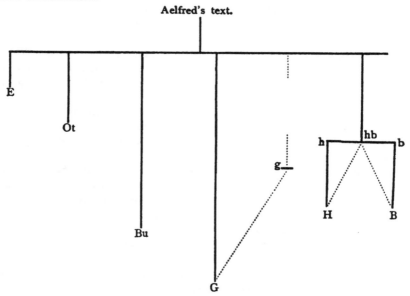

Lambarde's text entspricht keiner bestimmten handschrift. Er hat die
alte lateinische übersetzung ausgiebig benutzt und änderungen in den text gebracht, die wahrscheinlich aus Joscelin's Dictionary stammen.

Die haupthandschrift E hat schon grammatische behandlung erfahren durch
O. Priese, Die sprache der gesetze Aelfred's des grossen und könig Ine's.
Strassburger diss. 1883. Priese hat nachgewiesen, dass E ein westsächsisches
denkmal ist, während Schmid die handschrift für mercisch hielt. Die dialek-
tischen verschiedenheiten der übrigen MS. von E werden s. 25 ff. aufgezählt.

S. 30 ff. behandeln die eintheilung der Aelfred'schen gesetzsammlung. Sie enthält nach Turk: 1. die historische einführung (Introduction —49, 8); 2. die eigentliche einführung (Introduction 49, 9 und 10); 3. vermischte gesetze (II [1] — XXXIX [43]); 4. the Code concerning Bodily Injuries, XL (44) — XLIII (77); 5. the Laws called Ine's, XLIV bis zum schluss.

Der erste abschnitt ist theils übersetzung, theils original. Als könig Aelfred seine übersetzung aus dem mosaischen gesetz beendet hat, fährt er fort (49): þis sindan ða domas þe se ælmihteʒa ʒod self sprecende wæs to moyse ⁊ him bebead to healdanne ..... ⁊ siððan se âncenneda dryhtnes sunu ure god þæt is hælend crist on middangeard cwom, he cwæð ðæt he ne come no ðas bebodu to brecanne ne to forbeodanne, ac mid eallum ʒodum to ecanne. Der könig zeigt, dass Christus diese mosaischen gesetze nicht aufgehoben hat, sondern sie nur mit allem guten zu vermehren suchte. Wenn er dann fortfährt: '⁊ mildheortnesse ⁊ eaðmodnesse he lærde', so will er die harten befehle des mosaischen gesetzes abschwächen (auge um auge, zahn um zahn). Darauf folgt der paragraph (49, 6—8), der unter den capitelüberschriften bezeichnet ist: 'Be ðon þæt mon ne scyle oþrum deman buton swa he wille þæt him mon deme'. Dieser satz ist das grundprincip jeder gesetzgebung: Of ðissum anum dome mon mæʒ ʒeðencean, þæt he æʒhwelcne on ryht ʒedemeð. Ne ðearf he nanra domboca oþerra. Allmählich leitet dann Aelfred von den aposteln und ihrer zeit zu England und dem mittelalter über. Darauf kommt er zu der eigentlichen einleitung für seine gesetze, die mehr sein sollen, als eine blosse sammlung von verordnungen. Alle stellen, die auf eine benutzung der Bibel deuten, sind aus der Vulgata genommen, die Septuaginta, die vorlage aller texte vor Hieronymus, kannte Aelfred nicht.

Wie Ine's einleitung von denen spricht, die ihn am meisten bei der zusammenstellung seiner gesetze unterstützt haben, so wünscht auch Aelfred die quellen anzugeben, aus denen er geschöpft hat. Er sagt: 'Ic ða Ælfred cyninʒ þâs togædere ʒeʒaderode ⁊ awritan het, moneʒe þara þe ure foreʒenʒan heoldon ða ðe me licodon ⁊ maneʒe þara þe me ne licodon ic âwearp mid minra witena ʒeðeahte ⁊ on oðre wisan bebead to healdanne ..... forðam ic ne dorste ʒeðristlæcan þara minra awuht fela on ʒewrit settan, forðam me wæs uncuð hwæt þæs ðam lician wolde ðe æfter ûs wæren, ... ac ða ðe ic ʒemette awðer oððe on ines dæʒe mines mæʒes oððe on offan mercna cyninʒes oððe on æþelbryhtes þe ærest fulluhte onfenʒ on anʒelcynne, þa ðe me ryhtoste ðuhton ic þa heron ʒeʒaderode ⁊ þa oðre forlêt'. Turk kommt zu folgenden fünf gruppen in bezug auf die quelle: 1. Synodical Laws; 2. Aelfred's own Laws; 3. Laws of Ine; 4. Laws of Offa; 5. Laws of Aeðelbirht. Natürlich hat Aelfred die gesetze der drei könige überarbeitet und sie so in seinen codex aufgenommen. Die dritte abtheilung führt den namen Ine's Laws, weil cap. XLIV, Be ines domum betitelt, augenscheinlich die förmliche einführung der gesetzsammlung des königs Ine von Wessex ist.

Aeðelbirht's gesetze, betreffend körperliche beleidigung (XL—XLIII), sind von Aelfred stark verändert. Die capitel 32—72 der gesetze Aeðelbirht's sind im Textus Roffensis enthalten. Hier finden wir eine reihe von strafen, die im allgemeinen der anordnung der körpertheile vom kopf bis zum fuss folgen.

Aelfred's revision in vier capiteln erweitert die vorschriften seines vorgängers und bringt sie in feste ordnung; wichtig ist besonders das vierte capitel: 'Be monnes eaʒwunde ꝺ oꝺerra missenlicra lima'. Cap. XLIV—CXX enthält die gesetze des königs Ine.

Alle herausgeber mit ausnahme von Thorpe haben diese gesetze von Aelfred's sammlung getrennt und sie vorangestellt. Sie wollen wohl dadurch ausdrücken, dass wir hier die gesetze Ine's im original vor uns haben, die könig Aelfred unverändert aufnahm. Schmid meint, Aelfred habe seine gesetze für Westsachsen in verbindung mit Ine's gesetzen publiciren lassen; er habe gar keine publication der beibehaltenen älteren gesetze für nothwendig erachtet, sondern nur in sein gesetz aufgenommen, was er ändern oder neu hinzufügen wollte. Es blieb dann sache der richter, das neue gesetz mit den älteren geschriebenen und ungeschriebenen rechtsnormen, wie sie in jedem lande gebrauch waren, zu vereinigen. Ich muss nun Turk durchaus recht geben, wenn er diese ansicht zurückweist. König Aelfred traute seinen unwissenden richtern noch weniger als seinem ungebildeten clerus. Er schreibt und übersetzt immer in der absicht, sein volk und seine beamten aufzuklären. Sein werk ist ein compendium, das die richter studiren sollen, um genau nach dessen vorschriften recht zu sprechen. Die älteren gesetze, die er für richtig hielt, respectirt er durchaus, zieht sie seinen eigenen vorschriften sogar vor. Er nimmt Ine's gesetze als einen organischen theil in seine sammlung auf und richtet danach die übrigen ein, indem er weglässt oder hinzufügt, je nach dem inhalt dieser. Daneben aber kann man zugeben, dass der zusammenhang von Ine's gesetzen mit dem ganzen etwas loser ist als der der übrigen theile. Aelfred nahm Ine's gesetze so auf, wie er sie zu seiner zeit vorfand, also mit allen zuthaten, die im laufe der jahre hinzugekommen waren. Da Ine der erste grosse gesetzgeber der Angelsachsen war, so behielt die sammlung natürlich seinen namen, obgleich sie allmählich verändert wurde. Wenn man alle längeren capitel und alle diejenigen streichen würde, die eine wiederholung enthalten, so würde man ein dem original ähnliches werk vor sich haben, das wiederum Aeðelbirht's sammlung gliche. Die verschiedenen theile von Aelfred's sammlung haben gesonderten ursprung, dazu verfasste Aelfred die übersetzungen und einleitungen. Darauf machte er capitelüberschriften, die denen in der Cura pastoralis gleicher.

So entstand ein werk, das des grossen königs tiefe bildung, seinen vorzüglichen litterarischen geschmack, sein scharfes, treffendes urteil und seinen weiten politischen blick erkennen lässt. Das werk ist klein, aber es legt zeugniss von der geistesgrösse seines verfassers ab.

Eine schwierige frage ist die nach der entstehungszeit unseres codex. Pauli, Bosworth und ten Brink haben die werke Aelfred's nach ihrer chronologischen reihenfolge zu ordnen versucht. Eine neue untersuchung stellte Wülker im Grundriss an. Er stellt Cura pastoralis, Beda und Orosius in die erste friedensperiode vor 893, während Boethius, die Soliloquien und 'De videndo Deo' 897—901 entstanden sind. Schilling, Ebert, Körting, Schmidt und Wichmann haben diese ansicht gebilligt; der letztere fügt noch hinzu, dass die Psalmen Aelfred's letztes werk sind. Der maassstab, mit dem man gemessen hat, ist bis jetzt immer Aelfred's wachsende kenntniss des Lateinischen gewesen. Turk argumentirt nun folgendermaassen: König Aelfred begann nach Asser's erstem besuch seine wissenschaftliche thätigkeit im jahre 887. Es ist natürlich, dass Aelfred frühzeitig an eine gesetzsammlung gedacht hat, vielleicht in den ersten friedensjahren an die ausarbeitung gegangen ist. Turk setzt sie desshalb mit Wülker (Grundriss p. 398, fussnote), wenn nicht vor die Cura pastoralis, so doch ungefähr in die gleiche zeit mit dieser, also in die zeit von 890. Auf unbedingte richtigkeit gerade dieser conjectur macht er natürlich keinen anspruch.

S. 58—135 folgt der text, die fussnoten enthalten die lesarten der übrigen handschriften und von Lambarde's ausgabe. Für die übersetzung ist der text der Vulgata daneben gedruckt. Wie Aelfred arbeitete, mag folgende gegenüberstellung zeigen:

MS. E.	Vulgata (Exodus).
1. Dryhten wæs sprecende ðus word to	XX, 1. 2. Locutusque est Dominus
1, 1. moyse �7 þus cwæð: Ic éom dryhten ðin god;	cunctos sermones hos: Ego sum Dominus tuus, qui eduxi te de terra Aegypti,
Ic ðe utʒelædde of eʒipta londe �7 of hiora ðeow-	
1, 2. dome. Ne lufa ðu oþre fremde godas ofer 'me.	3. de domo servitutis. Non habebis deos alienos coram
2. Né minne noman ce ciʒ ðu on idelnesse, forðon þe ðu ne bist unscyldiʒ wið me, ʒif ðu on idelnesse ciʒst	(2) 7. me . . . . Non 'assumes nomen Domini Dei tui in vanum; nec enim habebit insontem Dominus eum,
3. minne noman. Ʒemyne þæt ðu gehalʒiʒe þone ræstedæg;	(3) 8. qui assumpserit nomen Domini Dei sui frustra. Memento
3, 1. wyrceað eow . VI. daʒas �7 on þam siofoðan	9. ut diem sabbati sanctifices. Sex diebus operaberis
3, 2. restað eow: forðam on. VI. daʒum crist geworhte heofonas �7 eorðan, sæs �7 ealle gesceafta þe on him sint, �7 hine ʒereste on þone siofo- ðan dæʒ, �7 forðon dryhten	10. et facies omnia opera tua. Septimo autem die sabbatum Domini Dei tui est; non facies
4. hine ʒehalʒode.	11. omne opus in eo . . . . Sex enim diebus fecit Dominus coelum et terram et mare et omnia, quae in eis sunt, et requievit in die septimo; idcirco benedixit Dominus diei sabbati et sanctificavit eum.
Ara ðinum fæder �7 þinre medder ða þe dryhten sealde þæt ðu sie þy leng libbende on eor-	(4) 12. Honora patrem tuum et matrem tuam, ut sis longaevus super terram, quam Dominus Deus tuus dabit tibi.
5. 6. þan. Ne sleah ðu; ne liʒeðu dearnenʒa.	13. 14. 15. Non occides. Non moechaberis. Non furtum facies. Non loqueris contra proximum tuum falsum testimonium.
7. 8. Ne stala ðu; ne sæʒe ðu lease ʒewitnesse.	
9. Ne wilna ðu þines nehstan ierfes mid unryhte.	(9) 17. Non concupisces domum proximi tui, etc. Non facietis deos argenteos, nec deos aureos
10. 11. Ne wyrc ðe gyldne ʒodas oððe sylfrene. þis sint	XX, 1 facietis vobis.
11, 1. ða domas þe ðu him settan scealt:	Haec sunt judicia
Ʒif hwa gehycʒʒe cristenne þeow, . VI. ʒear ðeowige he, ðy	2. quae propones eis: Si emeris servum Hebraeum, sex
11, 2. siofoðan beo he frioh ðrcea- punʒa.	3. annis serviet tibi, in septimo egredietur liber gratis.

Von 49, 6 an ist neben E der text von H gedruckt; wo dieser fehlt, tritt dafür B ein. Im Appendix A und B druckt Turk die fragmente ab, die die MSS. Ot und Bu enthalten, im Appendix C beide texte des vertrages zwischen Aelfred und Guthrum.

Diese genaue und sorgfältige ausgabe von Aelfred's gesetzen wird für jede weitere veröffentlichung über diesen gegenstand grundlegend sein.

WISMAR i. M., Juli 1894.   O. Glöde.

Oliver Farrar Emerson, A. M., Ph. D., Assistant Professor of Rhetoric and English Philology in Cornell University: The History of the English Language. New York and London, Macmillan & Co., 1894. XII + 415 ss. 8°. Pr.: mk. 6,00.

Diese »*History of the English Language*«, die der verfasser für universitätsstudenten und lehrer des Englischen bestimmt hat, zerfällt in folgende fünf abschnitte: I. *The Relationship of English to other Languages* (s. 1—37); II. *The Standard Language and the Dialects* (s. 38—112); III. *The English Vocabulary* (s. 113—179); IV. *The Principles of English Etymology* (s. 180—277); V. *The History of English Inflections* (s. 278—395). Im ersten abschnitte wird die stellung des Englischen innerhalb des Indogermanischen, und speciell innerhalb des Germanischen charakterisirt; hierbei wird die erste lautverschiebung sehr ausführlich vorgetragen, während die zweite, für das Englische belanglose lautverschiebung nur mit einigen worten gestreift wird. Der zweite abschnitt ist der betrachtung der mundarten und der jeweiligen litteratursprache im Alt-, Mittel- und Neuenglischen gewidmet. Besonders eingehend wird die mittelenglische sprachperiode behandelt; denn hier galt es, verschiedenen vorurtheilen in bezug auf die tragweite des normännischen einfalles entgegenzutreten und den oft überschätzten einfluss des Normännisch-Französischen auf die entwicklung des Englischen auf das richtige maass herabzusetzen. Dieser abschnitt schliesst mit einer »chronologischen karte der englischen sprache« (s. 111), die uns die litterarische bedeutung der englischen hauptdialekte von der ältesten zeit bis auf unsere tage trefflich veranschaulicht. Im dritten abschnitte wird zunächst das wachsthum des englischen wortschatzes geschildert, worauf das einheimische wie die fremden elemente in der englischen sprache einer näheren erörterung unterzogen werden. Zu § 184, der über das niederdeutsche element des Englischen handelt, ist jetzt noch A. E. H. Swaen (Anglia, N. f. IV, s. 512—514) zu vergleichen, der zu den dem Holländischen entlehnten wörtern auch *kink, furlough* und *hale (haul)* rechnet.

Der schwerpunkt des ganzen buches liegt in den zwei letzten abschnitten, die auch betitelt werden könnten »*Historical Outlines of English Phonetics and Accidence*«. Der verfasser hat hier, wie in den vorhergehenden abschnitten, die einschlägige litteratur, die englische wie die deutsche, gewissenhaft benützt, so dass seine ausführungen wissenschaftlich durchaus verlässlich sind. Ich erlaube mir im folgenden nur einige wenige stellen herauszuheben, die meines erachtens einer verbesserung bedürftig sind. Die »*Table of Vowel Changes from Old to Modern English*« (s. 201 f.) enthält einige versehen; so lautet jetzt der vocal, bezw. der diphthong in *herd* $\bar{\mathfrak{z}}$ (nicht ə), in *draw* $\bar{\mathfrak{q}}$ (nicht ŏu), in *few* iūw (nicht iu)! — S. 226: »In *busy, business,* we preserve the sound of the mutated vowel, OE. *bysig,* but the orthography has gone back to the unchanged *u,* or perhaps was influenced by French spelling.« Dazu ist zu bemerken, dass der gegenwärtige laut des betonten vocals in *busy* nicht der des altenglischen y = ū ist, und dass die me. schreibung *busi* statt *bysi* wohl nur auf französischen einfluss zurückzuführen ist. — S. 227: »both *ū* and *ȳ* have since become the diphthongs *ou, ai* (written i, y)«; lies »the diphthongs *au* (written *ou*), *ai* (written i, y)«. — S. 246: »The liquids also become vocalized. This seems (!?) to account for the loss of *l* in such words as *talk, calm, half.*« Gegenüber dieser unsicheren angabe vergleiche die überzeugenden ausführungen von K. L u i c k in seinem aufsatze »Zur vocalentwicklung vor l« (Anglia, N. f. IV, s. 462 ff.). — Wenn auf s. 252 gesagt wird, dass die schreibung *could* durch anlehnung an *would, should* entstanden sei, so könnte auch darauf hingewiesen werden, dass die aussprache des vocals in *would, should* umgekehrt einer anlehnung an den vocal in *could* zu verdanken sein dürfte (s. Luick a. a. o. s. 472). — Der verlust des k vor der endung des präteritums, wie in *made* (s. 372), ist auch bei *asked* zu belegen, das in ungezwungener unterhaltung wohl nur wie äst klingt.

Das buch ist voll von schätzenswerthen bemerkungen, die besonders einen deutschen leser interessiren; vgl. z. b. die angaben des verfassers über den unterschied der amerikanischen und Londoner aussprache (s. 201 f., 252), über den secundären accent in zusammengesetzten wörtern (s. 260 f.), über den gebrauch des relativen pronomens *that* (s. 335), über die vertauschung von *who* und *whom* (s. 338), über die verwendung von *will* und *shall* zur futurbildung (s. 385).

In dem ausführlichen »index« am schlusse des buches fehlt das wort *spider,* das übrigens auf s. 250 als *spider* verdruckt ist. Ein druckfehler ist auch öw statt öu in der tabelle auf s. 202.

Emerson's buch, das ein schönes zeugniss ablegt für den eifer, womit das studium der englischen philologie in Amerika betrieben wird, sei auch unseren neuphilologen bestens zum studium empfohlen.

TROPPAU, Juli 1895.   J. E l l i n g e r.

Eduard S i e v e r s, Abriss der angelsächsischen grammatik. Halle, Niemeyer, 1895. 56 ss. 8°. Pr.: mk. 1.50.

Die rühmlichst bekannte, von W. Braune herausgegebene »Sammlung kurzer grammatiken germanischer dialekte« hat in jüngster zeit eine erweiterung ihres programms erfahren, die man nur billigen kann, indem zur hauptreihe und deren ergänzungen eine dritte abtheilung, die der ‘abrisse’, hinzugefügt wurde.

Als ich vor sieben jahren die ehre hatte, die zweite auflage von Sievers' Ags. grammatik in den Engl. stud. anzuzeigen, habe ich mit dem wunsche geschlossen, der herr verfasser möge einen auszug aus seinem umfänglichen werke herstellen, um namentlich den anfängern das studium des Angelsächsischen zu erleichtern. Da die neubearbeitung der grösseren ags. grammatik, wie im vorworte angedeutet ist, voraussichtlich noch längere zeit in anspruch nehmen wird, so ist der vorliegende, im engsten anschluss an Braune's Abriss der ahd. grammatik gearbeitete abriss um so freudiger zu begrüssen, als er seiner doppelten bestimmung, einerseits als grundlage für vorlesungen über ags. grammatik zu dienen, andererseits das nothwendigste material zu bieten, das auch dem anfänger für die lectüre westsächsischer texte einschliesslich der poetischen denkmäler unentbehrlich ist, in glänzender weise gerecht wird. Die regeln sind klar und bündig, die beispiele gut gewählt und beweiskräftig, der stoff wohl geordnet. Dabei ist der abriss trotz seines geringen umfanges so reichhaltig, dass der anfänger gut thun wird, beim ersten studium des büchleins die anmerkungen zu übergehen und sie erst bei der wiederholung dazuzunehmen.

Im einzelnen habe ich nur wenig zu bemerken. § 15 hätte ý als umlaut des ú angegeben werden sollen. — § 20 c) würde es besser heissen: 'ein neuer mittelvocal entsteht oft vor [nicht: aus] silbenbildendem r, l, n (m)' u. s. w. — § 26 a, anm. 5 ist auf § 9 a, anm. 3 (nicht 4) zu verweisen. — § 28 a, anm. 1 þërscan (verdruckt þrëscan). — § 52 a, anm. 1 ist der ausdruck 'sprossvocal' neu; es wäre auf § 20 zu verweisen. — § 73 a, anm. 1 ist von dem superlativsuffix ma die rede: forma, hindema. Dann heisst es weiter: 'Sonst ist die bildung -mest; z. b. ýtemest, útemest' u. s. w. 'Sonst ist die bildung -mest', was bedeutet das? Hat man zwei superlativ-suffixe, -ma und -est, anzunehmen oder nicht? — § 80 a, anm. 2. 'Von den stämmen der personalpronomina... werden adjectivische possessivpronomina gebildet.' Genauer und der syntax gemäss: aus dem gen. der personalpron. — § 86, 1 c) Ist man berechtigt, im Angelsächsischen einen eigenen imperativ für die erste person pluralis anzunehmen? — § 96 a, anm. 1. Warum soll *blend, feng, heng* kurzes *e* haben?

Zum schlusse hätte ich wieder einen wunsch. Es werden fast auf jeder seite des abrisses formen aus den einzelnen ae. dialekten angeführt und besprochen. Würde es sich nicht empfehlen, die markantesten kennzeichen der einzelnen dialekte ausserdem noch in je einem eigenen paragraphen zum schluss der laut- und der formenlehre zusammenzufassen?

WAITZENDORF bei Retz, Juli 1895.   E. Nader.

Fr. Graz, Die metrik der sog. Cädmon'schen dichtungen mit berücksichtigung der verfasserfrage. Studien zum germanischen allitterationsvers. Herausgegeben von M. Kaluza. III. heft. Weimar, verlag von E. Felber, 1894. 109 ss. 8°. Pr.: mk. 4,00.

Graz wendet Kaluza's lehre vom alten langvers auf die Exodus (Graz sagt beharrlich der Exodus), den Daniel, Satan, die Genesis an und zieht seine folgerungen für die verfasserfrage. Kaluza's ansichten, auf Lachmann's vierhebungslehre aufgebaut, aber doch nicht mit ihr zusammenfallend, sind hier von anderer seite schon dargelegt worden, so dass ich darüber kurz sein kann. Gerade die fleissigen zusammenstellungen von Graz scheinen mir zu zeigen, dass trotz mancher unzweifelhaft richtiger anschauung das gesammtgebäude der erneuten lehre doch kaum haltbar ist; es ist wirklich zu papieren. Die unnatürliche betonung *léódum tó láˀfe, múrnaˀ ón móðe, cýningas ón corðre*, die einfach auf grammatischen erwägungen beruht, schadet noch nicht viel und ist vom ganzen system unabhängig. Aber verrisse wie x᾽ | x᾽xx᾽ | x᾽ oder x᾽x | x᾽xx᾽ | x᾽ sind gegen alles, was lebendiger rythmus ist; sie lassen sich unmöglich als viergliedrig bezeichnen; sie sind dreigliedrig wie bei Fuhr u. a. trotz der vier tonstriche, oder gar zweigliedrig. Warum nicht entweder auf rhythmische gliederung überhaupt verzichten und die vier hebungen einfach nebeneinander stellen oder, was mir allein richtig scheint, von den vier hebungen zwei überordnen und so den vers in zwei takte zerlegen? dann stünden doch die nebenhebungen nicht so in der luft wie bei Kaluza und Graz; nebenhebungen giebt es ja überhaupt nur in takten, nicht für sich. Auch die nichtbeachtung der stäbe bei feststellung der versgipfel spricht nicht für die vierhebungslehre, wenn verse wie *up aræmde se eorl* und *wera wuldorgesteald* einander ganz gleichgestellt werden, nämlich als ⌣x | x᾽⌣ | x᾽, so müssen entweder alle drei hebungen gleich stark sein oder der stabreim auf die schwächeren ikten fallen können oder der zweite stab für zufällig gelten; nichts von dem scheint annehmbar. — Die Lachmann'sche betonung ist von Graz mitunter unwillkürlich durch eine natürliche ersetzt worden, so in dem oben angeführten verse *up aræmde se eorl*, wo *se* unbetont ist. Wie wenig die **grammatischen** unterscheidungen von neben- und haupthebungen für verse passen, zeigt die gruppe 62, 63: *him se yldesta*; natürlich ist *him* als pronomen an und für sich schwächer als das substantivum (adj.) *yldesta*; dass aber hier *him* einen hauptiktus im vers trägt[1]), ergiebt sich daraus, dass gerade diese art in den **zweiten** halbzeilen fehlt; natürlich, da hier der stärkste hauptiktus vorangehen muss, während *him* mit nebeniktus z. b. in *him ongên genâp* 454 recht wohl vorausstehen kann.

Die zahl von 90 versformen ist etwas gross; sie könnte nach derselben anschauung verkleinert wie vergrössert werden. Doch ist sie wohl geeignet, um bestimmte neigungen einzelner dichter durch zahlen darzustellen. So scheint mir in Graz' arbeit der nutzen in den gewonnenen zahlen und den daraus gezogenen folgerungen zu liegen. Es dürfte in der that zufall ausgeschlossen sein, wenn nach Graz' beobachtungen 1) in der Exodus fitte 6 (vv. 362—445) ihre ganz besonderen lieblingsformen zeigt; 2) im Daniel die als eingeschoben angesehenen vv. 280—409 im bau ganz zu den übrigen stimmen; 3) im Satan eine gleichmässige anwendung der einzelnen formen in den verschiedenen theilen zu tage tritt; 4) innerhalb der ags. theile der Genesis verschiedenheiten nicht bestehen, innerhalb der ursprünglich as. theile desgleichen; wenn endlich die vier gedichte unter sich keine übereinstimmungen in der vorliebe für einzelne formen zeigen. Die daraus sich ergebenden schlüsse auf die verfasserschaft sind naheliegend.

Graz' arbeit ist wenig selbständig, wie alle ähnlichen, aber zeugt von ausdauerndem fleiss, unermüdlichem recheneifer und hat, wie gezeigt, feste ergebnisse für die litteraturgeschichte.

WÜRZBURG, Mai 1895.   O. Brenner.

---

[1]) Dass also nicht typ. C (Siev.) vorliegt.

Dan. Abegg, Zur entwicklung der historischen dichtung bei den **Angel-**
sachsen (Qu. u. F. 73). Strassburg, verlag von K. Trübner, 1894. XII *u.*
126 ss. Pr.: mk. 3,00.

Die geschichtliche epik der Angelsachsen setzt bedeutend später ein **als**
die deutsche, gewinnt aber dieser gegenüber an breite. Es lag nahe, an verlorene dichtungen der art zu denken, und man hat spuren in den Annalen zu entdecken geglaubt. Nun wäre freilich erst ein grund zu finden, warum man die
gedichte in prosa auflöste, wo man sich doch nicht scheute, ganze gedichte
aufzunehmen, ja, wie Abegg wahrscheinlich macht, für die Annalen geradezu
gedichte schuf. Auflösung in prosa lag nahe bei übertragung einer fremden
sprache, und selbst da hat das mittelalter, wie Saxo zeigt, die vorliebe für die
erzählung in gebundener rede oft nicht unterdrücken können. Abegg findet
denn auch in den für reste alter lieder angesehenen Annalenstellen nicht genug
kennzeichen der dichtung. Hätte aber nicht die zeitlich so nahe liegende er-
zählungsform Aelfric's vielleicht zur beurtheilung des unleugbar vorhandenen
stabreimes beigezogen werden sollen? Abegg zergliedert zuerst die überlieferten
historischen gedichte, voran Byrhtnoth's tod, in gründlichster weise nach dem
geschichtlichen gehalt, der composition (mittelpunkt der erzählung und der
theilnahme), versbau, dichterischem stil (kenningar) und stellt auf grund seiner
beobachtungen drei gruppen auf: Byrhtnoth knüpft an das epos an, stammt
aus höfischen kreisen; mönchisch gelehrte gedichte halten äusserlich die überlieferung des stiles noch ziemlich fest, die 'fromm volksthümlichen' gedichte
haben nach stil und versbau den zusammenhang mit dem alten volksepos verloren. Das letzte ergebniss ist besonders wichtig; es lehrt uns, dass die alte
heldendichtung dem volke fremd geworden war — ungefähr zur selben zeit,
wo sich das bedürfniss herausstellte, die alten gedichte handschriftlich festzu-
halten; dass die alte versform nicht mehr volksthümlich war, dass der endreim
von unten nach oben drang, nicht umgekehrt.

WÜRZBURG, Juli 1895.   O. Brenner.

Paolo Bellezza, Studio comparativo sui proverbi inglesi. Milano, Tipografia
L. F. Cogliati, 1893. 52 ss. Gr. 8°.

Im vordergrunde der etwas planlosen ausführungen des verfassers steht
eine vergleichung der italienischen und englischen sprichwörter. B. mag für
diese auswahl seine persönlichen gründe gehabt haben; es giebt aber ohne frage
auch beachtenswerthe sachliche gesichtspunkte, die eine gegenüberstellung gerade
der italienischen und englischen sprichwörter wünschenswerth machen. Die
ergebnisse, zu denen der verfasser gelangt, sind interessant und einwandfrei:
das englische sprichwort erhält vielfach durch die allitteration, durch anwendung
einsilbiger worte kraft und nachdruck, wo er dem Italienischen versagt ist.
Dieses wiederum besitzt in dem häufig auftretenden reim einen schmuck, den
das Englische viel seltener kennt. Im allgemeinen hat das italienische sprichwort mehr lebendigkeit, feuer und anmuth als das englische. Treffende bilder
und vergleiche, häufige anwendung der personification verleihen dem italienischen
sprichwort poetischen reiz und anschaulichkeit, während das englische oft die
abstracte fassung des gedankens bevorzugt und durch eine gewisse nüchtern-

heit auffällt. Der verfasser berührt auch einige von diesem vergleich abliegende fragen, kommt unter anderm auf die gemeinsame quelle solcher proverbia zu sprechen, die in verschiedenen sprachen wörtlich übereinstimmen, und zeigt im allgemeinen reiche belesenheit und umfassende kenntniss der sprichwörter-litteratur. Der hier und da angeschlagene feuilletonistische plauderton steht bisweilen in einem gewissen gegensatze zu dem gelehrten apparat, mit dem der verfasser arbeitet.

Leider wird die anregende schrift durch eine reihe von versehen ver-unziert, die wohl auf ungenügender kenntniss der fremden sprachen beruhen. »Riches have wings« wird p. 11 unter denjenigen englischen sprichwörtern aufgeführt, die aus lauter einsilbern bestehen. »Ship« und »sheep« werden p. 42 für phonetisch identisch erklärt. Woher stammen die seltsamen deutschen übersetzungen der sprichwörter: 'Beaucoup de fumée, pas de rôti' (p. 45, anm. 2); Di puledro scabbioso talvolta hai cavallo prezioso (p. 50); Con latino, danaro e fiorino Si trova facilmente cammino (p. 51)? Nicht zur zierde gereichen ferner dem prächtig ausgestatteten büchlein die zahllosen druckfehler; doch muss man diese lächelnd verzeihen, wenn man in der vor-rede liest, dass es zum mindesten sonderbar wäre, wenn eine studie über sprichwörter jenes altbewährte dictum lügen strafte:

'Non c'è prato senza fiore,
Non c'è donna senza amore,
Non c'è stampa senza errore.'

BRESLAU, Juli 1895.   M. Hippe.

Hugo Lange, Die versicherungen bei Chaucer. Hallenser dissertation. Berlin [1892]. 55 ss. 8°.

Vorliegende arbeit enthält eine zusammenstellung der bei Chaucer vor-kommenden »versicherungen«, d. h. derjenigen formelhaften redewendungen, die zur versicherung der wahrheit des von dem dichter selbst oder den von ihm eingeführten personen erzählten dienen. Chaucer's werke enthalten eine reiche fülle von derartigen betheuerungsformeln, die in der mehrzahl der fälle wohl nur den zweck hatten, den vers oder die strophe zu füllen oder ein bequemes reimwort zu bieten. Chaucer hat die meisten dieser typischen wen-dungen der früheren me. dichtung, insbesondere der romanzendichtung, ent-nommen, wenn er sie auch etwas mehr variirt und dem jeweiligen zusammen-hange besser angepasst hat als seine vorgänger. Er hätte vielleicht richtiger daran gethan, wenn er seine dichtungen von diesem immerhin etwas über-flüssigen ballast befreit hätte, und es ist wenig angebracht, wenn Lange ihn gerade in diesem zusammenhange als 'father of English Poetry' bezeichnet; denn in dem übermässigen gebrauch der versicherungen ist er durchaus ein kind seiner zeit, nicht der schöpfer einer neuen ära der dichtkunst. Ich glaube auch, dass die rein formelhaften ausdrücke in seinen späteren werken, also namentlich in den Canterbury Tales, wohl seltener geworden sind, als in seinen erstlingsgedichten; so finden sich z. b. nach meinen beobachtungen die betheuerungen ywis, trewely, pardé in den dichtungen der ersten und zweiten periode ungleich häufiger als in den Canterbury Tales. Leider hat der ver-

verfasser auf die verschiedene häufigkeit der versicherungen in den verschiedenen
werken oder wenigstens in den hauptgruppen der werke Chaucer's gar keine
rücksicht genommen und sich dadurch eine gute gelegenheit, seiner arbeit
einen grösseren werth zu verleihen, entgehen lassen.

Er hat aber noch schlimmeres gethan. Er hat es nicht einmal der mühe
für werth gehalten, sich darüber klar zu werden, welche von den in früheren
zeiten Chaucer zugeschriebenen werken wirklich von ihm herrühren. Man
sollte es nicht für möglich halten, aber es ist so: Lange citirt mit derselben
ungenirtheit aus dem Court of Love, Chaucer's Dream, The Flower and
the Leaf, Gamelyn, wie aus den Canterbury Tales, der Legend of Good
Women u. s. w. Dass ihm dann auch der gesammte Romaunt of the Rose
für ein echtes werk Chaucer's gilt, ist selbstverständlich. Er hat eben einfach
die Chauceraugabe von Morris zur hand genommen und geglaubt, dass alles,
was darin gedruckt ist, von Chaucer verfasst sein müsse. Einmal allerdings
scheint ihm das gewissen zu schlagen. Bei gelegenheit eines citats aus The
Flower and the Leaf (p. 12) fügt er in klammern bei: 'The Flower and the
Leaf rührt nicht von Chaucer her.' Dadurch aber muss der unbefangene leser
erst recht in der annahme bestärkt werden, dass alle anderen von Lange be-
rücksichtigten dichtungen, z. b. The Court of Love, Chaucer's Dream, Gamelyn,
wirklich echte werke Chaucer's sind. Und wesshalb citirt denn Lange überhaupt aus einem nicht von Chaucer verfassten gedichte, wenn er doch 'die
versicherungen bei Chaucer' behandeln will? Wollte er diese pseudo-chaucerschen
schriften der vollständigkeit halber durchaus mit berücksichtigen, dann musste
er sie mindestens in irgend einer weise von den sicher echten werken abson-
dern. Er hätte dann gerade in der verwendung der versicherungsformeln neue
argumente für die unechtheit dieser gedichte finden können. So ist es doch
z. b. sicher kein zufall, dass in Gamelyn die betheuerung *I swere by godes ore*
viermal vorkommt (Lange p. 20), bei Chaucer aber nie; *by saint Jame (in
Gales)* zweimal, bei Chaucer nie; *by saint Richer* viermal, bei Chaucer nie; *by
seint Martyn* zweimal, bei Chaucer nur einmal. Schon diese wenigen verschiedenheiten im gebrauch der betheuerungsformeln weisen deutlich auf verschiedene verfasserschaft hin, die ja überdies durch andere gründe über allen
zweifel sicher gestellt ist.

Wenn Lange somit durch heranziehung der unechten werke Chaucer's
des guten zu viel gethan hat, so bietet er auf der andern seite zu wenig. Es
fehlen die prosaschriften Boethius, Melibaeus, The Parson's Tale, die gewiss
auch zahlreiche, nicht bloss aus dem original herübergenommene, sondern von
Chaucer selbständig eingefügte betheuerungen enthalten. Die in den prosa-
werken vorkommenden betheuerungen hätten dann wiederum gesondert betrachtet werden müssen, weil hier der zweck, den vers zu füllen oder ein
passendes reimwort zu finden, in wegfall kommt, die verwendung derselben
also wohl mit der in der gewöhnlichen redeweise üblichen genauer übereinstimmt.

Weiterhin sind mir zweifel aufgestossen, ob das aus den echten schriften
Chaucer's zu sammelnde material in Lange's arbeit auch wirklich vollständig
enthalten ist. Eine nachprüfung aller seiner angaben ist mir natürlich nicht
möglich; ich kann mich nur auf einzelne bemerkungen beschränken. Für die
betheuerung *God toforne* (es heisst überall, wo die wendung vorkommt *and*

God toforne) führt Lange nur an Tr. Cr. V, 40, 963 (= V, 963), IV, 259, 800 (= III, 849) und RR 7198. Es fehlen also die von mir (Chaucer und der Rosenroman p. 226) angeführten stellen TC I, 1042; II, 431. 992. 1363. 1409; III, 335. 1326. 1639. Auf derselben seite heisst es in betreff des ausrufs *Lord!*; 'Die bezüglichen stellen sind:', es werden aber bei weitem nicht sämmtliche stellen angeführt. Ebenso fehlen eine anzahl belegstellen für *God wot*, und so würde auch bei den übrigen von Lange angeführten redewendungen eine nachlese noch reichlich genug ausfallen. — Ob die häufig vorkommende phrase *for (the) love of god* wirklich eine 'anrufung der liebe gottes' ist (Lange p. 18), erscheint mir doch zweifelhaft. Es mag in den meisten fällen wohl nur heissen 'gott zu liebe, um gottes willen'. — *By sainte Noet* (Lange p. 26) kann nicht 'bei dem heiligen Noah' heissen, denn Noah war gar nicht 'heilig'. Gemeint ist der heilige Nèot, dessen lebensbeschreibung (in ae. sprache) Wülker, Anglia III, p. 104 ff. veröffentlicht hat; vgl. Skeat, anm. zu den Cant. Tales A 3771.

Aus alledem geht hervor, dass Lange's zusammenstellung der von Chaucer verwendeten betheuerungen, so dankenswerth dieselbe an sich sein mag, doch nur mit grosser vorsicht zu gebrauchen ist, und dass derjenige, der über das vorkommen einer bestimmten versicherungsformel bei Chaucer sich orientiren will, die mühe einer nochmaligen durchsicht der werke Chaucer's sich nicht ersparen kann.

Ein dritter abschnitt der Lange'schen arbeit, der über die 'in überwiegender zahl bei Chaucer auftretenden versicherungsadverbien' handelt, ist in vorliegender schrift nicht mit zum abdruck gelangt. Gerade dieser abschnitt wäre aber aus dem oben (p. 78) angeführten grunde von besonderem interesse, weil wir dabei die verschiedene praxis Chaucer's in den verschiedenen perioden seiner dichterischen thätigkeit genauer hätten beobachten können.

KÖNIGSBERG i. Pr., Februar 1895.   M a x   K a l u z a.

Charles Sears Baldwin, The Inflections and Syntax of the Morte D'Arthur of Sir Thomas Malory. A Study in Fifteenth-Century English. Boston, U.S.A. 1894. X + 156 ss. 8°.

Als vor einigen jahren Oskar Sommer's ausgabe des Morte D'Arthur erschien, sprach ich in diesen blättern den wunsch aus, es möchte sich bald jemand der dankbaren aufgabe unterziehen, den äusserst lehrreichen text für die syntax zu verwerthen. Dieser wunsch ist rasch in erfüllung gegangen, und ich freue mich aufrichtig darüber, dass die noch immer sehr lückenhafte geschichte der englischen syntax um eine reihe von thatsachen bereichert worden ist. Der conjunctiv bei Malory ist hier zum ersten male eingehend behandelt, und auch das capitel über den infinitiv bietet mancherlei ergänzungen zu dem, was wir bis jetzt über den gebrauch dieser verbalform im 15. jahrhundert wussten.

Freilich hält das buch Baldwin's lange nicht das, was die Preface verspricht, deren formulirung überhaupt wenig vorsicht und genauigkeit verräth. Baldwin sucht die berechtigung seiner arbeit zu begründen, indem er die arbeiten seiner vorgänger einer ungenauen kritik unterzieht. So vermisst er

z. b. komischer weise in der einleitung zu meiner ausgabe von Caxton's **Blan-**
chardyn and Eglantine vollständige tabellen der starken verba, ein **vorwurf,**
der begründet wäre, wenn besagte einleitung wirklich einen »general survey of
Caxton's in fle ctio ns and syntax« versprochen hätte; thatsache aber ist, *dass*
weder in der überschrift, noch sonst irgendwo von formenlehre die rede ist.
Baldwin stellt also eine falsche behauptung auf, um darauf einen selbstverständlich falschen vorwurf zu gründen.

Um nun die lücken in den arbeiten seiner vorgänger auszufüllen, verspricht Baldwin eine erschöpfende syntax von Malory's text zu geben. Ich
muss gestehen, dass es mir geradezu räthselhaft ist, wie Baldwin gegen seine
vorgänger den vorwurf der unvollständigkeit erheben konnte, während er selbst
so weit davon entfernt ist, eine erschöpfende syntax auch nur des einen
textes zu bieten. Vor allem fehlt die syntax des satzes so gut wie ganz; das
capitel über den conjunctiv ist ja doch nur ein kleiner theil dessen, was die
syntax des satzgefüges betrifft. Aber auch sonst, selbst in der syntax der
redetheile, ist das buch lückenhaft von anfang bis zu ende. Es giebt zweierlei
methoden, um die probe auf die vollständigkeit einer syntaktischen abhandlung zu machen. Man kann ein anerkannt gutes syntaktisches werk, sagen
wir das meisterwerk Mätzner's, hernehmen und nachsehen, ob die einzelnen
capitel alle berücksichtigung gefunden haben. Diese methode wollen wir Baldwin
erlassen, denn das würde dem leser dieser anzeige eine gar zu schlechte meinung von Baldwin's arbeit beibringen. Der zweite weg besteht darin, dass
man den behandelten text durchgeht und untersucht, ob die einzelnen syntaktischen erscheinungen in der betreffenden abhandlung zu ihrem rechte gekommen sind. Den letzteren weg habe ich eingeschlagen und bin dadurch
zu obigem urtheile über Baldwin's Preface gelangt. Ich muss mich hier natürlich darauf beschränken, einige wenige beispiele zu geben.

Gleich auf den ersten seiten fällt einem der merkwürdige gebrauch des
sehr häufigen *so* auf. »Hit befel in the dayes of Uther pendragon when he
was kynge of all Englond and *so* regned that there was a mygty duke in
Cornewaill that helde warre ageynst hym long tyme«; — »in lyke wyse as
she saide *so* they departed«. p. 35: »seye ye are diseased and *so* hye yow
to bedde . . . *soo* this was done as they deuysed«; — »*soo* the kyng put alle
the trust in Ulfyus to entrete bitwene them *so* by the entrete at the last the
kyng and she met to gyder«. p. 37; vgl. ferner 38/8, 38/18, 39/7, 39/8,
39/10, 41/12, 41/13, 41/19, 41/20, 41/26, 41/35, 41/36 etc. etc.

Man hat wohl ein recht, zu erwarten, dass ein so ungewöhnlicher und
so häufiger gebrauch dieser partikel in einem buche behandelt würde, das
ausgesprochenermaassen auf vollständigkeit ausgeht und speciell die partikel
(siehe Preface) einen vernachlässigten redetheil nennt, der ausführlicher darstellung bedarf. Wir finden aber im § 385 die wohlbekannten functionen von
so, nur nicht den auffallenden gebrauch, wie er in den oben angeführten beispielen zu tage tritt.

p. 46/6: »And whan *they were mette* there was no mekenes but stoute
wordes on bothe sydes«. Ich suche vergeblich bei Baldwin den gebrauch des
auxiliaren *be* in verbindung mit *meet*; aber auch die auxiliaria werden in der
Preface als vernachlässigt und sehr darstellungsbedürftig angeführt. Die construction *they were mette* bedurfte um so mehr der erklärung, als es nicht ganz

klar ist, ob wir es mit dem gebrauch von *be* = have oder mit einem passivum im sinne eines reflexivum zu thun haben. Vgl. Engl. stud. XVIII, p. 288.

p. 36/30: »ther with al Ulfius was ware *where* Merlin stood at the porche of the pauelions dore«. Unter der überschrift »Adverbs« suchen wir vergeblich etwas über diesen wichtigen gebrauch von »where«; objectsätze aber sind ja überhaupt nicht behandelt.

p. 42/34: »and *on twelfth day* alle the barons cam thyder«. Fehlt hier der bestimmte artikel aus irgend einem syntaktischen grunde, oder liegt ein druckfehler vor? Baldwin thut den artikel sehr summarisch auf acht zeilen (§ 94) ab; das erwähnte beispiel, sowie andere, z. b. 46/17, 49/20, fehlen einfach.

p. 46/14: »for ye shalle not here prevaille though ye were *X so many*«. Wie erklärt Baldwin diesen gebrauch? Ich glaube, dass wir hier ein cardinale im sinne eines multiplicativum vor uns haben, wie z. b. *ten so glad* = ten times so glad. Vgl. Outlines of English Syntax § 265. Merkwürdiger weise fehlen aber die Numeralia bei Baldwin ganz und gar.

p. 35/15: »we were sente for«. Ist diese construction so selbstverständlich, dass es sich Baldwin nicht verlohnt, ein wort darüber zu verlieren? Ich wäre ihm zu dank verpflichtet, wollte er mir einige beispiele aus dem älteren Mittelenglisch beibringen. Oliphant kennt kein früheres beispiel als 1429 (The New English I, 248). Freilich sind einige andere verben schon im Cursor Mundi und in Wyclif's (?) English Works (ed. Matthew) belegt.

He þat was mast for-giuen till
Mast aght to luue him wit skill. 14 048.

ʒif freris ben *not spoken of* here þei moten liue þus iustliche. The English Works of Wyclif hitherto unprinted, p. 308; roten ordinaunce of men is more worshipid and *more told bi*, p. 303; vgl. p. 301.

Ich wiederhole zum schlusse, dass diese ausstellungen ausschliesslich dem irreführenden titel und der unbescheidenen Preface gelten; die arbeit selbst ist als beitrag zum syntax Malory's, aber auch nur als ein beitrag, in jeder beziehung willkommen.

WIEN, April 1895. ———————— L. Kellner.

The Tragedy of Hoffman or A Reuenge for a Father. Von Henry Chettle. Nach dem Quarlo von 1631 im British Museum herausgegeben von Richard Ackermann. Bamberg, commissionsverlag von H. Uhlenbuth, 1894. XXIII u. 86 ss. 8°. Pr.: mk. 1,50.

Chettle's interessantes 'concurrenzstück zum Hamlet' wird durch die neue ausgabe von Ackermann deutschen lesern zugänglicher gemacht. Gegenüber Lennard's älterer ausgabe von 1852, welche im buchhandel nicht zu erlangen ist, bezeichnet sie gewiss einen fortschritt, besonders für den philologen, der einen abdruck in 'Old Spelling' einem 'modernisirten' text vorzieht. Wenn indessen A. über die 'nicht nach philologischen principien' hergestellte ausgabe Lennard's ein etwas schroffes urtheil fällt, wenn er geringfügige versehen und ungenauigkeiten Lennard's bemängelt, z. b., dass er den plur. präs. auf s nichts beibehalten hat und auch sonst die formenlehre der historischen grammatik nicht beachtet (s. XVI), so möchte ich den älteren herausgeber doch gegen den jüngeren in schutz nehmen. Eine ausgabe für litterarhistorische zwecke ist etwas anderes wie eine philologische ausgabe; jede von beiden hat ihre berechtigung und ihre eigenartigen vorzüge.

Zudem ist auch Ackermann's text vom philologischen standpunkt nicht ganz einwandfrei. Dass er möglichst conservativ verfahren und conjecturen nur in geringem maasse in den text eingesetzt (leider nicht durch cursiven druck gekennzeichnet) hat, ist ja anerkennenswerth; er hätte aber wohl im beseitigen offenbarer druckfehler noch etwas weiter gehen können, z. b. v. 1631 Cimmerian für Ciamerian oder v. 2377 Hofman für Hogman. Auch in bezug auf worttrennung hätte ich etwas mehr selbständigkeit der quarto-ausgabe gegenüber gewünscht, z. b. v. 2169 forbeare st. for beare, 1586 mother-like st. mother like. Ebenso stört beim lesen oft die grundsätzliche beibehaltung der sehr mangelhaften, manchmal irreführenden interpunction (z. b. v. 1887). Unangenehmer noch berühren die mehrfachen, schon von Zupitza in seiner anzeige (Archiv f. n. spr.) gerügten druckfehler, die sich in Ackermann's text eingeschlichen haben.

Wenn es auch dem, der die ältere sprache und die orthographie jener zeit einigermaassen kennt, nicht eben schwer fällt, sich den text zu construiren, so meine ich doch, dass eine nach philologischen principien hergestellte ausgabe dem leser diese mühe abnehmen sollte; jedenfalls wird durch die beständige nöthigung, auf sprachliche äusserlichkeiten zu achten, die aufmerksamkeit ermüdet und der ästhetische genuss oder litterarhistorisches studium behindert.

Ich kann bei dieser gelegenheit eine allgemeine bemerkung nicht unterdrücken, auch auf die gefahr hin, eines 'unphilologischen' standpunktes bezichtigt zu werden. So sehr ich die nützlichkeit und nothwendigkeit genauer abdrücke der alten ausgaben für die älteren und bedeutenderen dramen der classischen zeit anerkenne (zum zweck der textherstellung oder zu sprachlichen untersuchungen), so scheinen sie mir doch bei den weniger bedeutenden werken, besonders der epigonen, wenig erspriesslich. Das vorliegende drama z. b. hat doch für die meisten gewiss nur ein litterarhistorisches interesse. Auf die wenigen aber, die sich (vielleicht!) mit Chettle's sprache und metrik eingehend beschäftigen, besonders rücksicht zu nehmen, scheint mir unpraktisch, besonders wenn, wie in diesem falle, die originalausgabe ziemlich bequem zugänglich ist. Abgesehen von den specialforschern aber würden die meisten leser wohl einen 'modernisirten' text vorziehen. Heutzutage sind die neudrucke mit genauer beobachtung der alten orthographie in wissenschaftlichen kreisen mode, und die 'modernisirten' ausgaben gelten als unphilologisch. Aber was ist denn die sogenannte 'moderne' englische orthographie anders als die normalisirte schreibung des XVI. und XVII. jahrhunderts? Modern ist ja am heutigen Englisch eigentlich nur die aussprache. Die orthographie steht im ganzen noch genau auf demselben standpunkt wie vor 300 jahren; die abweichungen sind im wesentlichen regelungen des damals noch schwankenden schriftgebrauchs; änderungen der aussprache seit 1600 spiegeln sich in der 'modernen' orthographie kaum jemals wieder. Ich halte daher die 'modernisirten' ausgaben für ziemlich ebenso berechtigt, wie die normalisirten mittelhochdeutschen texte. Wer möchte z. b. wohl die Kudrun nach einem genauen abdruck der Ambraser

handschrift lesen? Aehnliche mühsal aber muthen die herausgeber von neu-
drucken elisabethanischer dramen den durchschnittslesern zu. Wenn es gelänge,
die modernisirten ausgaben durch schulgerechte neudrucke ganz zu verdrängen,
so würde die wesentliche folge meines erachtens sein, dass sich der leserkreis
für diese dramen noch mehr verringerte. Manche philologen scheinen es für
einen vorzug zu halten, wenn die wissenschaft immer exclusiver, esoterischer
wird; ich nicht.

Allerdings, wenn wirklich die quarto-ausgabe vor 1631 direct nach
Chettle's original-manuskript gedruckt wäre, wie A. für möglich hält, würde
auch ich einen genauen abdruck ohne modernisirung der orthographie vorziehen.

Diese annahme scheint mir aber wenig wahrscheinlich, schon wegen der
langen zwischenzeit. Auch wäre dann der verwahrloste zustand des ältesten
textes kaum zu erklären.

Die zahlreichen textverderbnisse geben der conjecturalkritik weiten spiel-
raum. Schon Lennard hatte eine anzahl von verbesserungen, mitunter recht
scharfsinnige, vorgeschlagen, die zum theil von A. beibehalten oder wenigstens
als sehr plausibel empfohlen werden. In anderen fällen ist A., wohl meist
mit recht, zur lesart des Qu. zurückgekehrt. Weniger glücklich scheint er im
allgemeinen mit eigenen conjecturen gewesen zu sein, obwohl auch hier einige
evidente besserungen rühmend hervorzuheben sind. Es würde zu weit führen,
die einzelnen stellen, in denen ich zustimmen oder abweichen möchte, zu
discutiren.

Die mit sachkenntniss und guter methode geschriebene einleitung handelt
zunächst über Henry Chettle's leben, sodann über das vorliegende drama, über
die verschiedenen ausgaben, zuletzt über die quellenfrage, den inhalt und das
verhältniss zum Hamlet.

Interessant ist besonders eine notiz, welche der herausgeber herrn stadt-
archivar dr. P. Gehrke in Danzig verdankt: wie in einem alten 'gedenkbuch'
berichtet ist, wurde »Anno 1580 den 4. Januar zu Dantzig ein Bürger ent-
hauptett mit Namen Hans Hofeman oder Schuddekop, umb eines Gewalts
und Raubes Willen«. Er soll ein 'kahnefurer' gewesen sein. Da Chettle's
drama in der gegend von Danzig spielt, da der held des stückes, Clois
(= Klaus?) Hoffman, der sohn des wegen seeräuberei (piracy) hingerichteten
'Hannce Hoffman' ist, so ist allerdings wahrscheinlich, dass irgend eine erzählung oder ein bericht über diesen Hans Hoffman Chettle zu seine rache-
tragödie angeregt hat. Ackermann vermuthet, dass der dramatiker diese
schiffergeschichte durch ein flugblatt, eine bänkelsängerballade erzählt bekommen hat, oder auch, dass er nach beendigung seiner lehrzeit mit einer
englischen wandertruppe (1586) nach Dänemark und an die Ostsee kam. Das
letztere halte ich für ganz unwahrscheinlich; eher liesse sich denken, dass die
geschichte durch einen der schauspieler, welche damals in Deutschland gewesen
waren, mitgetheilt worden sei.

Der eigentliche inhalt des stückes ist aber jedenfalls von Chettle ziemlich
frei erfunden oder vielmehr nach dem recept anderer rachetragödien, wie
Hamlet, Titus Andronicus, Spanische tragödie zusammengebraut. Delius hat
in seinem bekannten aufsatze über das verhältniss zu Shakespeare's Hamlet so
eingehend gehandelt, dass A. nur wenig zu ergänzen hatte. Die nachahmung

6*

in charakteren und poetischen motiven ist unzweifelhaft; auch die diction scheint
mitunter, aber doch nicht bedeutend, durch den Hamlet beeinflusst. Noch zu
anderen dramen Shakespeare's hat D. schlagende parallelen nachgewiesen;
auch in dieser beziehung hat A. einige nachträge in den anmerkungen geliefert. Ich möchte noch darauf aufmerksam machen, dass eine scene der
Trag. of Hoffman (v. 2357 ff.) auf nachahmung des Titus Andronicus zu beruhen scheint (II, 3): Martha entspricht der Tamora, Hoffman dem Aaron;
die situation ist übereinstimmend einer bekannten stelle der Aeneide nach-
gebildet.

Daneben meine ich einfluss der Spanischen tragödie zu bemerken. So
scheint mir namentlich der anfang des dritten acts jener effectvollen scene der
Spanischen tragödie, in welcher Horatio bei einem stelldichein mit seiner ge-
liebten überrascht und ermordet wird, nachgeahmt.

An anderen stellen dürften reminiscenzen an das alte schauspiel von
Soliman und Perseda vorliegen, z. b. Hoffm. v. 213:

    Oh Lorrique tortor, I feele an Aetna burne
    Within my braines — — — — —
    Death like a tyrant seazeth me vnawares

Sol. (Dodsley-Hazlitt V, 371):

    The poison is dispers'd through every vein
    And boils, like Aetna in my frying guts
    — — And now pale death sits on my panting soul
    And with revenging ire doth tyrannize.

Auch im zweiten act von Chettle's drama werden wir an Soliman erinnert
(turnier, 'Persia', 'Sophy' v. 560).

Auch Marlowe's Jude von Malta scheint Chettle bei der abfassung dieses
stückes gelegentlich vorgeschwebt zu haben, besonders in der schlussscene.

Auf den text lässt der herausgeber dankenswerthe anmerkungen folgen,
meist textkritischen inhalts.

KIEL, März 1895.   G. Sarrazin.

Friedrich von Westenholz, Die tragik in Shakespeare's Coriolanus. Eine
studie. Stuttgart, Fr. Frommann's verlag (E. Hauff), 1895. 31 ss. 8°.

Der verfasser polemisirt einerseits gegen Ulrici, der von einer römischen
trilogie Shakespeare's gesprochen hat, und gegen die auf Goethe zurückgehende
ansicht eines politischen tendenzdramas; er sucht andererseits das tragische
moment in Coriolan's schwäche, mit der er sich von seiner mutter zweimal
zu einem handeln verleiten lässt, das mit seiner eigensten natur im widerspruch stehe. Ich selbst habe schon in der »Einleitung zu den römischen
tragödien«, in meiner ausgabe von »Shakespeare's dramatischen werken« (Stuttgart 1884), hervorgehoben, dass Shakespeare die drei stücke gewiss nicht als
ein cyklisches unternehmen betrachtet habe, und man von einer geplanten
trilogie hier nicht sprechen dürfe. Ich habe ebenso in meiner einleitung zum
Coriolanus bemerkt, dass der dichter wohl nebenbei ein geschichtliches bild
in lebensvollen farben ausgeführt habe, dass ihm aber nicht der geschichtliche

vorgang, sondern der charakter des menschen — einen selbstverderber zufolge seiner natur nennt ihn Otto Ludwig — die hauptsache gewesen ist.
In der ablehnung von Ulrici's behauptungen stimme ich also mit v. Westenholz überein. Wenn er die wesentlichen züge aus Plutarch's erzählung nochmals anführt, was nach Delius' abhandlung eigentlich nicht nöthig gewesen
wäre, so hätte er in diesem zusammenhange nicht nur erwähnen dürfen, dass
Plutarch selbst erklärt: »Ich schreibe leben, aber keine geschichte«, sondern
auch auf die neuere forschung verweisen können, die in Plutarch's erzählungen
»für eine reihe von einzeltraditionen der älteren römischen geschichte« und
unter ihnen für Coriolan, die spuren von benützung historisch-dramatischer
poesie entdeckt zu haben glaubt[1]). Wenn wir uns dabei auch auf etwas
schwankendem boden bewegen, so hat doch die vermuthung, dass die quelle
von Shakespeare's drama selbst wieder auf einer alten dramatisirung der fabel
beruhe, einen eigenen reiz.

Anders ist es nun mit dem zweiten und positiven theile von Westenholz'
studie. Zwar gilt auch von ihm, dass er manches längst gesagte als vermeintlich neue weisheit vorträgt; was aber vielleicht neu ist, das ist ganz
gewiss nicht richtig. Der einfluss Volumnia's auf die erziehung und den
charakter ihres sohnes, dass sie ihn mit dem wunsche nach dem consulat zu
einem seiner natur widerstrebenden schritte treibe, ist von Gervinus u. a. längst
erörtert worden. Allein diese richtigen beobachtungen werden doch zur cari-
catur, wenn Westenholz schreibt: »Ganz ähnlich wie Macbeth wird Coriolan
zum tragischen helden erst dadurch, dass sein ursprünglich edles wollen
durch unheilvollen einfluss in's schwanken gebracht und schliesslich zum handeln wider sein besseres empfinden gedrängt wird. Der lady Macbeth entspricht in dieser hinsicht Volumnia«. Das verschulden beider frauen werde
einigermaassen durch geistige kurzsichtigkeit entlastet. »Sowenig lady Macbeth
die consequenzen der that zu übersehen vermag, zu deren begehung sie den
gatten antreibt, so wenig ist Volumnia im stande, die folgen ihrer überredung
zu ermessen.« Was zunächst die grosse überredungsscene V, 3 anbelangt, so
zeigt die parteinahme eines theiles des Autumniaten für den rückkehrenden
Coriolan, dass Volumnia's bitten nicht nothwendig den untergang ihres sohnes
veranlassen mussten, sondern jede seite befriedigt werden konnte (v. 139). Die
nothwendigkeit des unterganges liegt auch hier nur in Coriolan's charakter begründet, der selbst Aufidius nicht als genossen, sondern nur als untergebenen
neben sich haben konnte (V, 6, 39). Doch ist diese möglichkeit eines anderen
ausgangs nicht das entscheidende für die beurtheilung von Volumnia's handlung.
Sie, die bei der verbannung ihres sohnes die götter um erfüllung ihrer flüche
anruft, fühlt sich, als diese flüche in erfüllung zu gehen drohen, doch nur als
Römerin, der es vor allem und über alles gilt, die vaterstadt zu retten. Als
ihre vertheidigerin muss sie dem sohne gegenübertreten und büsst dabei ihre
etwaige schuld. Und Coriolan, der sich (V, 3, 36) rühmte, zu handeln, als
wäre der mann sein eigener schöpfer und wüsste von keiner verwandtschaft,
empfindet gleich darauf die unlösbarkeit der menschlichen bande, die ihn

---

[1]) Karl Meiser, Ueber die historischen dramen der Römer. München
1887, p. 31. — Alfred Schöne, Das historische nationaldrama der Römer.
Die fabula praetexta. Kiel 1893, p. 17.

durch die familie an die vaterstadt fesseln. Nicht um ein politisches motiv, sondern um rein menschliche empfindungen handelt es sich. Die heroische natur, die nur in selbstbethätigung der eigenen kraft und leidenschaft das ziel und die grenze ihres wirkens kannte, wird zu der erkenntniss gebracht, dass es unüberschreitbare sittliche schranken giebt. Damit muss aber für eine so edle natur wie Coriolan auch die erkenntniss seiner verschuldung kommen. In diesem augenblicke bricht er innerlich zusammen. Dass er sich auf wunsch der mutter und freunde hin zu einer bewerbung um die volksgunst hergiebt, für die er nicht geschaffen ist, das ist nur der äussere anlass, aus dem der vernichtende tragische conflict hervorgeht. Aber dieser falsche schritt ist nicht die tragik des stückes, wie v. Westenholz meint. Und die vergleichung Volumnia's mit lady Macbeth gehört meiner ansicht nach zu den viel mehr erstaunlichen als zutreffenden dingen, die Shakespeare schon über sich und seine helden ergehen lassen musste.

Da ich meine eigene einleitung zu Coriolan in der Cotta'schen Bibliothek der weltlitteratur erwähnte, möchte ich doch eine berichtigung und ergänzung dazu nachtragen. Schiller hat in der Mannheimer zeit den Coriolan allerdings nicht gelesen, aber 1801 wollte er »das sujet des Coriolanus neu bearbeiten«. Von der ungedruckten Coriolan-übersetzung von Lenz hat Erich Schmidt 1884 in der beilage der Münchener allg. zeit. nr. 291 mittheilung gemacht. Die zu Collin's Coriolan geschriebene ouvertüre Beethoven's vergleicht Liszt (Gesammelte briefe 1893, I, 65) mit der expositionsscene und dem ersten acte »de la tragédie du même nom de Shakespeare. C'est le seul pendant que je lui sache dans les productions du génie humain«.

BRESLAU, August 1895.   Max Koch.

Fritz Adler, Das verhältniss von Shakespeare's Antony and Cleopatra zu Plutarch's biographie des Antonius. (Hallenser diss.). Halle a. S. 1895. 55 ss. 8°.

In zwei abhandlungen hat Delius das verhältniss Shakespeare's zu den Plutarch'schen biographien auf das bescheidene maass der thatsächlich vorhandenen abhängigkeit zurückgeführt. Die gleiche arbeit und in der hauptsache auch in ähnlicher weise, wie Delius sie für Julius Cäsar und Coriolan gethan hat, will Adler in seiner dissertation für die dritte römische tragödie leisten, da Vatke's (noch vor Delius' untersuchungen unternommene) vergleichung des dramas und der biographie des Antonius ungenügend ausgefallen sei. Die von Plutarch erzählten ereignisse werden mit dem scenarium zusammengestellt, die verwandte oder verschiedene darstellung der charaktere (Antonius, Cleopatra, Octavius Cäsar, Octavia, Enobarbus, Pompejus, Lepidus, Iras und Charmion) wird erörtert und die übereinstimmung einzelner ausdrücke festgestellt. Selbst wo eine augenfällige anlehnung an die vorlage stattfindet, gestaltet der dramatiker aus dem gegebenen ein neues; die historie »dient ihm nur als hintergrund für die zeichnung der beiden charaktere«. Dass es Shakespeare vor allem auf die schilderung dieses unvergleichlichen paares ankam, ist wohl zweifellos. Adler's behauptung, dass unser stück demnach kein historisches stück im strengen sinne sei (s. 11), möchte ich aber bezweifeln. Zusammenziehungen und auslassungen einzelner begebenheiten werden bei jeder behandlung geschichtlicher stoffe unvermeidlich sein. Ich sehe darin gerade einen bewundernswerthen vor-◦zug auch dieser dritten Römer-tragödie, dass Shakespeare in ihr charakterdrama und historisches schauspiel auf's innigste verbunden und die forderungen eines jeden voll erfüllt hat. Wenn Shakespeare aus dem schmucklos, einfachen be-richte Plutarch's »eine lebensvolle, unendlich rührende scene« gestaltet (s. 21), so ist damit das historische stück im strengen und strengsten sinne noch keineswegs in frage gestellt. Adler hebt selbst hervor, wie der dichter »durch eine kleine abweichung von der quelle den ereignissen wahrscheinlichkeit, den charakteren folgerichtigkeit zu geben weiss« (s. 30). Es würde seine sorgfältige arbeit noch vervollständigt haben, wenn er sich nicht allzu strenge auf das quellenverhältniss bei dem einen drama beschränkt, sondern auch das bei Cäsar und Coriolan von Shakespeare eingehaltene verfahren zum vergleiche herangezogen hätte. Delius hat bereits hervorgehoben, dass auch in den beiden andern dramen Shakespeare unabhängiger dasteht als man gewöhnlich annimmt. Im übrigen ist das verhältniss Shakespeare's zu Plutarch ausser von Delius noch von Fr. Brinker (Poetik Shakespeare's in den Römer-dramen, Münster 1884), Adolf Vollmer (Shakespeare und Plutarch, im 77. bande von Herrig's Archiv, 1887) und E. John (Plutarch und Shakespeare, Wertheim 1889) behandelt worden. Diese arbeiten werden auffälliger weise von Adler nicht erwähnt. Er selbst hat durch seine streng auf Antonius und Cleopatra beschränkte unter-suchung einen nützlichen beitrag zur frage nach Shakespeare's verhältniss zu Plutarch und damit auch zur beurtheilung seiner selbständigkeit gegenüber seinen vorlagen im allgemeinen geliefert.

BRESLAU, Juni 1895.   M. Koch.

Felix Lindner, Henry Fielding's dramatische werke. Litterarische studie. Leipzig und Dresden, C. A. Koch's verlagsbuchhandlung (H. Ehlers & Co.), 1895. 186 ss. 8°. Pr.: mk. 4,20.

Henry Fielding, dessen name mit recht als einer der besten genannt wird, wenn von der entwicklung der prosadichtung des vorigen jahrhunderts die rede ist, und dessen romane, vor allen sein Tom Jones, noch heute ihre leser finden, hat auch eine recht stattliche reihe — es sind ihrer 25 — von dramen verfasst. Sie sind heutzuge zwar völlig vergessen und werden auch von den verfassern von »Litteraturgeschichten« kaum einer eingehenderen er-wähnung für werth gehalten, die vorliegende schrift von Felix Lindner beweist aber, dass auch sie zur charakteristik des originellen und liebenswürdigen schriftstellers viel beitragen können und mit unrecht vernachlässigt werden. Allerdings muss gesagt werden, dass, während Fielding's prosaerzählungen durch ihre classische darstellung beweisen, mit wie grossem fleiss und mit wie viel künstlerischer besonnenheit der verfasser an ihnen gearbeitet hat, seine dramen zum grössten theil ziemlich flüchtig hingeworfen sind, oft deutlich zeigen, dass sie rasch fertig gestellt werden mussten, um »actuell« zu sein, und den leser an den ausspruch Fielding's erinnern, dass er sich in der alterna-tive befunden habe, entweder ein hackney-coachman oder ein hackney-writer zu werden, wenn er sein leben fristen wollte. Dennoch wird jeder, der für die litteratur des 18. jahrhunderts und die sich in ihr an verschiedenen orten und bei verschiedenen völkern in sehr mannigfaltiger form darstellenden ideen und ideale verständniss besitzt, mit interesse und vergnügen bemerken, dass sich auch in den dramatischen arbeiten Fielding's wichtige und deutliche züge aufweisen lassen, welche die tendenzen des mannes und seiner zeit, der jugendzeit der aufklärung und des humanitätsideals, erläutern und auf originelle weise veranschaulichen. Man sage nicht, dass ja jedermann wisse, was jene männer gedacht, gefühlt und gewollt haben, welche in der ersten hälfte und um die mitte des jahrhunderts in den am rüstigsten arbeitenden und fortschreitenden culturvölkern — Franzosen, Engländern und Deutschen — die führung der geister hatten. Wer wahrnehmen will, wie sehr es unserer zeit hie und da an verständniss für die »epoche der aufklärung« fehlt, der lese Elwin's Commentar zu Popes Essay on man, um bei der englischen litteratur zu bleiben; freilich wüssten wir ebenso bezeichnende beispiele auf deutschem boden zur verfügung zu stellen. Es sei also geltend gemacht, dass sich auch von diesem gesichtspunkte F. Lindner ein verdienst erworben hat, indem er zur richtigen beurtheilung der männer und der ideen einer zeit, welche von der gegenwart oft genug pietätlos und ungerecht beurtheilt werden, beigetragen hat, wenn er auch eine solche absicht nicht zum ausdruck bringt.

Lindner's studie zerfällt in zwei ungleich grosse theile: 1) Analyse und kritik der einzelnen stücke; 2) Untersuchungen über die dramen Fielding's im allgemeinen. Der leser könnte, wenn er diese capitelüberschriften, ehe er das buch durchgelesen, betrachtet, noch einen dritten theil, der untersuchungen über die einzelnen stücke brächte, vermissen; doch würde er damit dem verfasser unrecht thun, denn was hierher gehören würde, ist in dem ersten theil enthalten, und unseres erachtens ist Lindner hier ganz richtig verfahren, da sich besondere untersuchungen den analysen der einzelnen stücke am besten anschliessen; man vgl. s. 14 ff., 61 ff., 75 ff., wo wir genaue und eingehende angaben über das verhältniss Fielding's zu Molière finden. Es ist lobend hervorzuheben, das nicht bloss die von Fielding selbst ausdrücklich bezeugte abhängigkeit von seinen vorlagen, sondern auch seine selbständigkeit aufgezeigt wird. Denn es ist allerdings ein verdienst, mit streng philologischer methode das vorhandensein der vorlage und das verhältniss der bearbeitung — es handelt sich nämlich hier um wirkliche bearbeitungen — zu ihr nachzuweisen; der litterarhistoriker hat aber bei behandlung neuzeitlicher dichtungen wenigstens noch zu zeigen, warum der bearbeiter abgewichen ist, und, wenn möglich, sein verfahren zu beurtheilen, d. h. zu fragen, ob er es besser oder schlimmer gemacht. Wie Fielding selbst in kleinigkeiten bestrebt gewesen ist, seinen entlehnten stoffen ein durchaus nationales gepräge zu verleihen, wird seite 67 sehr hübsch gezeigt: Im II. act, 7. scene des französischen stückes erhält Lucinde als medicament in wein getauchtes brod, bei Fielding tritt ein »steifer grogg« an die stelle.

Wenn referent auf alles lehrreiche und interessante, was uns in Lindner's arbeit geboten wird, hinweisen wollte, so müsste er einen grossen theil des buches ausschreiben und eine besprechung liefern, welche die lectüre des recensirten werkes überflüssig machte. Damit thäte er dem verfasser einen schlechten gefallen und würde sich auf das niveau gewisser, viele auflagen erlebender litteraturgeschichten stellen, welche den zweck haben, mit ihren inhaltsangaben in examennöthen befindlichen jünglingen die lectüre der dichter zu ersparen. Daher nur noch einige bemerkungen, zu denen mich der verfasser durch seine arbeit mehr gelegentlich angeregt hat. S. 157 wird gesagt, Fielding gebe ein gewisses analogon zu Calprenède ab. Beide nämlich verdanken ihren ruhm ihren romanen, während ihre dramatischen werke der vergessenheit anheimgefallen sind. Hier hätte referent hinzugefügt, was ja dem herrn verfasser, aber nicht allen lesern ebenso klar sein wird wie ihm, dass sich die analogie eben auf diese äusserlichen umstände beschränkt, denn sonst ist zwischen Calprenède und Fielding ein unterschied, wie er kaum grösser gedacht werden kann, der nämlich, dass der Engländer ein genialer menschenkenner und ein meisterhafter darsteller wirklicher menschen ist, während der Franzose gar nicht daran gedacht hat, dass ein romanschreiber beobachtungen über seine mitmenschen anstellen müsse, um seine sache gut zu machen. Referent, der mit vergnügen erklärt, dass er aus Heinrich Körting's buche sehr viel gelernt hat, ist denn doch der meinung, dass die werke der Gomberville, Calprenède und Scudéry nichts mehr als die ersten versuche in einer kunstform darstellen, deren eigentliche aufgabe von den verfassern nicht begriffen, ja falsch aufgefasst wurde, eine ansicht, in der er gerade von Körting bestärkt worden ist.

Mit recht weist Lindner auf die einwirkung hin, welche der grösste spanische dichter auf Fielding ausgeübt hat. Es wäre sehr zu wünschen, dass dieser punkt einer eingehenden behandlung unterzogen würde, die unseres erachtens noch viel neues und interessantes an's licht fördern würde. Wie genau Fielding mit Cervantes bekannt war, ergiebt sich an vielen stellen seiner werke, und sehr mit recht bemerkt Lindner (s. 185), dass er ihm auch die prägnante charakterzeichnung und manche eigenthümlichkeit des stils verdanke. Es scheint auch, als ob zu Fielding's zeit der Don Quixote überhaupt in England ein viel gelesenes buch gewesen sei. Vgl. das ganze lustspiel: Don Quixote in England, besonders stellen wie act I, scene 5, 6, 7.

Da es einmal üblich ist, in recensionen auch druckfehler aufzumutzen, will referent darauf aufmerksam machen, dass s. 79 »beurtheilung« für »bearbeitung« und s. 105 »damen« für »dramen« steht. Ob das »übergeschluckt«, welches s. 42 für »verschluckt« zu lesen ist, ein druckfehler oder ein provincialismus sei, vermag ich nicht zu entscheiden.

Referent kann schliesslich nur dem verfasser den wärmsten dank für die viele belehrung und anregung, die er aus seiner mit grossen opfern an zeit und mühe hergestellten trefflichen arbeit geschöpft hat, aussprechen und sie allen fachgenossen empfehlen. Sollten speciellere untersuchungen, zu denen sich hoffentlich mancher von Lindner's buch anregen lässt, ergänzungen liefern und diese oder jene einzelheit genauer darstellen, so ist das eben auch ein verdienst und kein fehler des verfassers.

Breslau, April 1895.   F. Bobertag.

J. Albert Swallow, Methodism in the Light of the English Literature of the Last Century. Erlangen und Leipzig, Deichert'sche verlagsbuchhandlung nachf. (G. Böhme). 1895. (Münchener beiträge zur romanischen und englischen philologie, IX.) 158 ss. 8°. Pr.: mk. 3,00.

Die werke der litteratur lassen sich von verschiedenen gesichtspunkten aus behandeln. Man kann den maassstab des schönen an sie legen, d. h. sie ästhetisch betrachten; man kann ferner ihren quellen nachgehen und einen einblick thun in die werkstatt des dichters; man kann sie im zusammenhang der litterarischen strömungen beurtheilen und endlich durch sie die individualität des dichters zu erfassen suchen. Jede dieser betrachtungsweisen hat ihren eigenthümlichen werth und hat schon in reichem maasse früchte getragen. Es giebt aber noch eine andere art der betrachtung, die von den litterarhistorikern bis jetzt mit unrecht vernachlässigt worden ist. Das ist, wenn ich mich so ausdrücken darf, die culturhistorische. Die schriftwerke der vergangenheit haben auch einen hohen werth als documente der lebens- und denkweise, der cultur und sitte der zeit, der sie angehören. Das wird in unseren litteraturgeschichten im allgemeinen viel zu wenig berücksichtigt. Hettner z. b. berichtet ausführlich über die freireligiöse bewegung im vorigen jahrhundert, die schottische philosophie und die psychologische ästhetik, deren einfluss in England doch ein sehr geringer war, und sagt kein wort über die gewaltige religiöse bewegung des methodismus. Die zu geringe beachtung der realen verhältnisse, auf denen die litteratur fusst, lässt bei ihm ihre erzeugnisse oft in falscher beleuchtung erscheinen.

Die vorliegende schrift ist desshalb ein schritt auf dem rechten wege. Ist es doch ebenso unmöglich, die englische litteratur des vorigen jahrhunderts ohne ein eingehen auf die religiösen strömungen zu begreifen, wie man die französische litteratur des XVII. jahrhunderts ohne kenntniss des jansenismus und unsere deutsche classische periode ohne eine solche des rationalismus und deismus richtig beurtheilen könnte.

Der verfasser behandelt nach einer kurzen historischen einleitung über die entstehung des methodismus und seine geistigen urheber die darstellung desselben im drama, in der poesie und in der prosa. Er findet, dass im allgemeinen die abneigung überwiegt, ohne dass es doch an objectiven und auch wohlwollenden beurtheilungen fehlt. Der methodismus fand wohl im allgemeinen eine ähnliche aufnahme bei den dichtern und litteraten, wie der puritanismus 150 jahre vorher bei den dramatikern der elisabethischen zeit.

Die arbeit ist ohne zweifel sehr gründlich. Die quellen sind reichlich und erschöpfend benutzt. Ich habe nur eine stelle bei Fielding (Tom Jones VIII, 8) und eine andere bei Smollett (Sir Launcelot Greaves, letztes capitel) gefunden, die nicht erwähnt sind.

Doch scheint es mir, als ob die arbeit bedeutend an interesse und an werth gewonnen hätte, wenn sie, statt nach den schriftstellern, nach sachlichen gesichtspunkten geordnet wäre und die belege in den anmerkungen gegeben wären. Das gesammtbild würde so meines erachtens klarer und anschaulicher geworden sein.

Immerhin ist die arbeit sehr dankenswerth, und es wäre zu wünschen, dass auch die übrigen religiösen, gesellschaftlichen und geistigen strömungen des vorigen jahrhunderts in ähnlicher weise behandelt würden. Gerade die schriftsteller jener zeit, Fielding, Smollett, Goldsmith, Johnson u. s. w., würden eine reiche ausbeute geben, denn sie greifen kühn in das volle menschenleben hinein und entwerfen sittenbilder von grosser lebenswahrheit, mannigfaltigkeit und kraft. Die kenntniss der »realien« jener zeit ist aber nicht nur nöthig zum verständniss der litteratur, sondern auch die vorbedingung für die erkenntniss der englischen cultur unserer zeit, weil die vergangenheit allein die gegenwart erklärt.

OFFENBACH a. M., März 1895. Ph. Aronstein.

Theodor Vetter, Die göttliche Rowe. Zürich 1894. 20 ss. 8°.

Der verfasser, der sich schon mehrfach durch arbeiten über die beziehungen zwischen der englischen und deutschen litteratur im vorigen jahrhundert bekannt gemacht hat, beschäftigt sich im vorliegenden schriftchen mit einer dichterin, die in England ganz vergessen ist und sogar nicht einmal mehr in encyklopädien und litteraturgeschichten eine blasse unsterblichkeit fristet. Und doch war Elizabeth Rowe geb. Singer die muse des jugendlichen Klopstock, der sie als »die unsterbliche, tiefer denkende Singer« besang und sie nach Milton von allen englischen dichtern am besten kannte und am höchsten schätzte. Ihr leben und ihre werke, sowie besonders ihren einfluss auf die deutsche litteratur behandelt der verfasser in diesem schriftchen in ansprechender und gewandter form. Wir bedauern nur, dass seine behandlung so kurz und desshalb weniger eingehend ist, und hoffen, dass er die hier gegebene skizze bald ausfüllen wird.

OFFENBACH a. M., März 1885. Ph. Aronstein.

Marie Gothein, William Wordsworth, sein leben, seine werke, seine zeitgenossen. 2 bde. XII, 374 und VI, 178 ss. 8°. Halle a./S., Niemeyer, 1893. Pr.: mk. 8.

Während Burns, Scott, Byron, Moore, Shelley und auch Coleridge längst zu den guten bekannten und lieblingen des deutschen publicums gehören, sind merkwürdiger weise zwei dichter jener grossen blütheperiode der englischen litteratur zu anfang dieses jahrhunderts in Deutschland ganz oder fast ganz unbekannt geblieben, nämlich Wordsworth und Keats. Und doch haben gerade diese beiden auf die englische litteratur des 19. jahrhunderts einen viel tiefer greifenden einfluss geübt und nehmen heute in der werthschätzung des gebildeten englischen publicums eine weit angesehenere stellung ein als selbst die meisten der oben genannten dichterheroen, vor allem als Byron. Die gründe für diese auffallende thatsache sind jedenfalls verschiedener art. In dem falle von Keats fällt hier vor allem der umstand in's gewicht, dass fast ein halbes jahrhundert verstrich, bis der hohe poetische werth seiner schöpfungen in England selbst endlich zur anerkennung gelangte; sodann der gänzliche mangel von guten deutschen übertragungen seiner gedichte, der seinerseits wieder auf der ausserordentlichen schwierigkeit, eigenartigkeit und prägnanz seiner sprache beruht. Bei Wordsworth andererseits ist es in erster linie der specifisch englische geist und inhalt seiner dichtungen, der es dem deutschen publicum schwer macht, ihm geschmack abzugewinnen[1]). Wordsworth ist jedenfalls der nationalste, englischste unter all jenen dichtern. Aber gerade desshalb ist ein studium seiner dichtungen von belang für jeden, der sich für englische denkweise und eigenart interessirt. Und eben desshalb müssen wir M a r i e G o t h e i n dankbar sein, dass sie es unternommen hat, dem deutschen publicum diesen originellen »dichterphilosophen« zum ersten male in einem grösseren werke vor augen zu führen.

Verfasserin hat die aufgabe, die sie sich steckt, in trefflicher weise gelöst. In dem ersten der beiden bände bietet sie uns eine ausführliche biographie des dichters, in dem zweiten eine auswahl seiner dichtungen in deutscher übersetzung.

Was zunächst die biographie betrifft, so kann man nicht sagen, dass dieselbe an factischem material wesentlich neues böte. Nach den erschöpfenden, umfassenden sammlungen, die Knight uns in seiner fundamentalen gesammtausgabe liefert, dürfte es überhaupt ziemlich schwer halten, noch viel neues biographisches material von wesentlichem belange herbei zu schaffen. M. Gothein's arbeit basirt denn auch in allen biographischen angaben durchaus auf den vorarbeiten Knight's. Auch in der charakteristik und kritischen analyse des dichters Wordsworth sagt verfasserin kaum etwas, was nicht von anderen schon vor ihr bemerkt wäre. Aber was ihr buch vortheilhaft vor vielen andern, insbesondere auch vor der voluminösen Knight'schen lebensbeschreibung, auszeichnet, das ist die glückliche kürze und abrundung ihrer darstellung. Sie weiss überall das richtige maass zu halten und dabei doch die hauptzüge deutlich hervortreten zu lassen. Gerade desshalb eignet sich ihr buch vortrefflich für die lectüre weiterer kreise. Es bietet uns keine trockene, gelehrte abhandlung, sondern ein frisches, lebendiges gemälde, das man mit freude und theilnahme an sich vorüberziehen sieht.

Man erkennt überall, dass verfasserin sich mit liebe und anempfindendem verständniss in die eigenart ihres dichters vertieft hat. Der vergleich Wordsworth's mit Milton (s. 16 f.), die skizzirung seines optimistischen realismus im gegensatz zu Pope einer- und zu Crabbe andererseits (s. 85), die darstellung seiner religiösen anschauungen (s. 273 ff.) und besonders das capitel »Wordsworth auf der höhe des schaffens« (s. 206 ff.) beweisen dies zur genüge.

Aber das hauptverdienst und der eigentlich selbständige werth der Gothein'schen arbeit scheint mir nicht in der biographie, auch nicht in der charakteristik des dichters selbst oder in der kritik seiner werke zu liegen, sondern vielmehr in der darstellung seines verhältnisses zu seinen z e i t g e n o s s e n und in den kurzen, treffenden schilderungen dieser selbst. Die verfasserin giebt uns, wie sie auf dem titel verspricht, eine lebendige darstellung des ganzen kreises bedeutender männer, in dem sich Wordsworth be-

---

[1]) Dass das spottbild, welches B y r o n von ihm entwirft, »noch heutzutage für das ausland das hinderniss einer grösseren popularität Wordsworth's ist«, wie M. Gothein s. 313 des vorliegenden werkes annimmt, glaube ich nicht. Das Haupthinderniss liegt, wie gesagt, in dem zu ausschliesslich nationalen, ja localen charakter seiner poesie. Ein beweis dafür ist frau Gothein's buch selbst: hat sie doch von den zahlreichen werken des dichters nur eine sehr kleine auswahl als zur übertragung geeignet erachtet.

wegte. Ich verweise hier vor allem auf die liebevolle charakteristik von Wordsworth's schwester Dorothy, auf die schilderung von Coleridge, John Wilson, De Quincey, Crabb-Robinson, auf die darstellung der zeitgenössischen dichtung zur zeit des erscheinens der Lyrical Ballads u. s. w. Hin und wieder schweift verfasserin vielleicht etwas reichlich weit ab, z. b. bei der schilderung von Lamb, Hazlitt u. a.; manchmal leidet auch die übersicht über den chronologischen fortschritt der darstellung etwas unter solchen excursen; im allgemeinen aber machen, wie gesagt, gerade diese episoden einen der hauptreize des buches aus.

Die übersetzungen der gedichte sind ungleich gearbeitet[1]). Einige sind wirklich vortrefflich gelungen, z. b. Die arme Susanne (s. 2), Tintern Abbey (s. 15), Mein herz wallt auf (s. 50), Im März (s. 51), Die einsame schnitterin (s. 60), Sie war ein elfe licht und leicht (s. 63), Im wald traf ich Luisen heut (s. 87), Euch heimathsfluren gilt mein gruss (s. 144), verschiedene der oden und sonette u. s. w. Andere sind weniger gelungen. Hierher zähle ich z. b. Wir sind sieben (s. 8). Man vergleiche nur die 14. und 15. strophe mit dem original:

>Und als es (d. h. Hannchen) auf dem kirchhof lag,
Da gab es spiel und tanz
Rund um ihr grab am sommertag
Von mir und bruder Hans< u. s. w.

Schlecht übersetzt ist ferner das citat aus Cowper's >Task< (I, 82); unklar ist die dritte strophe von >Ellen Irvin< (II, 47); entstellt aber sind vor allem die Lucylieder (s. 20 ff.). Am besten ist noch das erste gelungen; aber auch hier bieten die verse:

>Und von den letzten höhn
Sah ich des mondes volles rund
Bei Lucy's dache stehn<

nur eine unklare wiedergabe der scene des originals:

>And, as we climbed the hill,
The sinking moon to Lucy's cot
Came near, and nearer still.<

Das dritte lied ist theils offenbar missverstanden, theils sehr unklar übersetzt. Man vergleiche die ersten 10 zeilen des originals:

>I travelled among unknown men,
In lands beyond the sea;
Nor, England! did I know till then
What love I bore to thee.

'Tis past, that melancholy dream!
Nor will I quit thy shore
A second time; for still I seem
To love thee more and more.

Among thy mountains did I feel
The joy of my desire< —

---

[1]) Es ist mir nicht möglich gewesen, alle eingehender mit dem original zu vergleichen; ich habe mich auf eine auswahl beschränken müssen.

mit der übersetzung:

> »Bei fremden menschen wandert' ich,
> Sah fremder brauch und land,
> Da hab' ich noch die lieb für dich,
> Mein England, nicht gekannt.
>
> Nun ist vorbei der düst're traum;
> Ein thor, der dich verlässt,
> Und deiner meeresküste saum;
> Mich hält die liebe fest!
>
> Ich habe, da ich dir genaht,
> Manch frohen wunsch genährt.«

Verhängnissvoller sind aber einige andere missverständnisse des textes, aus denen man schliessen muss, dass verfasserin die ganze grundlage dieser Lucylieder falsch aufgefasst hat. Auch an der stelle der biographie, wo von diesen liedern die rede ist (s. 106), spricht sich verfasserin nicht bestimmt darüber aus. Es ist ja genug über dieselben hin und her gestritten worden. Mir scheint es kaum zweifelhaft, dass eine wirkliche Lucy existirte, mit der Wordsworth in Yorkshire, »an den quellen des Dove«, bekannt wurde, die er liebte, die aber vorzeitig starb, und zu deren gedächtniss er die unter ihrem namen bekannten lieder dichtete. Eine bei Wordsworth sonst ganz unbekannte gluth und leidenschaft der sprache, die anspielung auf das spinnrad, auf das »violet by the mossy stone half hidden from the eye«, auf »the bowers where Lucy played«, die localangabe, — alles dies deutet, wie auch Knight hervorhebt, mit entschiedenheit auf eine wirkliche person hin, von der wir allerdings sonst keinerlei bestimmte kunde haben. Auch das hartnäckige, räthselhafte schweigen, in das sich der dichter sein lebenlang in bezug auf diesen punkt hüllte, scheint nur zu bestätigen, dass wir es hier mit einem früheren »phantom of delight« zu thun haben, die vor seiner verehelichung mit Mary Hutchinson seine pfade kreuzte und nach ihrem frühen tode noch längere zeit des dichters phantasie beschäftigte. Wäre dem nicht so, so hätte er jedenfalls in den Fenwick Notes veranlassung genommen, ausdrücklich zu betonen, dass ihm auch bei der abfassung der Lucy-lieder seine Mary vorgeschwebt habe, oder aber dass Lucy ein blosses phantasiegebilde sei. In den noten zu dem bekannten gedicht »She was a phantom of delight« fühlt er sich ja auch bewogen, hervorzuheben, dass der anfang sich allerdings ursprünglich auf das hochlandsmädchen bezog, dass aber der ganze übrige inhalt ihm »aus dem herzen geflossen« sei.

Uebrigens ist es hier für uns gleichgiltig, ob Lucy eine wirkliche person oder ein phantasiegebilde war. Jedenfalls tritt sie uns in diesen liedern als schon gestorben entgegen (und schon dieser eine umstand dürfte doch die möglichkeit einer identificirung mit Mary von vornherein ausschliessen). Diese thatsache hat frau Gothein offenbar übersehen. Daher sind die schlussverse des dritten liedes:

> »And thine too is the last green field
> That Lucy's eyes surveyed«

fälschlich übersetzt mit:

>Und auf dein **fernstes** grünes feld
>Blickt Lucy's aug' hinaus«.

Falsch verstanden ist ferner im vierten liede der vers:
>This Child I to myself will take«,
der nicht bedeutet:
>Dies kind will ich mit anmuth zieren«,

sondern: »Das kind will ich zu mir nehmen«, d. h. es soll sterben, soll den kreisen der menschen entzogen werden. Aus demselben grunde muss in der letzten strophe desselben liedes die stelle:
>Thus Nature spake — The work was done —
>How soon my Lucy's race was run!«
nicht übersetzt werden:
>So sprach natur — es ward vollendet.
>Doch schnell war Lucy's lauf beendet.«

Das gäbe einen ganz falschen sinn; es bedeutet vielmehr: »So sprach natur — es ward vollendet (d. h. es geschah so), Und schnell war Lucy's lauf beendet.«

Missverstanden sind endlich auch die beiden ersten zeilen des zweiten liedes:
>She **dwelt** among the untrodden ways
>Beside the springs of Dove«,
welche verfasserin übersetzt:
>Sie **wohnt** vom breiten wege fern,
>Wo scheu die taube baut«.

Der zweite vers bedeutet, wie bereits erwähnt, »an den quellen des Dove«, und der Dove ist ein flüsschen in Yorkshire. Und da die besungene bereits gestorben ist, giebt das präsens »wohnt« gar keinen sinn; und präsens soll es hier, wenigstens dem metrum nach zu urtheilen, doch wohl sein, während man in der letzten strophe die stelle »Hört Lucy auf zu sein« allenfalls als druckfehler für »Hört' etc.« ansehen kann.

Auch in der biographie finden sich hin und wieder kleine sprachliche versehen und missverständnisse. So ist gleich oben s. 2 von einem Justus Coleridge die rede, der der neffe des bekannten dichters sein soll. Das ist natürlich eine falsche auffassung des englischen Justice Coleridge, d. h. richter Coleridge. Sein wirklicher name war Sir John Taylor Coleridge.

S. 6, z. 16 v. o. sollte es heissen »of the growing of my mind« statt »from etc.« — S. 13, anm. 1. Der englische ausdruck für unser studentisches »fuchs« ist nicht freshling, sondern freshman, auch fresher. Uebrigens wäre auch in den text statt des ungewöhnlichen »neuling« doch besser das allbekannte wort »fuchs« aufgenommen worden. — S. 248, z. 13 v. u. Das englische »This will never do« kann man im Deutschen unmöglich mit »Das wird's nicht machen« wiedergeben. Das wäre dasselbe, als wenn der Engländer für seinen bekannten ausruf »Did you ever?!« im Deutschen »Thaten Sie jemals«?!« rufen wollte. »This will never do« heisst »Da hört alles auf!« oder etwas ähnliches.

Einige englische namen und andere wörter sind mit falscher orthographie gegeben, z. b. s. 15, z. 1 v. o. der fluss, an dem Cambridge liegt, heisst nicht Camb, sondern Cam. — S. 30, z. 2 v. u. lies Landaff statt Landeff. —

S. 77, z. 2 v. u. Lewis statt Lewes. — S. 109 ff. Der name Sockburn
ist consequent Suckburn geschrieben. — S. 113, z. 11 v. o. lies christmas statt
christmass. — S. 127, z. 12 v. u. Tickler statt Tikler. — S. 205 mitte lies
Allan-Bank statt Allen-Bank. — S. 346, z. 3 v. o. (vgl. auch s. 126, z. 7 v. u.)
Ettrick Shepherd statt Ettrik Shephard.

Von kleinen sachlichen versehen sind mir die folgenden aufgestossen:
S. 5. Nicht in seiner vaterstadt Cockermouth, sondern in Penrith war
Wordsworth mit seiner cousine Mary auf der schule zusammen. — S. 18.
Thomson's Seasons sind nicht in paarweis gereimten fünffüssigen jamben,
sondern in blankversen abgefasst. — S. 19, z. 10 v. u. Wordsworth trat
seine Schweizerreise nicht im herbst (das wäre doch etwas zu spät gewesen),
sondern im sommer 1790 an; am 13. Juli fuhr er von Dover ab. — Das
jahresgehalt, das die brüder Wedgwood Coleridge aussetzten, belief sich nicht
auf 80 £, sondern auf 150 £ (vgl. Brandl, Coleridge 239. Knight, Life
of Wordsw. 1, 128. 147). Ich weiss nicht, woher verfasserin jene angabe
hat. — S. 100, z. 5 v. u. Die abreise von Alfoxden erfolgte nicht im Juli,
sondern am 26. Juni 1798. — S. 167, z. 5 v. o. John Wordsworth's schiff
strandete kurz nach der abfahrt von London am 5. Februar 1805, nicht kurz
vor der landung (Knight, Life of W. 1, 370 f.). — S. 205, z. 4 v. u. Rydal
Mount ist nicht »auf beherrschendem hügel über Grasmere«, sondern ein
tüchtiges stück wegs südlich von Grasmere oberhalb des Rydal-sees gelegen. —
S. 247, z. 3 v. u. Erasmus Darwin war nicht der vater, sondern der
grossvater des bekannten naturforschers. — Haydon's bild »Christi einzug
in Jerusalem« befindet sich, wie Forman in der vorrede zu seiner grossen
Keats-ausgabe (I, p. XXXV) bemerkt, gegenwärtig im museum zu Philadelphia.

Aber jetzt genug hiervon. Dies sind kleinigkeiten, die den werth der
gesammtdarstellung in keiner weise beeinträchtigen, und die bei einer derartigen arbeit nur zu leicht mit unterlaufen. Alles in allem kann ich nur
wiederholen, dass ich M. Gothein's buch mit grossem vergnügen und interesse
gelesen habe. Es ist ganz vorzüglich geeignet, die eigenartige persönlichkeit
und wirksamkeit des englischen dichters auch dem grösseren deutschen publicum
näher zu führen, und wir wünschen dem werke desshalb von herzen den besten
erfolg und die weiteste verbreitung.

TÜBINGEN, Februar 1895. J. Hoops.

II.

ZUM ENGLISCHEN SPRACHGEBRAUCH.

C. Stoffel, Studies in English, written and spoken. For the use of continental
students. First Series. Zutphen, W. J. Thieme & Co. Strassburg, Karl
J. Trübner, 1894. 1. Bd. X u. 332 ss. Mittel 8°.

Der verf., schon längst als tüchtiger kenner des Englischen bekannt,
vereinigt in der vorliegenden ersten serie seiner 'Studies in English' eine reihe
von aufsätzen, die z. th., wenn auch nur als knappe erste entwürfe, schon
früher in verschiedenen zeitschriften (Taalstudie, Herrig's Archiv, Anglia,

cf. Preface IX) veröffentlicht sind, hier aber in erweiterter und verbesserter form erscheinen, zum theil aber bisher noch ungedruckt waren. Zahlreiche lexikalische, phraseologische und grammatische punkte werden darin einer beleuchtung unterzogen, deren ergebnisse oft um so interessanter sind, je alltäglicher und selbstverständlicher einem die untersuchten erscheinungen vorkommen können, einer beleuchtung, die sich nicht oberflächlich mit der gegenwart begnügt, sondern den weniger bequemen, aber einzig richtigen weg der sprachgeschichtlichen untersuchung einschlägt. Wenn im folgenden St.'s werk mit grösserer ausführlichkeit, als sonst in recensionen üblich, besprochen wird, so entspricht dies nur der bedeutung seiner arbeit, die sicher zu den hervorragendsten der in den letzten jahren auf dem gebiete der englischen sprachforschung erschienenen werke gehört. Zugleich lässt sich nur so auch einigermaassen zeigen, wie reich und anregend der inhalt des buches ist.

Die erste abhandlung: 'On certain functions of the preposition *for*' zerfällt in sieben unterabtheilungen, in deren erster: 'for = in spite of' St. ausführt, dass dieses for im mod. E. fast ganz auf die phrase *for all that* beschränkt sei, während diese urspr. bedeutung des for in *for aught I know, for all the world* etc. nicht mehr klar, wenn überhaupt noch empfunden werde. Er wendet sich gegen Mätzner's und Koch's annahme, dass *for* = trotz, ein besonderer fall des causalen for (to marry for love) sei, hält es vielmehr für wahrscheinlicher (cf. Flügel's Univ. Dict. 1891, s. v. for), dass wir es hier mit einem sonderfalle von localem *for* = 'fore (etwa = in the face, or teeth of)' zu thun haben. Gegen Mätzner und Koch soll in dem satze (Langtoft's Chron. 5972): 'The Reseamiradie was taken that ilk zere in Wales thorgh a spie, *for* all his powere', *for* nicht den wirkungslosen grund, sondern ein wirkungsloses hinderniss einführen. Doch kommt mir die ableitung dieser function aus der causalen nicht so schwierig vor, wie dem verf. Ein hinderniss ist logisch nur der grund für das qualitative gegentheil des ausgesagten: er ist gestorben, trotz der guten pflege; er ist nicht gestorben, trotz seiner gefährlichen wunde. Im ersteren falle hätte man erwarten sollen, dass die pflege seinen tod, im letzteren, dass die wunde sein lebenbleiben verhindert hätte; mit andern worten: im ersteren war anzunehmen, dass er wegen der guten pflege nicht gestorben, im letzteren, dass er wegen der gefährlichen wunde nicht am leben geblieben wäre. Ich neige also zu der ansicht, dass M. und K. in sprachphilosophischer beziehung der wahrheit hierin näher kommen, als St., denn sie haben wohl auch in der verhinderung eines geschehens den grund für ein nichtgeschehen erblickt. Das hineinspielen der negation, hier von so grosser bedeutung, ist übrigens dem verf. nicht entgangen: bei *for aught I know* weist er ausdrücklich darauf hin, dass hier die auffassung noch ziemlich klar eine negative sei, und dass desshalb auch (was gute grammatiken, z. b. die von Imm. Schmidt, nicht übersehen) diese phrase nicht in negativen sätzen begegne, in denen dafür *so far as I know* gebraucht werde. Betreffs der localen auffassung dieses *for* sei es gestattet, auf Tobler's kleinen aufsatz über das concessive *pour* (Verm. beitr. 2. reihe, p. 20—28) hinzuweisen, wo (p. 24,e) ein hier gut passendes afr. beispiel angeführt wird; »Gavain hat zu einem ritter gesagt: 'ihr sollt die jungfrau nicht von hinnen führen'; dieser antwortet: 'por poissance que vos aiés, Si ferai'«. Ebenda finden sich noch

mehrere afr. u. nfr. ähnliche belege. Von letzteren sei nur eins angeführt aus
der Rev. pol. et litt. 1, XI, 1890, p. 546a: »la division de la Droite est
réelle, pour n'être pas apparente encore«. Solche analogieen im Frz., die von
Tobler, soweit ich sehe, ebenfalls sämmtlich aus der causalen bedeutung des
por, pour hergeleitet werden, legen es m. e. nahe, bei dem uns beschäftigen-
den *for* lieber an einen speciellen fall von causalem als an locales *for* zu
denken, denn die locale bedeutung kommt doch für por, pour nicht in betracht. —
St. findet ferner, dass for = trotz, me. fast stets ein verallgemeinerndes *all*
(aught, any etc.) hinter sich habe. Die meistens selbstgesammelten beispiele
sind sehr willkommen und zutreffend. Die stehende phrase: for aught I know
(see, care, can tell etc.) wird p. 5 f. gründlich historisch beleuchtet. In neuerer
zeit haben sich andere ausdrücke (wie: for anything, for all od. for what
I know) daneben gestellt. *For anything I know* soll nach St. im mod. E.
selten sein. Das möchte ich bezweifeln: gerade im umgangs-Englisch ist es
mir sehr häufig begegnet. Richtig aber scheint mir die bemerkung, dass
diese redensart (wie for aught I know) nicht in negativen sätzen begegnet, also
auch durch *so far as I know* nicht umschrieben werden kann, wohl aber sei
dies zulässig bei for all (od. what) I know. So findet sich auch unter St.'s
beispielen eins aus J. K. Jerome, Idle Thoughts 155: »And for all we know,
Xantippe had *no* mother to whom she could go and abuse Socrates«, wo sich
eine negation zeigt. In geschickter weise werden dann andere wendungen
(z. b. for any good that will come of it, for any business that is doing etc.)
als blosse variationen der musterphrase *for aught I know* hingestellt. In dem
satze: 'from her ancestor she inherited her passion for musical and pictorial
art, though *from anything that appears,* her father had little faculty for either
one or the other', möchte ich nicht mit St. eine vermengung der beiden
wendungen: judging from what appears und for anything that appears (to the
contrary), sondern einen durchaus legitimen gebrauch des *from* = judging
from, finden, so dass die phrase deutsch ganz treffend mit »allem anschein
nach« wiedergegeben wäre. Ebenso wenig möchte ich in der oft besprochenen
stelle in Dickens' Christmas Carol, (stave III, geg. ende): Is it a foot or a
claw? It might be a claw, for the flesh there is upon it, den letzten teil mit
St. erklären als: there being *no* flesh upon it to prove that it is not one
(i. e. a claw), sondern einfach for = was anbelangt setzen: it might be a claw,
considering the flesh (i. e. the *little* flesh) there is upon it; deutsch etwas freier:
nach dem (wenigen) fleische zu urtheilen . . . . . ., wie ich es in meiner
ausg. des Christmas Carol wiedergegeben habe. Sehr richtig dagegen hat St.
wieder beobachtet, dass wegen der so häufigen verbindung von *for* = trotz,
mit *all* diese verbindung stellenweise zu einem selbständigen for all = in
spite of, verwachsen ist. Freilich können wir die mehrzahl der von St. hierfür beigebrachten beispiele nicht ohne weiteres als »unmistakeable« annehmen,
denn dafür könnten doch nur diejenigen gelten, wo sich *all* absolut nicht
mehr in seinem selbständigen sinne verstehen lässt; aber schon das eine beispiel aus Addison (Spectator 79): 'The writer will do as he pleases, for all me'
zeigt, dass St. richtig beobachtet hat; und ähnlich beweiskräftiger belege bietet
er noch mehrere. Mit recht verweist St. hierbei auch auf die conjunction for
all that = although, wo dies verwachsene for all ebenfalls anzunehmen sei.
Sogar ohne that finde es sich, und zwar nicht bloss im älteren E. Vgl.

Stevenson, The Master of Ballantrae, 8: »But *for all* he was the first to go in, yet it was observed, he was invariably the best to come off«.

In der phrase: for all the world == exactly, absolutely, mag der urspr. sinn, wie St. annimmt, gewesen sein: *whatever people may say*, so dass auch hier for = trotz, vorliegen würde. Bei »a fool for his pains« neigt St. dagegen — wie mir scheint, mit recht — zu der annahme, dass *for* nicht == trotz, sondern in seinem eigentlichen sinne zu verstehen sei, so dass der ausdruck ironisch sei = als lohn für . . . Die beigebrachten beispiele scheinen dies zu bestätigen.

In der zweiten abtheilung dieses aufsatzes über *for* befasst sich der verf. mit for == for fear of, to prevent, eine bedeutung, die weder bei Mätzner, noch bei Koch berücksichtigt ist. Abbot (Sh. Gr. § 154) führt aus Chaucer, Sire Thopas, 13790 an: 'And over that [he put on] an habergeon *for* percing of his herte'. St. bringt eine reihe anderer beispiele aus Chaucer und Piers the Plowman bei, um die häufigkeit dieses gebrauches von *for* im ME. darzuthun. Er meint, auch dieses *for* sei nur ein specieller fall des localen for; doch scheint es mir natürlicher, es aus causalem *for = on account of* herzuleiten. Bei letzterem kommt streng genommen etwas in der vergangenheit (resp. gegenwart) liegendes als ursache eines thuns oder geschehens, bei for == for fear of, etwas drohendes zukünftiges als ursache in betracht, so dass hier das causale in das finale (im negativen, d. h. vermeidenden sinne) übergeht: die vermeidung eines künftigen geschehens ist der zweck, d. h. die noch in der zukunft liegende ursache eines thuns. Die schwierigkeit bei unserm *for* entsteht nun daraus, dass die sprache sich sorglos für zwei verschiedene vorstellungsarten ein- und desselben wortes bediente. Ist hierin vielleicht der grund zu suchen, dass sie im mod. E. dieses *for == for fear of* aufgegeben hat? Auch das auffallende vorkommen dieses *for* als conjunction == lest, wie St. es aus dem Evang. Nicodemi 905—6 belegt: 'And fra the cite thai [the High-priests and Scribes] had tham [the soldiers who witnessed the Resurrection] sent, — Ffor they the suthe suld say', erklärt sich im grunde aus dem negativ-finalen for: wegen des drohenden verrathens der wahrheit, d. h. um den verrath zu verhindern, resp. damit sie die wahrheit nicht verrathen sollten. Dieselbe auffassung zeigt sich auch bei Alex. Schmidt (Sh.-Lex., for, 10, on account of, because of, with), welcher bei der stelle (Sonnet 52,4 f.): 'The which [pleasure] he will not every hour survey, *For* blunting the fine point of seldom pleasure' erklärt: *for blunting* means: because it would blunt == that it may not blunt (vgl. St. p. 18).

In der dritten abtheilung bespricht der verf. *for* == by reason of the want of, for want of, welches er mit recht als einen specialfall des nach vielen ausdrücken des verlangens, sichsehnens, strebens üblichen *for* auffasst (to die, yearn, starve for, eager, dry for == schmachtend, lechzend nach) und mit *for want of* erklärt: Sh., Henry V, I, 2, 114: 'O noble English! that could entertain — With half their forces the full pride of France, — And let another half stand laughing by — All out of work, and cold *for* action', was meist (so auch in der übersetzung der Deutschen Sh.-Ges.) falsch wiedergegeben werde. Diese nuance von *for* ist im mod. E. äusserst selten; nur in der phrase *spoiling for* (a, auch the) *fight* ist es wohl noch zu belegen, wo der urspr. sinn nach St. ist: losing one's efficiency (as a pugilist?), becoming rusty,

because of want of fighting-practice, der sich dann erweiterte zu : eager
for a tussle. In ähnlichen wendungen (wie: the police are spoiling for
something to do) liegen nur variationen derselben typischen phrase vor.

Die vierte abtheilung behandelt for = in the capacity of, considered as,
as. Diese bedeutung sei reichlich bei Alex. Schmidt (Sh.-Lex., for, prep. 3.)
belegt, und sei herzuleiten aus for = in the place of, in exchange for; Rom.&
Jul. I, 2, 96: 'Be burnt for liars'. Im mod. E. werde es, abgesehen von
stehenden redensarten, seltener und meist ersetzt durch as: to state for (gew.
as) a fact. Im anschluss an letztere phrase wird eine reihe ähnlicher wendungen
besprochen (wie to take for granted, to go for a soldier etc.), wo dies for
noch im allgemeinen gebrauch ist. In dem vulgären: *how's that for high?*
stehe high in dem sinne des familiären famos, engl. *capital*, und for =
considered as; es bedeute also etwa: How do you like that? Is it not capital
(fun)? Es wird durch zahlreiche beispiele belegt und bis in gewisse variationen
verfolgt, die sich leicht aus der zu grunde liegenden phrase ergeben, z. b.
how's that for steep (sl. = high), for right? Auch in : tall *for* his age, the
building is too large for a private house, for a wonder, for instance, for one
(thing) findet St. dasselbe for, ebenso wie in manchen, auf den ersten blick
auffällig erscheinenden acc. + inf.-constructionen, z. b.: Ad. Trollope, Filippo
Strozzi, 166: Seeing that it was too late for there to be any hope. In einem
längeren excurs über astonish = (slang) to make sit up, deutsch etwa: ver-
blüffen, paff (od. baff) machen, wird auch die viel commentirte stelle aus
Dickens' Christmas Carol (anf. des Stave I): 'litterally to astonish his son's
weak mind' eingehend erläutert. Es freut mich, zu finden, dass St. *literally*
ebenfalls auf *weak mind* bezieht, wie ich es in der anm. zu der stelle in meiner
ausg. des werkes schon 1888 gethan habe.

In der fünften abtheilung spricht der verf. über for (restrictive) = so far
as . . . . is concerned, as regards. St. leitet diese bedeutung einleuchtend aus
der vorigen (in the capacity of, considered as, as) ab. Das beste mod. beispiel
hierfür biete as for = was anbetrifft, worin as »rudimentary« geworden sei,
ähnlich andern älteren ausdrücken (as in, as by, as touching. [or concerning],
as now, as in this place), in dem mod. as between, as yet und dem vulg.
as how. In allen diesen habe *as* noch eine mehr oder weniger deutlich ge-
fühlte einschränkende kraft. Wie die excurse in St.'s anmerkungen
häufig höchst werthvolle ausführungen enthalten, so wird auch hier (p. 38) auf
ein *as to* = proportional (im verhältnis stehend, nach maassgabe) hingewiesen,
welches selbst Murray (N. E. D.) und seinen zahlreichen mitarbeitern entgangen ist, wie Mc Carthy, Short Hist. of Our Own Times, I, 24: 'Up to this
time the rates of postage were very high, and varied both as to distance and
as to the weight, and even the size or the shape of a letter'. Aber auch
ohne *as* habe *for* diese restrictive bedeutung, wie zahlreiche belege bei
Mätzner, Abbott, Alex. Schmidt für die me. und elisabethanische zeit beweisen.
St. bringt weitere beispiele auch älterer und neuerer zeit bei und findet dies
for mit recht in ausdrücken wie: for me = soweit ich in betracht komme,
for my part, so much for that, for the rest etc. Die häufige phrase *for the
matter of that* habe urspr. auch nur bedeutet: as regards the matter in hand,
so far as the present subject is concerned, sei dann später aber verblasst zu
einer art synonym für *indeed* (deutsch oft = freilich).

In der folgenden (6.) abtheilung wird *for* in seinen causalen und instrumentalen verwendungen besprochen = owing to, on account of, because of; through the medium or instrumentality of, through. Hier freilich will es mir nicht nöthig scheinen, über das c a u s a l e *for* hinauszugehen, und Mätzner dürfte kaum zu tadeln sein, wenn er ein deutlich ausgeprägtes i n s t r u m e n - t a l e s *for* nicht annimmt. St.'s beispiele für letzteres sind meines erachtens grösstentheils solche, die sich ebenso befriedigend durch *for* = *owing to* erklären lassen, z. b. Beowulf 965: 'he *for* mundgripe mínum sceolde licgean lífbysig', was St. wiedergiebt: he should lie life-weary *through* (= laid low *by*) my hand-grasp, wo ich aber glaube, mit owing to = infolge von, auskommen zu können. So auch Chauc. Freres Tale (Bell's ed. II, 101): 'Lordyngs, I couth han told yow', quod the frere, 'Had I had leysir *for* this sompnour here .... Such peynes that our herte might agrise'. Der sinn ist: 'Hätte ich ruhe gehabt, die ich aber wegen des sompnour nicht gehabt habe, so hätte ich ....' St. freilich umschreibt: 'he was prevented *by* the sompnour from telling his story'. Beiläufig sei darauf hingewiesen, dass auch im Deutschen w e g e n (weniger elegant und correct als häufig) ähnlich verwendet wird, z. b.: 'hätte er wegen seines schlimmen fusses ausgehen können, so wäre er sicher gekommen'. Gewiss k a n n man durch eine leichte wendung des gedankens zu dem begriff der intrumentalität gelangen, aber n i c h t s z w i n g t dazu, die causale auffassung zu verwerfen. Die beispiele bei St., wo letztere nicht passt, scheinen mir in der that auch gar nicht hierher zu gehören, sondern in die vorige abtheilung über das restrictive *for*. Als typisch möge hier ein beispiel platz finden aus der Romanze von Athelston (Zupitza, Engl. stud. XIII, 331 ff.) z. 667: 'That schalt thou nevere wete *for* me'. Hier genügt es m. e., zu erklären: 'das sollst du, soweit ich in betracht komme (od. soweit es von mir abhängt), nie erfahren'. Ebenso scheint mir der fall bei allen andern von St. angeführten beispielen zu liegen, wo es sich nicht um causales *for* handelt. In Barbour's Bruce 5, 52 wird auf die frage: Traitour, quhy maid thou on the fyre? geantwortet: That fyre was neuir maid on *for* me. Wenn wir hier, wie es in Hart's ausg. geschehen ist, *through* für *for* einsetzen, so geht uns etwas von dem gedanken verloren; es wird dann nur die thäterschaft bestritten, während *for me* zu verstehen giebt, dass der mann bei dem feuer überhaupt nicht in betracht kommt, gar kein interesse daran gehabt hat, so dass hier also vielleicht ein wenig von der bedeutung des for = zu jemandes nutzen, mit empfunden wird. Erwähnt mag noch werden, dass für das mod. E. der verf. selbst (p. 46) das vorkommen von »purely instrumental for« leugnet.

Die siebente, längste und syntaktisch wichtigste abtheilung über 'for before acc. c. inf.' zeigt St.'s arbeit im besten lichte. Er versucht zunächst den hisorischen nachweis zu führen, dass die acc. c. inf.-construction als logisches subject quasi-unpersönlicher verben in den germanischen sprachen einst ebenso heimisch gewesen sei, wie in den classischen, und tritt dann — wie ich glaube, mit erfolg — der ansicht gewisser englischer grammatiker (wie Abbott und Mason) entgegen, nach denen das (von ihm als unorganisch bezeichnete) *for* vor dem acc. c. inf. nur das um- oder vorangestellte *for* des im ME. so häufigen infinitivs mit *for to* sei. Er sagt (p. 57): »To me there is hardly any doubt that 'inorganic for' came into use as a substitute for a *dative* case, which to the consciousness of Middle English speakers, had taken the place of the

original *accusative* in such a sentence as 'It is good us to be here', which on
p. 54 I have quoted from Wycliffe's Matthew.« Durch zahlreiche belege stützt
er seine ansicht und zeigt, wie der übergang zu der auffassung des urspr.
accusativs als eines dativs sich natürlich zunächst bei solchen prädicaten vollzog, die ein dativ-complement hinter sich zuliessen (it is fair, necessary, a
shame etc.), und wie man dann später, als dies *for* feste wurzel gefasst hatte,
dazu kam, dies *for* auch in fällen zu gebrauchen, wo (wie nach it speedeth)
ein dativ-complement unzulässig war. Dieser übergang vollzog sich etwa im
15. jh. Als man den alten acc. nicht mehr als solchen empfand, blieben (abgesehen von der hier nicht interessirenden auflösung in einen nebensatz mit
d a s s) zwei wege übrig: 1) für den acc. einen nominativ zu setzen, wie das
Shakespeare öfter that (z. b. Timon, IV, 3, 266: I to bear this is some burden)
oder 2) einen dativischen ausdruck daraus zu machen und diesen direct mit
dem prädicat zu verbinden, wodurch der infinitiv sich selbst überlassen wurde
und allein als logisches subject dienen musste. Der unflectirte dativ hatte aber
längst angefangen, dem volke nicht mehr zu genügen; man suchte ihn also
deutlicher zu machen und wählte dazu *for*, welches dem *to* gerade in dieser
verwendung grosse, stetig wachsende concurrenz machte. Uebrigens kamen
solche constructionen mit to als dativ-bezeichnung auch vor. St. citirt p. 64:
'It is hard *to* thee for to kyke azens the pricke', wo natürlich to thee
von *hard* abhängt, und der inf. allein das logische subject des satzes
ist. Nachdem St. so den doppelten ursprung der in neuerer zeit immer
weiter um sich greifenden for + acc. c. inf.-construction gezeigt hat, weist er
auf das zusammenfliessen dieser ursprünglich getrennten constructionen im
mod. E. hin, sowie auf die allmähliche verhärtung der ganzen construction, so
dass sich bald freiere verwendungen zeigen. p. 65: Milton, Parad. Lost VIII,
250: For man to tell how human life began, — is hard; oder gar (p. 67)
W. Irving, Bracebridge Hall, II, 22: There is nothing so rare as for a man
to ride his hobby without molestation. Der acc. c. inf. nach andern präpo-
sitionen als *for* begegne zwar hier und da, habe aber, wie St. meint, nicht
festen fuss gefasst. Der verf. zeigt dann an beispielen wie *I wait for the rain
to cease* dass for zuweilen gar nicht mehr das dativverhältniss zu bezeichnen
habe, so dass die ganze construction formelhaft erstarrt erscheine.

     Soweit nun die verbindung for + acc. c. inf. in betracht kommt, scheint
mir des verfassers untersuchung völlig einleuchtend und befriedigend. Aber
die frage des heimischseins eines nicht durch lateinischen einfluss zu erklärenden acc. c. inf. mit subjectfunction in den alten germanischen sprachen
scheint mir noch immer der lösung zu harren, besonders für das AE. Das
bisher zur verfügung stehende beweismaterial scheint doch gar zu dürftig, wie
sich auch aus den nicht minder gründlichen ausführungen Einenkel's (in seinen
'Streifzügen durch die mittelengl. syntax p. 247 ff., vgl. auch p. 80 ff.) ergiebt. Einenkel sieht sich auch veranlasst, diese frage für das Gotische und
AE. offen zu lassen, während er für das ME. den echten acc. c. inf. natürlich
anerkennt, ihn dort aber als etwas durch lateinischen und romanischen einfluss
eingedrungenes f r e m d e s erklärt. Dieses fremde sei dann bald als solches
wieder abgestossen worden. So würden sich dann die von St. aus Shakesp.
herangezogenen fälle, wo statt des acc. deutlich ein nominativ eintritt, als
natürliche reaction erklären. Seitdem sei der reine acc. c. inf. (d. h. ohne

vorangehendes *for* or *to*) in subject-function ganz aus der sprache verschwunden. Einenkel sagt darüber (a. a. o. p. 252): 'Wir stehen somit vor der interessanten erscheinung, dass aus einer ae. construction infolge starker romanischer einflüsse eine neue, innerlich ganz von der alten verschiedene construction sich abzweigt, die alte construction für eine kurze zeit verdrängt, endlich jedoch von dieser zurückgedämmt und zuletzt völlig erdrückt wird.' Soweit ich sehe, hat St. Einenkel's arbeit für diese frage nicht berücksichtigt. Uebrigens bietet Einenkel (a. a. o. p. 136 ff.) für die verschiedenen verwendungen der präp. for noch manches, was trotz St.'s gründlichkeit mit vortheil hätte in betracht gezogen werden können. Beiläufig sei bemerkt, dass auch Einenkel von einem eigentlich instrumentalen for nicht spricht. —

Die zweite abhandlung, welche sich mit *no* und *not* beschäftigt, zerfällt in drei abtheilungen, in deren erster das unbest. adj. fürwort no = ae. nän behandelt wird. Der verf. geht von zwei beispielen aus W. Irving's Rip van Winkle aus: not a dog would bark at him; no dog was to be seen, und weist auf die unvertauschbarkeit von *no* mit *not a* in diesen und in einer reihe ähnlicher beispiele hin. In *no* dog trage *no* den hauptton, in *not a* dog aber sei das sbst. stärker betont. Komme *not a dog* gleich *no dog* gebraucht vor, so sei alsdann auch *not* stärker betont, denn in schwächerer betonung verneine es nicht ein w o r t, sondern die ganze aussage, es sei dann also ein sentence-modifier, kein word-modifier. Im ganzen kann man sich mit St.'s ausführungen einverstanden erklären, obgleich man die schwierigkeit dieser frage, wie aller, wo es sich um lautliche und besonders betonungs-verhältnisse handelt, nicht wird unterschätzen dürfen. Theoretisch hat St. gewiss recht, doch glaube ich, dass diese saubere scheidung in der praxis des gesprochenen Englisch nicht durchweg so streng beobachtet wird, und dass bei dem satze: 'he hasn't any children' (statt he has no children) die wenigsten mit St. (p. 81) ergänzend hinzudenken werden: 'though he has plenty of persons depending on him for living'. Immerhin ist es dankenswerth, dass der verf. dieser heiklen frage einmal etwas gründlichere beachtung geschenkt hat, als sie in grammatiken zu finden pflegt.

Die zweite abtheilung dieser abhandlung betrifft no = ae. nä (ne + ä = ne + at any time), welches ursp. never bedeutete. Dieses adv. no, etymologisch ganz verschieden von dem pron. no habe sich im Mod. E. erhalten: 1) als word-negative vor adj. und adv. comparativen; 2) als word-negative vor attrib. adjectiven in gewissen stehenden redensarten; 3) als sentence-negative, besonders in der wendung whether or no u. ähnl. Für no more (resp. not more) . . . . . than führt St. dies bis ins genaueste in klarer, überzeugender weise aus und findet, dass no more than = as little . . . . as (resp. = only), not more than = as much as as bedeute; no more than three = only three, not more than three = three at most. In *no worse dauber* sei no unbest. pronomen, in no worse a husband dagegen ein von worse untrennbares adverb. So ergeben sich auch andere gleichungen: no better a . . . than = as bad a . . . as; no greater a . . . than = as small a . . . as, no less a . . . than = as great a . . . as. Freilich sei bei *less* der sprachgebrauch nicht logisch und consequent verfahren, denn sowohl *not* less than wie *no* less than komme = as much as vor. So klar jedoch, wie sich hier die sache ausnimmt, ist sie wiederum in der praxis nicht, und St. selbst zeigt (p. 102 f.), dass die verwechslung der satz- und wortnegation auch in modernen guten schriftstellern durchaus nicht selten ist, z. b. Scott: I have tried to unsettle no man's faith. Dies ist aber eine erscheinung, die uns auch im Deutschen ganz geläufig ist: 'ich hätte ihm keine hilfe bringen können', wo wir meinen: 'ich hätte ihm nicht hilfe bringen können.' St. führt unter seinen beispielen auch solche aus dichtern an; doch scheint mir das gerade bei solchen untersuchungen wenig rathsam, denn nicht nur werden dichter meist bemüht sein, sich anders als in der prosa auszudrücken, auch der drang und die noth des versbaues bringt oft eine abweichung von dem üblichen sprachgebrauch hervor, so dass poetische beispiele nicht selten solche fragen verdunkeln, statt sie aufzuhellen. —

In der letzten dieser drei abtheilungen wird 'the absolute particle no = German n e i n' besprochen. Es handelt sich dabei besonders um die phrase whether or no. Der verf. geht davon aus, dass seit der ae. zeit bis jetzt *whether* zwei functionen erfüllt habe: 1) als interrog. pron., 2) als conjunction zur einleitung des ersten gliedes einer doppelfrage. In ersterer bedeute es: which one of the two (Swift, Gull. Tr., Brobdingnag I: a great island, or continent — for we knew not *whether*). Der übergang zur conjunctionalen function erkläre sich wohl durch eine umstellung, wie etwa in: 'was it true or not? I asked him whether, zu: I asked him whether it was true or not, wobei sich zugleich der übergang von der urspr. directen zur (späteren) indirecten frage voll-zogen habe. Wenn St. weiter bemerkt (p. 108), dass directe, mit whether ein-geleitete fragen »used to have inversion«, so scheint er mir zu übersehen, dass diese inversion nicht eintrat, wenn whether im subject stand; er selbst führt an (Author. Version, Mattheu 21, 31): Whether of them twain did the will of his father? Stand *whether* dagegen im object, so trat natürlich die inversion ein, wie in dem beispiel (Sh., All's well IV, 5, 23): whether dost thou profess thyself, a knave or a fool? · Manche seiner schlüsse dürften daher etwas von ihrer un-anfechtbarkeit einbüssen, doch ist immerhin wohl nicht zu bestreiten, dass die form *whether or no* die. ältere, correctere und zugleich anschaulichere sei, während die neuere, regelmässigere erst seit dem anfang des 18. jh. an-gefangen hat, ihr ernstlich concurrenz zu machen. Auch diese verbindung sei dem schicksal aller häufig gebrauchten wendungen nicht entgangen: sie er-starrte und wurde schon ziemlich früh ohne einschiebsel zwischen whether und no gebraucht (Earl of Shaftesbury, Characteristics I, 315: We can have no scruples, whether or no the work be an acceptable one to him), so dass *whether or no* geradezu zu einer zusammengesetzten conjunction für doppel-fragen wurde (Samuel Warren: whether or no it really portends my approaching death I know not). Unsere phrase könne demnach im mod. E. in vier formen auftreten: 1) whether .... or no, 2) whether or no, 3) whether.... or not, 4) whether or not. Auch auf eine interessante verblassung der grund-bedeutung wird aufmerksam gemacht, z. b. (Dickens, Hard Times, 332): I hate over-officiousness at all times, whether or no), wo unsere phrase etwa be-deutet: so oder so, unter allen umständen. —

Die nächste untersuchung gilt only = except. St. zeigt, wie in dem älteren 'he nis but a child', (noch heute in nördl. dialekten: he is nobbut a child) schon früh die negation wegfiel (Piers the Pl., C. XVII, 359: he cometh but selde), so dass im mod. E. but (urspr. = except) für only ganz gewöhnlich sei. Daraus sei schon im 17. jh. eine merkwürdige verwechslung von only mit but

auch in anderen verwendungen entstanden, wobei die urspr. logische bedeutung
von only = *not* except vollständig übersehen sei. Pepy's Diary, Aug. 22, 1668:
'Our whole office will be turned out, *only me*, which whether he says true or
not, I know not'; Review of Reviews, Sept. 15, 1893, 277 b: 'Mr. Morley
Roberts . . . does noet speak kindly of the United Sates of America, *only* so
far as they are unpeopled'. Dies only = except sei besonders häufig zu treffen
in der verbindung only for = except for, but for, if it were not for. Auch in
but that habe sich *only* statt *but* eingedrängt = except for the fact, were it not
that . . . z. b. Punch, 1853, vol. I (vol. 24) 202 b: 'And only that we were
wet to the skin, we might have thought it even beautiful'. Hierzu sei erwähnt, dass auch im Deutschen ein ähnliches n u r d a s s vorkommt (wir hätten
es sogar schön finden können, n u r d a s s wir bis auf die haut durchnässt
waren), n u r d a s s wir den nebensatz nicht, wie der Engländer, voranstellen
können.

   In der abhandlung über 'to think long etc.' greift St. auf den unterschied
zwischen dem ae. thencan (to think) und thyncan (to seem) zurück, welch
letzteres im AE. und auch im ME. noch meist unpersönlich war. me thyncth
habe in seiner bedeutung im ME. dem ic thence ziemlich nahe gestanden,
auch habe die tendenz, persönliche für unpersönliche verben zu gebrauchen,
bestanden und die vermengung der formen beider verben (wie H. Sweet sie in
seiner New English Grammar, § 1340 bespricht) gefördert. Von ausdrücken,
wie me thinketh that . . . ., me thinketh wonder oder as me soth thinketh,
wo entweder ein subject-nebensatz oder ein nomen im nominativ folgte, sei
man im späteren ME. zu persönlichen constructionen gelangt wie: I thought
shame oder im Tudor-E.: he thought scorn, welches auch jetzt noch begegne,
z. b. (Cornhill Mag., Aug. 1886, 179): 'Once in a year or so they may *think
scorn* of each other — soon to repent it may be'. Die bedeutung der phrase
to think long = to long for (im Tudor-E.) sei aus me. me thynketh long =
it seems a long time to me entstanden. Der begriff des verlangens, sehnens
habe sich leicht daraus ergeben. Diese bedeutung verdiene beachtung, da die
phrase fast regelmässig, z. b. im Shakespeare, falsch aufgefasst werde. Eine
vermischung der persönlichen und unpersönlichen construction, also ein beispiel
aus dem übergangsstadium, biete die stelle (Sh., Rich. III, III, 1, 63, Folios):
'Where it think'st best unto your royal self' (Quartos: it seems best), wo wohl
auch thinks't (= thinks it) anzunehmen sei, wie Alex. Schmidt und Delius
es auch wirklich setzen in Haml. V, 2, 63: 'Does it not, thinks't thee, stand
me now upon?' Schon seit ende des 15. jh. sei die persönliche construction
im zunehmen begriffen, und man müsse also sorgfältig unterscheiden zwischen
der bedeutung: it seems long (to me) und to long for; letztere sei übrigens
schon unter Elisabeth ziemlich selten gewesen; Sh., Romeo & Juliet, IV, 5, 41:
'Have I thought long to see this morning's face, — And doth it give me
such a sight as this?' Jedenfalls stecke in dem long kein adverb, sondern ein
adjectivischer nominativ, wie sich auch in to think good, fit, proper, light,
best adjective zeigen. Erst eine abstumpfung des richtigen gefühls für die
historische entwicklung habe dann wendungen gezeitigt, wie to think scorn *of*,
und nach deren muster auch to think light (od. better) of, not to think much
of a thing.

In den fünf abtheilungen der nächsten längeren abhandlung über 'Scriptural Phrases and Allusions in Modern English' trägt St. viel schätzbares material zusammen und führt eine ansehnliche zahl von mehr oder weniger alltäglichen phrasen in überzeugender weise auf ihren biblischen ursprung zurück. Nur selten bleiben noch bedenken übrig, wie vielleicht bei seiner erklärung von 'to the bitter end'. Murray N. E. D. s. v. bitter-end citirt aus Smyth, Sailor's Wordbook, 103: 'When a chain or rope is paid out to the bitter-end, no more remains to be let go' und fügt hinzu: 'hence, perhaps, *bitter-end*'. Er scheint mir damit eher das richtige zu treffen, als der verf., der drei Bibelstellen anführt (Prov. V. 4: her *end* is *bitter* as wormwood; Amos VIII, 10: 'And I will make it as the mourning of an only son, and the *end* thereof as a *bitter* day; II. Sam. II, 26: it will be *bitterness* in the latter *end*'), aber zu übersehen scheint, dass darin durchweg auf das bittere, schmerzliche gewicht gelegt wird, während in unserer phrase nur das letzte oder äusserste ende gemeint ist. Dieser sinn ergiebt sich nun am natürlichsten aus der oben erwähnten seemännischen phrase, 'ohne dass die möglichkeit einer nachträglichen beeinflussung durch gewisse Bibelstellen ganz in abrede gestellt werden soll. —

Auch die ziemlich lange erörterung der bekannten stelle (Dickens, Christm. Carol): he is a tight-fisted hand at the grindstone, scheint mir nicht recht überzeugend. St. erwähnt auch die erklärung, welche ich in meiner ausgabe des werkes gegeben habe. Sie ist nur kurz und für das praktische übersetzungsbedürfniss eingerichtet: »*grindstone*« (schleif- oder wetzstein) bedeutet jede anstrengende thätigkeit, für den kaufmann Scrooge, also sein »geschäft«. To be a good hand at shooting: ein guter schütze sein. Nach solchem muster nennt D. seinen Scrooge einen geizigen (tight-fisted) »geschäftsmann«. Zwar hätte auf die härte in Scrooge's geschäftsgebahren ausdrücklicher hingewiesen werden können, aber geiz verträgt sich so wie so nicht mit milde. Ueber tight-fisted sagt St., es beziehe sich auf 'Scrooge's firm grip at the handle of the grindstone', und es bedeute seines wissens nicht geizig, (wofür close-handed im gegensatz zu open-handed gebraucht werde). Nun heisst aber *tight* thatsächlich doch auch geizig, wie St. aus dem auch von ihm geschätzten und gern citirten grossen Flügel'schen wb. hätte ersehen können, und wie ich das wort selbst in England habe gebrauchen hören; auch bedeutet to grind in der that schwer arbeiten (cf. Muret's wb. s. v. to grind) und *grindstone* arbeit (ib. s. v. grindstone: to be kept with one's nose to the grindstone = ohne unterbrechung arbeiten, fam. sich schinden müssen). St. richtet nun sein augenmerk besonders auf (bibl.) to grind = bedrücken, quälen, schinden, aussaugen, während ich mehr auf tight-fisted = geizig, habsüchtig, sehe. Im grunde genommen laufen beide auffassungen auf dasselbe hinaus: Scrooge war ein geiziger und daher unbarmherziger geschäftsmann und leuteschinder. Ich habe Engländer über diese stelle befragt; sie stimmen wohl auch alle in dieser schliesslichen erklärung überein, über die wege aber, um zu diesem resultat zu kommen, differiren ihre ansichten ähnlich, wie die des verfassers und die meinige. Jedenfalls dürfte meine erklärung nicht so ohne weiteres als unzulässig von der hand zu weisen sein. — Im übrigen enthält diese abhandlung viel willkommenen und belehrenden stoff. Man staunt, bis zu welchem grade selbst die alltägliche sprache mit biblischen reminiscenzen durchsetzt ist.

Sicherlich werden sich bei weiterem suchen noch mehr redewendungen auf die biblische quelle zurückführen lassen.

Die letzte und längste abhandlung in dem vorliegenden bande bringt 'Annotated Specimens of »'Arryese«. A study in Slang and its Congeners'. Als 'Arryese bezeichnet St. (Murray hat zwar 'Arry und Arryish, nicht aber diesen namen für seinen jargon) die sprache jenes ebenso vulgären wie unverwüstlichen Londoner typus, der als 'Arry seit den siebziger jahren im Punch stehende figur ist und in derb-vulgär gehaltenen, gereimten episteln an seinen freund und gesinnungsgenossen Charlie seinen ansichten und gefühlen über alle möglichen dinge und vorkommnisse ausdruck verleiht. Die abh. giebt in der ersten abth. eine einleitung und charakteristik dieser figur auf grund gewisser proben aus seinen briefen. Die zweite abth. bringt umfangreiche 'Arry-texte, die dritte orthographie und aussprache des 'Arryese; die vierte ist der grammatik gewidmet, die fünfte dem wortschatz und stil des 'Arry, und die letzte (Miscellaneous notes) enthält eine besprechung zahlreicher punkte, die in den vorhergehenden abschnitten nicht passend unterzubringen waren. Die abh. füllt fast die hälfte des buches (147 seiten). Bei der ausserordentlichen fülle von einzelerscheinungen, die darin zur sprache kommen, ist hier nicht daran zu denken, eine übersicht über den inhalt zu geben, vielmehr kann nur dankbar anerkannt werden, dass ein so tüchtiger anglicist wie St. sich der wahrlich nicht geringen mühe unterzogen hat, die für uneingeweihte oft bis zur völligen unverständlichkeit dunkle sprache des englischen plebejers zu untersuchen. Dass gewisse punkte trotzdem noch nicht genügend aufgehellt erscheinen, die wohl kaum anders als durch directe anfrage bei dem guten alten Mr. Punch selber sich überhaupt werden aufhellen lassen, thut St.'s arbeit keinen ernstlichen abbruch, ebenso wenig der umstand, dass hier und da, aber in verhältnissmässig recht wenigen punkten, der verf. nicht das richtige getroffen zu haben scheint. Die schwierigkeiten der untersuchung einer fremden vulgärsprache sind enorme, um so grösser, je schneller solche sprache lebt, sich entwickelt nnd verändert, und ganz besonders gross für jemand, der nicht im lande selbst in ununterbrochener fühlung mit ihr bleibt.

Es mag nun noch auf einige punkte hingewiesen werden, wo ich dem verf. nicht (oder doch nicht ganz) beistimmen kann. p. 187 cuss. = man oder boy hat nichts mit dem vulg. cuss = curse zu thun, sondern ist nur eine verstümmelung von customer, ähnlich wie die bekannten specks, pants u. v. a. ib. *cussed* (u. entsprechend cussedness scheint mir weniger = perverse, contrary, against the grain zu sein, als = fam. spiteful = schlecht, boshaft, niederträchtig; so auch in J. K. Jerome, Diary of a Pilgrimage, 192: 'I mused upon the wickedness of the world and of everybody in it, and the general cussedness (= niedertracht) of all things'. p. 189: ole für old braucht nicht als Amerikanismus zu gelten; das ohnehin sehr schwache d wird im vulg. E. besonders nach liquiden und nasalen (lor', an') häufig abgeworfen. p. 190 gal (spr. gæl, nicht, wie St. schreibt gæl) = girl ist keineswegs 'decidedly vulgar', sondern galt schon 1875 (zur zeit meines ersten längeren aufenthaltes in England) als eine affectirte aussprache der 'swells'. Ein einer adligen familie entstammender schüler unserer anstalt (bei Bristol) erklärte mir, er spräche gæl, weil seine verwandten so sprächen, und weil girl (= gurl) im vergleiche damit 'coarse'

klinge. Seither hat die aussprache gᴂl, wie ich mich auf wiederholten reisen
nach England, zuletzt 1893, habe überzeugen können, entschiedene fortschritte
gemacht; in andern wörtern (z. b. bird) scheint diese aussprache jedoch noch
nicht fuss gefasst zu haben. p. 191: Es ist ein irrthum, wenn St. meint, die
aussprache des ā = ai, des ō = au, wie sie jedem reisenden sofort bei den
Londonern auffällt, sei 'the latest fashion in vulgar Cockney pronunciation'.
Ich habe dieselbe bereits vor zwanzig jahren vorgefunden, und wie mir prof.
Zupitza und andere herren aus eigener kenntniss versichern, war sie schon jahre
vorher nicht neu.   Ueberdies ist sie gar nicht specifische Cockney-aussprache,
da ich sie 1875 bereits bei den ungebildeten im S.W. England's sehr verbreitet fand; sie ist also wohl ein allgemeines charakteristicum der südengl.
vulgärsprache. — p. 193: St.'s Versuch, I am done (statt I have done,
cf. Christmas Carol, Stave IV: They [Mrs Cratchit and the girls] would be
done long before Sunday, he said) aus der missverstandenen form he's done
('s sowohl = is wie = has) zu erklären, trifft m. e. nicht das richtige. Done
hat im laufe der zeit immer mehr den adj. sinn = ready, finished (fertig) angenommen und verbindet sich seitdem ganz leicht und naturgemäss mit to be.
p. 198: Bei den vielen verächtlichen ausdrücken für 'man' wäre eine genauere
synonymische unterscheidung wohl erwünscht gewesen.   sap (school slang,
vom lat. sapio) ist der emsige 'büffler', der über seinen büchern die in engl.
schulen so hochgeschätzten leibesübungen und spiele vergisst und desshalb von
seinen cameraden mit einer gewissen scheu und geringschätzung angesehen
wird; sneak ist der tückebold, schleicher, auch angeber, ebenfalls urspr.
school-slang; duffer ist ganz allgemein fam. = dummkopf; muff der un-
angenehme mensch und langweilige Peter, lot = party (person), nur etwas weg-
werfender etc.   p. 202: St. setzt hier old = exciting, jolly, very gay, wie in
high old time.   Richtiger wäre es wohl, old darin = dem gemüthlichen, einem
kosewort nahekommenden old in old chap (boy, man, fellow, girl, woman)
aufzufassen (vergl. franz. mon vieux).   Der von St. in das wort gelegte sinn
liegt offenbar in high allein, wie dies auch selbstständig (ohne old) vorkommt
(A. Besant, Lament of Dives 48: 'they had the highest time ever known'),
während old ohne high m. w. niemals so gebraucht wird. p. 205: In simply
(vergl. simply awful) = utterly, welches immer häufiger wird, möchte ich
nicht mit St. 'an affectation of weakened expression' erblicken, sondern einen
ganz legitimen gebrauch des wortes, wie er auch deutsch und französisch ganz
gewöhnlich ist.   In der philosophischen sprache ist dafür vielfach schlechthin,
sogar schlechthinnig (das schlechthinnige) in gebrauch: die sache soll in
ihrer völlig unqualificirten einfachheit und nacktheit hingestellt werden und
wirkt dadurch um so stärker. Jedenfalls vermag ich auch nicht eine spur von
slang-hauch oder familiärem in diesem gebrauche des wortes zu entdecken.
p. 214: Zu ripping, sl. = vortrefflich, famos, hätte an das sinnverwandte und
ebenso gebrauchte slashing (eig. aufschlitzend, [zer]schneidend) erinnert werden
können.   Hierbei ist interessant, wie das Deutsche und das Englische vom
schlitzen, schneiden zu dem begriff des 'schneidigen' gelangen und damit einen
ungewöhnlich hohen grad von vortrefflichkeit bezeichnen. Das neuerdings viel
gebrauchte adj. snide (s. bei St. p. 239) scheint mir weniger zu diesen wörtern
zu gehören.   Zwar ist es auch lobend ('Arry nennt sich ja selbst gern a snide
'un), aber in keinem der von St. angeführten oder mir sonst bekannten bei-

spiele scheint es mir 'schneidig' oder allgem. vortrefflich, vielmehr überall mehr pfiffig, verschmitzt (a snide 'un = ein pfifficus, schlaumeier) zu bedeuten, was sich auch aus der ältesten slang-bedeutung von *snide* leicht erklären lässt. p. 221 f: to fake aus dem lat. facere hergeleitet. To fake bedeutet noch jetzt: thun, machen, und namentlich to fake up = zurechtmachen, in betrügerischer absicht herrichten und zustutzen; der übergang zum fälschen, betrügen, stehlen, berauben war nicht schwer. So bedeutet fake als sbst. urspr. geschäft, dann das unredliche geschäft, die gaunerei. Es hätte hier an die ähnliche slang-bedeutung des deutschen 'machen' (den hat er ordentlich 'gemacht' = hinein-gelegt, hochgenommen = betrogen), 'mache' (er versteht die mache), 'macher' (er ist ein macher), 'macherei' erinnert werden können (vergl. Muret's Dict. s. v. fake, fakement), wo sich überall die vorstellung von täuschung, unredlich-keit oder unsolidität fühlbar macht. p. 223: Zu dem dunklen 'beano' (haupt-spass, high old time) bean(s), adj. beany, beaner (jem., der 'bean' ist) möchte ich, wenn auch nicht ohne zagen, die frage aufwerfen, ob hier nicht urspr. das lat. bene zu grunde liege? Bene (spr. bēnē) ist ein lieblingswort der englischen höheren schuljugend und könnte wohl durch eine art volks-etymologie zu beany geworden sein. Daraus wäre dann 'bean' als sbst. her-genommen für eine 'famose' person, wofür dann, davon abgeleitet, auch 'beaner' vorkommt. Der zustand eines bean(er) wird mit 'beano' bezeichnet. Das o desselben erklärt sich vielleicht aus volksthümlichen ausdrücken wie 'lingo', 'by Jingo!' und war jedenfalls dem volke nicht fremd oder ungeläufig; ich möchte daher in beano nicht mit St. 'a wilful corruption of beaner or bean', sondern eine populäre weiterbildung des letzteren erblicken. Dass der nebenher stets durchzufühlende eigentliche sinn von bean(y) für den sprechenden einen eigenen reiz gehabt hat, ist ganz erklärlich und giebt wohl auch anlass zu verwendungen dieser wörter, wo der eigentliche sinn, sogar sehr stark hervortritt, wie in der phrase full of beans (= full of meat and drink, auch = as fresh as paint). Die andere bedeutung (to give a persons 'beans' = jem. herunterhunzen, to get 'beans', heruntergekanzelt werden = to get it hot), welche übrigens auch St. nicht recht erklärlich erscheint, kann m. e. nichts mit der obigen sl.-bedeutung von bean(y) zu thun haben. Vielleicht hat die be-kannte schwere verdaulichkeit der 'beans' (hier also im eigentl. sinne) und die daraus folgenden leiden anlass zu dieser verallgemeinerung nach der üblen seite hin gegeben? p. 226: *blessed* als euphemismus für *damned* ist weder ausschliesslich 'Arryese, noch kann man es füglich als vulgär bezeichnen; schon 1875 habe ich es aus dem munde gebildeter (auch damen!) gehört, ja es hatte damals schon längst aufgehört, als ersatz für damned empfunden zu werden und galt als durchaus salonfähiger ausdruck für ärger oder ungeduld. *Blarmed* für damned ist wohl durch *darned* hindurchgegangen, hat *m* aus damned behalten und von blowed (resp. dem obigen blessed) sein bl entlehnt. p. 231: In dust = money erblicke ich keine biblische reminiscenz (Hiob XXII, 24 u. XXVII, 16), sondern eher einen von den goldsuchern herrührenden ausdruck, da im lagerleben die goldsucher ihre bedürfnisse oft, wenn nicht vorwiegend, mit gold-staub einzutauschen pflegten (vergl. Webster, s. v. dust). p. 256: mug ist mir im slang nur als *face*, nicht als *mouth* bekannt: 'oil your mug = put on a solemn (or serious) face'. p. 272: I beg to ist längst nicht mehr slang oder gar 'Arryese, wenn es das je gewesen ist; es wird schon seit

jahrhunderten von gebildeten gebraucht = I beg leave to, I take the liberty...
Vergl. Murray, s. v. beg 2 d, wo ein beispiel (I beg to request) aus Caxton
angeführt wird. p, 278: Bird's-eye. Diese bekannte rauchtabakmarke (bes.
geschätzt Wills's Bristol Bird's-eye) hat m. e. nichts mit 'Arryese oder slang
zu schaffen und erfreut sich mindestens seit 1861 (vergl. Murray, s. v. b.-e.)
seiner beliebtheit; ebenso wenig neu oder dunkel ist bitter = bitter ale.
p. 280: to rights kann ich nicht so 'very vulgar' finden, wie der verf.; es ist
kaum familiär; to put (or set) things to-rights = sie in ordnung bringen
wurde ohne besondere kühnheit gerade wie das deutsche 'zurechtsetzen' auch
bildlich auf personen angewandt: jem. den kopf zurechtsetzen. Die von St.
angeführten beispiele (to warm u. to tackle s. v. to-rights) sind offenbar nur
humoristische variationen zu to put to-rights. p. 285: Zu yum-yum, nyam-
nyam = etwas besonders leckeres od. anziehendes, finde ich in H. J. Byron's
vielgespielter comödie 'Our Boys' ein beispiel. Ein reichgewordener butter-
händler bekennt, wie kläglich er einst sein geschäft angefangen habe (I, 1):
When I first started in business I'd the finest stock in Lambeth — to look
at. But they was all sham. The tubs was 'oller (hollow) if you turned them
round, and the very *yams* was 'eartless delooders. Der herausg. Lion (Fried-
berg und Mode) macht dazu die anmerkung: 'Vielfrasse (unter den milchkühen)'.
Da von kühen nicht die rede ist, liegt es vielleicht näher, unter *yams* die
delicatesten, anlockendsten sachen im laden zu verstehen, und etwa zu übersetzen: 'und selbst die delicatesten schaustücke waren scheusslicher schwindel',
vorausgesetzt natürlich, dass dies yam mit yum und nyam identisch ist. p. 298:
yah als interjection zum ausdruck starker verachtung oder entrüstung. Bei
einer gelegentlichen besprechung dieses wortes in der Berl. ges. f. d. stud.
d. neueren spr. habe ich vor einiger zeit auf die möglichkeit hingewiesen,
dass wir hierin vielleicht nur eine lautliche verderbniss und eine weitere entwicklung in der bedeutung und verwendung des parlamentarischen hear! hear!
zu erblicken haben. Ich erinnere mich, einst gelesen zu haben, dass ein redner
das biblische: he that hath ears to hear let him hear! in seiner erregung aus-
sprach: he that has yahs to yah, let him yah! Ein übergang von dem zur
aufmerksamkeit mahnenden hear! zu einem ruf des erstaunens, der entrüstung,
überhaupt stärkerer, unfreundlicher gefühle scheint nicht allzu schwer, und die
spätere verwendung als verb (to yah) ist im Englischen nicht auffallend.
p. 229: innings, = zeit, wo jem. (od. etwas) in macht oder amt war oder sich
bewähren konnte, möchte ich nicht mit St. zum 'Arryese oder slang, nicht
einmal mehr zur colloquial parlance zählen. p. 300: Bei pot-hunting (auf der
jagd das regellose darauflosfeuern auf alles, was einem vor die flinte kommt)
hätte erinnert werden können an: to take pot-luck = fürlieb nehmen mit dem,
was die kelle giebt. p. 306: Sollte doss = a nap, to doss = to sleep nicht
blos eine vulgäre entstellung von to doze sein? ib. 'Em steht, wie St. — m. e.
mit recht — vermuthet, für Emma od. Emily. Der apostroph soll hier kein aus-
gefallenes *h* bezeichnen, sondern entspringt nur dem wunsche des schreibers,
möglichst überall bei vocalischem oder h-anlaut auf das bekannte h-leiden der
ungebildeten hinzuweisen. Aehnlich unangebracht stand schon p. 241: 'Arry
on 'Onesty, wo in honesty auch kein hörbares h fortgefallen ist. Dieser
wunsch, mit allen mitteln die sprache jemandes als vulgär zu kennzeichnen,
fördert sehr oft orthographische änderungen zu tage, die völlig überflüssig, ja

kindisch erscheinen, da die aussprache dadurch nicht beeinflusst wird: Punch
(s. St. p. 308) 1886, 22. May, 244a: *Wot woud* common sense as well as
common *kurtesy* sugest for a *anser* but . . . . . p. 306: In the phrase: I'm
on = I am ready or willing, erblickt St. einen sport-slang-ausdruck für das
annehmen einer wette. Aber aus der grundbedeutung von *on* gelangte man
zu dem anfeuernden *on* (drauf!) und daraus wohl zu der bedeutung: drauf und
dran, 'dabei', wie in: ich bin dabei (bereit). Die turf-bedeutung des on
scheint mir also eher erst hieraus entwickelt zu sein. Wie weit sich hiermit
andere verwendungen von to be on = im gange sein, vor sich gehen, an der
reihe sein (to put a pupil on, einen schüler herannehmen); to be on = to be
turned on (von fass- oder leitungshähnen) vermischt haben mögen, die alle
mehr oder weniger die vorstellungen des dran- und draufseins, der bereitschaft
erwecken, ist schwer zu entscheiden.

Ein ausführlicher 'index' (über 10 seiten) ist mit erfreulicher sorgfalt ausgeführt und erhöht den werth des buches wesentlich.

An druckfehlern oder versehen sind mir aufgefallen: p. 5 adversatives
(lies adversativen) prädicatsbegriff; ebenso wieder p. 10. p. 44: sich fürchten
für (lies vor); p. 152: Brewer, Dict. of Phrase and Table (lies Fable); p. 200
(mitte): that bounder it (lies is) originally fistic slang; p. 282: ein deutsches
ermachen (ich kann es nicht ermachen = I cannot afford it) ist mir nicht
bekannt; gemeint ist wohl 'erschwingen'? [Mir ganz geläufig. E. K.]

Dafür, dass der holländische verf. seine studien in englischer sprache
veröffentlicht, hat er (s. preface) gute gründe gehabt, und man kann ihm zu
der gewandtheit und eleganz, ja hier und da kühnheit, mit der er sich des
fremden idioms bedient, nur bewundernd glück wünschen.

St.'s werk sei allen freunden der englischen sprache als das eines
tüchtigen gelehrten aufs wärmste empfohlen. Es dürfte wenige geben, die
nicht noch viel daraus lernen können. Möge uns der verf. recht bald mit
einer zweiten serie seiner »Studies« erfreuen.

BERLIN, Mai 1895. G. Tanger.

LEHRMETHODE.

Ludwig graf von Pfeil, Lehren und irrlehren beim unterricht. Berlin,
Ferd. Dümmler's verlagsbuchhandlung. VIII + 519 ss. Pr.: mk. 4,00.

Graf Pfeil ist in der pädagogischen fachwelt nicht unbekannt, aber, ich
fürchte, nicht entfernt nach seiner bedeutung und seinen verdiensten gewürdigt.
Als ein mitglied unseres alten adels und seit einer reihe von jahren inhaber
eines grossen schlesischen fideicommisses (Burghaus und Lasa), steht er natürlich ausserhalb des eng geschlossenen kreises der schulmeisterzunft und ent-
behrt jeder zünftigen lern- und übungszeit, mit der er sich in schulsachen als
zum wort berechtigt ausweisen konnte[1]). Und seine standesgenossen wiederum

---

[1]) »*Ce qui nuisit sans doute à sa notoriété fut de ne pas être un 'profes-
sionel'* . . . . '*Amateur!*' *Quand on vous a attaché au dos cette étiquette, c'en
est fait.*« (Monde Illustré, 30. März 1895, bezogen auf den componisten
Adolphe Nibelle, der vermögen genug besass, um das componiren bei ihm
nicht wohl als professionellen lebensberuf erscheinen zu lassen.)

enthalten ihm die rechte anerkennung der kastenzugehörigkeit vor — wenn ich aus einer an mich persönlich gerichteten meinungsäusserung allgemeine schlüsse ziehen darf —, weil er sein leben so plebejischen dingen, wie wissenschaftlicher forschung und jugenderziehung, gewidmet hat. Armer graf Pfeil!

Wie ganz anders würde derselbe als mitglied des englischen hohen adels bei sonst gleichen umständen unter seinen standesgenossen wie in der schulwelt dastehen! Man vergegenwärtige sich einmal recht lebendig diesen unterschied zwischen deutschen und englischen verhältnissen, und man wird mit beschämung aus dem einzigen punkte erkennen, dass wir mit unserer ganzen gesellschaftlichen und culturellen entwicklung noch tief im mittelalter stecken.

Doch diese dinge gehören ja vielleicht nicht unbedingt hierher, und ich komme zur sache, indem ich erkläre, dass meines erachtens graf Pfeil neben einer wissenschaftlichen durchbildung von unglaublicher mannigfaltigkeit in erziehungs- und schulsachen ein treffendes urtheil, einen weiten blick und eine edle begeisterung besitzt, die ihm eine stellung unter den ersten jugendfreunden und jugendbildnern — das blasse wort »pädagog« klingt schon so zünftig — unserer zeit sichern. Spätere geschlechter werden ihm dieselbe auch zweifellos zuweisen, wie die nachwelt schon so manchem anderen zu den gebührenden ehren und zu nachträglichem einfluss auf die menschliche entwicklungsgeschichte verholfen hat.

Dass es vor allen dingen die sprachlichen fächer unserer höheren lehranstalten sind, deren betrieb von grund aus verfahren ist, daran kann niemand zweifeln, der gelegenheit gehabt hat, öfters die censurenlisten dieser schulen einzusehen, und der überdies von den stehenden klagen der universitätsprofessoren über das schlechte Deutsch der studenten kenntniss genommen hat.

So hat denn auch graf Pfeil seine aufmerksamkeit vorzugsweise dem sprachlichen unterrichte zugewandt. Den altsprachlichen zweig desselben sieht er als unheilbar · an und bekämpft deswegen dessen gesammte existenz. Ich theile hierin seine gesichtspunkte und möchte dieselben bei dieser gelegenheit noch durch den hinweis ergänzen, dass es mir grausam und unnatürlich erscheint, junge menschen, welche in den ausdrucks- und denkformen einer geschmeidigten, hoch entwickelten modernen sprache aufwachsen, mit gewalt in die ausdrucks- und denkformen zweier sprachen zurückzuzwängen, von denen die eine allein durch ihren plumpen, einkästelnden satzbau, die andere durch ihre barbarische formenfülle einen unvergleichlich tieferen stand bekundet (vgl. zur wissenschaftlichen würdigung der sprachen Jespersen's *Progress in Language*). Dass in solchem zurückschrauben des geistes keine geistige gymnastik liegen kann, wie man seit 50—70 jahren angefangen hat zu behaupten, darauf kommt graf Pfeil immer und immer wieder zurück, zugleich auch auf die härte und erfolglosigkeit des verfahrens. Mit der nämlichen schärfe geisselt er aber auch die erfolglosigkeit des neusprachlichen unterrichts, dessen ergebnisse nach 14—1500 unterrichtsstunden und einem entsprechenden zeitmaasse häuslicher arbeit noch immer an der weit überwiegenden mehrzahl der schulen überaus klägliche sind. Hier hat indess graf Pfeil zu einer besserung der dinge selbst kräftig mit hand angelegt, indem er einerseits vielfache praktische versuche anstellte, um eine bessere art lebendiger einführung in die neueren fremdsprachen ausfindig zu machen, und danach den betheiligten kreisen über sein verfahren und seine überraschenden erfolge vielfache mittheilung machte. Ich selbst habe seinerzeit einigen bezüglichen artikeln des grafen Pfeil im Pädagogischen archiv die erste anregung verdankt, mich praktisch und theoretisch mit der frage einer durchgreifenden umgestaltung des neusprachlichen unterrichts zu befassen; und dass seine arbeit auf unserem unterrichtsgebiete weithin beachtung gefunden hat, darauf deutet die thatsache, dass sowohl der internationale verein des *Maître Phonétique* wie — falls ich mich nicht irre — auch der skandinavische verein *Quousque Tandem* ihn unter ihre ehrenmitglieder zählen.

Die zeitschrift, welche graf Pfeil vorzugsweise zur verbreitung seiner ideen benutzte, war die nunmehr eingegangene »Zeitung für das höhere unterrichtswesen«. Der 92 jährige, aber immer noch geistesfrische greis giebt nun seinem bedeutsamen lebenswerke eine art abschluss, indem er in dem vorstehend bezeichneten sammelbande alle aufsätze vereinigt, welche während der 8oer und 9oer jahre in der genannten zeitschrift erschienen waren und bezug haben auf die grosse aufgabe seines lebens. Gleichzeitig ergänzt er dieselben aber durch aufnahme mancher ihm werthvoll erscheinender aufsätze anderer männer, die mit ihm auf gemeinsamem boden stehen und auch auf die von ihm verfolgten ziele hinstreben.

Dass kein leser des vorliegenden buches mit dem verf. in allen punkten übereinstimmen wird, versteht sich von allein. Ich selbst, der ich die ehre in anspruch nehme, mich seinen schüler nennen zu dürfen, weiche betreffs mehr als einer frage ganz entschieden von ihm ab. Aber in allem, was verf. sagt, ist er geistvoll, anregend und — immer interessant. Ich empfehle sein buch darum auf das wärmste allen denen, welche mit dem verf. und mir der überzeugung sind, dass das heil unseres höheren schulwesens noch in der zukunft liegt, ich meine, dass die grundlage moderner geistesbildung eine andere sein muss, als die, an der man zur zeit noch festhält. Besonderen fachlichen nutzen werden neusprachlehrer aus demselben ziehen.

RENDSBURG (Holstein), Mai 1895.   H. Klinghardt.

LEHRBÜCHER UND SCHULAUSGABEN.

Ferdinand Schmidt, Lehrbuch der englischen sprache auf grundlage der anschauung. Bielefeld und Leipzig. Velhagen und Klasing, 1894. 445 ss. 8°. Pr.: mk. 3,00; geb. mk. 3,40.

Jeder, der das französische lehrbuch von Rossmann und Schmidt kennen gelernt hat, war begierig auf das schon lange angekündigte und jetzt endlich erschienene englische lehrbuch von F. Schmidt, director der oberrealschule zu Hanau. Es ist ein neuer, im hohen grade beachtenswerther versuch auf dem gebiete des sprachunterrichts auf grundlage der anschauung. Der verfasser steht auf der äussersten linken unter den vorkämpfern der reform. Er drängt die grammatik, die unser aller schuljahre verbittert hat, ganz in den hintergrund. In seinem buch verhält sich der ihr gegönnte raum zu dem übungsstoffe etwa wie 1 : 10. Der letztere enthält kein stück zum übersetzen aus dem Deutschen, ja überhaupt kein wort Deutsch.

E. Kölbing, Englische studien. XXII. 1.   8

Es ist hier nicht der ort, zu untersuchen, ob der verfasser in seiner aus-schliessung der übersetzung zu weit geht. Es führen viele wege nach Rom, und wer die grundsätze, auf denen das buch aufgebaut ist, für falsch hält, wird es von vornherein nicht anwenden. Wir müssen uns also, um es objectiv zu beurtheilen, ganz auf den standpunkt des verfassers stellen.

Betrachten wir zunächt den stoff. Das buch geht von der unmittelbaren anschauung aus, indem es auf dem wege von frage und antwort den schüler ver-traut macht mit dem schulzimmer und den gegenständen in demselben, dem menschlichen körper und einigen anderen dingen (uhr, messer). Dann folgen gespräche über die vier jahreszeiten nach den Hölzel'schen bildern, untermischt mit fabeln, märchen, anecdoten, erzählungen, abhandlungen meist naturwissen-schaftlichen und volkswirthschaftlichen inhalts, sowie einzelnen gedichten. Ein anhang enthält die beschreibung einer reise nach London und eine reihe von ausserordentlich hübschen gesprächen und briefen, einige abhandlungen über England, seine producte, industrie, handel und geschichte, eine zusammenstellung von homonymen und einige briefe. Dann folgen noch 10 englische lieder mit melodie. An die kurze grammatik (32 ss.) schliesst sich ein sehr reichhaltiges wörterverzeichniss mit phonetischer aussprachebezeichnung.

Zur erläuterung dienen ausser den nachbildungen der schon erwähnten bilder der vier jahreszeiten etwa ein dutzend anderer bilder, sowie eine karte von England und ein plan von London und seiner umgebung. Auf die an-wendung der lautschrift im text hat der verfasser — wie mir scheint, mit recht — verzichtet.

Das buch ist ausserordentlich reichhaltig an stoff, und dieser ist mit praktischem geschick aus den besten englischen lesebüchern gewählt oder auch zum theil besonders zusammengestellt worden. Das Englische ist daher durch-weg mustergiltig. Mir sind nur einige kleinigkeiten aufgefallen. Statt »what did he let it fall into?« sagt man wohl besser »where did he let it fall?« (s. 61). Ferner klingt mir die frage »What draws the plough?«, worauf die antwort erfolgt: »A couple of oxen« (s. 63) etwas sonderbar. Das sind aber, wie gesagt, kleinigkeiten, und es unterliegt keinem zweifel, dass ein tüchtiger lehrer, der vor allem die sprache vollständig beherrscht, mit dem buche bessere erfolge erzielen wird, als mit der alten grammatischen methode, die die aufgabe löste, mit möglichst grosser kraftanstrengung möglichst wenig zu erreichen.

Worin das buch mir jedoch unvollkommen erscheint, das ist die metho-dische durcharbeitung des gegebenen stoffes. Während man früher vergass, dass eine lebende sprache vor allen dingen gesprochen werden soll, und dass daher der mündliche und schriftliche freie ausdruck in derselben das ziel des unterrichts sein muss, vergisst der verfasser zu sehr, dass das buch doch eben für deutsche knaben bestimmt ist, die ein deutsches und kein englisches sprach-gefühl haben. So fehlt, um nur einzelnes anzuführen, jede andeutung über die wortstellung, über den gebrauch des infinitiv mit oder ohne to, über das sog. gerundium, über den unterschied von any und some u. s. w. Der hin-weis auf solche eigenthümlichkeiten des englischen sprachgebrauchs und die ein-übung derselben durch beispiele ist unbedingt nöthig und steht auch mit den praktischen zielen des unterrichts in keiner weise in widerspruch. Man soll das eine thun und das andere nicht lassen.

So giebt denn auch die kurze grammatik zu den meisten ausstellungen veranlassung. Ich erwähne nur einiges. Bei der pluralbildung vermissen wir gerne alte bekannte, wie » d i e der münzstempel und der würfel« und » p e a die erbse«, aber die plurale von penny, woman und tooth dürfen doch wohl nicht fehlen. Bei dem sog. sächsischen genitiv hätte erwähnt werden müssen, dass derselbe meist nur von lebenden wesen gebraucht wird. Bei der comparation auf -er, -est hat der verfasser ausser den in früheren grammatiken genannten adjectiven die auf er mit vorhergehendem consonanten genannt; er hätte dann aber auch die auf ow, ferner common, handsome, pleasant erwähnen sollen (pleasantest steht z. b. auf s. 85). Bei dem verb to do fehlt die soviel gebrauchte emphatische form I do see, bei to have: I have got, ich habe. Bei den zahlwörtern, die überhaupt auch im übungsstoff mir etwas zu kurz gekommen zu sein scheinen, vermisse ich ganz die zahladverbien.

Die syntaktischen bemerkungen sind ausserordentlich dürftig. Das buch enthält nichts als einige ziemlich willkürlich herausgegriffene notizen über das substantiv, dann einen abschnitt über die interpunction und einen über die silbentrennung; über das verb — kein wort. Die beschränkung auf das nothwendigste scheint mir hier über ihr ziel hinausgegangen zu sein; etwas mehr syntax darf man doch wohl einem untertertianer zumuthen.

Das wörterbuch ist sehr sorgfältig bearbeitet. Die einzelnen wörtern (z. b. anchor, air, band, bed, board, gold, water etc.) hinzugefügten erklärungen in englischer sprache erscheinen mir jedoch ziemlich zwecklos.

Ich komme zum schluss. Der fehler dieses vortrefflichen buches liegt meines erachtens in dem mangel einer genügenden methodischen durcharbeitung des gegebenen stoffes nach den gesichtspunkten der grammatik und des sprachgebrauchs. Es ist darum durchaus nicht nöthig, zu deutschen übungsstücken zurückzukehren. An stelle derselben können, wie herr director Walter auf dem letzten neuphilologentage gezeigt hat, eine ganze reihe anderer übungen treten. Einige derselben sind allerdings in diesem lehrbuche auch angedeutet, aber in dieser beziehung ist es doch ziemlich unvollständig.

Trotzdem ist das lehrbuch ein guter schritt auf dem richtigen wege und jedem lehrer, der die sprache ganz beherrscht, zu empfehlen. Derselbe wird seine mängel leicht ergänzen und seine grossen vorzüge zu würdigen wissen. Die schüler aber werden gewiss freudig und mit dem bewusstsein des erfolges einem unterrichte nach diesem lehrbuche folgen. Die ausstattung des buches ist ausgezeichnet.

OFFENBACH a. M., März 1895. Ph. A r o n s t e i n.

Julius B i e r b a u m, Lehr- und lesebuch der englischen sprache nach der analytisch-directen methode für höhere schulen. II. theil. Mit einem plane von London. Leipzig 1894. XII + 287 ss. 8°. Pr.: geb. mk. 3,00.

Der zweite theil des lehr- und lesebuches der englischen sprache von J. Bierbaum zerfällt in vier theile: 1. 12 Lessons, d. h. englische übungsstücke, an welche sich regelmässig Exercices, Translations, Proverbs, Quotations, Idiomatic Expressions und Conundrums schliessen; 2. Grammar (Syntax); 3. Reader

8*

und 4. Vocabulary. Der verfasser glaubt, dass je nach der stundenzahl sein
buch für ein bis anderthalb jahre ausreichen dürfte. Für den wesentlichsten
theil seiner grammatik hält er die englischen übungsstücke des ersten abschnitts.
Diese sind sämmtlich vom verfasser selbst angefertigt und für die einzelnen
capitel der grammatik zurecht gemacht worden, welche in genau ebensoviele
abschnitte eingetheilt ist, wie es englische übungsstücke giebt. Ein jedes übungsstück bringt eine fülle von beispielen für die regeln des betreffenden grammatischen abschnitts. Der verfasser ist von der nothwendigkeit derartig präparirter
stücke ganz durchdrungen; er betrachtet sie, wie er sich selbst ausdrückt, als
die eigentliche seele seiner methode. Er beruft sich dabei auf die vorrede zum
ersten theil seines lehrbuchs. Dass dieses verfahren aber auch seine schatten-
seiten hat, will der verfasser offenbar nicht zugeben. Und doch sind solche
in hohem grade vorhanden. Einmal hat es immer etwas bedenkliches, die
grammatik auf die einzelnen übungsstücke zuzuschneiden und umgekehrt diese
auf die grammatik. Die grammatik sollte vielmehr stets etwas selbständiges,
von den lesestücken ganz unabhängiges sein. Denn verfährt man nicht so,
sondern in der weise, wie es der verfasser gethan hat, so nimmt man von vornherein den schülern die möglichkeit, sich mit lebendiger freude in den englischen lehrstoff um des stoffes selbst willen zu vertiefen. Sie werden sich vielmehr sehr bald daran gewöhnen, denselben lediglich als das drillobject zu betrachten, an dem ihnen die grammatischen stoffe eingepaukt werden sollen,
und werden schliesslich auch nichts mehr weiter in demselben finden, als eben
nur beispiele für die betreffenden grammatischen erscheinungen. Ferner muss
aber auch der inhalt der übungsstücke leiden, wenn, namentlich wie hier, einzelne derselben mit beispielen für irgend eine regel geradezu gespickt erscheinen.
Der verfasser sieht sich selbst mehrfach veranlasst, von der wahrheit abzuweichen,
nur um möglichst viele belege für die regeln in seinen stücken unterzubringen.
In einer besonderen anmerkung wird dann freilich das falsche jedesmal be-
richtigt; aber liegt in diesem verfahren nicht etwas sehr bedenkliches? Gleich
zum dritten übungsstück, A Dinner Party, findet sich die anmerkung: »Several
deviations from the strict rules of an English private dinner could not be
avoided for the sake of grammatical illustrations«. Das stück dient zur einübung
des grammatischen abschnitts, betitelt The Substantive: Number. Also muss
sich cannon an einer stelle finden, wo es guns heissen muss; dazu denn auch
die anmerkung: »The proper term would be 'guns' being the armament of a
ship«. Da auch couple in diesem stück vorkommen soll, so lässt man bride
und bridegroom bei tisch zusammensitzen und nennt sie a newly married
couple, wozu die anmerkung: »As a rule, a bride and bridegroom do not sit
together at private dinners in England«; und dgl. mehr. An einigen stellen ist
die wirkung, welche infolge des strebens erzielt wird, möglichst viele beispiele
für eine regel zu haben, ein wenig komisch. Man stelle sich ein gespräch
vor, wo von den Engländern gesagt wird: They eat the flesh of cattle, called
beef, the flesh of calves, called veal, the flesh of sheep, called mutton, the
flesh of swine, called pork, and the flesh of deer, called venison. Zu bedauern
ist der arme mensch (s. 45), der diese lange liste von krankheiten gehabt hat:
measles, shakes, scarlet fever, small-pox, typhoïd fever u. s. w. Ganz dasselbe
gilt auch von den deutschen übungsstücken, die den englischen regelmässig
folgen. S. 11 heisst es: Der alte Georg ist gestorben. Der junge Wilhelm ist

nach Amerika gegangen. Der faule Jakob ist im gefängnisse, und die dumme Katharina ist wieder daheim. Der arme Peter ist fast immer im zorn; er hat stets zahnschmerzen. Seite 31 liest man: Die leute stehen bewundernd davor, die alten wie die jungen, die gelehrten wie die ungelehrten, die eingeborenen wie die fremden.

Die Exercices umfassen in erster linie englisch gestellte fragen, die sich auf grammatische dinge erstrecken. Es ist dies entschieden nicht zu billigen. Einmal sind derartige fragen durch die lehrpläne nicht vorgeschrieben, dann aber kann auch ein grosser nutzen bei ihnen überhaupt nicht herauskommen. Ueberdies muss immer wieder von neuem betont werden, dass in ein schulbuch solche fragen gar nicht hineingehören. Das ist sache des lehrers. Wenig nutzen verspreche ich mir auch von derartigen übungen wie: Complete: I go — college; you come — town; we were — church on — Sunday u. s. w. Ob es sich bei den Proverbs empfiehlt, solche sprichwörter aufzunehmen wie: The end justifies the means (s. 17), wo man gleich in klammern hinzufügen muss: One of the worst maxims, muss dahingestellt bleiben.

Von dem grammatischen abschnitt wäre zu bemerken, dass die regeln durchweg klar und deutlich gefasst und übersichtlich angeordnet sind. S. 85 sollten ash, esche, und ashes, asche, nicht zusammengestellt werden, denn das eine ist nicht der plural vom andern. Warum fehlen bei den Interrogative Pronoms what und bei den Indefinite Pronoms each?

Der dritte theil, Reader, wird infolge seines mannigfaltigen inhalts allgemeinen beifall finden. Einige nummern desselben sind übrigens Junker's The English Teacher, entlehnt. In dem gedichte Childe Harold's Adieu to England ist, wie noch in manchem anderen lesebuch, die 8. strophe fortgelassen worden. Zu erwähnen bleibt noch, dass der verfasser in dem wörterbuch von einer lautschrift abgesehen hat.

BERLIN, Mai 1895.   H. Strohmeyer.

L. Bahlsen und J. Hengesbach, Schulbibliothek französischer und englischer prosaschriften aus der neueren zeit, mit besonderer berücksichtigung der forderungen der neuen lehrpläne. Abth. II. Englische schriften.

1. bändchen: Fragments of Science by John Tyndall. Ausgewählt und für den schulgebrauch erklärt von dr. W. Elsässer und dr. P. Mann. Mit genehmigung von John Tyndall. Berlin, Gaertner (Heyfelder), 1894. VIII + 132 ss. 8°. Pr.: geb. mk. 1,20.

Von dem grundsatze ausgehend, dass jeder sprachunterricht gleichzeitig sachunterricht sein soll, bringen die herausgeber, und zwar aus den verschiedensten gebieten, moderne prosaschriften, die dem schüler, wie es die neuen lehrpläne verlangen, die bekanntschaft mit dem cultur-, geistes- und verkehrsleben des fremden volkes vermitteln sollen. Diese neue bibliothek ist dazu bestimmt, zu den bereits vorhandenen sammlungen, die ja vorzugsweise die erzählende, die geschichtliche und die poetische litteratur berücksichtigen, eine ergänzung zu bilden.

Die äussere ausstattung der bändchen ist sehr zu rühmen: Gutes papier, fester einband und vor allem ein weiter, grosser druck zeichnet sie aus.

Die reihe der englischen schriften eröffnet eine sammlung von sechs aufsätzen John Tyndall's, der ein vorwort, das die wahl dieses autors rechtfertigt, und eine einleitung mit biographischen notizen über Tyndall vorangehen. Die erste, »On the Forces of Nature« betitelte abhandlung giebt zuächst eine entwicklungsgeschichte der über die molecularkräfte vorhandenen vorstellungen und geht dann auf die gravitation und andere erscheinungen ein, an denen die wirkung der in der natur waltenden kräfte veranschaulicht wird. — Das zweite capitel »On Dust and Disease« handelt von dem staube in der luft, von der bakterientheorie, von den untersuchungen Pasteur's über die parasitischen krankheiten der seidenraupe und von der verbreitung des ansteckungsstoffes. — Der dritte aufsatz beschreibt Tyndall's reise nach Algerien, die dieser 1870 zur beobachtung der sonnenfinsterniss vom 22. Dezember unternommen hat, eine reise, deren hauptzweck zwar durch ungünstige umstände vereitelt wurde, die aber doch zu sehr interessanten beobachtungen, z. b. über die farbe des meerwassers, gelegenheit geboten hat. Auch die schilderung eines seesturmes und eines besuches in Gibraltar finden wir in diesem capitel. — Der vierte abschnitt behandelt das leben und die briefe Faraday's, der Tyndall's vorgänger in der Royal Society gewesen ist. — In dem fünften aufsatze, »Scientific Use of the Imagination«, führt uns der verf. hinaus über die grenzen blosser beobachtung auf ein gebiet, in dem man die dinge mit dem geistigen auge schaut, und beleuchtet an beispielen die wahrheit des satzes: »With accurate experiment and observation to work upon, Imagination becomes the architect of physical theory«. Er berührt dabei die wellen-, schall-, lichttheorie und geht dann über zur eingehenden behandlung der farben. — In dem letzten artikel, »Death by Lightning«, spricht T. zuerst von der zeit, die ein eindruck auf die nerven braucht, um sich auf das gehirn zu übertragen, und berichtet dann über die empfindung, die er selbst hatte, als er einst von einem elektrischen strome getroffen wurde. —

Die darstellung ist anschaulich und interessant. Die vielfach nöthigen sachlichen erklärungen hat ein physiker von fach in einer reihe trefflicher anmerkungen gegeben, die sich dem texte anschliessen. So wird das bändchen dem primaner eine ansprechende lectüre und eine quelle reicher sachlicher belehrung sein.

Zu den fussnoten, die sprachliche erläuterungen bringen, ist freilich im einzelnen mancherlei zu bemerken. Zuerst eine kleinigkeit: Der sächsische genetiv »earth's crust«, der zu 16, 29 für beachtenswerth erklärt wird, begegnet schon 4, 5, wie überhaupt sehr oft.

Vor allem aber ist zu sagen, dass der commentator sehr eilig gearbeitet haben muss, denn nur dadurch kann man sich folgende versehen erklären: Zu 19, 29: »However ordinary daylight may permit it to disguise itself, a sufficiently powerful beam causes dust suspended in air; to appear almost as a semisolid«, steht die anm.: »permit it to disguise itself = das tageslicht lässt zu, dass die fluctuirende materie (floating matter) als 'semisolid' erscheint«!

Zu 43,4 . . . . »the wind, though somewhat sobered, blew dead against us« ist bemerkt: »dead wind (naut.) = schlaffer, kraftloser wind [Muret, engl. Wb., citirt aus Tennyson: »the winds were dead for heat«]. Diese bedeutung ergäbe natürlich hier unsinn; »to blow dead against« heisst »direct entgegen wehen«. — »Censure« (79, 31) ist nicht der »wissenschaftliche streit über die sache«, sondern bezeichnet den tadel, der Faraday damals traf.

Die erklärung zu 39,2 »we sighted Cape Finisterre«: »to sight in 'sicht' kommen« ist wohl nur durch einen druckfehler entstellt, im übrigen auch überflüssig. Ebenfalls überflüssig erscheinen mir die anm. zu 4,13; 6,7; 13,7; 21,8; 70,17.

Zu 92,6 wäre eine erklärung am platze gewesen, was man mit »conversazione« bezeichnet, während der herausg. sich mit der bemerkung begnügt: »conversazione (ital.) = conversation«.

Das * zu 46,4 soll wohl auf die anm. zu 45,11 und das * zu 49,5 auf die zu 45,9 verweisen.

2. Bändchen: Selections from John William Draper's History of the Intellectual Development of Europe. Für den schulgebrauch ausgewählt und erklärt von H. Löschhorn. Rechtmässige ausgabe. 1894. VII + 100 ss. 8°. Pr.: geb. mk. 1,00.

Die grundgedanken des ganzen werkes sind, wie der herausg. in der vorrede bemerkt, folgende: »Social advancement is as completely under the control of natural laws as is bodily growth« und »The life of an individual is a miniature of the life of a nation«. Der verf. schildert uns, wie die umgebende natur, klimatische, meteorologische, orographische verhältnisse die culturentwickelung der völker beeinflussen; er betrachtet dann unter diesem gesichtspunkte besonders die geistige entwickelung Europa's. Die nächsten abschnitte behandeln »The European Age of Reason«, das seinen anfang nahm, sobald man zur richtigen auffassung von der stellung der erde — und damit auch des menschen — im universum gelangt war. Wir erhalten hier zuerst eine darstellung der forschungen und entdeckungen von Copernicus, Giordano Bruno, Galilei, Kepler, Newton u. a. Die fortsetzung schildert dann die entwickelung der theorien über die erscheinungen, die mit der luft und dem wasser in verbindung stehen, behandelt die entdeckungen in der elektricität, im magnetismus und in der optik. Hier findet sich — namentlich im letzten theile — eine reihe von technischen ausdrücken, deren genügende erläuterung im allgemeinen wohl nur einem physiker von fach möglich sein wird. — Im ganzen wird das buch, wie ich glaube, für die primaner unserer realgymnasien und oberrealschulen eine interessante lectüre bilden. Zum schluss sei mir gestattet, auf einige einzelheiten hinzuweisen: Die fussnote zu 27,12 war schon zu 18,29 am platze; 28,15 ist uniting und 77,29 disintegrates zu lesen; zu 72,29 möchte man etwas über die Florentine academicians, von denen mehrfach die rede ist, erfahren.

3. Bändchen: Modern England. Eine sammlung von monographien nach J. R. Green's »A short History of the English People«. Zusammengestellt und erläutert von K. Böddeker in Stettin. I. Parlament und presse. II. England und Irland. III. Kirche und gesellschaft. Rechtmässige ausgabe. Mit einer karte von Irland. 1894. 150 ss. 8°. Pr.: geb. mk. 1,50.

Das bändchen beabsichtigt, den schüler in die eigenartigen einrichtungen England's und in das geistesleben des englischen volkes einzuführen, und zwar soll ihm das verständniss dafür auf historischem wege eröffnet werden. Jedem

der drei capitel ist ein »vorwort«, das eine vorgeschichte der in dem betreffenden abschnitte behandelten verhältnisse bringt, und ein »schluss« beigegeben,
in dem der herausgeber einen blick auf die weiterentwickelung dieser verhältnisse
bis zu ihren heutigen formen wirft. Vor dem ersten und dem dritten capitel
sind auch noch die darin begegnenden technischen ausdrücke unter »Idio-
matisches« zusammengestellt.

Da, namentlich im ersten artikel, vielfach englische verhältnisse berührt
werden, die in den noten nicht erläutert worden sind, auch nicht alle erläutert
werden konnten, und die daher eine erklärung von seiten des lehrers verlangen,
und da ausserdem fortwährend nebenher auf die englische geschichte eingegangen werden muss, so wird diese lectüre etwas langsamer fortschreiten,
als es gewöhnlich zu geschehen pflegt; aber dieser mehraufwand an zeit und
mühe vermittelt auch dem schüler ein entsprechend höheres maass sachlicher
kenntnisse; und so empfiehlt sich das bändchen namentlich für die prima der
realanstalten, die auf die englische lectüre mehr zeit verwenden können, sehr.
Indessen hat es sich auch, wie ich aus erfahrung bestätigen kann, in der ober-
prima eines gymnasiums wohl bewährt.

4. Bändchen: England. Its People, Polity, and Pursuits by Thomas
Hay Sweet Escott. Im auszuge und mit anmerkungen zum schulgebrauch
herausg. von E. Regel in Halle a/S. 128 ss. 8°. Pr.: geb. mk. 1,20.

Der verf. will uns in diesem werke ein bild von den hauptberufsclassen
des englischen volkes entwerfen. Er führt uns zuerst auf das englische dorf,
das in seinem geistlichen, seinem gutsbesitzer und seinen bauern die drei
stände des reiches repräsentirt. Wir erfahren näheres über die stellung der
beiden ersten zu einander; es wird uns besonders der geistliche in seiner viel-
seitigen thätigkeit gezeigt. Weiter lernen wir durch die schilderung der ausgedehnten landgüter des herzogs von Northumberland die stellung eines englischen grossgrundbesitzers kennen. Dann macht uns der verf. mit dem typus
des englischen bauern bekannt, indem er uns den lebensgang eines solchen
von der kindheit bis zum greisenalter vor augen führt. Wir werden alsdann
in die industriestädte versetzt und erfahren näheres über das materielle und das
geistige streben in den industriecentren; wir lernen den gegensatz zwischen
fabrik und bergwerksarbeitern kennen, was die arbeitenden classen Manchester's
von denen Liverpool's unterscheidet, ihre lebensweise und ihr verhältniss zu
den arbeitgebern. Weiterhin wird das leben der bergwerksarbeiter geschildert
und mit dem der fabrikarbeiter in vergleich gestellt. Das siebente capitel behandelt die erziehung. In ihm werden wir mit der entwickelungsgeschichte und
den einrichtungen der Board Schools vertraut gemacht; es wird uns das verhältniss der schulen zu den universitäten, das unterrichtssystem mit seinen
mängeln, die ausübung der disciplinargewalt an den höheren schulen, der einfluss der öffentlichen schule auf ihre zöglinge und der jetzige stand der weiblichen erziehung geschildert. Zum schluss werden die auf dem gebiete der
erziehung nöthigen reformen noch einmal zusammengefasst. Der nächste
artikel behandelt die flotte, ihre bedeutung für England, die laufbahn der
englischen matrosen und officiere und das leben an bord; zum schluss wird
die englische marine mit einem altmodischen hause verglichen, das sich äusserlich als glänzend, aber innen voller mängel zeigt und deshalb durch einen

neubau zu ersetzen ist. Dasselbe. so fährt der verf. fort, ist auch für das englische heer nöthig. Er entwirft uns dann ein bild von den einrichtungen des englischen heeres, in denen sich seit 1871 ein heilsamer wandel vollzogen hat. Nach ausführungen über die militärische ausbildung, disciplin, ausrüstung, die miliz und die freiwilligen schliesst er mit zahlenangaben über die heeresstärke.

Als ein besonderer vorzug des werkes ist die lebhaftigkeit und anschaulichkeit in der darstellung hervorzuheben. So ist das buch, seinem ganzen inhalte nach, in die erste reihe der schriften zu stellen, die geeignet sind, in das englische volksthum einzuführen, und kann als lectüre für die oberstufe unserer höheren lehranstalten nur sehr warm empfohlen werden. Die nöthigen sprachlichen und sachlichen erläuterungen werden in einer reihe trefflicher fussnoten gegeben.

In der stelle (44,8): »as the finger of the clock touches the hour, the first laboured beat of the engine proclaims that the work of the day has begun« ist »laboured« wohl nicht »abgemessen«, sondern »unter anstrengung zuwege gebracht«, also etwa durch »schwerfällig« zu übersetzen. — Nur ein druckfehler ist mir aufgefallen: 117,1 ist »intricate« (statt intrictea) zu lesen. — In den anmerkungen ist hier bisweilen, wie auch in anderen bändchen dieser sammlung, die aussprache angegeben worden; dazu möchte ich mir erlauben, den wunsch auszusprechen, dass jedesmal eine erklärung der zur verwendung kommenden bezeichnung beigegeben würde, und dass sich ferner die verschiedenen herausgeber dazu derselben zeichen bedienten!

BERLIN, Mai 1895. E. Stumpff.

BIOGRAPHIE.

William K. Hill, William Henry Widgery, Schoolmaster. A Descriptive and Critical Account of his Life, Work and Character. London, David Nutt, 270—271, Strand. 1894. 288 ss. 8°. Pr.: 3 s.

»William Henry Widgery, erzieher« — wie herrlich stolz, wie frank und frei das dasteht! so recht ein abbild des ganzen mannes, dem das buch gilt. Selten wohl ist ein lehrer von gleich eifrigem verlangen beseelt gewesen, allen an ihn herantretenden fragen wissenschaftlich und bis auf den letzten grund nachzugehen, wie der, dessen andenken dieses buch gewidmet ist. Und doch stand ihm das alles erst in zweiter linie, war alle wissenschaft für ihn nur mittel zu dem einen grossen zwecke der intellectuellen und sittlichen erziehung der jugend. Denn so hoch und gross erschien in seinen augen diese aufgabe, dass er sich in seinem gewissen gebunden hielt, alle seiten seiner individualität als forscher, als sittlicher charakter, als mensch, der mit allen problemen unseres daseins ringt, selbstlos in ihren dienst zu stellen. Dieser edeln, aufopfernden hingebung an seinen beruf stand eine hervorragende befähigung für denselben zur seite. Und so hat denn der verf. des vorliegenden buches, William K. Hill, allein schon durch die wahl des titels: »William Henry Widgery, Schoolmaster« den beweis geliefert, dass er den charakter des allzufrüh von uns geschiedenen in lichtvollster schärfe erfasst hatte und darum auch, wie kaum ein anderer, berufen war, ihm ein bleibendes denkmal zu setzen. Widgery selbst würde zeit seines lebens keinen anderen titel mit grösserem stolze getragen haben als den eines »schoolmaster«.

Verf. hat sich aber nicht mit der aufgabe begnügt, einfach die lebens- und arbeitsgeschichte des verstorbenen (W. starb am 26. August 1891) zu er- zählen, damit sich sein edles bild um so farbenfrischer im herzen seiner zahl- reichen freunde und verehrer erhalten könne. Indem er den lebensgang eines einzelnen schulmannes schildert, der durch seine hohen ideale, durch ver- heissungsvollste anfänge und durch die tragik seines plötzlichen endes aller interesse fesseln muss, hofft er gleichzeitig die aufmerksamkeit weiterer kreise auf die schwierigkeiten zu lenken, die — zumal in England — die laufbahn des schulmannes umgeben. Durch zusammenfassung der an den verschiedensten orten niedergelegten theorien W.'s in einem einzigen rahmen, durch ihre über- sichtliche zusammenordnung und verständnissvolle erörterung will er ihnen leben und fruchtbringende kraft auch über den tod ihres urhebers hinaus sichern. Und mit der zeichnung eines *full-length portrait of a noble mind* möchte er warme begeisterung genug erregen, um männer zu finden, welche sorge tragen, dass die theorien dieses geistes eine praktische erprobung und — hierüber kann bezüglich der hauptpunkte ein zweifel nicht bestehen — be- stätigung erfahren.

Was nun den nutzen betrifft, den wir Deutsche aus dem vorliegenden buche ziehen können, so ist derselbe kein geringer.

Widgery war ganz erfüllt von den ideen unserer zeit, die auf eine reform des höheren schulwesens im allgemeinen und des sprachunterrichts im beson- deren hindrängen. Er verstand es, dieselben logisch scharf und mit schlagen- dem witz zu interpretiren, und gleichzeitig erhalten seine ausführungen ein besonderes interesse durch den nicht geringen antheil eigener, selbständiger gedanken, die er in denselben niederlegt. Ueber alle diese eigenschaften W.'s habe ich mich schon zu wiederholten malen in dieser zeitschrift ausgesprochen (XV, s. 458—62; XVI, s. 471—72). Der herausgeber des vorliegenden buches aber überschaut auch seinerseits mit ebenso reifem wie unabhängigem urtheil das ganze gebiet der einschläglichen fragen und bringt dasselbe, wo ihm dies angemessen erscheint, neben dem W.'s zur geltung. Und nun bedenke man noch überdies, dass englische schulmänner, mögen sie auch noch so sehr mit uns continentalen freunden von schul- und fachreform in allen hauptpunkten eins sein, doch zufolge ihrer besonderen insularen verhältnisse vielfach die dinge unter einem gesichtswinkel betrachten müssen, der von dem unserigen abweicht. So ergiebt sich, dass der praktisch werthvollen anregungen, welche sich für den eifrigen schulmann aus der lectüre dieses buches ergeben, nicht wenige sein können.

Dasselbe hat aber noch einen weit höheren werth als einfach den einer neuen einlage zu gunsten der reformbewegung.

»His own example is indeed the greatest thing that Widgery has left us; a rich legacy of a life most nobly spent« (p. 226). Wenn ich das, was ich selbst persönlich von W. kennen gelernt habe, und das zeugniss, das in diesem buche über ihn niedergelegt ist, zusammenfüge, so stehe ich nicht einen augen- blick an, das eben angeführte urtheil seines biographen zu unterschreiben. W. war durch und durch »*a noble mind*«, eine bezeichnung für ihn, die immer und immer wieder in vorliegendem buche gebraucht wird. *»There was about*

him something of an atmosphere of truth and simplicity, which on two occasions made two different women involuntarily exclaim: 'I do want to be good when I am with you!'« (p. 209). An einer anderen stelle heisst es: *»Essentially genuine and thoroughly true-hearted, sincere in every thought, word or deed, Widgery's directness of manner disarmed all affectation«* (p. 219). Und er selbst spricht einmal brieflich, an einer stelle, wo es sich um die unwürdige handlungsweise jemandes aus dem gemeinschaftlichen bekanntenkreise handelt, die unerschütterliche überzeugung aus: *»[Somehow I feel that this action of his will some day come home to him and be ruinous to his dearest hopes, for] the world is founded on honesty and neither can outward seeming, nor orthodoxy, nor heterodoxy, endure for any, but this only — white truth and its passionate pursuit* (p. 221).« Dass der hohe sittliche schwung, von dem W.'s ganzes wesen getragen war, ihm für die gestaltung seiner äusseren lebensbahn nicht förderlich gewesen ist, ja in mehr als einem fall ihm eine schmerzliche täuschung wohl begründeter erwartungen eingebracht hat — das macht ihn uns nur theurer. Die tragik seines frühen todes drückt in gewissem sinne der edeln selbstlosigkeit seines lebenslaufes nur den weihenden stempel auf.

Und so empfehle ich denn das vorliegende schöne buch auf das nachdrücklichste allen freunden eines neugestalteten sprachunterrichts, mit besonders herzlicher wärme aber auch der engeren gemeinde jener, für welche es keinen höheren genuss giebt, als die grossen sittlichen gesetze des menschlichen lebens in einer sympathischen persönlichkeit leibhaftig verkörpert und thätig zu sehen.

RENDSBURG (Holstein), Mai 1895. H. Klinghardt.

LITTERATURGESCHICHTE.

F. J. Bierbaum, History of the English Language and Literature from the Earliest Times until the Present Day, including The American Literature. Third Thoroughly revised, and enlarged Edition. Student's Edition. Heidelberg, G. Weiss, verlag. London, J. W. Kolckmann. New York, B. Westermann & Co. 1895. VIII + 265 ss. 8°. Pr.: geb. mk. 3,00.

H. Breitinger, Grundzüge der englischen litteratur- und sprachgeschichte. Mit anmerkungen zum übersetzen in's Englische. Dritte auflage, besorgt von Theodor Vetter. Zürich, druck und verlag von F. Schulthess, 1896. IV + 123 ss. 8°.

Dass das buch von Bierbaum, trotz der keineswegs sonderlich freundlichen haltung der kritik ihm gegenüber, viel gekauft und benutzt wird, geht daraus ja zur genüge hervor, dass eine dritte auflage nöthig geworden ist, die allerdings den bibliographischen appendix nicht mit umfasst. Um so mehr hat aber auch weiterhin die kritik die verpflichtung, dasselbe nicht aus den augen zu lassen und den benützer vor all zu grossem vertrauen in dasselbe zu warnen. Denn es gehört wirklich nicht ein so besonders »clever fault-finder« dazu, wie herr B. meint, um die sofort zu tage tretenden schwächen dieses leitfadens als solche zu erkennen. Dass die vom ref., Engl. stud. XIII, p. 100 ff., an der zweiten auflage gemachten ausstellungen meist berücksichtigung gefunden haben, soll dem verf. dabei gern zugestanden werden.

Im vorwort wird der leser zunächst auf die »considerable additions particularly concerning the Early English« hingewiesen: ». . . the portions
treating of the Romances, Legends, and Religious Poetry of the time have
been either completed or newly added, thus meeting one of the wants cen-
sured by some of our critics«. Ich muss dem gegenüber constatiren, dass die
behandlung der me. litteratur vor Chaucer auch jetzt noch durchaus ungenügend ist. So vor allem der § 14: 'Romances'. Die hier getroffene auswahl
ist eine ganz willkürliche; die allitterirenden romanzen werden von den reimenden gar nicht unterschieden; bei manchen wird das metrum angeführt (welcher
unterschied besteht zwischen »the ballad measure«, in dem die Seven Sages,
und dem »verse rhyming by pairs«, in dem Floris and Blauncheflur abgefasst
sind?), zuweilen nicht, so bei Sir Gawein and the Grene Knight. Mehrere
der wichtigsten, Sir Tristrem, Ipomadon, Arthour and Merlin, Libeaus
Desconus u. a., fehlen ganz. Das gereimte Alexander-leben soll gedichtet sein
»in the year 1350«: auf den nachweis wäre ich begierig; dass es auch eine
sehr umfangreiche allitterirende behandlung desselben themas giebt, erfährt
man nicht, ebenso wenig, dass m e h r e r e versionen der sage von Octavian
und von den Sieben weisen meistern existiren. Horn, Havelok und Guy
werden unter die »Separate romances«, Sir Gowther und Beues of Hamtoun
unter die »Separate historical romances« gerechnet; unter den letzteren wird
auch Richard the Redeles aufgeführt, ein gedicht, dass vor herrn B. wohl
noch kein mensch für eine romanze gehalten hat. — p. 28 wird unter den
heiligen, deren leben poetisch behandelt worden ist, T u r n b u l l genannt. Ob
dieser Edinburger advocat ein sonderlich heiliges leben geführt hat, kann ich
leider nicht feststellen, jedenfalls war er ein ausserordentlich nachlässiger
herausgeber von me. epen; dass ihn ein dichter besungen hätte, war mir neu:
herr B. scheint ihn mit T u n d a l u s verwechselt zu haben! — p. 29 heisst es:
»The following four poems are ascribed to the poet of Sir Gawein and the
Grene Knight«, und nun werden Pearl, Cleanness, Patience und — the Proverbs of Hendyng aufgezählt. — Unter den dichtungen: »not to be ascribed
to Chaucer« wird The Romaunt of the Rose genannt; Kaluza's scharfsinnige
untersuchungen, denen zufolge zwei grössere fragmente dieses werkes doch
sicher Chaucer zuzuschreiben sind, existiren also für herrn B. nicht. — Ich
weiss nicht, nach welchem texte der verf. p. 39 einige strophen aus The
Kings Quhair abgedruckt hat, jedenfalls nicht nach dem jetzt allein maassgebenden von Skeat (Edinburgh 1884). Die sprachlichen eigenthümlichkeiten
des schottischen dialektes sind fast durchgängig verwischt, ohne dass der leser
darüber verständigt würde; ausserdem begegnen fehler in bezug auf wortlaut
(2, 1 to] l. tho; 3, 2 out] l. forth; 4, 7 mister] l. min[i]ster; 5, 5 this] l.
thus; 5, 7 sin'] l. sin), interpunction (2, 5 thrall.] l. thrall ohne (.), 4, 4
hand,] l. hand ohne (,)) und interpretation (str. 5, 3 sike heisst 'kranken', nicht
'seufzen'; str. 6, 3: In fretwise couchit with perlis white, bedeutet nicht
»variagated like network«, sondern »trimmed with a fretwork of pearls« [Skeat];
str. 6, 7 heisst parted 'abgesondert', aber nicht »divided into«).

p. 40 o. wird behauptet, John Barbour sei gewesen »the first Scottish
poet who wrote in the E n g l i s h language«.

Text wie proben sind also für die zeit vor 1500 durchweg unzuverlässig
und voll von versehen bedenklichster art, von denen ich nur beispielsweise einige

hervorgehoben habe. Prüfen wir an éinem autor, ob es in bezug auf die neuere zeit um das buch besser steht. B. handelt über Byron in § 86, p. 171 ff. Es heisst dort u. a.: »Mother and son returned to England, and the utterly spoiled young Lord was sent to Harrow school, where he remained for six years« etc. Aber Byron wurde nicht schon 1798, als nach seines grossonkels tod seine mutter mit ihm nach England zurückkehrte, nach Harrow gebracht, sondern erst 1801, und blieb dort auch nicht sechs jahre, sondern nur vier (bis 1805). — p. 174 wird Manfred unter den am Genfer see entstandenen dichtungen aufgeführt; aber sicher hat B. dort nur einen bruchtheil davon niedergeschrieben. — Das. wird u. a. fälschlich behauptet, The Vision of Judgment und die meisten der tragödien seien während Byron's aufenthalt in Venedig gedichtet. — Die stärkste probe von gedankenlosigkeit aber ist es, wenn p. 176 unter den »minor poems« angeführt wird: The Niobe of Nations, written in Rome«; bekanntlich eröffnen diese worte die 79. strophe von Ch. H. IV! Man sieht, auch hier fehlt es an jeder zuverlässigkeit.

Herr B. macht sich die revision der neuen auflagen seines buches, das an sich, z. b. durch eine ausgedehnte mitberücksichtigung der neuesten novellen- litteratur, sowie durch einen abriss der amerikanischen litteratur, manche vorzüge vor ähnlichen büchern aufzuweisen hat, offenbar zu leicht; mit einzelnem flick- werk ist es dabei nicht gethan: jede angabe über jeden einzelnen autor und seine schriften muss nachgeprüft und eventuell verbessert, der abschnitt über die vor-Chaucer'sche litteratur aber vollständig neu geschrieben werden, ehe der kritiker in der lage ist, diese History of English Language and Litterature mit gutem gewissen zu empfehlen.

Der bearbeiter von Breitinger's »Grundzügen« bemerkt im vorwort, pietät gegen den verstorbenen verfasser und der wunsch des herrn verlegers hätten ihn veranlasst, die neue auflage dieses büchleins zu besorgen; er brauche sich daher über die grundsätze nicht zu äussern; seine aufgabe habe lediglich darin bestanden, etwaige versehen auszumerzen, veraltetes umzugestalten, neue erscheinungen nachzutragen. Von diesem standpunkte aus haben wir die schrift also zu beurtheilen. Indem ich Vetter's bemühungen um die neue auflage gern und offen anerkenne, glaube ich doch die folgenden bedenken nicht zurück- halten zu dürfen. Das buch stammt aus einer epoche der litteraturgeschichts- schreibung, wo die alt- und mittelenglische zeit höchst stiefmütterlich behandelt wurde und gleichsam nur den rang einer einleitung zur behandlung von Chaucer einnahm. Hier ist jedoch in den letzten jahrzehnten glücklicherweise remedur eingetreten, und darum meine ich, dass, wenn Vetter den allgemeinen titel: 'Grundzüge der englischen litteratur- und sprachgeschichte' beibehalten wollte, er auch die darstellung der alt- und mittelenglischen periode entsprechend aus- gestalten musste. Das ist nicht geschehen: was hier p. 4 f. von me. litteratur von 1200—1350 verzeichnet steht, ist geradezu gleich null. Von der so überaus reich entwickelten epischen litteratur, deren producte wir mit dem namen 'romanzen' zu bezeichnen pflegen, wird bloss Havelok erwähnt; die predigt- und legenden-litteratur wird ganz übergangen.

Auch im weiteren verlaufe der darstellung hätte man gern öfters resultate neuerer forschung selbst in 'Grundzüge' eingetragen gesehen. Wenn z. b. mit der sprache von Lyly's Euphues die von Sannazaro's Arcadia verglichen wird (p. 21), so hätte es vielmehr nahe gelegen, an Landmann's entdeckung, dass als hauptquelle des Euphues Guevara's Libro de Marco Aurelio anzusehen ist, zu erinnern. Bei der besprechung von Milton's werken darf heute die starke beeinflussung durch den holländischen dichter Vondel nicht mehr unerwähnt bleiben u. s. w.

Auch manche kleine ungenauigkeiten werden bei einer weiteren auflage zu tilgen sein. Es ist z. b. falsch ausgedrückt, wenn es p. 4 heisst, »Cynewulf würden legendendichtungen und eine sehr interessante räthselsammlung z u g e - s c h r i e b e n «. Eine anzahl dieser werke sind doch durch die runenverse sicher als sein eigenthum fixirt. — Der name 'Cursor Mundi' ist englisch nicht mit 'the c o u r s e of the world' (p. 5), sondern mit 'coursor, runner' wiederzugeben. — Dass Byron 1788 »kurz nach trennung seiner eltern geboren sei« (p. 71), ist nicht richtig. — Die beiden ersten cantos des Don Juan erschienen nicht 1818, wie p. 74 angegeben ist, sondern erst 1819. Andere werden anderes anzumerken haben.

Auch einzelne sprachliche härten fallen auf; so p. 5 z. 4: »r ä t h e und betrachtungen« für rathschläge. p. 38 f. heisst es, Milton löse »seine gestalten in's unbestimmte und erhabene auf«. p. 72 lesen wir: »Bei seiner rückkehr in Newstead fand er seine mutter e i n e leiche«.

Die beantwortung der frage, ob dieser abriss der litteraturgeschichte ein geeignetes material zum übersetzen in's Englische bietet, muss ich praktischen schulmännern überlassen.

BRESLAU, October 1895.   E. K ö l b i n g.

BYRONIANA.

B y r o n ' s Siege of Corinth. With Introduction and Notes by P. H o r d e r n, Late Director of Public Instruction in Burma. London. George Bell & Sons, York St., Covent Garden, and New York. 1894. XII + 64 ss. 8°. Pr.: geb. 1 s. 6 d.

In meiner ausgabe der Siege of Corinth, Berlin 1893, p. LIV, hatte ich gesagt: »Eine commentirte separatausgabe der Siege of Corinth ist in England meines wissens nicht erschienen, woraus doch wohl der schluss zu ziehen ist, dass die dichtung dort als schullectüre bis jetzt wenigstens nicht verwendet wird.« Seitdem ist der hier zu besprechende text von Hordern in »Bell's English Classics. A New Series, edited for use in Schools, with Introductions and Notes« veröffentlicht worden — und zwar in einer serie, über die die verlagshandlung sagt: »These volumes are specially adapted to the requirements of Indian Students« — wie es scheint, ein zeichen, dass in dieser beziehung eine andere auffassung platz zu greifen beginnt. Von meiner veröffentlichung scheint der herr herausgeber nichts zu wissen, wie denn ja deutsche editionen englischer dichtungen bekannter maassen nur sehr ausnahmsweise in England und den anderen welttheilen beachtung finden; eine böswillige ignorirung ist schon insofern sicherlich nicht anzunehmen, als einleitung und anmerkungen von meinen entsprechenden zuthaten sich als völlig unabhängig erweisen.

Die erstere besteht aus einem knappen lebensabriss Byron's, einer kurzen erörterung über seine bedeutung als dichter, bemerkungen über die abfassungszeit der Siege of Corinth, die zeitverhältnisse, auf die sich der stoff gründet, und den inhalt des gedichtes. Zu einwänden giebt dieselbe kaum veranlassung.

Bei der zeilenzählung des textes sind leider die 45 verse der erst später hinzugefügten einleitung mitgezählt, so dass die zeilenzahl nun weder zu der der ed. pr. noch zu den texten von Schuler, Bandow und mir stimmt.

Die anmerkungen sind für schüler bestimmt und geben darum natürlich mancherlei erklärungen, die anderen lesern mehr oder weniger überflüssig erscheinen mögen. Die häufigen etymologischen notizen schliessen sich meist an Skeat an. Im einzelnen habe ich folgendes zu bemerken.

Zu den beiden ersten versen:

In the year since Jesus died for men,
Eighteen hundred years and ten,

äussert sich Hordern so: »This is an instance of Byron's carelessness, the era being usually reckoned not from the death of Christ, but from his birth«. Das ist natürlich nicht falsch, übrigens auch schon von B. Smith in Notes and Queries, Ser. V, Vol. I, 1874, p. 465 zur sprache gebracht worden, aber die hauptsache ist doch, dass die rechnung dadurch unrichtig wird: »denn nach dem wortlaute kommt nicht das verlangte jahr 1810, sondern vielmehr 1843 bei der rechnung heraus« (vgl. auch Kaluza, Engl. stud. XIX, p. 272, der einem mittelenglischen dichter denselben fehler nachweist). Indessen bin ich nicht der erste gewesen, der dem dichter diesen kleinen rechenfehler aufgemutzt hat; derselbe wird schon von W. A. C. in Glasgow in Notes and Queries, Ser. V, Vol. II, 1874, p. 51 monirt.

v. 19. Dass unter solchen, *who counted beads*, nicht speciell mönche zu verstehen sind, wie Hordern will, ja dass mit diesem ausdruck nicht einmal speciell anhänger irgend welches christlichen bekenntnisses bezeichnet sein müssen, dürfte aus den von mir zu diesem verse angeführten parallelstellen wohl zur genüge hervorgehen. — Hordern's erklärung von v. 86 (= v. 41): »Till the very sea is silenced by the din« stimmt zu der auffassung von Hoops (Engl. stud. XIX, p. 458), der eine »poetische übertreibung« constatirt. — Zu v. 236 (= v. 191) bemerkt der herausgeber: »*A forlorn hope*« is the phrase used by the storming-party which leads the first assault on the walls of a besieged town, or undertakes any other desperate duty. In this phrase the word *hope* is from Dutch *hoop*, a troop, and signifies »the lost or devoted band.« Aehnlich erklärt Schuler z. d. st. *forlorn hope* mit »verlorene mannschaft, die den ersten sturm unternimmt und als verloren betrachtet wird; vgl. 'verlorener posten'. *Forlorn* ist nach form und bedeutung das deutsche 'verloren'.« Ich aber habe zu diesem verse nur einige parallelstellen aus Byron's werken selbst angeführt und im übrigen durch mein schweigen Schuler recht gegeben. Und dabei hatte bereits im Februar 1849 dr. Graves in the Dublin Quarterly Journal of Medical Science die einzig richtige erklärung dieses ausdrucks geliefert, welche dann auf die anfrage eines herrn Fenton hin in Notes and Queries, Ser. I, Vol. VIII, 1853, p. 411, W. R. Wilde das. p. 569 f. wiederholt· und einen interessanten beleg beigefügt hat; einen weiteren bietet H. T. G. in Vol. IX, 1854, p. 161, während C. Barnard ebendort auf eine in Richardson's Dictionary angeführte stelle aus North's Plutarch verweist. Ich wiederhole hier zunächst die erklärung: »Military and civil writers of the present day seem quite ignorant of the true meaning of the words *forlorn hope*. The adjective has nothing to do with despair, nor the substantive with the 'charmer which lingers still behind;' there was no such poetical depth in the words as originally used. Every corps marching in any enemy's country had a small body of men at the head (*haupt* or *hope*) of the advanced guard; and which was termed the *forlorne hope* (lorn being here but a termination similar to *ward* in *forward*), while another small body at the head of the rere guard was called the rear-lorn hope. A reference to Johnson's Dictionary proves that civilians were misled as early as the time of Dryden by the mere sound of a technical military phrase; and, in process of time, even military men forgot the true meaning of the words. It grieves me to sap the foundations of an error to which we are indebted for Byron's beautiful line: The full etc.« Sehr instructiv hierfür ist folgende stelle in John Dymmok's ca. 1600 verfasstem Treatise of Ireland, abgedruckt in the Tracts relating to Ireland, printed for the Irish Archæological Society, Vol. II, p. 32: »Before the vant-guard marched the f o r e l o r n h o p e, consisting of forty shott and twenty shorte weapons, with order that they should not discharge untill they presented theire pieces to the rebells' breasts in their trenches . . . . . . The baggage, and a parte of the horse, marched before the battell; the rest of the horse troopes fell in before the r e a r e w a r d e except thirty, which, in the head of the r e a r e l o r n e h o p e, conducted by Sir Hen. Danvers, made the retreit of the whole army«. Auch t h e f o r l o r n allein wird in diesem sinne gebraucht; vgl. Gurnall's Christian in Complete Armour, ed. Tegg, 1845, p. 8: »The fearful i n t h e f o r l o r n of those that march for hell«. H. T. G. verweist dazu auf Off. Joh. XXI, 8, wo: »the fearful and unbelieving« stand at the head of the list of those who shall have their part in the lake which burneth with fire and brimstone«. Freilich ist mit alledem die etymologie von l o r n noch nicht aufgehellt. — Zu v. 251 (= v. 206) citirt H. sehr passend Tennyson, Locksley Hall 60 Years After, v. 191 f.:

> Might we not, in glancing heavenward, on a star so silver-fair,
> Yearn and clasp the hands and murmur 'Would to God that we were there?'

— v. 321 (= v. 276): *When baffled feelings withering droop,* giebt Hordern wieder mit: »When love unreturned dies of inanition«. Indessen geht doch aus v. 198 ff. (= 153 ff.) klar hervor, dass Lanciotto bei Francesca gegenliebe gefunden hat. Unter *baffled feelings* wird vielmehr die abweisung seiner werbung seitens Francesca's vater zu verstehen sein; vielleicht ist auch an die durch eine ungerechte beschuldigung gekränkte vaterlandsliebe zu denken. — v. 342 ff. (= v. 297 ff.) werden so erklärt: »With neither bed nor curtain — unless one could imagine a harder bed or darker covering than his to-night,« was mir nicht recht verständlich ist. Ich übersetze vielmehr: »ohne lager oder betthimmel, es sei denn ein rauherer boden und firmament, wie jetzt selbst zur lagerstätte eines gewöhnlicheren kriegers dient, wie jetzt am himmel ausgespannt ist«. Freilich ist die construction des satzes nicht sehr durchsichtig. — Zu v. 350 (= v. 305) vergleicht der herausgeber sehr passend Shakespeare, Henry IV, 2. theil, III, 1, 4 ff.: *How many thousands of my poorest subjects Are at this hour asleep!* etc., eine stelle, die Byron bei abfassung dieser verse direct vorgeschwebt zu haben scheint. — v. 368 (= v. 323) will Hordern, wenn ich ihn recht verstehe, *clime* mit »slope« übersetzen, eine bedeutung, die ja hier ganz gut passen würde; nur hat das ne. wort diesen sinn nicht. — Die anm. zu v. 400 f. (= v. 355 f.) lautet: »The campaign of sin, whose crowning triumph could but lay (?) in the profanation of a holy place.« Ich sehe in diesen worten vielmehr eine hinweisung auf *that faithless truce* v. 220 (= v. 177). — Wenn der herausgeber v. 402 (= v. 357) umschreibt durch: »It was not thus they fought, — the heroes of old whose names were passing through his brain«, sowie v. 404 f. (= v. 359 f.) mit: »When their troops mustered on the plain which their courage kept that day inviolate«, so stimmt er mit mir darin überein, dass er nach *those* v. 402 den ausfall eines pron. rel. annimmt, weicht aber in der erklärung von v. 404 f. ganz von der meinigen ab, die Hoops a. a. o. p. 459 für »zweifellos richtig« erklärt. Vor allem weiss ich nicht, wie Hordern dazu kommt, *had* v. 402 mit »fought« zu übersetzen. — Zu v. 450 (= v. 405) vermisst man eine erklärung von *tell*; ich fasse es als 'angeben, unterscheiden'. Ebenso wäre eine ausführlichere erörterung der sehr schwierigen stelle v. 460 ff. (= v. 415 ff.) wünschenswerth gewesen, über deren erklärung bis jetzt noch keine einigung erzielt ist (vgl. ausser meiner note die äusserungen von Ackermann, Mittheilungen III, p. 347, und von Hoops a. a. o.) — v. 484 (= v. 439) wird *perishing* mit 'crumbling' wiedergegeben, was den sinn nicht trifft; *the perishing dead* sind die in der schlacht gefallenen, deren leichen den wilden thieren zum frasse dienen. — v. 490 (= v. 445) bleibt *weltering field* trotz Hordern's bemerkung, *weltering* sei »transferred from the dead to the field«, einigermaassen anstössig. Das ist natürlich der grund, wesshalb Gifford für *field, limbs* schreiben wollte. — v. 519 (= v. 474). Ueber das verhältniss dieser stelle zu einem passus in Coleridge's Christabel handelt der verf. in der note. Wenn aber hierüber C. A. Ward in Notes and Queries, Ser. V, Vol. II, 1874, p. 393, bemerkt, Byron müsse Coleridge's verse gekannt haben, schon insofern, als: »The Byronic version is such rubbish compared with Coleridge's, that it is impossible to doubt who was the author«, so bemerkt dazu W. Whiston, Vol. III, 1875, p. 216 wohl im sinne jedes lesers von litterarischem geschmack: "Oh for an hour" of the author of the Baviad, who said of these and some following lines, "All is beautiful." — Bei der besprechung von v. 567 ff. (= v. 522 ff.) hat Hordern zwar die entsprechende stelle aus der Faery Queene angeführt, aber nicht Scott's Marmion II, 7, 1 ff., worin ich die directe quelle Byron's erblicke. — Zu v. 620 ff. (= v. 575 ff.) citirt Hordern passend folgende stelle aus Lamb's Essay on Blakesmoor in H — shire: »The tapestried bedrooms — tapestry so much better than painting — not adorning merely, but peopling the wainscots; at which childhood ever and anon would steal a look, shifting its coverlid (replaced as quickly) to exercise its tender courage in a momentary eye-encounter with those stern bright visages.« — v. 641 (= v. 596) empfehle ich der weiteren erwägung der fachgenossen; jeder von uns dreien: Hoops (a. a. o. p. 460), Hordern (z. d. st.) und ich, hat den vers anders bezogen. — Ich wundere mich sehr, dass Hordern zu v. 643 (= v. 598) über die beziehung dieser verse zu einer stelle in Beckford's Vathek, auf welche Byron selbst in einer note hinweist, sich gar nicht geäussert hat. — v. 646 (= v. 601) ist *shaded* keineswegs proleptisch gebraucht, wie Hordern sagt; gerade jetzt ist die mondscheibe durch die vorüberziehende wolke beschattet. — v. 743 (= v. 698 f.). Statt zu erklären, was man unter einer lawine versteht, hätte der herausgeber sich darüber aussprechen sollen, wie er das verhältniss der beiden auf einander folgenden vergleiche aufgefasst hat. — Zu v. 772 (= v. 727) wird *dome* unrichtig mit 'temple, church' erklärt; es ist collectiv als 'die häuser' zu nehmen. — v. 826 (= v. 781) hätte *spoil*, das hier so viel heissen muss wie 'desire of spoil', eine notiz verdient. — Zu v. 864 (= v. 819) bemerkt Hordern treffend: »referring to the inferior position assigned to Mahommedan women as compared with the freedom of their Christian sisters«. — In der erklärung von *aiding heart and hand*, v. 908 (= v. 863) stimmt Hordern mit Hoops a. a. o. überein. — v. 1033 (= v. 988) übersetzt Hordern mit: »burnt to ashes that might lie on the palm of the hand«. Ich kenne aber *span* nicht in dem sinne von 'handfläche'; *to a span* ist = zu einem gegenstand von 'spannenlänge'. —

Ich benutze diese gelegenheit, um zu meiner ausgabe der Siege einige weitere (vgl. Engl. stud. XIX, p. 456 ff.) nachträge mitzutheilen.

v. 315 f. In einem aufsatz: Lord Byron's Plagiarisms, The London Literary Gazette, March 17, 1821, p. 169, werden diese verse bezeichnet als entlehnung aus Lay of the Last Minstrel, C. III, st. XXIV, v. 1 ff.:

> the evening fell, ...
> The air was mild, the wind was calm,
> The stream was smooth, the dew was balm.

Ich kann indessen an den beiden stellen kaum mehr gemeinsames finden, als die reimworte.

Derselbe herr W. A. C., der den oben besprochenen rechenfehler aufgedeckt hat, stellt a. a. o. die vermuthung auf, dass zu den versen 409 ff.:

> And he saw the lean dogs beneath the wall
> Hold o'er the dead their carnival, etc.

Byron angeregt worden sei durch folgende stelle in Coleridge's Fire, Famine, and Slaughter. A War Eclogue:

> I stood in a swampy field of battle;
> With bones and skulls I made a rattle,
> To frighten the wolf and carrion-crow,
> And the homeless dog — but they would not go.

Gewiss ist die situation an beiden stellen eine ähnliche, und unser dichter hat diese, 1796 gedichtete 'kriegs-eclogue' jedenfalls gekannt; andererseits aber st ihm auch zu glauben, wenn er in einer note versichert, er habe dies von ihm geschilderte, widerwärtige schauspiel in Constantinopel selbst gesehen; eine stärkere anregung für eine solche schilderung jedoch, als autopsie, lässt sich nicht wohl denken.

Was übrigens den poetischen werth dieser stelle angeht, so lässt sich darüber gewiss streiten; so hat z. b. ein herr E. Lempriere in The New Monthly Magazine, Vol. IX, 1818, p. 118 f., diese verse als prononcirt hässlich und unpoetisch bezeichnet, während W. C. H. das. p. 390 sie in schutz nimmt.

Beiläufig bemerkt findet sich in einem merkwürdigen spottgedicht: The Hyæna's Den at Kirkdale, Buckland's Reliquæ Deluvianæ, folgende anspielung auf die vorliegende stelle (vgl. Notes and Queries, Ser. VIII, Vol. VII, 1895, p. 28):

And they crunched 'em just like Byron's dog
Tartars' skulls that so daintily mumbled,
Horns and hoofs were to them glorious prog,
Ecce signa . . . . see how they 're all jumbled.
    I can show you the fragments half-gnawed,
Their vomit and dung I have spied;
And here are the bones that they pawed,
And polished in scratching their hide.

In dem oben zu v. 315 citirten aufsatz der London Literary Gazette wird
v. 551: *Light was the touch, but it thrilled to the bone* bezeichnet als entlehnung aus Marmion, C. IV, st. XVII, v. 343 ff.:
    And words like these he said,
    In a low voice, — but never tone
    So thrill'd through vein, and nerve, and bone.

Das erste mal handelt es sich um eine berührung mit der hand, das
zweite mal um den klang von worten. Die beiderseitige verwendung der
worte: *thrilled* und *bone* involvirt denn doch noch keine nachahmung.

v. 571 ff. Mit der schilderung der augen der todten Francesca vergleiche man Coleridge's beschreibung der todten matrosen in The Ancient
Mariner, Part V, str. 10:
    They groan'd, they stirr'd, they all uprose,
    Nor spake, nor moved their eyes,
    It had been strange, even in a dream,
    To have seen those dead men rise.

In einem aufsatz: Recent Poetical Plagiarisms, in: The London Magazine,
Vol. IX, 1824, werden v. 638 f.:
    Hark to the trump, and the drum,
    And the mournful sound of the barbarous horn,
zurückgeführt auf folgende, in bezug auf den ort nicht näher bezeichnete worte
von Gibbon: *And the air resounded with the harsh and mournful music of
the barbarian trumpet.* Dass die ähnlichkeit der beiden stellen auffallend
ist, wird man gern zugeben.

In meiner anmerkung zu v. 961 wurde darauf hingewiesen, dass das
zurückbleiben einiger tropfen wein im abendmahlskelche sonstigem katholischen
brauche zufolge ganz undenkbar sei, während hier der dichter mit dem an
sich unbedeutenden zuge die leicht begreifliche hast und unruhe am morgen
des betreffenden tages habe charakterisiren wollen. Schon lange vor mir hat
nun aber B. Smith an der oben schon citirten stelle behauptet, die ganze beschreibung des kelches sei deplacirt: »for, as the Venetian garrison of Corinth
were Roman Catholics, they could not, of course, have partaken of the holy
wine«. Dem gegenüber macht jedoch Vol. II, p. 51 ein herr K. P. D. E.
geltend, dass »The custom of receiving communion in both kinds was kept
up among Roman Catholics in the East long after if had been left in the
West«, und fügt hinzu, dass, wie er gelesen habe, noch jetzt einige grosse,
für diesen zweck angefertigte kelche in Venedig aufbewahrt würden. Byron
scheint also hier wie sonst seine schilderungen genau den wirklichen verhältnissen angepasst zu haben.

Wenn aber der oder jener leser der Engl. stud. aus diesen mehrfachen
nachträgen, die hauptsächlich aus alten jahrgängen der Notes and Queries und
anderer litterarischer journale geschöpft sind, den schluss ziehen sollte, ich sei
im jahre 1893 für die abfassung eines commentars zur Siege of Corinth noch
nicht genügend vorbereitet gewesen, so muss ich mir diesen vorwurf natürlich
gefallen lassen, kann mich aber damit trösten, dass vor allem die Notes and
Queries, welche, 1850 begonnen, jetzt zu der stattlichen summe von 91 bänden
angewachsen sind, auch sonst von der deutschen forschung fast ganz ignorirt
und selbst von englischer seite nicht genügend zu rathe gezogen werden[1]).
Ausser in Berlin und Göttingen sind sie wohl auf keiner preussischen universitätsbibliothek zu finden; ich selbst bin nur mit grosser mühe und nicht geringen
geldopfern in den besitz eines vollständigen exemplars gelangt.

BRESLAU, October 1895.   E. Kölbing.

Latin Verse Translations from Byron's Childe Harold, by The Rev. N. J.
Brennan, C. S. Sp., B. A., President of St. Mary's College, Port of Spain,
Trinidad; for many years Dean of Studies at Blackrock College, Dublin.
Dublin, Gill & Son etc. London: Simpkin, Marshall & Co., 1894. 54 ss.
8°. Pr.: sh. 1.

Es handelt sich um eine übertragung von Ch. H., C. III, str. XVII—XLV
sowie C. IV, str. LXI—LXV in lateinische hexameter, und zwar so, dass
jedem englischen verse ein lateinischer entspricht. Der verfasser bemerkt im
vorwort: »The Author of the following Latin verses, which, with a great
many others of a similar kind he composed at different times for the benefit
of his pupils, has been induced to print and publish them, partly as a farewell
souvenir to his friends and former pupils, on his departure for Trinidad, and
partly in the hope that to classical teachers and students and to lovers of
Latin verse, they may prove not altogether uninteresting.« Er kommt dann
auf die grosse schwierigkeit zu reden, mit der die übersetzung Byron'scher
verse in irgend welche fremde sprache, und speciell in's Lateinische, verbunden
sei, und spricht die hoffnung aus, dass etwaige mängel seiner arbeit gerade
mit dieser schwierigkeit der aufgabe entschuldigt werden möchten.

Es ist ja klar, dass eine leistung, wie sie hier vorliegt, weniger als wissenschaftliche that wie als eine art kunststück anzusehen ist. Schon insofern
kann ich mich nicht entschliessen, eine recension über das vorliegende
heftchen zu schreiben, und begnüge mich damit, zu constatiren, dass die übersetzung einen gewandten, fliessenden eindruck macht und im allgemeinen auch
dem dichterischen schwunge des originals wohl gerecht wird. Ich hebe als
probe C. III, str. LXVI f. heraus:

Tu vero, Clitumne, tuo dulcissime fluctu,
Crystalli similis vivi nitidissime candor

---

[1]) Hätte z. b. Thomas Bayne, als er seinen commentar zu Scott's Marmion
(Oxford, at the Clarendon Press, 1889) schrieb, die erörterung über C. VI,
st. XXXVI im verhältniss zu C. III, st. XI in Ser. I, Vol. III, 1851, p. 203 f.
gekannt, so würde er sicherlich nicht versäumt haben, diesen wichtigen punkt
in einer anmerkung zur sprache zu bringen.

Quaesierint unquam pulchrae quem flumine nymphae,
Quo madidae spectent, nihilo celante, lacertos,
Erigis herbosas niveo tondente juvenco
Ripas; tu placidi deus O purissime fontis,
Limpide prae cunctis, vultu formose sereno;
Quippe tuum nemo foedavit caedibus amnem,
Balnea virginibus pariter speculumque venustis.

Felicique tuo vel adhuc in littore templum,
Compositum tenui parvae ratione figurae,
Stat sublime tui monumentum, pignus honoris,
Montis ibi servans lenis declive cacumen;
Infra praecipitat pacato flumine torrens,
Exsilit unde micans squamis persaepe coruscis
Pisciculus vitrei bacchans per stagna profundi;
Forte simul prono fluitant vaga lilia cursu,
Cantat adhuc brevior tremulas ubi lympha querelas.

BRESLAU, October 1895.   E. Kölbing.

MISCELLEN.

I.

EINE BISHER UNBEKANNTE ME. VERSION VON PAULI HÖLLENFAHRT.

Zu den bisher bekannten fünf mittelenglischen versionen der Paulus-vision — vier dichtungen und eine prosa — tritt als sechste die hier zum ersten male abgedruckte prosa-fassung, welche im MS. Add. 10 036 des Brit. Mus., einer membrane aus dem 14. jahrhundert, enthalten ist. Was die ein-schlägige litteratur betrifft, so begnüge ich mich mit einer verweisung auf die gründlichen arbeiten von H. Brandes: Ueber die quellen der mittelenglischen versionen der Paulus-vision, Engl. stud. VII, p. 34 ff. (= Br.[1]), und: Visio S. Pauli. Ein Beitrag zur visionslitteratur. Mit einem deutschen und zwei lateinischen texten. Halle 1885 (= Br.[2]). Die vorliegende fassung kenn-zeichnet sich als eine ziemlich getreue übertragung der vierten lateinischen version, welche Brandes in der eben genannten schrift p. 73 ff. hat abdrucken lassen. Auf kleine differenzen werde ich in den anmerkungen hinweisen. Da manche derselben von anderen englischen versionen getheilt werden, so scheinen wenigstens diese auf gemeinsame abweichungen in den vorlagen hinzuweisen.

Eine erörterung des dialektes hat bei einem derartigen kürzeren prosa-texte wenig zweck, da uns jedes kriterium über die wirkliche sprache des autors fehlt, und die des abschreibers von sehr geringem interesse ist. In der that tritt in diesem denkmal kein einheitlicher dialekt zu tage.

Was die wiedergabe des textes betrifft, so schliesse ich mich genau an die hs. an; nur regle ich die interpunction und lasse die eigennamen mit grossen buchstaben beginnen. Abgekürzte lettern und silben sind cursiv ge-druckt (wiþ ist in der hs. stets durch wᵗ wiedergegeben).

(f. 81a) A questioun of þe peynes of Helle & how soules desireþ to haue rest in þat place[1]). §. Poule & Myʒel praied to oure lord Jeſu Crist of his gret grace, to schewe þe peynes of helle to his disciple Poule, þat he myʒt declare hem in openyng to cristen peple.
5 Where fore oure lord graunted him power bi þe leding of his aungel

---

[1]) 1—2 A—place *roth unterstrichen*. 3 of helle *om. MS.*

Michael for to se þe peynes of soules ypynsched in þat ferful place.
§. And þe aungel Mychael brouȝt Poule bi fore þe ȝates of helle, for
to se þe peynes of helle, & þer Poul sawe bi fore þe ȝates brennynge
trees, & in þo trees synful soules turmentyd & hanged al brennynge.
10 §. Somme bi þe heer, somme bi þe necke, somme bi þe tonge, somme
bi þe armes. §. And ferþer more Poul sawe a fornais al brennyng, in
þe whiche soules were ipynched wiþ seuen manere of peynes. §. þe
furst snowe, þe secunde frost, þe þridde (f. 81 b) fuyre, þe ferþe adders,
þe fifte lyȝtnyng, þe sexte stenche, þe seuenþe sorw wiþ outen ende;
15 and in þat fornays ben soules ipynsched, þe whiche dide no penaunce
bi here lyue daie, and eueryche is pynsched after his dedes, þat he hadde
in þis worlde ywrouȝt; where inne is sorwynge, wepynge, waymentynge,
brennynge, sekyng of deth. §. þis place is to be dradde, in þe whiche
is sorwe of adderes & sorw wiþ oute gladnesse, in þe whiche is plente
20 of peynes wiþ brennynge wheles, & in euery whele a þousand crokes,
ismyte a þousand tymes wiþ deueles, & in euery croke hangynge a
þousand soules. §. And ferþer more he saw an horrible flode wiþ
many deueles þer inne, for to turment soules, & þer aponn a brigge, bi
þe whiche schulle passe riȝtful soules & euel soules, þus to ben pynsched
25 after here trespas; and þer ben (f. 82 a) duellinge places of synful soules.
and þer Poul sawe soules ifalle, somme to þe knees, somme to þe nauyl,
somme to þe lippes, somme to þe top of þe hede; and þer fore Poul
sore gan wepe, and þan seide Mychael: §. þise þat ben falle to þe knees,
ben suche as speken faire to fore & doþ euele bi hynde. §. þise ben
30 þo þat ben fallen to þe nauyl, þe whiche þat diden avowtrie & forny-
cacioun, & dide no penaunce in here lyf. §. þise ben þo þat ben fallen
to þe lippes, þe whiche made batynge in holi churche, & harde noȝt þe
worde of god. §. þise ben þo þat ben fallen to þe top of þe hede,
þat ben glad of here neiȝbores harme. And þer of Poul wep bitterliche
35 & seide: Is þis greuous peyne yordeyned to hem. And after þat he
sawe a place ful of soules hangynge bi þe tonnges; & þan seide þe
aungel: þise ben feneratowres & vsereres. §. And (f. 82 b) þan he sawe
a place, in þe whiche were alle peynes, and þer were blak maidens
wiþ blak cloþes, in piche & bremstonn, wiþ fury cloþes, dragouns &
40 addres hangynge aboute here neckes, & foure deueles goynge aboute hem
& seynge to hem: Ȝe knoweþ noȝt godes sone, þat bouȝt ȝow. §. And
þan seide Poul: What soules ben þise? þise ben soules of maidens, þe
whiche were noȝt chast to here weddynge, & þo þat deled wiþ here kyn
& ouerlaie here children & slow hem. §. And afterward he sawe wymmen
45 aponn camayles & afore hem moche fruyt, but þei ne myȝt none take.
þise ben þo þat breken here fast bifore tyme. §. And þan he sawe an
olde man bitwene foure deuels wepinge, & he asked, what he was. §. þe
aungel seide: þis was necligent, þe whiche kept noȝt þe lawe of god,
ne was not chast of bodi ne of worde ne of werke, but was prowde &
50 couei(f. 83 a)tous; & þer fore he schal suffre þis in to þe daie of dome.
§. And þo wepte Poul. And þe aungel asked: Whi dost þou wepe

---

37 feuatowres *MS.*

aponn þis man? for ʒit þou schalt se more gretter peynes.   And he
schewid him a put ylokke wiþ seuen lockes & seide to him: Stonde vttere,
so þat þou myʒt suffre þe sauour & þe stenche!   And he openyd þe put,
55 & þer come out a stronge stenche, worst aboue alle peynes.   §.   And þo
seyde Mychael: Who so euere comeþ in to þis put, þer ne schal neuere
be made mynde of him in heuene bi fore god ne his aungeles.   And into
þis put schullen be þrowe þo soules, þe whiche þat leue not, þat þe sone
of god toke flesche & blode of seynt Marie, ne troweþ noʒt in þe sacra-
60 ment of þe auter.   And he sawe in an oþer place men & wynmen, &
wormes & addres etynge hem.   And þer laie soule aponn soule, (f. 83 b)
as þouʒ it were frogges in a stronge storme.   & þat place was as depe as
it is fro heuene to erþe.   And þer he herde gret wepinge & gronynge &
gryntynge of teþ, as it were a þondre.   And þan he sawe a synful soule
65 b[i]twene seuen deueles wepynge & sorwyng ledynge þat soule þat same
daie fro þe bodi.   And aungeles cried aʒens þat soule, seiynge to him:
§. þou wrecchid soule, what hastou donn in erþe? and þer þei redde his
chartere, in þe whiche alle his synnes were inne.   §. And þer he was
yþrowe into þe depe put, in to þe deppest derkenesse.   And in þe same
70 while aungeles ladde an oþer soule fro þe bodi to heuene.   And þer þei
harde a þousande þousand of gladde aungeles seynge to þat soule:
§. Arayse we him up afore god, for he haþ chose his blessyd werkes!
And after þat seynt Mychael put him in to paradis, & þer alle aungeles
worschiped þat soule.   §. And synful soules, (f. 84 a) þat leyn in peyne,
75 þei criden & seiden: haue mercy on vs, Myʒel & Poul, þe whiche þat is
most biloued wiþ oure lord god, praieþ for vs!   And þan seide þe aungel
Miʒel: Now knele doun on ʒoure knees & praieþ wiþ vs!   & þat herde
þo þat weren in helle; þan wiþ o vois þei criden, þe whiche þat weren
in helle, & saiden: Haue mercy on vs, Crist, godes sone & man! ‖ And
80 þei lokyd vp rewfulliche to heuene, and þei sawe sodeynliche godes sone
comynge.   And þan þei cried aʒenwarde & seide: Haue mercy aponn vs,
þe sone of god most hyʒest!   And anone þei herde a vois of godes
sone, seynge to hem: §. For ʒow I was crucified, istonge wiþ a spere,
wiþ nailes ynailed, wiþ þornes ycrowned, & eysel & galle ʒe ʒeue me
85 to drynke; and I ʒaue for ʒow myn owyn bodi to þe deth.   What myʒt
I more do to ʒow? and ʒe to me were neu[er] good, but wicked &
schrewid, & neuere (f. 84 b) diden good in ʒoure lyue, but wickidnesse
& schrewidnesse in ʒoure lyf.   But for þe praier of Myʒel & of Poule
& for my blessed resurreccioun I graunt ʒow to haue reste fram Saturdaie
90 atte none in to þe risynge of þe sonne þe mondaie.   And þan þei were
gladde of þat graunt, alle þat were in helle.   And þei cried wiþ o vois:
iblessed mote þou be, godes sone, þe whiche þat haþ igraunted vs þis
refressynge, for it is to vs more remedie of þis daie & þis nyʒt, þan was
al þe refressynge þat we hadde on erþe al oure lyf, while we were on
95 erþe!   For who so kepeþ þe sondaie, he schal haue pees, rest & ioie wiþ
aungeles.   §.   And Poule asked of þe aungel, how fele peynes weren in
helle.   þe aungel answerde & seide: Almost þer beþ fourty hundred &

74 worschip MS. — 80 lokyng MS.

foure þousand. And ȝif þer were an hundred men spekyng fro þe
bigyn(f. 85a)nynge of þis worlde to þe dai of dome, and þer to eu*er*y
100 man hadde foure tonnges of iren, ne myȝt nouȝt telle, how fele sorwes
þer ben in helle. And so sodeynliche þei wente fro þat place.

99 and . and *MS.*

Anmerkungen.

1 f. Diese überschrift *A—place* ist eine hinzufügung seitens des englischen bearbeiters. — **2** f. Hier schliesst sich die übertragung an lat. C an
(Br². p. 75): *Paulus apostolus petiit a domino, ut videret penas inferni.* Michael
an dieser bitte theilnehmen zu lassen, lag nahe genug; vgl. auch B: *quia
Michael voluit, ut Paulus videret p. i.,* wo A *deus* für *M.* liest. A weiss
von dieser bitte nichts. — **4.** *in openyng* ist schwerlich richtig; man erwartet
etwa *openly* oder *in þe opening of his sermunes.* In den lat. texten fehlt die
begründung der bitte: *þat—peple* überhaupt. — **6.** *ypynsched* = *ypunisched,*
'gestraft'; diese schreibung des wortes ist bei Str.³ p. 488b nicht verzeichnet; der ausfall von *i* begegnet auch Pr. P. 416. — **5—8.** *Where—helle*
ist ausführlicher wie der lat. text. — **9.** *al brennynge* ist ein zusatz. — **10.**
bi þe necke. colla werden lat. IV nicht genannt, wohl aber lat. V (vgl. Br.¹
p. 48)¹). — **11.** lat. p. 75, 10 f.: *per—coloribus* fehlt hier. — **12** ff. Unter
diesen plagen ist lat. p. 75, 13: *quarta sanguis,* übersprungen und dafür als
siebente *sorw wiþ outen ende* eingeführt, ein abstracter begriff, der zu den vorhergehenden concreten nicht passt, wie es scheint, aus späterer stelle, lat. z. 20, ein-
gedrungen, wo er im engl. texte fehlt. Doch vgl. auch Br.¹ p. 48, note 1¹). —
17 f. Der übersetzer hat für lat. p. 75, 16 ff.: *Et alii flent, alii ululant* etc. verbal-
substantiva eingeführt; z. 18: *quam—mori* ist weggelassen. — **19.** *sorwe—&*
ist zusatz; dagegen ist sonst die allgemeine hinweisung auf die schrecknisse
der hölle, die den übergang zur radstrafe bildet, gekürzt. — Nur in diesem
texte ist von mehreren rädern die rede, und auch die einführung von an denselben angebrachten haken, an denen die gequälten seelen hängen, ist neu. —
Die nun folgende schilderung des flusses, **22** f., ist, im gegensatz zu den
poetischen versionen (vgl. Br.¹ p. 57 f.), hier nur ganz kurz gehalten. — **23** ff.
ist die erörterung der brücke so ungenügend, dass, falls nicht die vorlage hier
verdorben war, unser text als verstümmelt anzusehen ist, denn die bösen seelen
passiren ja eben die brücke n i c h t, sondern fallen herunter; vgl. lat. p. 76,
8 ff.: *Et desuper illud flumen est pons, per quem transeunt anime iuste sine ulla
dubitacione, et multe peccatrices anime merguntur unaqueque secundum meritum
suum.* — **25.** Das subst. *dwellinge-place* belegt Mätzner, Wtb. I, p. 697,
bloss einmal, in Str.³ fehlt es ganz; s. auch Horstm., Leg. 1878, p. 195,
v. 266. — Das. ist nach *soules* lat. p. 76, 12—16: *sicut—meritum* ausgelassen. —
27 f.: *to þe top of þe hede,* ist die wiedergabe von lat. p. 76, 18: *usque ad
supercilia.* — **28** giebt Michael auskunft über die verschieden weit eingetauchten

¹) Beiläufig bemerkt: sollte für *eȝen,* Zupitza's Uebungsbuch⁴ p. 70, 16
nicht etwa *eren* zu lesen sein = lat. *auribus* = engl.¹ str. 3, 5, engl.³ v. 18?
Kein lateinischer text spricht von *oculis,* und auch abgesehen davon, scheint
mir die idee, jemanden an den augen aufzuhängen, ziemlich fern zu liegen.
Freilich ist auch z. 16: *bi þer heorte,* sehr merkwürdig.

seelen, ohne dass Paulus, wie lat. p. 76, 19 ff., ihn durch eine frage dazu veranlasst hat; ebenso sind hier die folgenden einzelfragen weggelassen. — **32.**
batynge ist = *debatynge,* 'streit'; vgl. lat. p. 76, 24 f.: *qui lites faciunt inter
se in ecclesia, non audientes verbum dei,* = engl.[1] str. 11, 2 f.:

> In churche nolden huy neuere ablinne
> To jaungli ne to chide.

engl.[2] v. 109 (OEM. p. 150): *þat spek in chirche, þat nes no god;* s. auch
engl.[3] v. 107 ff. (das. p. 226), engl.[4] v. 84 ff. (das. p. 213); also solche, die
sich in der kirche zanken und nicht auf die predigt hören, nicht »feinde der
kirche und sektirer«, wie Br.[1] p. 59 diese classe von sündern unrichtig bezeichnet. Vgl. R. Rolle's Pricke of Conscience, book IV, wo Augustin's auf-
zählung kleinerer sünden mitgetheilt wird, v. 3478 ff.:

> When þou in kirk makes ianglyng,
> Or thynkes in vayn anythyng.

36. *hangynge bi þe tonnges,* weicht ab von lat. p. 76, 29 f.: *comedentes
linguas suas;* die änderung ist unglücklich, insofern nun diese strafe mit
der zuerst besprochenen zusammenfällt. — **37.** Das wort *fen[er]atowres* ist hier
einfach aus dem lat. *feneratores,* p. 76, 30, herübergenommen; es scheint
auf englischem boden bis jetzt nicht nachgewiesen zu sein. Auch *userer*
ist sonst bloss aus den Pr. P. belegt. — **39.** *wiþ fury clopes* ist sicherlich verderbt; ich sehe *wiþ* und *clopes* für versehentlich aus der vorigen zeile
wiederholt an und fasse *fury* als epitheton zu *dragouns;* vgl. lat. p. 77, 4:
dracones igneos. — **40.** Bei der erwähnung der vier teufel ist der umstand
ausgelassen, dass sie feurige hörner haben (vgl. lat. p. 77, 6). — **41.** Die
worte der teufel: *ȝe—ȝow* sind abgeändert gegenüber lat. p. 77, 7 f.: *Agnoscite
filium dei, qui mundum redemit.* Beiläufig bemerkt können diese ebenso gut
als frage wie als aufforderung gefasst werden; sicherlich hat sie als frage
genommen engl. III, v. 146 ff. und engl. IV, v. 127 ff., wo Br.[1] p. 60 freilich
nicht entsprechend interpungirt hat. — **43.** *to* ist hier = 'bis'; vgl. lat. p. 77,
10: *usque ad nuptias.* — Das. *dele wiþ* steht hier in dem sinne von 'fleisch-
lichen umgang haben mit'; vgl. lat. B, p. 77[2]): *cum parentibus maculaverunt
se.* — **44.** *& ouerlaie here children* = 'und legten sich auf ihre kinder, um
sie zu ersticken'; Str.[3] citirt p. 458 s. v. S. C. D. J. v. 35: *in hire slepe þat
o womman her owen child overlai;* von dieser tödtungsart wissen die anderen texte
nichts. Dagegen fehlen hier einige schandthaten, die diese mädchen mit den
todten kindern begangen haben sollen, ausserdem die strafe derer, die wittwen
und waisen auf erden benachtheiligten, die nach p. 77 3) übrigens auch in BC
vermisst wird (lat. p. 77, 10 ff.: *et in — fecerunt*). — **45.** Die worte *aponn
camayles* involviren dasselbe missverständniss der lateinischen worte, p. 77, 16:
super canelia ampnis, wie engl. IV, v. 145: *on kamels rydyng,* obwohl diese
beiden versionen sonst keinerlei nähere beziehungen zu einander haben; es
scheinen also doch manche hss. hier *camelos* für *canelia ampnis* geboten zu
haben. — **46.** Dieselbe sünde erwähnt Augustinus a. a. o. v. 3452 f.:

> When þou erte hale and may wele last,
> And etes, when tym es to fast.

— **48.** Nach lat. p. 77, 20 f.: *Episcopus negligens fuit,* würde man erwarten:
þis was a necligent bischop; doch heisst es auch engl. III, v. 179: *He was
neclygent aȝeynes forbod.* — **52** f.: *for—peynes* = engl.[1] str. 18, v. 4 f.:

> Wel mo peynes þane þou seiȝe,
> I schal þe ȝuyt in helle schewe,
> Powel, þat þou schalt iseo.

lat. p. 77, 25 f. etwas anders: *Nondum vidisti maiores penas inferni.* — 53. *lockes* entspricht nicht genau lat. *sigillis*, p. 77, 27. — 55. Nach *peynes* ist *of helle* kaum zu entbehren; vgl. lat. p. 78, 2: *omnes penas inferni.* — 57. *ne his aungeles* ist zusatz; dafür fehlt die frage, welche die folgenden worte des engels veranlasst hat, lat. p. 78, 4 f. — 62. Für den vergleich des gebahrens dieser seelen mit dem der eng zusammengepferchten schafe im stalle hat unser übersetzer den einigermaassen sonderbaren und naturgeschichtlichen beobachtungen schwerlich entsprechenden von den fröschen im sturme eingesetzt. — 63 f. *& gryntynge of teþ*, das wohl aus lat. 78, 20 hierher gerathen ist, wo es in der übertragung fehlt, passt nicht zu dem gleich darauf folgenden bilde vom donner. — 64 ist lat. p. 78, 12 *asp.—ac* übersprungen. — 65. Die participien *wepynge & sorwyng* sollten, da sie zu *soule* gehören, unmittelbar hinter diesem worte stehen, statt hinter *deueles;* vgl. lat. p. 78, 13 f.: *quum ululantem deducebant eo die de corpore.* — 67. Nach *erþe* fehlt eine übertragung von lat. 78, 16 f.: *Dixerunt—dei.* — Unter *þei* sind doch wohl die teufel zu verstehen, welche die seele führen; vgl. engl.[1] str. 31, v. 4: *Of alle his sunnes a chartre huy radde;* engl.[4] v. 213: *Tofore him þai red his dedis anon.* Einzelne lat. hss. scheinen also diese lesung zu bieten, während nach lat. 78, 17 f. die verdammte seele selbst ihr urtheil vorliest. Ebenso ist später der in lat. 78, 26 f. enthaltene gedanke, dass auch die gerechte seele ihr urtheil selbst vorlesen soll, abgeändert in z. 72: *for—werkes.* — 69. lat. p. 78, 20—22: *Ibi—accipiet* ist ausgelassen, ebenso 24—26: *O anima—simul.* — 70. Für *a noþer* würde man ein lat. *justam* entsprechendes adj. erwarten, da es gerade auf diese eigenschaft der betreffenden seele ankommt; vgl. engl.[1] str. 33, v. 2: *He saiȝh a soule þat was guod;* engl.[3] v. 256: *þe soule of a rihtful mon;* ähnlich engl.[4] v. 236. — 73 f. ist *& þer — soule* an die stelle getreten von lat. p. 78, 28 f.: *ubi—commoverentur.* — 77. *knele doun* ist an die stelle von lat. p. 78, 33 *Flete* getreten; doch vgl. engl[1] str. 36, v. 1 f.:

> þat heorde Powel and seint Miȝhel,
> On kneos huy fullen to grounde echdel.

— Das. fehlt eine wiedergabe der kaum entbehrlichen worte, lat. p. 79, 1 f.: *ut vobis donet misericors deus aliquid refrigerium.* Ebensowenig ist erwähnt, dass das laute gebet bis in den vierten himmel gehört wird, und endlich fehlt auch lat. p. 79, 6: *et—eius,* z. 9 f.: *Quit—requiem,* z. 16—19: *Post—dominus,* z. 22—24: *Mestus—penas.* Neu ist dagegen 79 f.: *And—heuene,* sowie 84: *wiþ—ycrowned;* ebenso 85 f.: *What—gow.* — 89 ist für *bonitatem meam, my blessed resurreccioun* eingesetzt, im anschluss an B, p. 79[2]. — 95. Für *For* erwartet man dem zusammenhange nach *þerfore* = lat. p. 79, 29 *Ideo.* — 97. *fourty hundred* ist umzustellen; vgl. lat. p. 80, 1 f.: *Sunt pene .C. XL IIII milia.* — 99. *to—dome* nur hier. — 100. Nach *foure* scheint *hundred* ausgefallen zu sein; vgl. lat. p. 80, 3: *et unusquisque .C. IIII linguas ferreas haberent.* — 101. *And—place* ist neu, aber passend. Der schlusssatz, lat. p. 80, 4—6, *Nos—Amen* fehlt hier ebenso wie in B (nach note 1).

BRESLAU, October 1895.   E. Kölbing.

ZU BYRON'S MANFRED.

Dass die idee von dem throne Ahriman's als einer feuerkugel, Manfred, act II, sc. 4, aus Beckford's Vathek entlehnt ist, wo der thron des Eblis, »the Prince of the Apostate Angels, whom they represent as exiled to the infernal regions« (An Arabian Tale. London 1786, p. 323 f.) gleichfalls als »a globe of fire« bezeichnet wird (das. p. 194), habe ich in der anm. zu Siege of Corinth v. 508 erörtert. Nur befindet sich die halle Ahriman's nicht in der unterwelt, wie z. b. Posgaru meinte (Byron's Manfred. Einleitung, übersetzung und anmerkungen. Breslau 1839, p. 58), sondern hoch oben in den wolken, wie Anton (Byron's Manfred. Erfurt 1875, p. 27) ganz richtig bemerkt. Die meisten erklärer äussern sich freilich über diesen punkt nicht, und auch Byron selbst giebt darüber nicht ausdrücklich auskunft, ohne uns jedoch ernstlich in bezug darauf im zweifel zu lassen. Vor allem würde die erste schicksalsschwester nicht die übrigen auf dem gipfel der Jungfrau erwarten, »on our way To the Hall of Arimanes« (Works, London 1883, p. 184a), wenn sie dann wieder, um in seine halle zu gelangen, in die unterwelt hinabsteigen müsste. Namentlich aber ergiebt sich das aus der hymne der geister, welche Act II, sc. 4 eröffnet (Works p. 184b):

> Hail to our Master! — Prince of Earth and Air!
>   Who walks the clouds and waters — in his hand
> The sceptre of the elements, which tear
>   Themselves to chaos at his high command!
> He breatheth — and a tempest shakes the sea;
>   He speaketh — and the clouds reply in thunder;
> He gazeth — from his glance the sunbeams flee;
>   He moveth — earthquakes rend the world asunder.
> Beneath his footsteps the volcanoes rise;
>   His shadow is the Pestilence; his path   10
> The comets herald through the crackling skies;
>   And planets turn to ashes at his wrath.

Einen theil der Ahriman zu gebote stehenden machtvollkommenheit hat er auf den geist des Mont Blanc übertragen, welcher Act I, sc. I zu Manfred sagt (Works p. 177a):

> Mont Blanc is the monarch of mountains;
>   They crown'd him long ago
> On a throne of rocks, in a robe of clouds,
>   With a diadem of snow.
> Around his waist are forests braced,
>   The Avalanche in his hand;
> But ere it fall, that thundering ball
>   Must pause for my command.
> The Glacier's cold and restless mass
>   Moves onward day by day;   10
> But I am he who bids it pass,
>   Or with its ice delay.

I am the spirit of the place,
    Could make the mountain bow
And quiver to his cavern'd base —   15
    And what with me wouldst *Thou?*

Am 20. Juli 1826 unternahm Shelley mit Mary und miss Clairmont einen
ausflug in das Chamonixthal. Dass Byron die Shelleys auf dieser tour nicht
begleitete, ist auffällig, da auch ihm dieselbe noch fremd war; es scheint,
dass nur das unsichere wetter ihn abgehalten hat; er schreibt an Rogers am
29. Juli (Letter 244, L. a. L. p. 309b f.): »I have circumnavigated the Lake,
and go to Chamouni with the first fair weather; but really we have had lately
such stupid mists, fogs and perpetual density, that one would think Castlereagh
had the Foreign Affairs of the kingdom of Heaven also on his hands«. Das
diesmal versäumte scheint er etwa ende August nachgeholt zu haben, denn in
einem schreiben an Murray vom 29. September (Letter 245, L. a. L. p. 310b)
lesen wir: »Chamouni, and that which it inherits, we saw a month ago«; er
war indessen nicht so begeistert von dieser landschaft, wie Shelley, denn es
heisst weiter: »but though Mont Blanc is higher, it is not equal in wildness
to the Jungfrau, the Eighers, the Shreckhorn, and the Rose Glaciers«. Aehnlich in einem weiteren briefe an Rogers (Letter 271, L. a. L. p. 349a): »I do
not think so very much of Chamouni . . . . as of the Jungfrau, and the Pisse-
vache, and Simplon, which are quite out of all mortal competition«.

Soviel zur äusseren orientirung. Als ich vor einiger zeit zum ersten mal
Shelley's vierten brief an Peacock vom 22. Juli 1816 las (The Works of P. B.
Shelley. Edited by H. B. Forman. Sixth Volume. London 1880, p. 185 ff.),
fiel mir der folgende passus auf, der unwillkürlich an die beiden oben citirten
stellen aus Manfred erinnert (a. a. o. p. 193 f.): »Within this last year, these
glaciers have advanced three hundred feet into the valley. Saussure, the
naturalist, says, that they have their periods of increase and decay: the
people of the country hold an opinion entirely different; but as I judge,
more probable . . . . .

I will not pursue Buffon's sublime but gloomy theory — that this globe
which we inhabit will at some future period be changed into a mass of frost
by the encroachments of the polar ice, and of that produced on the most
elevated points of the earth. Do you, who assert the supremacy of Ahriman,
imagine him throned among these desolating snows, among these palaces of
death and frost, so sculptured in this their terrible magnificence by the adam-
antine hand of necessity, and that he casts around him, as the first essays
of his final usurpation, avalanches, torrents, rocks, and thunders, and above
all these deadly glaciers, at once the proof and symbols of his reign; — add
to this, the degradation of the human species — who in these regions are half
deformed or idiotic, and most of whom are deprived of any thing that can
excite interest or admiration. This is a part of the subject more mournful
and less sublime; but such as neither the poet nor the philosopher should
disdain to regard.«

Aus diesem citat geht zunächst hervor, dass der inhalt v. 9 f. in der
rede des zweiten geistes auf einer wissenschaftlichen beobachtung basirt ist;
weiter aber, dass sich schon hier die meines wissens durchaus originelle, freilich etwas phantastische idee findet, Ahriman throne in der schwindelnden

berghöhe in einem eispalaste¹) — welche später die coulissen zu Manfred II,
sc. 4 bestimmt hat; ihm werden schon von Shelley die machtäusserungen zu-
geschrieben, welche der zweite geist in Manfred I, sc. 1 sich vindicirt, die
herrschaft über lawinen und gletscher. Und wenn Shelley hier den contrast
zwischen der häufigen krüppelhaftigkeit der bergbewohner einerseits und der
grandiosen Alpenwelt andererseits betont, so lässt Byron seinen helden diese
discrepanz gleichfalls hervorheben, nur dass er die ganze elende menschenwelt
dabei in betracht zieht, nicht bloss die allerdings von der natur oft besonders
stiefmütterlich behandelten sprösslinge der gebirgsthäler; vgl. Manfred's monolog,
Act I, sc. 2 (Works p. 179 b):

> How beautiful is all this visible world!
> How glorious in its action and itself!
> But, we, who name ourselves its sovereigns, we,
> Half dust, half deity, alike unfit
> To sink or soar, with our mix'd essence make
> A conflict of its elements, and breathe
> The breath of degradation and of pride,
> Contending with low wants and lofty will,
> Till our mortality predominates,
> And men are — what they name not to themselves,   10
> And trust not to each other.

In diesem zusammenhange mag auch noch hervorgehoben werden, dass v. 5
in der rede des zweiten geistes sich inhaltlich stellt zu Shelley's in Chamonix
gedichtetem 'Mont Blanc' v. 19 f.: *thou doest lie, Thy giant brood of pines
around thee clinging*, und ferner, dass v. 8 der geisterhymne erinnert an die
in 'Mont Blanc' v. 71 ff. aufgeworfene frage:

> Is this the scene
> Where the old Earthquake-dæmon taught her young
> Ruin?

Ohne zweifel haben Byron und Shelley ihre zum theil abweichenden
auffassungen über die Alpenwelt oft genug in gesprächen ausgetauscht, und
zwar wird sich letzterer mündlich über seine reiseeindrücke nicht wesentlich
anders geäussert haben wie in dem briefe an Peacock, und so glaube ich,
dass die vermuthung, Byron habe nicht nur die im charakter seines helden
im Manfred hervortretende pantheistische weltanschauung, sondern auch einzelne
momente, wie vor allem die idee von Ahriman's palast in der eisregion, von
Shelley übernommen, einige wahrscheinlichkeit für sich hat.

BRESLAU, October 1895.   E. Kölbing.

---

¹) Nach der parsischen lehre gehört Ahriman in die unterwelt: »Unten
in der engen, dunklen hölle hausen Ahriman und die teufel«, heisst es im
Vendidad (vgl. Hübschmann, Die parsische lehre vom jenseits und jüngsten
gericht, Jahrbücher für protestantische theologie, V. jahrg., 1879, p. 211).

EIN BRIEF BYRON'S AN SHELLEY.

[1] Pisa — April 24th 1822 —.

There is nothing to prevent your coming to day — Death has done
his work and I am resigned — for however deeply human scrutiny may
pry into the infinitely perplexed combination of events — however accurately
5 human prudence may understand — arrange, and make use of what it knows
— it still, ever remains confined, nor even dreams of a thousand matters,
which come forth from the womb of the next hour. Even at my age I
have become so much worn and harassed by the trials of the world — that
I cannot refrain from [2] looking upon that early rest, which is at
10 times granted to the young — as a blessing. There is a purity and a
holiness in the apotheosis of those who leave us in their brightness and
their beauty — which instinctively lead us to a persuasion of their beatitude —
It is my present intention to send her remains to England — But I must
conclude — believe me ever and

most truly
yours
Byron.

Ein facsimile dieses in seiner autographensammlung befindlichen briefes
hat mir herr R. Brockhaus in Leipzig vor längerer zeit zum zwecke der veröffentlichung freundlichst zur verfügung gestellt. Obgleich wir etwas specifisch
neues aus demselben nicht lernen, so schien er mir doch des abdruckes nicht
unwerth zu sein als ein weiteres zeugniss für die gefühle, welche der dichter
in den tagen nach dem empfang der nachricht vor dem tode Allegra's († am
20. April 1822) erfüllten.

Der brief deckt sich inhaltlich theilweise und an ein paar stellen auch
wörtlich mit einem am tage vorher an dieselbe adresse gerichteten, den Moore,
L. a. L., London 1866, p. 557, als Letter 490 abgedruckt hat. Dort schreibt
er u. a.: »There is nothing to prevent your coming to-morrow;
but, perhaps, to-day, and yester-evening, it was better not to have met«. Und
ferner: »I suppose that Time will do his usual work — Death has done
his«. Eine weitere in diesem briefe niedergelegte reflexion begegnet in einem
a. a. o. als Letter 491 veröffentlichten briefe an W. Scott vom 4. Mai, wo es
heisst: »The only consolation, save time, is the reflection that she is either
at rest or happy; for her few years (only five) prevented her from having
incurred any sin, except what we inherit from Adam.

'Whom the gods love die young.'«

Die idee, dass schon die ruhe des todes, ohne irgend welches positive glücks-
gefühl, etwas beneidenswerthes sei, kehrt bei unserem dichter noch öfters
wieder. Er lässt den Giaour sagen (Works, London 1883, p. 75 b):

»I would not, if I might, be blest;
I want no paradise, but rest«.

---

3 may pry ü. d. z. nachgetr.

In einem briefe an Hoppner (Letter 330, L. a. L., p. 397 b) äussert er sich über zwei auf dem Certosa Cemetery gelesene grabschriften: 1) 'Martini Luigi Implora pace' und 2) 'Lucrezia Picini Implora eterna quiete' folgendermaassen: »That was all; but it appears to me that these two and three words comprise and compress all that can be said on the subject, — and then, in Italian, they are absolute music. They contain doubt, hope, and humility, nothing can be more pathetic than the 'implora' and the modesty of the request; — they have had enough of life — they want nothing but rest — they implore it, and 'eterna quiete'. It is like a Greek inscription in some good old heathen 'City of the Dead.' Pray, if I am shovelled into the Lido churchyard in your time, let me have the 'implora pace,' and nothing else, for my epitaph. I never met with any, ancient or modern, that pleased me a tenth part so much«, und fast ebenso spricht er sich am nächsten tage Murray gegenüber aus (Letter 331, a. a. o. p. 398 b).

Die absicht, Allegra's leiche nach England zu senden, und zwar, um sie in der kirche von Harrow beisetzen zu lassen, hatte Byron schon am 22. April in einem briefe an Murray ausgesprochen, den er bei ankunft des einbalsamirten körpers in England das nähere zu veranlassen bittet. In der that hat Murray sich dieser angelegenheit eifrig angenommen; Allegra's gebeine sind an dem von Byron gewünschten orte bestattet. Die gedächtnisstafel freilich, mit der von ihm selbst verfassten, durchaus harmlosen inschrift, die nach seinem wunsche über ihrem grabe hatte errichtet werden sollen, ist nicht vorhanden, und zwar sind es, wie wir aus einer correspondenz zwischen Murray und Cunningham, dem damaligen pfarrer von Harrow, erfahren (vgl. S. Smiles, A Publisher and His Friends. Vol. I. London 1891, p. 430 ff.), die kirchenvorsteher gewesen, welche durch ihr ablehnendes votum die anbringung derselben inhibirt haben.

BRESLAU, October 1895. ————————— E. Kölbing.

DER BEOWULF UND DIE HROLFS SAGA KRAKA.

Holder's wortindex zum Beowulf bietet mir den anlass, einige darin mitgetheilten vermuthungen von mir hier näher zu erörtern. Es sind dinge, die ich mir vor 12 jahren notirt hatte, die aber sonst bisher nicht beachtet zu sein scheinen. Die erste lectüre der Hrolfs saga kraka hat mir damals einige gedanken nahe gelegt, die der mittheilung werth scheinen. Beow. 61/62 erscheinen als kinder des Dänenkönigs *Healfdene* die söhne *Heorogár, Hróðgár* und *Hálga* und die tochter *Elan. hýrde ið þæt Elan cwén Ongenþeowes wæs Headoscilfinges healsgebedda.* Man weiss, dass *Ongenþeowes wæs* ergänzung eines unvollständig überlieferten verses ist, und meint, dass mit dieser dem offenbar vorhandenen fehler der überlieferung aufzuhelfen sei. Nur Bugge sah die lücke anderswo, in dem namen *Elan.* In der that kann auch ich nicht glauben, dass *Elan* ein ae. frauenname sein soll; die von Heyne beigebrachten ahd. namensparallelen haben keinerlei gewicht. Bugge hat recht, wenn er den genetiv eines männernamens wie *Onela* in dem *Elan* vermuthete. Ich denke an einen gen. *Sǽ-welan* und sehe in dem *Sǽ-wela* (gebildet wie der männername *Ecgwela* im Beowulf) den *Sævil* der an. Rolfsage. Und diese

sage kennt auch den namen der tochter von Haldan, und dieser an. frauenname allitterirt mit dem namen des gatten: *Signý* ist die gattin des *Sævil*.
Wenn sich nur *Signý* als ags. nachweisen liesse! Leider fehlen jedoch dem Ags.
die *ný*-feminina völlig. Ob sie aber auch dem namenmaterial des Beowulf
fehlte, das ja nicht nach ags., sondern nach nord. maassen zu messen ist,
bleibt eine offene frage. Es könnte ja auch irgend eine koseform zu einem
weiblichen *Sige*-namen da gestanden haben. Jedenfalls ist die sicherheit der
landläufigen lesung fraglich, und man hat den von Bugge geäusserten ver-
dacht, dass . . . *elan* genetiv eines männernamen mit vorausgehendem frauen-
namen ist, an der hand der an. sage weiter zu verfolgen. Ich vermuthe etwa:

hýrde ic þæt Sigeneow wæs   Sæwelan cwén
Heaðoscylfinges   healsgebedda.

Noch eine andere beziehung zur Hrolfssaga scheint mir möglich, doch
unsicher. Im besitz Hrolf's ist cap. 36 das schwert Gullinhjalti: das erinnert an
das alte dämonische schwert, dessen hilze Beowulf aus Grendel's sumpfschloss
mitgenommen und dem Hróðgar (v. 1678) geschenkt hat. Ja, der wortlaut
þá wæs gylden hilt gamelum rince, hárum hildfruman on hand gifen lässt eine
beziehung zu *Gullinhjalti* so deutlich hervortreten, dass möglicherweise *Gyldenhilt*
zu lesen ist. Vielleicht war Gyldenhilt eben der name jenes schwertes im besitz
des Grendel, und der von Beowulf entführte rest des schwertes könnte dann
ebensogut *Gyldenhilt* wie *gylden hilt* genannt sein. Natürlich müsste dann
angenommen werden, dass der neue besitzer des Gyldenhilt die werthvolle
hilze wieder zu einem schwert vervollständigt hätte.

Ich benutze die gelegenheit, eine in Holder's Wb. mitgetheilte conjectur
zu empfehlen. v. 753 gilt *elra* allgemein als eine comparativform zu goth.
aljis. Diese erklärung ist haltlos, eine derartige weiterbildung ist undenkbar;
aljis ist weder germ. noch westgerm. motionsfähig, denn *anþera- (óðer)*
ist der eigentliche comparativ zum superlativ *alja-*. Der stelle ist leicht
zu helfen, wenn man *eldra* liest. Nicht einmal bei einem älteren manne
hat Grendel grössere tüchtigkeit angetroffen als jetzt bei dem jugendlichen
Beowulf.

Noch möchte ich zu v. 925 *mægða hóse* eine bemerkung machen. Bekanntlich hat Noreen, Arkiv 3, 12, die ostnord. präposition *hós* aus *hansu* ge-
deutet und als grundbedeutung »in gesellschaft mit« festgesetzt mit rücksicht
auf goth. *hansa* 'schaar'. Diese präpositionale bedeutung steckt nun auch in
dem ganz vereinzelten ae. *mægða hóse* = »mit ihren mädchen«. So lässt sich
Noreen's deutung vom Ags. aus stützen.

FREIBURG i. Br., October 1895.   F. Kluge.

KLEINE BEMERKUNGEN.

1. Zu Shakespeare's Timon of Athens.

I'll example you with thievery:
The sun 's a thief, and with his great attraction
Robs the vast sea; the moon 's an arrant thief,

And her pale fire she snatches from the sun:
The sea 's a thief, whose liquid surge resolves
The moon into salt tears.   The earth 's a thief,
That feeds and breeds by a composture stolen
From general excrement.   IV, 3, 438 ff.

Unter den von Shakespeare direct oder indirect benutzten schriftstellern
des alterthums pflegen die anakreontischen gedichte nicht erwähnt zu werden.
Und doch ist die ähnlichkeit, welche unsere stelle in bezug auf den gedankengang mit nr. 21 [19] der Anakreontea in Bergk's Anthologia lyrica hat, nicht
zu verkennen.   Die entsprechenden zeilen lauten:

'Η γῆ μέλαινα πίνει,   Die schwarze erde trinkt,
πίνει δὲ δένδρε' αὖ γῆν·   Die bäume wiederum trinken die erde.
πίνει Θάλασσα δ'αὔρας·   Das meer trinkt die lüfte,
ὁ δ' ἥλιος θάλασσαν,   Die sonne das meer,
τὸν δ'ἥλιον σελήνη.   Die sonne aber der mond.

Shakespeare eigenthümlich ist die theorie, dass das meer die wässerigen
mondenstrahlen (vgl. z. b. Romeo I, 4, 62 the moonshine's watery
beams) in salzwasser auflöse.   Denn nur so, dass wir surge als subj., moon
als object nehmen, erlaubt der zusammenhang die stelle zu erklären.   Wie ich
jetzt sehe, hat schon Thomas Moore in seiner übersetzung der oden Anakreon's
(Poetical Works, Tauchnitz ed. vol. I s. 70 f.) die Timon-stelle citirt.   Dabei
ist es auffallend, dass er statt moon mounds setzt, eine conjectur, die auch
Moore schon desshalb unglaubhaft erscheinen musste, weil das übrigens bei
Shakespeare sonst nicht vorkommende mound 'erdwall, damm' dem αὔρας
der Anakreonteen in keiner weise entspricht.

2. Zu Philipp Massinger's 'The Virgin Martyr'.
(John S. Keltie's 'The British Dramatists' s. 386—410.)

In der 3. scene des 4. acts (Keltie s. 405) rühmt Dorothea die freuden
des paradieses, die sie nun bald kosten werde.   Darauf verlangt Theophilus
im spott, dass sie ihm von dort ein zeichen senden soll:

If there be any truth in your religion,
In thankfulness to me, that with care hasten
Your journey thither, pray you send me some
Small pittance of that curious fruit you boast of.

Dorothea verspricht ihm dies mit den worten:

Know, thou tyrant,
Thou agent for the devil, thy great master,
Though thou art most unworthy to taste of it,
I can and will.

In der 1. scene des 5. actes erscheint darauf Angelo, der schutzgeist
Dorothea's 'with a basket filled with fruit and flowers'.   Auf die
frage des Theophilus, von wannen er komme, antwortete der engel.

To you:
I had a mistress, late sent hence by you
Upon a bloody errant; you entreated
That, when she came into that blessed garden

Whither she knew she went, and where, now happy,
She feeds upon all joy, she would send to you
Some of that garden fruit and flowers; which here,
To have her promise saved, are brought by me.

Theophilus bekehrt sich darauf und leidet selbst den märtyrertod.

Derselbe vorgang ist dargestellt in einem liede, welches in Arnim und Brentano's 'Des knaben wunderhorn' unter der überschrift Dorothea und Theophilus nach mündlicher überlieferung mitgetheilt ist. Es lautet :

Gleich wie ein fruchtbarer regen
Ist der martyrer blut,
Und frucht durch gottes segen
Reichlicher bringen thut.
Durch's kreuz die kirche dringet
Und wächst ohn unterlass,
Durch tod zum leben ringet,
Wer herzlich glaubet das.
Aus guter zucht und namen
Erschwingt sich gute art,
Von gott die frommen kamen,
Der fromme kinder wart't.
Ist Dorothea geboren
Von eltern keusch und rein,
So geht sie nicht verloren,
Und bleibt sie auch allein.
Die heiden wollten zwingen
Sie zur abgötterei,
Dem feind wollt's nicht gelingen,
Christum bekannt sie frei,
Ein urtheil ward gefället,
Verdient hätt' sie den tod,
Ritterlich sie sich stellet,
Und schrie ernstlich zu gott.
Und Theophil, den kanzler,
Den jammert die jungfrau sehr;
Er sprach: »O schon' dein leben,
Verlass die falsche lehr,
Und frist dein junges leben!«
Drauf Dorothea spricht:
»Ein bess'res wird er geben
Und das vergehet nicht.
Zum schönen paradiese
Komm ich nach meinem tod,
Dass sie sich Christum wiesen,
Stehn da viel röslein roth.

Draus wird mir Christ, mein herre,
Machen ein ehrenkranz,
Der tod geliebt vielmehre,
Als so ich ging zum tanz.«
Doch Theophil die rede
Erklärt für lauter spott,
Sprach: »Liebe Dorothea,
Wenn du bei deinem gott,
Schick mir auch äpfel und rosen
Aus Christi garten schön!« —
»Ja,« sprach sie, »heil'ge rosen
Die sollst du wahrlich seh'n.«
Das fräulein war gerichtet,
Da klopft es an sein haus,
Der helle morgen lichtet,
Ein knäblein stehet draus,
Geschwingt mit gold'nen flügeln
Reicht's rosenkörbchen dar,
Verschwindet auf den hügeln,
Von wo es kommen war.
Und auf den rosenblättern
Da steht geschrieben klar:
»Mein Christus ist mein retter,
Und er mir gnädig war,
Ich leb' in freud' und wonne,
In ew'ger herrlichkeit!« —
»Mein irrthum ist zerronnen!«
Theophilus sagt mit freud.
Bald fing er an zu preisen
Dich, Christus, wahren gott,
Und liess sich unterweisen
Wohl in des herrn gebot.
Hat heil'ge tauf' empfangen
Und Christum frei bekennt,
Zur marter ist gegangen
Und mit der ros verbrennt.

Skeat hat in seiner ausgabe von Chaucer's The Tale of the Man of Lawe etc., Oxford 1889, s. 173 zu The Seconde Nonnes Tale s. 248 ff., wo von einer ähnlichen engelerscheinung berichtet wird, auf unser drama verwiesen [1]). Stofflich verwandt ist auch die legende von der »Sultanstochter und dem meister der blumen« [2]), welche Longfellow nach einem liede aus dem Wunderhorn (nr. 2) in den zweiten theil seiner 'Golden Legend' aufgenommen, und über deren verschiedene fassungen J. Bolte in der Zs. f. deutsch. alterth. 34, 27 gehandelt hat.

3. Zu einem deutschen volksliede.

Ein noch heute nach bekannter volksweise gesungenes lied, das sich fast in allen volksliederbüchern findet, ist das von Joh. Aug. Friedr. Kazner (geb. 27. Mai 1732 zu Stuttgart, gest. zu Frankfurt a. M. 28. December 1798, vgl. Hoffmann von Fallersleben, Unsere volksthümlichen lieder, Leipzig 1859, s. 67) gedichtete, die »Brautnacht« benannt, dessen erste verse lauten:

> Heinrich schlief bei seiner neuvermählten,
> Einer reichen erbin an dem Rhein;
> Schlangenbisse, die den falschen quälten,
> Liessen ihn nicht ruhig schlafen ein.
> Zwölf uhr schlug's, da drang durch die gardine
> Plötzlich eine kalte, weisse hand;
> Was erblickt er? — Seine Wilhelmine,
> Die im sterbekleide vor ihm stand.

Den gleichen stoff behandelt das gedicht »William and Margaret« von David Mallet (1700—1765), das beginnt:

> 'Twas at the silent, solemn hour
> When night and morning meet;
> In glided Margaret's grimly ghost,
> And stood at William's feet.
> Her face was like an April morn
> Clad in a wintry cloud;
> And clay-cold was her lily hand,
> That held her sable shroud.

Ich halte es für höchst wahrscheinlich, dass Kazner's gedicht eine nachahmung des englischen von Mallet ist. Es spricht dafür die gleichheit des motivs und mancherlei übereinstimmungen im einzelnen. Selbständig erfunden ist vom deutschen bearbeiter der versöhnende schluss im sinne der römischkatholischen kirche. Kazner's gedicht wurde zuerst gedruckt in: 'Die schreibtafel, siebente lieferung' (Mannheim bei C. F. Schwan, 1779), s. 55—58. Mallet's William and Margaret finde ich in der sammlung: Poems of the Scottish Minor Poets, from the age of Ramsey to David Gray, selected and edited, with an introduction and notes, by Sir George Douglas, Bart. London: Walter Scott, 24 Warwick Lane, Now York: 3 East 14th street, p. 22 seq.

---

[1]) Denselben zug bietet schon der abschnitt 'De sancta Dorothea' in des Jacobus a Voragine Legenda aurea, rec. Th. Graesse. Editio tertia. Wratislaviae 1890, p. 910, auf den beide versionen wohl direct oder indirect zurückgehen. Vgl. auch die Dorotheenlegende bei Horstmann, Leg. 1878, p. 191 ff. E. K.

[2]) Auch bei Massinger V, 1 ist von Christus als dem master of the garden (of paradise) die rede.

4. Schiller und Shakespeare's Macbeth.

Einige bisher wohl unbeachtet gebliebene entlehnungen aus Shakespeare's, Macbeth in Schiller's Wallenstein habe ich in diesem blatte, bd. XIX, p. 468 f. mitgetheilt. Hierher gehören weiter die worte Buttler's V, 11, 28, der seinen an Wallenstein begangenen mord gegen Octavio Piccolomini mit den worten zu rechtfertigen sucht:

> Der einz'ge unterschied ist zwischen eurem
> Und meinem thun: ihr habt den pfeil geschärft,
> Ich hab' ihn abgedrückt.

Ich vergleiche dazu die worte Malcolm's in Macbeth II, 3, 148:

> This murderous shaft that's shot
> Hath not yet lighted.

Schiller in seiner bearbeitung des trauerspiels (II, 11) überträgt die verse folgendermaassen:

> Der mörderpfeil, der unsern vater traf,
> Fliegt noch, ist noch zur erde nicht gefallen.

Dem deutschen dichter mit Shakespeare gemeinsam ist der vergleich eines mordes mit einem pfeilschuss; allerdings ist auch der volksthümliche ausdruck zu berücksichtigen, welcher von dem eigentlichen urheber einer that und dem ausführer derselben sagt: jener habe den bolzen gedreht, dieser ihn abgeschossen.

Einen anklang an Shakespeare enthält auch die Jungfrau von Orleans III, 3 (1915), wo Karl zum herzog von Burgund spricht:

> Ihr habt uns überrascht — euch einzuholen
> Gedachten wir — Doch ihr habt schnelle pferde.

Vgl. die worte des königs Macbeth I, 6, 21 f.:

> We coursed him at the heels, and had a purpose
> To be his pourveyor: but he rides well.

In Schiller's bearbeitung I, 13 lauten die verse:

> Wo ist der than von Cawdor?
> Wir sind ihm auf den fersen nachgefolgt
> Und wollten seinen haushofmeister machen.
> Doch er ist rasch zu pferd.

5. 'Shade' bei Shakespeare und 'schatten' in Chr. Ewald von Kleist's 'Frühling'.

v. 25 ff. der umgearbeiteten ausgabe des »Frühlings« vom jahre 1756 schliesst Kleist eine beschreibung des kampfes zwischen winter und frühling folgendermaassen:

> Doch endlich siegte der vor noch ungesicherte frühling.
> Die luft ward sanfter; es deckt ein bunter teppich die felder;
> Die schatten wurden belaubt, ein sanft getön erwachte
> Und floh und wirbelt' umher im hain voll grünlicher dämm'rung.

Die schatten wurden belaubt erklärt Gotthold Bötticher in seiner auswahl der litteratur des achtzehnten jahrhunderts vor Klopstock (Denkmäler der älteren deutschen litteratur für den litteraturgeschichtlichen unterricht u. s. w.

Halle a. S. 1893, IV, 2, s. 80) durch »die schatten wurden dichter durch das
laub«, fasst also schatten in der gewöhnlichen bedeutung. Wenn aber diese
bedeutung schon an der vorliegenden stelle sich schwer in den zusammenhang
fügt, so ist es völlig unmöglich, sie für folgende stellen anzunehmen:

v. 123 ff.:

Ich sehe dich, himmlische Doris! du kömmst aus rosengebüschen
In meine s c h a t t e n , voll glanz und majestätischem liebreiz:
So tritt die tugend einher, so ist die anmuth gestaltet.

und v. 151 ff.:

Durch's hohe laubdach der s c h a t t e n , das streichende lüfte bewegen,
Worunter ein sichtbares kühl in grünen wogen sich wälzet,
Blickt hin und wieder die sonne und überguldet die blätter.

Nehmen wir alle drei stellen zusammen, so scheint »s c h a t t e n« hier geradezu
für »b ä u m e , b ü s c h e« zu stehen. Woher hat aber Kleist die eigenthümliche bedeutung des wortes genommen? Ich glaube, dass sie auf einer
reminiscenz aus Shakespeare beruht. Bei diesem dichter hat nämlich s h a d e
(wie auch s h a d o w bei Spenser u. a.) öfter die bedeutung von 'a s p o t n o t e x-
p o s e d t o l i g h t o r m o t i o n : a s e c l u d e d r e t r e a t'[1]). So in Heinrich VI.
2. theil, III. act, scene 2, v. 321:

Poison be their drink!
Gall, worse than gall, the daintiest that they taste!
Their sweetest s h a d e a grove of cypress trees!

g r o v e hat die bedeutung von 'lusthain, schattengang', und s h a d e kann hier
geradezu als synonymum davon gefasst werden. A. W. v. Schlegel übersetzt
die stelle folgendermaassen:

Gift sei ihr getränke!
Gall', und was bitt'rer noch, ihr leckerbissen!
Ihr bester schatten ein cypressenwald.

Die bedeutung eines verborgenen zufluchtsorte hat s h a d e in der bekannten
stelle, Macbeth IV, 3, 1 f.:

Malc.   Let us seek out some desolate shade, and there
Weep our sad bosoms empty.

Nach der übersetzung von Heinr. Voss:

Lass uns einöde schatten spähn und dort
Ausweinen uns're schwermuth!

Hierher gehört auch die stelle aus Cymbeline III, 4, 194, wo Pisanio an
Imogen die aufforderung richtet:

To some shade,
And fit you to your manhood.

Hier hat s h a d e die bedeutung eines verstecks. Da nun die scene in offener
gegend spielt, so ist am ehesten an ein verdeckendes strauchwerk zu denken,
wie denn auch Benda s h a d e hier geradezu durch »gebüsch« übersetzt:

Tretet in's gebüsch
Und rüstet euch zum mann!

_____

[1]) So nach Webster, während Schmidt im Shakespeare-lexicon diese bedeutung nicht besonders aufführt.

Ich glaube, dass diese stellen genügend erklären, wie Kleist, der ein grosser freund der englischen dichtkunst war, dazu kam, »die schatten« (stets im plural) in der bedeutung »bäume eines schattigen lusthains« zu gebrauchen.

6. Zu W. Irving's 'Tales of the Alhambra'.

Legend of the Arabian Astrologer 1: La Casa del Gallo Viento i. e. The House of the Weathercock in Granada »was so called from a bronze figure of a warrior on horseback, armed with shield and spear, erected on one of its turrets, and turning with every wind«. Nach der volksüberlieferung, der der dichter in seiner erzählung folgt, ist dies ein talisman, der von einem astrologen, welcher seine weisheit aus Aegypten geholt hat, für den maurischen könig Aben Habuz verfertigt ist. Dazu ist zu vergleichen eine stelle aus der geographie Idrisi's (trad. par Jaubert, Paris 1836, p. 234), welche Liebrecht in seinem aufsatze »Arabische sagen über Aegypten« [Zur volkskunde s. 87] mit-theilt: »Hems (Amsûs, das alte Emesa) est preservé par un talisman de l'approche des serpents et des scorpions en sorte que, lorsqu'un de ces animaux touche à la porte de la ville, il périt sur le champ. On y voit, au dessus d'un dôme, une statue en bronze, représentant un homme à cheval et tournant au gré des vents« u. s. w. Die figur des gewappneten reiters ist danach ein talisman, der allerlei üble einflüsse von einer stadt abhalten soll; in Irving's erzählung hat sie die bestimmung, die richtung anzuzeigen, aus der ein feind herannaht.

7. Zu Longfellow's 'Tales of a Wayside Inn'.

Prelude 131 ff. heisst es von dem jungen 'student of old books and days':

> He loved the twilight that surrounds
> The border-land of old romance;
> Where glitter hauberk, helm and lance,
> And banner waves, and trumpet sounds,
> And ladies ride with hawk on wrist,
> And mighty warriors sweep along,
> Magnified by the purple mist,
> The dust of centuries and of song.

Varnhagen versteht in seiner ausgabe (Leipzig, Bernh. Tauchnitz, 1888) unter the border-land »the Scottish Border: die schottisch-englischen grenz-gebiete mit ihren ruhmreichen erinnerungen an die dort im 14. jahrhundert angefochtenen kämpfe zwischen Engländern und Schotten«. Romance ist ihm »die volksthümliche englisch-schottische romanzendichtung, die sich zu einem grossen theile mit jenen kämpfen beschäftigt«. Gegen diese erklärung jedoch spricht schon der umstand, dass diese dichtungen als (Border) ballads, nicht als romances bezeichnet werden; auch kann von einer dämmerung, welche diese gebiete oder die kämpfe des 14. jahrhunderts umgiebt, nicht die rede sein. Dieser ausdruck passt vielmehr auf die »dunkeln« zeiten des früheren mittelalters. Auf diese führt denn auch der zusammenhang. Romance ist nach Webster: »A species of fictitious writing, originally composed in meter in the romance dialects, and afterward in prose, such as the tales of the court of Arthur, and of Amadis of Gaul; hence any fictitious and wonderful tale; a sort of novel, especially one which treats of surprising adventures usually befalling a hero or a heroine; a tale of extravagant adventures of love, and the like.« Es ist also hier durch »romantik, romantische dichtung« zu übersetzen[1]. The border-land of old romance als bezeichnung des mittelalters erinnert an Wieland's »altes romantisches land«, und es scheint überhaupt, als ob Longfellow bei dieser stelle die einleitung zum Oberon vorgeschwebt habe. Man vergleiche:

> Noch einmal sattelt mir den hippogryfen, ihr musen,
> Zum ritt in's alte romantische land!
> Wie lieblich um meinen entfesselten busen
> Der holde wahnsinn spielt! Wer schlang das magische band
> Um meine stirne? Wer treibt von meinen augen den nebel,
> Der auf der vorwelt wundern liegt?

Border-land statt des einfachen land scheint desshalb gewählt, weil es in der that die auf den grenzen lagernde dämmerung ist, welche uns die aussicht in das angrenzende land benimmt.

Ebd. 229: A Poet, too, was there, whose verse
>Was tender, musical, and terse;
>The inspiration, the delight,
>The gleam, the glory, the swift flight,
>Of thoughts so sudden, that they seem
>The revelations of a dream,
>All these were his; but with them came
>No envy of another's fame;
>He did not find his sleep less sweet
>For music in some neighboring street,
>Nor rustling hear in every breeze
>The laurels of Miltiades.

Es fragt sich, wie sich die verse 237/38 dem zusammenhange einfügen. Dass sie, wie Varnhagen meint, mit dem beim dichter nicht vorhandenen envy nichts zu thun haben, sondern nur den gesunden schlaf desselben erwähnen, kann ich nicht annehmen. Vielmehr scheint mir der in diesen versen ausgesprochene gedanke identisch mit dem in 239/40. Ich erkläre mir music als »lyrische poesie«. Der sinn der stelle wäre danach, für den zusammenhang passend, dass es den neid des dichters nicht erregte, wenn in seiner nachbarschaft andere sangesgenossen sich hören liessen.

NORTHEIM, Januar 1895.   R. Sprenger.

---

[1] Man vergleiche zur sache noch das citat aus Hallam bei Webster: »Upon these three columns — chivalry, gallantry, and religion — repose the fictions of the middle ages, especially those known as romances.«

II.

AUS EINEM BRIEFE AN DEN HERAUSGEBER.

Permit me to suggest, in regard to the example cited by Mr. J. Ellinger from Draper's History of the Intellectual Development of Europe, in support of such a phrase as »one some« (Engl. stud. vol. XX, p. 401), that, in the sentence quoted, the word *one* is probably a misprint for *on*, and the extract reads: »We gaze at it with admiring curiosity, as on some gigantic implement etc.« Certainly an adjectively used »one some« occurs nowhere else in English Literature.

It may throw some light upon the usage in the matter of adjectival »any one«, »some one« etc. to call attention to the fact that the »one« is here merely intensive, and not, in any way, to be connected with the pronominal »one« in: No one disputes that statement.

Does Mr. Ellinger mean to say that »von allen englischen schulgrammatiken übereinstimmend gelehrt wird, dass nach der conjunction *lest* der conjunctiv durch *should* umschrieben werden müsse«, even in case the time of the principal verb be present or future?

ATHENS, Georgia, March 1895.   John Morris.

ERWIDERUNG.

Auf diese bemerkungen des herrn John Morris erlaube ich mir folgendes zu erwidern:

1. Wie mir herr H. Löschhorn, der herausgeber der »*Selections from John W. Draper's History of the Intellectual Development of Europe*« (Berlin, Gaertner, 1894) brieflich mittheilt, ist in der that in der angeführten stelle *one* statt *on* verdruckt; somit entfällt das von mir über *one some* gesagte.

2. Der unterschied zwischen dem substantivischen und dem adjectivischen *no one* ist nicht in der verschiedenen bedeutung des *one*, sondern in der des *no* zu suchen; denn während in dem substantivischen *no one* das pronominale *no* vorliegt, wie in *no man, nobody, nothing* (s. Mätzner III, 141), haben wir es in dem adjectivischen *no one* mit dem adverbialen *no* (= *not*) zu thun (s. Stoffel, *Studies in English*, I, p. 107). Ist der attributive gebrauch von *any one, some one*, der erst in der neuesten zeit zu belegen ist, nicht eine analogie zu dem schon bei Shakespeare vorkommenden adjectivischen gebrauche von *no one?*

3. Die englischen schulgrammatiken und auch Mätzner's grosse grammatik (II. 144 f.) sagen mit recht, dass die form *should* mit infinitiv den conjunctiv vertritt, auch wenn im übergeordneten satze ein präsens oder futurum vorangeht. Denn sätze, wie »*We demand that actors and actresses shall give us the best imitations they can of the ladies and gentlemen who meet daily in Hyde Park*« (*On English Life and Customs*, ed. von H. Conrad, Berlin, Gaertner, 1895, p. 32) trifft man wohl nur vereinzelt an.

TROPPAU, Mai 1895.   J. Ellinger.

HERMANN HAGER.

Ein deutsches docenten-leben in England.

Am 22. Februar d. j. starb ein treuer freund und mitarbeiter [1]) unseres blattes, dr. Hermann Hager, lecturer on German Language and Literature an Owens College in Manchester. Ich lasse hier einen von K. B r e u l für die kürzlich begründete zeitschrift: Modern Languages (Vol. I, no. 3) verfassten nekrolog des um das studium der deutschen sprache und litteratur in England hochverdienten mannes folgen:

"Dr. Hager lived in this country for nearly a quarter of a century, loved and honoured by all who knew him. He was born in 1847, and was the eldest son of the pastor of Reichenbach, near Camenz, in Saxon Lusatia. He received an excellent classical education at the renowned »Fürstenschule« at Meissen, from whence he went to the University of Leipzig. Here he devoted himself to the study of classical and German philology, and worked under such eminent scholars as Professors Ritschl, G. Curtius, and Fr. Zarncke. These not only inspired him with a genuine enthusiasm for his work, but initiated him into the use of accurate and scholarly philological methods. In 1870 he obtained his degree of Ph.D. on the strength of a learned and valuable dissertation on an Attic orator *(Quaestiones Hyperidae)*, and in the following year he came over to England, where he settled as private tutor, at first teaching classics as well as German. In the winter of 1876—7 he held two classes under the auspices of the Manchester Association for Promoting the Education of Women; these he continued on a larger scale in the following year, after the Manchester and Salford College for Women had been opened and the degrees of the Victoria University had been made accessible to women. In 1879 Dr. Hager was appointed Lecturer on German Language and Literature at the Owens College, on the resignation of Professor Theodores, who held the chair of Oriental and Modern Languages, and for more than fifteen years he most conscientiously and successfully discharged the various duties connected with this post. Although nominally only a lecturer, he did, in fact, the work of a professor, and it is a source of deep regret to his friends that he did not live to fill the new chair of German which, immediately after his death, was established by Owens College, thanks to the munificence of Mr. H. Simon. Two justly appreciative notices of him were published in the *Manchester Guardian* of February 23rd. Two more detailed accounts of his life and work (together with an excellent reproduction of a recent photograph) are contained in *The Owens College Magazine*, March and April numbers. Another highly appre-

---

[1]) Hager's arbeiten für die Engl. stud. sind theils mit seinem vollen namen, theils — auf seinen ausdrücklichen wunsch — mit H. oder X. unterzeichnet. Ich nenne die miscellen: Heinrich Christian Postel's und Jacob von Melle's reise durch das nordwestliche Deutschland nach den Niederlanden und nach England, bd. XVII, p. 182 ff., sowie: Diary of the Journey of Philip Julius, Duke of Stettin-Pomerania, through England in the year 1602, bd. XVIII, p 315 ff. Ausserdem finden sich recensionen aus seiner feder bd. VII, p. 358 ff.; bd. IX, p. 326 ff.; bd. X, p. 438 ff.; bd. XII, p. 119 ff.; bd. XVI, p. 122 f.; bd. XVII, p. 277 f.; bd. XIX, p. 437 ff.; bd. XX, p. 331 f.

ciative obituary notice is contained in the German *Goethe Jahrbuch*, vol. xvi, 258—59.

As a man, Dr. Hager was distinguished by absolute uprightness of character, unfailing courtesy, natural kindness and ready sympathy, great modesty, and a lively sense of humour. He was a man of high ideals, had great tact and judgment, and was always ready to see and acknowledge the good in the work of others. He was equally popular with the English and the German residents of Manchester.

As a teacher, Dr. Hager possessed in a high degree those qualities which secure efficiency and win lasting affection. He was particularly well informed, fond of imparting his knowledge, enthusiastic and indefatigable, self-sacrificing to the utmost, working, to the detriment of his health, with and for his pupils up to the last. Helping men and women with equal zeal and devotion he succeeded in training a number of excellent pupils, and not only did he fill them with a considerable amount of useful information, but also inspired them with a true scholarly spirit, a genuine love for their subject, and an unflagging interest in study for its own sake. Of the energy and precision with which he worked, and of the stimulus and encouragement which he gave, it would be difficult to speak too highly. As a lecturer he was distinguished by clearness, grasp of his subject, and breadth of view. He was a most pleasant colleague, always full of sympathy and suggestion, and in all questions of doubt fully appreciative of the different position of others.

For many years Dr. Hager exercised a most beneficial influence on *all* the more important German examinations held throughout the country. His exemplary care and skill in preparing the papers, his wide experience and absolute fairness in estimating the results, his remarkable ability in setting and maintaining a standard of scholarliness even in the minor examinations, never failed to excite the admiration of his colleagues.

Owing to the extraordinary strain on his energies he was, to his own deep regret, prevented from producing any great literary work with which his name might be permanently connected. Still his contributions to classical and German philology, scattered in many periodicals, and in many articles in Sir Wm. Smith's *Dictionary of Antiquities*, are neither few nor unimportant. In the earlier part of his career much of his time and thought was given to the study of Greek, especially to that of Greek Law; but in later years he worked almost entirely on German. As a reviewer, his breadth of view and his constructive criticism are especially conspicuous. He knew well that a critic ought not to be a mere fault-finder, hence he was never satisfied with pointing out isolated mistakes, but would freely add valuable contributions and suggestions of his own. He wrote for English and foreign periodicals, such as the *Journal of Philology*, the *Journal of Education*, the *Englische Studien*, and others. He edited, with his usual thoroughness, several German classics for the use of schools, viz., Hauff's *Karawane* (London 1885); Freytag's *Aus dem Staat Friedrich's des Grossen* (London ²1891), and selections from Scheffel's *Ekkehard* (London 1890). He was the real founder and one of the leading members of the enthusiastic Manchester Goethe Society, and he will be greatly missed there.

In Dr. Hager we mourn the loss of one of the oldest really competent teachers of the higher branches of German in this country. He set an example to his colleagues and pupils which is sure not to be forgotten. In thinking of what he was, and of the spirit in which he worked in his profession, we are reminded of the concluding lines from Goethe's poem, »Auf Miedings Tod«:

> Dir gab ein gott in holder steter kraft
> Zu deiner kunst die ew'ge leidenschaft, etc."

BRESLAU, August 1895.   E. Kölbing.

VORLESUNGEN ÜBER ENGLISCHE PHILOLOGIE UND IHRE HILFSWISSENSCHAFTEN AN DEN UNIVERSITÄTEN DEUTSCHLAND'S, ÖSTERREICH'S UND DER SCHWEIZ IM WINTERSEMESTER 1894/95 UND IM SOMMERSEMESTER 1895.

Basel, WS.: Milton's Paradise Lost — prof. *Soldan*. Gothische grammatik mit übungen — prof. *Kögel*. — SS.: Altenglische grammatik — privatdocent *Binz*. Altenglische übungen — *derselbe*.

Berlin, WS.: Geschichte des englischen vocalismus — prof. *Zupitza*. Geschichte der altenglischen litteratur — *derselbe*. Im seminar: Kleinere dichtungen Shelley's — *derselbe*. Phonetik — prof. *Heusler*. Altnordische grammatik — *derselbe*. Völsungasaga mit einleitung und sagengeschichtlicher interpretation — *derselbe*. Ueber methode und aufgabe der vergleichenden litteraturgeschichte — privatdocent *Meyer*. Anfangsgründe der englischen sprache — lector *Harsley*. Uebungen im mündlichen und schriftlichen gebrauch der englischen sprache für die mitglieder des englischen seminars — *derselbe*. — SS.: Geschichte der englischen consonanten und flexionen — prof. *Zupitza*. Erklärung der lustspiele Oliver Goldsmith's — *derselbe*. Im seminar: Beowulf — *derselbe*. Geschichte der altisländischen litteratur — prof. *Heusler*. Lectüre einer isländischen saga — *derselbe*. Ueber englisches leben (vortrag englisch) — lector *Harsley*. Uebungen im mündlichen und schriftlichen gebrauch der englischen sprache für die mitglieder des englischen seminars — *derselbe*.

Bern, WS.: Gothisch mit übungen — prof. *Vetter*. Historische grammatik der englischen sprache — prof. *Müller-Hess*. Lectüre und interpretation von Shakespeare's Sommernachtstraum — *derselbe*. Lord Byron und seine zeitgenossen — *derselbe*. Lectüre und interpretation eines dramas von Shakespeare — privatdocent *Künzler*. Neuenglische grammatik mit übungen — *derselbe*. Lectüre und erklärung moderner englischer schriftsteller — *derselbe*. — SS.: Geschichte der englischen litteratur im 17. und 18. jahrhundert — prof. *Müller-Hess*. Altenglische übungen nach 'Morris and Skeat: Specimens of Early English' — *derselbe*. Lectüre und interpretation von Macaulay's Critical and historical Essays — *derselbe*. Im seminar: Gothische übungen — prof. *Vetter*. Einführung in die englische sprache — privatdocent *Künzler*. Lectüre und übersetzung leichterer englischer prosaiker — *derselbe*. Englische syntax — *derselbe*. Lectüre und erklärung moderner englischer schriftsteller — *derselbe*.

Bonn, WS.: Ueber John Milton's leben und werke — prof. *Trautmann.* Alt- und mittelenglische metrik — *derselbe.* Im seminar: Erklärung einiger altenglischer räthsel — *derselbe.* — SS.: Altenglische grammatik, laut- und wortlehre — prof. *Trautmann.* Lectures on English Nineteenth Century writers — *derselbe.* Im seminar: Erklärung mittelenglischer texte — *derselbe.* Wiederholung der neuenglischen syntax unter zugrundelegung von I. Schmidt's Uebungsbeispielen zur einübung der englischen syntax (Berlin 1878), verbunden mit sprech- und leseübungen — lector *Förster.* Im seminar: Uebungen in der neuenglischen grammatik für anfänger — *derselbe.* Gothische grammatik — prof. *Wilmanns.* Gothische übungen im germanischen proseminar — *derselbe.*

Breslau, WS.: Ueber Milton's leben und werke — prof. *Kölbing.* Ueber lord Byron's leben und werke nebst interpretation von Childe Harold, canto I — *derselbe.* Lectüre ausgewählter Edda-lieder für anfänger — *derselbe.* Uebungen des seminars: Interpretation von Shakespeare's Macbeth, act II und III, und besprechung freier arbeiten — *derselbe.* Gothische grammatik und übungen für anfänger — privatdocent *Jiriczek.* Litterarhistorische und mythologische einführung in das studium der Edda (für hörer aller facultäten) — *derselbe.* Englische dichter des 19. jahrhunderts — lector *Pughe.* Anfangsgründe der englischen sprache — *derselbe.* Uebungen im Englisch-schreiben und -sprechen für vorgeschrittenere — *derselbe.* SS.: Encyklopädie der englischen philologie — prof. *Kölbing.* Erklärung des altenglischen epos Beowulf — *derselbe.* Uebungen der englischen abtheilung des seminars für romanische und englische philologie: Byron's Childe Harold — *derselbe.* Gothische übungen, II. cursus — privatdocent *Jiriczek.* Interpretation von ausgewählten gedichten Tennyson's — lector *Pughe.* Anfangsgründe der englischen sprache — *derselbe.* Uebungen im Englisch-schreiben und -sprechen für vorgeschrittenere — *derselbe.*

Czernowitz, WS.: Englische übungen — lector *Romanowski.* — SS.: Vac.

Erlangen, WS.: Geschichte der mittelenglischen litteratur — prof. *Varnhagen.* Im seminar: a) Neuenglische übungen; b) Altenglische übungen — *derselbe.* — SS.: Einführung in die geschichtliche englische grammatik — prof. *Varnhagen.* Im seminar: a) Neuenglische übungen; b) Altenglische übungen — *derselbe.*

Freiburg i. Br., WS.: Encyklopädie der englischen philologie — prof. *Schröer.* Erklärung von Shakespeare's Hamlet mit einer einleitung in das studium des dichters — *derselbe.* Altenglische (angelsächsische) übungen — *derselbe.* Im seminar: a) Sweet's Elementarbuch des gesprochenen Englisch und Primer of spoken English; b) Lexicographische übungen — *derselbe.* Im germanischen seminar: Gothische übungen — prof. *Kluge.* Englische lectüre für anfänger mit grammatischer einleitung — lector *Caro.* Lectüre eines neuenglischen poetischen textes mit übungen im mündlichen gebrauch der sprache im anschluss an den text — *derselbe.* — SS.: Geschichte der englischen litteratur im mittelalter — prof. *Schröer.* Ueber Alfred Tennyson, mit erklärung ausgewählter proben aus seinen dichtungen — *derselbe.* Im seminar: Mittelenglische übungen (Ancren Riwle und Ormulum) — *derselbe.* Lectüre und syntaktische analyse eines neuenglischen prosatextes — lector *Caro.* Uebersetzung eines deutschen prosatextes in das Englische — *derselbe.* Englische

lectüre für anfänger mit einführung in die elemente der laut- und formenlehre — *derselbe.*

Freiburg i. d. Schweiz, WS.: Vac. — SS.: Englische lectüre:
Childe Harold's Pilgrimage von Lord Byron — prof. *Steffens.*

Giessen, WS.: Vac. — SS.: Englische stilistische übungen — prof.
Pichler. Englische lectüre und interpretation — *derselbe.*

Göttingen, WS.: Erklärung ausgewählter stücke von Chaucer's Canter-
bury tales — prof. *Morsbach.* Seminar: Erklärung des Beowulf — *derselbe.*
Proseminar: Einführung in die phonetik und das wissenschaftliche studium des
Neuenglischen — *derselbe.* Englische schreib- und sprechübungen für anfänger —
lector *Tamson.* Erklärung von 'Society in London' — *derselbe.* Englische
schreib- und sprechübungen für vorgeschrittenere — *derselbe.* SS.: Shakespeare's
Hamlet nebst einleitung über des dichters leben und werke — prof. *Morsbach.*
Im englischen seminar: Erklärung des Poema Morale — *derselbe.* Im englischen proseminar: Einführung in das studium des Alt- und Mittelenglischen —
derselbe. Englische schreib- und sprechübungen — lector *Tamson.* Erklärung
von Hamerton's 'French and English' — *derselbe.* Geschichte der englischen
litteratur in der zweiten hälfte des 18. jahrhunderts — *derselbe.*

Graz, WS.: Geschichte des englischen dramas bis auf Shakespeare —
prof. *Luick.* Altenglisch (mit besonderer rücksicht auf anfänger) — *derselbe.*
Einführung in das Englische — *derselbe.* Im seminar: Neuenglische übungen —
derselbe. — SS.: Shakespeare's Macbeth — prof. *Luick.* Altenglisch — *derselbe.* Englische conversationsübungen — *derselbe.* Seminar für englische
philologie: Sprachgeschichtliche und phonetische übungen — *derselbe.*

Greifswald, WS.: Neuenglische laut- und formenlehre, historisch
betrachtet — prof. *Konrath.* Einführung in das Altenglische — *derselbe.*
E. Bulwer's lustspiel »Money« — *derselbe.* Im seminar: Shakespeare's Julius
Caesar — *derselbe.* Einführung in das Altnordische und lectüre leichterer
texte — privatdocent *Siebs.* — SS.: Ueberblick über die geschichte der englischen litteratur vom bürgerkriege bis zum ausgange des 18. jahrhunderts;
leben und werke der hervorragendsten schriftsteller jener zeit — prof. *Konrath.*
Einführung in das Englische, II. cursus: Uebungen im mündlichen und schriftlichen gebrauch der sprache — *derselbe.* Uebungen des englischen seminars —
derselbe.

Halle-Wittenberg, WS.: Chaucer's leben und werke; interpretation
ausgewählter stücke — prof. *Wagner.* Neuere englische metrik — *derselbe.*
Uebungen des englischen seminars — *derselbe.* Neuenglische übungen im
seminar — lector *Thistlethwaite.* Englische übungen für vorgeschrittenere (interpretation von Macaulay's Clive) — *derselbe.* Einführung in das heutige Englisch — *derselbe.* Ueber schwierigkeiten der englischen grammatik und aussprache (in englischer sprache) — *derselbe.* — SS.: Mittelenglische litteraturgeschichte — prof. *Wagner.* Uebungen des englischen seminars — *derselbe.*
Neuenglische übungen im seminar — lector *Thistlethwaite.* Uebersetzung von
Schiller's 'Neffe als onkel' in das Englische — *derselbe.* Einführung in das
heutige Englisch, mit lectüre eines englischen romans — *derselbe.* Ueber land
und leute von England (in englischer sprache) — *derselbe.*

Heidelberg. WS.: Geschichte der englischen litteratur im 18. und
19. jahrhundert (in englischer sprache) — prof. *Ihne.* Im seminar: Englische

übungen — *derselbe*. Geschichte der englischen sprache (II. theil) — prof. *Schick*. Geschichte der elisabethanischen litteratur — *derselbe*. Im seminar: Uebungen zur geschichte der englischen sprache (nach Ellis' Early English pronunciation) — *derselbe*. Die aussprache des Deutschen, Französischen und Englischen — privatdocent *Sütterlin*. Altwestnordische grammatik — privatdocent *Kahle*. Gothische übungen — *derselbe*. — SS.: Gothische grammatik (nach W. Braune's 'Goth. grammatik', 3. aufl., Halle 1887) — prof. *Osthoff*. England, land und leute, verfassung, verwaltung und sitte — prof. *Ihne*. Im seminar: Englische übungen — *derselbe*. Einleitung in das studium des Alt- und Mittelenglischen — prof. *Schick*. Das englische drama unter den ersten Stuarts — *derselbe*. Im seminar: Die altenglischen räthsel — *derselbe*. Geschichte der wortbildung im Deutschen und Englischen — privatdocent *Sütterlin*. Geschichte der isländisch-norwegischen litteratur im mittelalter — privatdocent *Kahle*. Isländische übungen — *derselbe*.

Jena, WS.: Ueber Byron — prof. *Franz*. Im seminar: Mittel- und neuenglische übungen — *derselbe*. SS.: Gothische grammatik und erklärung des Ulfilas — prof. *Schrader*. Die sprache Shakespeare's — prof. *Franz*. Altenglische texte — *derselbe*. Neuenglische übungen — *derselbe*. Im seminar: Mittelenglisch — *derselbe*.

Innsbruck, WS.: Phonetik — prof. *Seemüller*. Beowulf — privatdocent *Fischer*. Neuenglische übungen — *derselbe*. Shakespeare's comödien — *derselbe*. — SS.: King Horn — privatdocent *Fischer*. Chaucer — *derselbe*. Neuenglische übungen — *derselbe*.

Kiel, WS.: Altnordische grammatik und erklärung der Egils saga Skallagrímssonar — prof. *Gering*. Im seminar: Dänische übungen (lectüre von Holberg's comödie 'Den ellleften Junii') — *derselbe*. Erklärung von Byron's Childe Harold mit litterarhistorischer einleitung — prof. *Sarrasin*. Neuenglische stilübungen — *derselbe*. Im seminar: Mittelenglische übungen — *derselbe*. — SS.: Historische grammatik der dänischen sprache — prof. *Gering*. Im seminar: Altnordische übungen (erklärung ausgewählter lieder der Edda); Gothische übungen — *derselbe*. Ueber Shakespeare's leben und dichtung — prof. *Sarrasin*. Erklärung von Shakespeare's Sommernachtstraum — *derselbe*. Im seminar: Erklärung von Cynewulf's Elene — *derselbe*.

Königsberg i. Pr., WS.: Erklärung von Lily's comödie 'Alexander and Campaspe' — prof. *Kissner*. Ueber die englischen dichter des 19. jahrhunderts — prof. *Kaluza*. Englische metrik — *derselbe*. Im seminar: Interpretation von Byron's 'Siege of Corinth' — *derselbe*. — SS.: Einführung in das studium der englischen philologie — prof. *Kaluza*. Historische grammatik der englischen sprache — *derselbe*. Im seminar: Interpretation von Shakespeare's 'Merchant of Venice' und sonstige übungen — *derselbe*. Gothische übungen — privatdocent *Uhl*.

Leipzig, WS.: Geschichte der englischen litteratur im 17. und 18. jahrhundert — prof. *Wülker*. Einleitung in das studium Chaucer's und erklärung von dessen Canterbury Tales (nach Chaucer's Prologue etc. by Morris) — *derselbe*. Im seminar: 1) Shakespeare's Tempest; 2) Dickens' Sketches — *derselbe*. Grundzüge der phonetik — prof. *Sievers*. Einleitung in das studium der Edda-lieder mit erklärung ausgewählter gedichte — prof. *Mogk*. Uebungen der nordischen abtheilung des deutschen proseminars: Lectüre der Snorra-Edda

— *derselbe*. — SS.: Einleitung in das studium Chaucer's nebst erklärung der Canterbury Tales — prof. *Wülker*. Erklärung von Spencer's Faery Queene — *derselbe*. Erklärung des Beowulf — prof. *Sievers*. Dänische übungen (lectüre von Andersen's Billedbog uden Billeder) — prof. *Mogk*. Im proseminar: Lectüre der Völsungen- und Niflungenlieder — *derselbe*.

Marburg i. H., WS.: Geschichte der altenglischen (angelsächsischen) litteratur — prof. *Vietor*. Geschichte der englischen sprache — *derselbe*. Uebungen des englischen seminars — *derselbe*. Englische phonetik (in englischer sprache) — lector *Tilley*. Uebungen im modernen Englisch — *derselbe*. — SS.: Erklärung des Beowulf (in auswahl) — prof. *Vietor*. Mittelenglische grammatik — *derselbe*. Die Shakespeare-Bacon-frage — *derselbe*. Im seminar: Aelfric's Homilien; Thackeray's Four Georges — *derselbe*. Englische grammatik (in englischer sprache) — lector *Tilley*. Uebungen im modernen Englisch — *derselbe*. Einführung in das Englische — *derselbe*.

München, WS.: Geschichte der englischen litteratur im 16. jahrhundert — prof. *Koeppel*. Beowulf (drachenkampf) — *derselbe*. Shakespeare in Deutschland — privatdocent *Borinski*. — SS.: Historische grammatik der englischen sprache, III. theil: Die romanischen elemente der englischen sprache — prof. *Koeppel*. Ausgewählte capitel der historischen syntax der englischen sprache — *derselbe*. Im seminar: sprachliche und litterarhistorische übungen — *derselbe*.

Münster, WS.: Geschichte der englischen litteratur im 16. jahrhundert — prof. *Einenkel*. Geschichte der englischen metrik von den anfängen bis Shakespeare — *derselbe*. Im seminar: Lectüre und erklärung früh-neuenglischer lesestücke — *derselbe*. Erklärung von Sheridan's comödie »The rivals« in englischer sprache — lector *Hase*. Im seminar: Uebungen im schriftlichen gebrauch der englischen sprache — *derselbe*. SS.: Historische grammatik der englischen sprache (I. theil: Lautlehre) — prof. *Einenkel*. Ueber Shakespeare's leben und werke — *derselbe*. Im seminar: Lectüre und erklärung von Shakespeare's Macbeth — *derselbe*. Einführung in die englische grammatik — lector *Hase*. Im seminar: Lesung und erklärung von Landmann's 'Times' (in englischer sprache) — *derselbe*.

Prag (deutsche universität), WS.: Beowulf — prof. *Pogatscher*. Altenglische metrik — *derselbe*. Im seminar: Prolog der Canterbury Tales — *derselbe*. Shakespeare in Deutschland — privatdocent *Hauffen*. Translation from German into English — lector *Just*. Introduction to the study of Shakespeare — *derselbe*. Elementary English grammar and reading exercises; text-book: Elementarbuch der englischen sprache von A. Nader und Würzner — *derselbe*. Object-lessons — *derselbe*. — SS.: Gothische grammatik — prof. *Kelle*. Milton's leben und werke nebst erklärung des Verlorenen paradieses — prof. *Pogatscher*. Translation into English — lector *Just*. Introduction to the study of Shakesperare (continued) — *derselbe*. Object-lessons — *derselbe*.

Rostock, WS.: Neuenglische grammatik nach historischen grundsätzen — prof. *Lindner*. — SS.: Sir Walter Scott's Marmion — prof. *Lindner*. Englische übungen — *derselbe*.

Strassburg i. E., WS.: Historische grammatik der englischen sprache, I. theil: Altenglisch — prof. *Brandl*. Shakespeare und seine vorgänger — *derselbe*. Im seminar: Altenglische übungen — *derselbe*. Living English writers — lector *Miller*. Praktische grammatik der englischen sprache — *derselbe*. Landeskunde von Irland und Wales — *derselbe*. Uebersetzung von Hauff's Phantasien in das Englische — *derselbe*. — SS.: Gothische grammatik — prof. *Hübschmann*. Historische grammatik des Mittel- und Neuenglischen — prof. *Brandl*. Im seminar: Uebungen an Marlowe's Doctor Faustus — *derselbe*. Edda — prof. *Henning*. Einführung in das Angelsächsische — privatdocent *Miller*. Literature of the Restoration — *derselbe*. Praktische grammatik der englischen sprache — *derselbe*. Landeskunde: London — *derselbe*. Uebersetzung von Eichendorff's 'Taugenichts' in das Englische — *derselbe*.

Tübingen, WS.: Prosaische Edda — prof. *Fischer*. Englische elementarübungen, I. theil — lector *Hoops*. Angelsächsische grammatik nebst übungen — *derselbe*. Im seminar: Niederer englischer cursus; Höherer englischer cursus — *derselbe*. — SS.: Englische elementarübungen, II. theil — prof. *Hoops*. Shakespeare's Hamlet — *derselbe*. Beowulf und andere angelsächsische dichtungen in auswahl — *derselbe*. Im seminar: Niederer englischer cursus; Höherer englischer cursus — *derselbe*. Phonetik — privatdocent *Bohnenberger*.

Wien, WS.: Erklärung ausgewählter dichtungen Milton's mit einschluss bestimmter abschnitte des Paradise lost, nebst einer einleitung über Milton's leben und werke — prof. *Schipper*. Geschichte der englischen litteratur des 19. jahrhunderts — *derselbe*. Im seminar: Alt- und mittelenglische übungen auf grundlage der 'Twelf facsimiles of Old English manuscripts' ed. W. W. Skeat, Oxford 1892, und anderer englischer texte — *derselbe*. Interpretation kleinerer angelsächsischer gedichte — privatdocent *K. Kraus*. Englische sprache: I. cursus für anfänger; II. cursus für vorgeschrittene; III. cursus: conversatorium und höhere ausbildung — lector *Bagster*. Im proseminar: I. cursus: Einführung in das Englische im anschluss an Nader's und Würzner's Englische grammatik, 1. theil, verbunden mit lese-, sprech- und dictirübungen; II. cursus: Englische syntax im anschluss an Nader's und Würzner's Englische grammatik, 2. theil, verbunden mit mündlichen und schriftlichen übungen; ferner: Lectüre von Swift's 'Gullivers Travels' — lector *Hechler*. Altnordische litteraturgeschichte — privatdocent *Detter*. Gothische übungen — privatdocent *Jellinek*. — SS.: Historische grammatik der englischen sprache, I. theil: Einleitung und lautlehre — prof. *Schipper*. Erklärung von Shakespeare's Macbeth — *derselbe*. Im seminar: Erklärung mittelenglischer texte nach Zupitza's Alt- und mittelenglischem übungsbuch — *derselbe*. Einführung in das Schwedische mit übungen — privatdocent *Detter*. Englische übungen, III. cursus: Conversation und höhere ausbildung — lector *Bagster*. Im englischen seminar: 1) unterer cursus: Lese-, sprech- und dictirübungen im anschluss an Nader's und Würzner's Englische grammatik, I. theil; 2) oberer cursus: Mündliche und schriftliche übungen im anschluss an Nader's und Würzner's Englische grammatik, II. theil — lector *Hechler*.

Würzburg, WS.: Angelsächsisch: a) Grammatik; b) Texterklärung — prof. *Brenner*. Englische phonetik und übersetzungsübungen — prof. *Stürzinger*. — SS.: Angelsächsische übungen (Elene) — prof. *Brenner*. Historische englische grammatik (I. theil) — prof. *Stürzinger*. Im seminar: a) Mittelenglische interpretationsübungen; b) Neuenglische übungen — *derselbe*.

Zürich, WS.: Erklärung altenglischer dichtungen — prof. *Tobler*. Englische syntax — prof. *Vetter*. History of the Early English drama —

derselbe. Geschichte der englischen prosalitteratur von der mitte des 18. jahrhunderts bis zur gegenwart — *derselbe*. Poems of Laurence Minot — *derselbe*. Altnordische grammatik mit übungen — docent *Bachmann*. — SS.: The English drama of the 17th century; Shakespeare's contemporaries and followers — prof. *Vetter*. Die englische prosalitteratur seit dem ende des 18. jahrhunderts — *derselbe*. Shakespeare's sonette; übungen und vorträge — *derselbe*. Erklärung eines altnordischen textes — docent *Bachmann*. Historische grammatik der englischen sprache — docent *Schirmer*. Allgemeine phonetik — docent *Hoffmann*.

BRESLAU, September 1895.   Max Hippe.

ZU ENGL. STUD. XXI, p. 452.

Seit abschluss meines artikels über Zupitza's leben und litterarische arbeiten sind noch folgende nekrologe erschienen: Das Deutschthum im auslande. Mittheilungen des Allgemeinen deutschen schulvereins, 1895, August-September, p. 1 (Die hauptleitung des A. d. sch.) — Sonntagsbeilage nr. 41 zur Vossischen zeitung vom 13. October 1895: Zur erinnerung an Julius Zupitza (Immanuel Schmidt). — Deutsche rundschau, jahrg. XXIII, p. 302 ff. (A. Brandl). — Archiv für das studium der neueren sprachen und litteraturen. Band XCV, p. 241 ff. (A. Napier und M. Roediger).   E. K.

Pierer'sche Hofbuchdruckerei. Stephan Geibel & Co. in Altenburg.

WANN SIND
DIE GERMANEN NACH ENGLAND
GEKOMMEN?

Dass die sagenumwobene geschichte von der ersten ansiedelung der Germanen in England in ihrem grunde historisch ist, wird heute wohl allgemein anerkannt; und dass auch die führer Hengist und Hors nichts mythisches an sich haben, hebt Müllenhoff (Beovulf p. 60) mit recht hervor. Auch das datum für dieses ereigniss scheint mir ziemlich glaubwürdig überliefert. An einer jahreszahl liegt ja freilich nicht viel. Aber da dieses jahr für die ganze spätere geschichte der insel ausschlaggebend geworden ist, hat es vielleicht auf etwas mehr interesse anspruch als manches andere. Meist schliessen sich unsere geschichtsbücher, soweit sie überhaupt bestimmtere daten geben, an Beda an, setzen also die Sachsenankunft in oder um's jahr 449 n. Chr. Dass dieses datum schlecht begründet, dagegen das der brittischen tradition viel wahrscheinlicher ist, habe ich in der Zeitschrift für celt. philologie I, 157 ff. kurz angedeutet und möchte es hier mit einigen worten ausführen [1]).

Das römische Britannien im ausgange des vierten jahrhunderts hatte sich, wie bekannt, gegen drei feinde zu wehren: gegen die Pikten im norden, gegen die *Scotti* von Irland her und gegen die deutschen piraten, die *Saxones*, die die küstenstriche des südens und südostens brandschatzten. Der gegen Pikten und Iren sieg-

---

[1]) Auf diesen aufsatz, sowie auf meine anzeige von Zimmer's *Nennius vindicatus* in der Zeitschr. f. deutsche philol. 28, 80 ff. verweise ich für die begründung mancher einzelheiten.

reiche feldherr Maximus, von den truppen zum kaiser ausgerufen, war 383 oder 384 nach Gallien hinübergefahren, hatte sich vier jahre lang siegreich behauptet, war aber 388 mit seinem sohne Victor um's leben gekommen. Fassen wir vorerst kurz zusammen, was die festländischen quellen über die schicksale Britannien's in den nächsten decennien berichten.

Dass unter Honorius noch Stilicho für Britannien's sicherheit zu sorgen bemüht war, besagt das gedicht seines lobredners Claudian aus dem jahre 400: *De consulatu Stilichonis* lib. II, 250 ff. (ed. Birt). Dort spricht Britannien:

> *»Me quoque vicinis pereuntem gentibus«, inquit,*
> *»Munivit Stilicho, totam cum Scottus Ivernen*
> *Movit et infesto spumavit remige Tethys.*
> *Illius effectum curis, ne tela timerem*
> *Scottica, ne Pictum tremerem, ne litore toto*
> *Prospicerem dubiis venturum Saxona ventis.«*

Doch zog er zum kampf gegen Alarich 402 eine britannische legion nach Italien[1]). Nachdem er Alarich glücklich zurück-gewiesen und 405 auch über die eingebrochenen schaaren des Radagaisus meister geworden, wurde dennoch der zusammenhang mit Britannien unterbrochen, als 406 die Alanen, Sueven und Vandalen ganz Gallien überschwemmten, wie Stilicho's gegner meinten, von ihm selbst herbeigerufen[2]). Die furcht, dass die plündernden schaaren sich auch auf Britannien werfen möchten, zwang, wie Zosimus VI, 3, 1 erzählt, die dortigen truppen, aber-mals einen eigenen kaiser aufzustellen. Der zuerst ernannte Marcus wurde sofort, Gratianus — *municeps eiusdem insulae* nennt ihn Orosius VII, 40, 4 — nach vier monaten wieder beseitigt. Mehr erfolg hatte der dritte usurpator, der soldat Constantinus; er fuhr nach Boulogne hinüber, erlangte die anerkennung auch der gallischen truppen und drang bis an die Alpen vor, wurde aber von Stilicho's feldherr Sarus in Valence eingeschlossen. Doch zog sich dieser nach Italien zurück, als aus Britannien der heerführer Gerontius nachrückte. Constantin besetzte nun die Alpenpässe und sicherte die Rheingrenze; sein sohn Constans, den er nach Spanien ge-sandt, wurde auch dort der gegner herr; der von Alarich bedrängte Honorius konnte ihm die anerkennung als mitkaiser nicht ver-sagen. Doch brach seine macht zusammen, als er sich mit seinem

---

[1]) Claudian, *De bello Gothico*, v. 416.
[2]) Orosius VII, 38, 3.

feldherrn Gerontius überwarf, der mit der bewachung der Pyrenäen-
pässe betraut worden war. Die verschiedenen barbarenstämme,
nach Zosimus von Gerontius aufgestiftet, bekamen in seinen ländern wieder freie hand[1]). Die lage des westens um 409/410
schildert in knappen zügen die gallische chronik des jahres 452;
sie bemerkt zum 16. jahre des Arcadius und Honorius[2]): *Hac
tempestate . . . Romanorum vires funditus attenuatae: Britanniae
Saxonum incursione devastatae; Galliarum partem Vandali atque
Alani vastavere; quod reliquum fuerat, Constantinus tyrannus obsi-
debat; Hispaniarum partem maximam Suevi occupavere; ipsa denique
orbis caput Roma depraedationi Gothorum foedissime patuit.*

Um jene zeit ermahnte kaiser Honorius, als er vor Alarich
einen augenblick luft hatte, die städte Britannien's in einem von
Zosimus VI, 10, 2 erwähnten briefe, sie möchten sich halten
(φυλάττεσθαι). Doch machten sich eben damals die Britten von
dem römischen reiche, das sie nicht mehr beschützte, auch politisch
frei. Das meldet Zosimus VI, 5, 2 ff.:

»Indem die barbaren von jenseits des Rhein's nach belieben
überall eindrangen, versetzten sie sowohl die bewohner der bri-
tannischen insel als einige der völkerschaften Gallien's in die
zwangslage, von der herrschaft der Römer abzufallen und selbständig zu leben, ohne den römischen gesetzen weiter zu gehorchen.
Die von Britannien bewaffneten sich, schritten zur selbstverthei-
digung und befreiten die städte von den sie bedrängenden barbaren. Ganz Armorica und andere provinzen Gallien's folgten
dem beispiel der Britannier; sie befreiten sich selbst auf dieselbe
weise, indem sie die römischen behörden vertrieben und ihr staats-
wesen nach belieben selbständig einrichteten. Der abfall Britannien's
und der völkerschaften Gallien's geschah zu der zeit, als der usurpator Constantin herrschte.«

Constantin selber verlor bald darauf das leben (411); sein
sohn Constans wurde von Gerontius, dieser von seinen soldaten
umgebracht[3]). Die verbindung mit Britannien wurde nur noch
durch die kirche aufrecht erhalten. So erfahren wir erst wieder
einiges bei anlass der pelagianischen bewegung. Prosper Tiro
schreibt zum jahre 429: *Agricola Pelagianus, Severiani episcopi*

---

[1]) Zosimus VI, 2—5; vgl. Orosius VII, 40; Gregor v. Tours (ed. Arndt)
p. 75 f.
[2]) Mon. Germ. Hist. Auct. antiq. IX. Chronica minora I, 652 f.
[3]) Orosius VII, 42.

Pelagiani filius, *ecclesias Brittaniae dogmatis sui insinuatione cor-*
rumpit. *Sed ad insinuationem Palladii diaconi papa Caelestinus*
Germanum Autisiodorensem episcopum vice sua mittit et deturbatis
hereticis Britannos ad catholicam fidem dirigit[1]).

Ausführlicheres, wenn auch legendarisches ohne genauere
daten berichtet über die thätigkeit des Germanus von Auxerre in
Britannien seine *Vita*, die angeblich vom priester Constantius
(nach 470) verfasst ist[2]). Darnach hatte er bischof Lupus von
Troyes zum begleiter. Als eine disputation mit den Pelagianern
die sache nicht förderte, brachten die beiden durch feurige pre-
digten das volk auf ihre, die katholische, seite. Ausser einigen
wundern wird noch erzählt: *Interea Saxones Pictique bellum ad-*
versus Britones junctis viribus susceperunt. Der feind gedenkt die
Britten bei der osterfeier zu überfallen. Doch wird sein nahen
rechtzeitig durch kundschafter gemeldet. Germanus ordnet heimlich die christen und stellt sich an ihre spitze. Wie die feinde
in aller sicherheit heranrücken, erheben plötzlich die priester dreimal den ruf *Alleluia*, und die ganze menge wiederholt ihn *una*
voce, so dass die berge erdröhnen. Die feinde, sich entdeckt
sehend, fliehen bestürzt und werfen die waffen weg; so wird ein
unblutiger sieg gewonnen[3]).

Nach seiner rückkehr nach Gallien reist Germanus nach
Arles. *Interea ex Britanniis nuntiatur*, *Pelagianam perversitatem*
iterato paucis auctoribus dilatari. Abermals fährt er hinüber, diesmal mit bischof Severus von Trier. Ein wunder und seine predigt
bestärkt das volk. *Omniumque sententia pravitatis auctores expulsi*
ab insula adducuntur sacerdotibus, ad mediterranea deferendi. Seitdem ist der Pelagianismus in Britannien erloschen. Von dieser
reise eben erst zurückgekehrt, rettet Germanus Armorica vor der
plünderung durch Alanen, die Aëtius dorthin gelenkt hatte, die
gegend für ihre stolze unabhängigkeit zu züchtigen[4]). Er scheint
448 gestorben zu sein.

Die wichtigste notiz findet sich in der gallischen chronik von
452; sie berichtet zum 18. oder 19. jahr des Theodosius, d. i.

---

[1]) Mon. Germ. Hist. Auct. antiq. IX. Chron. minora I, 472.
[2]) Acta Sanctorum, 31. Juli. Tom. VII, p. 211 ff. u. 216.
[3]) Der bericht über die britannische reise in den *Acta* des Lupus (Acta
Sanct., 29. Juli. Tom. VII, 73 ff.) ist erst aus der *Vita S. Germani* geschöpft.
[4]) 441 oder eher 442 nach der gallischen chronik (Mon. Germ. Hist.
Chron. minora I, 660).

441 oder **442** n. Chr.: *Brittanniae usque ad hoc tempus variis cladibus eventibusque latae in dicionem Saxonum rediguntur.*

Dann erzählt noch Jordanis *De rebus Geticis* cap. 45, kaiser Anthemius (467—472) habe gegen die ausbreitung der Westgoten in Gallien von den Britten hilfe erbeten. Dem entsprechend sei könig Rhiothimus mit 12000 mann über's meer gekommen und in die stadt Bourges aufgenommen worden[1]). Aber der Westgotenkönig Euricus schlug ihn vor seiner vereinigung mit den Römern so auf's haupt, dass er sich mit den trümmern seiner mannschaft zu den Burgunden flüchten musste. Dass dieser Brittenkönig nicht aus Britannien, sondern aus der Bretagne gekommen sei, wie Loth, *L'émigration bretonne en Armorique* (Paris 1883) p. 154 f., meint, ist mir nicht wahrscheinlich.

Von späteren sei noch die notiz des anonymen geographen von Ravenna V, 31 erwähnt: *insula Britannia, ubi olim gens Saxonum veniens ab antiqua Saxonia cum principe suo nomine Ansehis (Anschis) modo habitare videtur.*

Von dieser letzten stelle abgesehen, wo man in dem eigennamen wohl mit recht eine verstümmelung von *Hengist* vermuthet, geben also die festländischen quellen keinen nähern bericht über die erste ansiedelung der Germanen in England, wohl aber einige daten, die zur kritik der e i n h e i m i s c h e n q u e l l e n dienen können. Die wichtigsten unter den letzteren sind: I. Die vor 547[2]) verfasste strafpredigt des G i l d a s S a p i e n s *De excidio et conquestu Britanniae.* II. Diejenigen stücke des um 826 compilirenden N e n n i u s, welche der ältern, wohl um 679 redigirten *Historia Brittonum* angehören. III. B e d a's 731 vollendete *Historia ecclesiastica gentis Anglorum.* IV. Der anfang der *Annales Cambriae* (abgeschlossen 954). — Die a n g e l s ä c h s i s c h e c h r o n i k bringt zwar manche alte namen von schlachtfeldern, richtet sich aber in ihren anfangsdaten durchaus nach Beda und ist daher für unsere frage nicht verwendbar. Eine kurze analyse der quellen wird am besten über ihren werth aufklären.

I. G i l d a s berichtet:·

1. Nach dem tode des Maximus[3]), der mit grossem gefolge

---

[1]) Apollinaris Sidonius nennt den könig richtiger *Riothamus* (Epist. lib. III, 9) und bezeichnet seine leute als *Britannos super Ligerim sitos* (ib. I, 7).

[2]) Die einwände gegen dieses datum, die Anscombe in der *Academy* 1895, 14. Sept. (p. 206), 28. Sept. (p. 251 f.), 16. Nov. (p. 411) vorbringt, werden niemand, der den text im zusammenhang liest, überzeugen.

[3]) 388 n. Chr.

nach dem festlande gefahren war, blieb Britannien ohne truppen und ohne führer. Da zuerst hatte es viele jahre unter **zwei überseeischen** völkern zu seufzen, den *Scoti* (Iren) von westen, den Pikten von norden her. Nach Rom gesandte briefe rufen eine legion herbei; sie vertreibt die feinde und befiehlt vor ihrer heimkehr den Briten, eine mauer quer durch die insel zu ziehen. Diese wird aber aus rasenstücken statt aus steinen aufgeführt, § 14. 15.

2. Die alten feinde landen und plündern von neuem. Jammernde gesandte erlangen von den Römern nochmals die sendung einer legion. Sie schlägt die feinde aus dem lande, hilft die städte von einem meer bis zum andern durch eine richtige mauer verbinden, lehrt die einwohner sich selbst waffen verfertigen, errichtet an der südküste in zwischenräumen thürme, *quia et inde barbaricae ferae bestiae timebantur*, und fährt ab, um nie mehr zurückzukehren, § 16—18.

3. Abermals entsteigen die Iren und Pikten ihren kähnen, die mauer und die städte müssen aufgegeben werden, alles land wird wüste gelegt, die einwohner fristen ihr leben durch die jagd. Da senden sie briefe *Agitio* (bei Beda *Aetio*) *ter consuli*[1]). Gildas citirt eine stelle daraus: *Repellunt barbari ad mare, repellit mare ad barbaros. Inter haec duo genera funerum aut jugulamur aut mergimur.* — Die sendung hat keinen erfolg; manche Britten lassen sich aus hunger gefangen nehmen, § 19. 20.

4. Die andern führen den krieg von den bergen und wäldern aus weiter. Nun gelingt es zum ersten mal, den feinden, die *per multos annos* plünderten, niederlagen beizubringen. Eine ruhepause tritt ein. Die Iren fahren nach hause zurück, *post non longum temporis reversuri*[2]). Die Pikten lassen sich jetzt auf dem (nord)ende der insel dauernd nieder[3]) und unternehmen nur von zeit zu zeit beutezüge. Britannien blüht von neuem auf; aber die einwohner sind gottlos, und bürgerkriege wüthen, § 20. 21.

5. Die nachricht, dass die alten feinde sich wieder regen, diesmal um das land definitiv zu besetzen, bewirkt keine besserung der sitten; ebensowenig eine verheerende pest. Dagegen fasst der

---

[1]) Aëtius war 446 zum dritten mal consul.
[2]) Vielleicht ist die stelle eine erinnerung an die vertreibung der Iren aus dem grössten theile von Wales durch Cunedag und seine söhne (Nennius § 14 u. 62; vgl. Zimmer, *Nennius vindicatus* p. 84 ff.).
[3]) So ist *requieverunt* hier zu übersetzen. Bisher kamen nach Gildas die Pikten wie die *Scoti* auf schiffen.

superbus tyrannus mit seinen berathern den entschluss, die *nefandi nominis Saxones* als schutz gegen die *aquilonales gentes* in's land zu lassen, § 22. 23.

6. Die mannschaft von drei schiffen, die zuerst aufgenommen wird, erhält bald zuzug aus der heimath. Gegen die verpflichtung, das land zu vertheidigen, liefert man ihnen *annonae.* Das hält sie *multo tempore* in ruhe. Dann stellen sich klagen über die spärlichkeit der monatlichen lieferungen *(epimenia)* ein; sie führen zu drohungen; bald bricht der krieg los. Die städte vom östlichen bis zum westlichen meer gehen in flammen auf; das ganze land wird ausgeplündert. Die im gebirge eingefangenen bewohner werden schaarenweis niedergemacht. Andere übergeben sich aus hunger freiwillig dem feinde in ewige knechtschaft oder suchen gegenden jenseits des meeres auf. Die übrigen halten sich mit mühe auf stark befestigten höhen und in dichten wäldern, § 23—25.

7. Als die *crudelissimi praedones* sich nach einiger zeit nach hause verzogen haben, sammeln sich die bürger wieder. Unter führung des Ambrosius Aurelianus, *qui solus forte Romanae gentis tantae tempestatis collisione occisis in eadem parentibus purpura nimirum indutis superfuerat,* schreiten sie selber zum angriff, und gott verleiht ihnen sieg. *Ex eo tempore nunc cives nunc hostes vincebant* bis zum jahr der belagerung des *Badonicus mons*, in welchem Gildas geboren war[1]), § 25. 26.

Es braucht hier nicht wiederholt zu werden, dass diese schilderung zwar ein treffliches stimmungsbild abgiebt, aber im einzelnen keineswegs als zuverlässiger bericht gelten kann, wie ja manche missverständnisse, wie die in betreff der beiden wälle, auf der hand liegen, und überdies alle genaueren zeit- und ortsangaben fehlen.

II. *Historia Brittonum* (Nennius):

1. *Factum est autem post supra dictum bellum quod fuit inter Brittones et Romanos, quando duces illorum occisi sunt, et post occisionem Maximi tyranni[2]) per quadraginta annos fuerunt in metu.* Der brittische könig Guorthigirn *urgebatur a metu Pictorum Scottorumque et a Romanico impetu nec non et a timore Ambrosii.* Er nimmt drei schiffe mit verbannten aus Germanien, unter ihnen Hors und Hengist, freundlich auf und weist ihnen die insel *Tanet* an (an der ostspitze von Kent). *Regnante Gratiano secundo cum*

---

[1]) Rund um 500 n. Chr.

[2]) *transactoque Romanorum imperio in Britannia* hat erst Nennius hier eingefügt; vgl. unten.

Equitio Saxones a Guorthigirno suscepti sunt anno CCCXLVII post passionem Christi [1]), § 31.

2. In jener zeit kam S. Germanus nach Britannien, von dem ich einige wunder erzählen will. Das erste ist, dass er den ruchlosen könig Benli durch himmlisches feuer verbrennen liess und seinen *servus* Catel zum könig (von Powis) einsetzte, § 32—35.

3. Den *Saxones* auf Tanet verspricht der obengenannte könig (Guorthigirn) *victum et vestimentum;* dafür verpflichten sie sich, gegen seine feinde zu kämpfen. Als ihrer aber mehr werden. weigern sich die Britten, sie ferner zu unterhalten. Da beschliessen sie, den frieden zu brechen, § 36.

4. Hengist beredet den könig, mehr kriegsvolk nachkommen zu lassen, 'ad certandum pro te et pro gente tua'. Die sechzehn schiffe mit zuzug bringen auch Hengist's schöne tochter mit. Um sie zur frau zu erhalten, schenkt Guorthigirn dem Hengist die landschaft Kent, ohne dass der damalige fürst dieser gegend etwas davon weiss. Dann wird Hengist's sohn Octha nach dem norden der insel eingeladen, als schutz gegen die *Scotti*. Mit 40 schiffen verheert er die Orcaden und lässt sich an der grenze der Pikten nieder. Auch nach Kent kommen immer neue zuzüge, § 37. 38 [2]).

5. Guorthigirn nimmt seine eigene tochter zum weibe, zeugt mit ihr einen sohn und sucht ihn vergeblich als kind des S. Germanus auszugeben [3]). Er wird vom heiligen verflucht, § 39.

6. Auf den rath seiner magier, die die feindselige stimmung der aufgenommenen fremden kennen, will sich Guorthigirn eine feste burg auf dem Snowdon-gebirge in Nordwales bauen. Da er dazu das blut eines kindes ohne vater bedarf, wird der knabe Ambrosius herbeigeführt. Doch giebt sich dieser als sohn eines römischen consuls zu erkennen und prophezeit den endlichen sieg der Britten über die A n g e l n. Guorthigirn überlässt ihm die burg *cum omnibus regnis occidentalis plagae Brittanniae,* wendet sich selbst nach der nordküste in die gegend *Guunessi* und erbaut *Cair Guorthigirn,* § 40—42.

---

[1]) Gratianus (zum d r i t t e n mal) und Equitius sind die consuln des jahres 374 n. Chr.

[2]) In der mitte von § 37 bricht die einzige handschrift der vornennianischen *Historia* ab. Dass das folgende ebenfalls in ihr enthalten war, ist theils sicher, theils sehr wahrscheinlich.

[3]) Nach dem wahrscheinlich von Nennius˙ beigefügten § 48 wäre dies der heil. Faustus, der 433 abt von Lérins, 462 bischof von Riez wurde.

7. Inzwischen jagt sein sohn Guorthemir dreimal Hengist und Hors auf Tanet zurück. Sie erhalten verstärkungen, und nun sind sie abwechselnd bald sieger, bald besiegte, § 43.

8. Guorthemir führt drei[1]) kriege gegen sie: einen am fluss Derguent; einen bei Episford, wo Hors und ein sohn Guorthigirn's, Categirn, fallen; den dritten an der küste des gallischen meeres, in welchem sie bis auf ihre schiffe getrieben werden. Bald darauf stirbt Guorthemir, § 44.

9. Die *Saxones* geben vor, mit könig Guorthigirn frieden und freundschaft schliessen zu wollen. Bei der zusammenkunft überfallen sie ihn aber meuchlings, und er muss sein leben durch abtretung von Essex, Sussex und Middlesex erkaufen, § 45. 46.

10. S. Germanus will Guorthigirn nöthigen, sich von seiner tochter zu scheiden. Dieser flieht durch Wales und wird in seiner burg am Teify mit seinen frauen durch himmlisches feuer verzehrt. So meldet der *liber beati Germani*. Nach andern wanderte der verhasste fürst unstät umher, bis endlich *cor eius crepuit*. Noch andere meinten, die erde habe ihn verschlungen, § 47. 48.

11. Die *Saxones* nahmen zu. Als Hengist gestorben, siedelte sein sohn Octha vom norden (vgl. nr. 4) nach Kent über; von ihm stammen die könige von Kent ab[2]). Dann folgen Arthur's kämpfe bis zum sieg am *mons Badonis*, § 56.

Die erzählung ist, wie man sieht, aus sehr verschiedenen stücken zusammengeflickt; namentlich widersprechen sich no. 3 und 4. Auch ist der bericht über Germanus auseinandergerissen (2, 5, 10); doch mag auch 1 (theilweise) und 4 dieser quelle angehören. Letzterer ist eigenthümlich, dass die Germanen m i t e i n w i l l i g u n g Guorthigirn's eine gegend nach der andern besetzen. Mit Gildas übereinstimmend, vielleicht direct aus ihm schöpfend

---

[1]) Der text giebt 'vier', indem der — später erfundene — krieg von no. 7 hinzugerechnet wird; s. Zeitschr. f. deutsche philol. 28, 84.

[2]) Nach Beda (Hist. eccl. II, 5) ist *Octa* erst Hengist's e n k e l, und die angelsächsische chronik schliesst sich ihm an, indem sie *Aesc* (Beda's *Oeric* [*Eoric?*] *cognomento Oisc*) als Hengist's sohn und ersten nachfolger in der herrschaft über Kent erwähnt. Dagegen die englischen genealogien, die auch Nennius benutzt hat, stimmen mit der alten *Historia Brittonum* überein; sie bezeichnen *Ocga* als *Hengesting* und führen *Oese* (bei Nennius *Ossa*) erst als sohn des *Ocga* (*Octha*) auf; s. Sweet, *The oldest English texts* (1885) p. 171; Nennius § 58. Sicher ist wohl nur, dass die könige von Kent sich *Oiskinge* nannten (Beda a. a. o.); die einreihung des eponymen in die ahnenliste scheint schwierigkeit gemacht zu haben und nach willkür vorgenommen worden zu sein. Man könnte auf die vermuthung kommen, dass dieser stammvater mit Hengist eigentlich ein- und dieselbe person sei; aber natürlich bleibt das unsicher.

meldet dagegen 3, dass sie wegen mangelhafter verpflegung den frieden brechen. Auch der schluss von 7 klingt an Gildas (nr. 7) an. Weiter treten ganz fremde stücke dazu, wie die geschichte von Ambrosius (6), wo allein die Germanen *Angli* genannt werden; die heldenthaten Guorthemir's (8), die in ihrer fassung an die kämpfe Arthur's (§ 56) erinnern. Auch nr. 9, das angelsächsische brocken enthält, mag ursprünglich eine erzählung für sich gebildet haben; denn 4, an das es sich sonst dem tone nach am ehesten anschlösse, scheint von einem kriege zwischen Guorthigirn und den Germanen nichts zu wissen. Sicher steht, dass, von wenigen, vielleicht vom redactor eingeschobenen abschnitten abgesehen, die erzählung der *Historia* von Gildas unabhängig ist. Dieser hat nur den äusseren rahmen (Maximus bis schlacht am *mons Badonis)* geliefert. Auch zeigen die stücke aus dem *liber beati Germani* keine verwandschaft mit der festländischen *Vita,* sind aber allerdings viel sagenhafter als diese.

III. Beda schöpft fast lediglich aus bekannten quellen:

1. I, 9 u. 11 erzählt er von den usurpatoren Maximus, Gratianus, Constantinus nach Orosius. Beigefügt wird nur I, 11 nnd V, 24: *Roma a Gothis fracta anno MLXIIII suae condicionis (anno ab incarnatione Domini CCCCVIIII), ex quo tempore Romani in Brittania regnare cessarunt.* Ferner die notiz, dass die Römer, nach ihren denkmälern zu schliessen, nur diesseits des Severuswalls gewohnt, das jenseitige land nur beherrscht hätten.

2. I, 12—16. Geschichte Britannien's nach den oben analysirten abschnitten des Gildas bis zur *obsessio Badonici montis,* die Beda, Gildas § 26 missverstehend, ins 44. jahr nach der ankunft der Sachsen setzt. Ueber die wälle berichtet er nach autopsie (I, 12), motivirt die weigerung des Aëtius, den Britten zu helfen, durch die Hunnenkriege (I, 13), erzählt die sendung des Palladius nach Irland nach Prosper Tiro (I, 13 u. V, 24), fügt dem bericht des Gildas die eigennamen *Vurtigernus, Hengist, Horsa*[1]) und der letzteren stammbaum bei (I, 14. 15), setzt die ankunft der Sachsen ins jahr 449 n. Chr. (I, 15 u. V, 24) und bespricht die vertheilung der Jüten, Sachsen und Angeln auf die zu seiner zeit bestehenden englischen staaten (I, 15).

3. I, 17—21. *Ante paucos sane adventus eorum annos haeresis Pelagiana . . inlata.* Das zweimalige erscheinen des Germanus

---

[1]) So nennt ihn Beda; in der *Historia Brittonum* (Nennius) heisst er *Hors.*

wird nach Prosper Tiro und besonders nach der *Vita* des Constantius erzählt sammt dem tode des heiligen zu Ravenna.

4. I, 22. *Interea Brittania cessatum quidem est parumper ab externis, sed non a civilibus bellis.* Zu den ruchlosigkeiten der Britten, von denen ihr historiker Gildas berichtet, kommt noch, *ut nunquam genti Saxonum sive Anglorum . . . verbum fidei praedicando committerent.* Nun beginnt die eigentliche kirchengeschichte der Angelsachsen.

IV. Der anfang des *Annales Cambriae* lautet:

1. *A mundi principio usque ad Constantinum et Rufum 5658 anni reperiuntur* (= 457 n. Chr.). Schlussdatum des *Cursus Paschalis* des Victorius Aquitanus[1]).

2. *Item a duobus Geminis Rufo et Rubelio usque in Stillitionem consulem 373 anni sunt* (= 400 n. Chr.) Gleichfalls nach Victorius.

3. *Item a Stillitione usque ad Valentinianum filium Placidae et regnum Guorthigirni 28 anni*[2]).

4. *Et a regno Guorthigirni usque ad discordiam Guitolini et Ambrosii anni sunt duodecim, quod est Guoloppum, id est Cat-Guoloph* (also a. 440).

5. *Guorthigirnus autem tenuit imperium in Brittannia Theodosio et Valentiniano consulibus* (d. i. 425 n. Chr.) *et in quarto anno regni sui Saxones ad Brittaniam venerunt Felice et Tauro consulibus* (d. i. 428), *quadringentesimo anno ab incarnatione Domini nostri Iesu Christi.*

6. *Ab anno, quo Saxones venerunt in Brittaniam et a Guorthigirno suscepti sunt, usque ad Decium et Valerianum anni sunt LXIX.* Dieser stelle hat man auf verschiedene weise aufzuhelfen versucht. Gutschmid (bei Mommsen) dachte an das consulatsjahr des *Decius v. cl.* 486 n. Chr., was aber 58 jahre abstand von 428 ergäbe. Die correctur de la Borderie's: *ad Aetium et Valerium* (a. 432) ist nur annehmbar bei der voraussetzung, dass der rechnende statt des consulatsjahres von *Felix* und *Taurus*, in welchem nach 5 die Sachsen gekommen sind, das von *Taurus* und *Florentius* (a. 361) nachgeschlagen habe; die distanz von LXIX statt LXXI wäre ein leichtes versehen. Die veranlassung zu dieser

---

[1]) Dieser und die folgenden nachweise nach Mommsen, Mon. Germ. Hist. Auct. antiq. XIII, 209.
[2]) Wer diese angabe mit nr. 5 in einklang bringen will, muss, wie Mommsen bemerkt, entweder annehmen, dass auch hier das vierte ahr Guorthigirn's gemeint sei, oder dass 25 statt 28 zu lesen sei.

berechnung müsste der von Gildas und Beda erwähnte brief an Aëtius gegeben haben.

Abgesehen von der letzten nummer, die für unsere frage keine grosse bedeutung hat, zerfallen die daten in zwei selbständige abschnitte: 1—4 und 5.

Dass man sich unter den verschiedenen jahreszahlen der Sachsenankunft noch am liebsten für die Beda's (449) zu entscheiden pflegt, beruht einestheils darauf, dass die des Nennius (347 nach Christi passion) augenfällig unrichtig ist und die der *Annales Cambriae* spät überliefert sind, anderntheils darauf, dass Beda durch Gildas einigermaassen gestützt scheint, indem dieser die Sachsen längere zeit nach dem dritten consulat des Aëtius (446) ankommen lässt. Das datum ist jedoch direct a u s g e s c h l o s s e n durch die notiz der zeitgenössischen gallischen chronik, i. j. 441/442 sei Britannien unter die botmässigkeit der *Saxones* gekommen. Denn wenn sich diese in erster linie auch nur auf die von gallischen schiffen besuchten häfen der südostküste zu beziehen braucht, so ist damit doch offenbar der schlusspunkt der von Gildas und Nennius erzählten episode gemeint. Besonders aber: woher sollte Beda ein zuverlässiges genaues datum genommen haben, da doch sein gewährsmann Gildas keines bietet? Was Beda neues hinzufügt, weist nicht auf andere alte quellen. Das grab Horsa's in Kent zeigte man noch zu seiner zeit (I, 15). Nur e i n e thatsache kann nicht aus Gildas geschöpft sein, die, dass die meuterischen Sachsen sich mit den Pikten verbündet hätten[1]). Aber auch sie hat er nicht aus selbständiger überlieferung, sondern er musste sie aus der *Vita S. Germani* erschliessen, nach welcher Pikten und Sachsen *junctis viribus* die Britten angegriffen haben (Beda I, 20; vgl. oben p. 166). Dass letztere notiz keinerlei gewähr hat, braucht kaum bemerkt zu werden; der festländische biograph wusste offenbar nur im allgemeinen, dass die Britten mit Pikten und mit Sachsen zu kämpfen gehabt hatten. Dabei mag die — an sich glaubliche — vereitelung eines feindlichen überfalls durch vielstimmiges halleluja-geschrei immerhin thatsache sein, und nur darauf, nicht auf die nationalität der feinde, kam es natürlich dem erzähler an. Somit hat Beda nur die eigennamen und die jahreszahl von dritter seite.

---

[1]) *Tum subito inito ad tempus foedere cum Pictis, quos longius jam bellando pepulerant, in socios arma vertere incipiunt* I, 15. Auch das ist Beda öfters nacherzählt worden.

Mindestens die letztere beruht nun, wie ich Zeitschr. f. deutsche philol. 28, 90 ff. und Zeitschr. f. celt. philol. I, 166 f. gezeigt habe, mittelbar auf der *Historia Brittonum,* und zwar speciell auf einer quelle, die Nennius *Annales Romanorum* betitelt. Sie handelte von der verbindung zwischen Rom und Britannien und schloss vermuthlich mit der Sachsenankunft. Diese war, in anlehnung an die *Historia,* auf 40 jahre nach der Römerherrschaft angesetzt[1]); als endpunkt der letzteren war aber nicht Maximus' tod (388), sondern, wohl nach festländischen quellen, die einnahme Rom's durch die Goten angenommen. Daher die zwei daten bei Beda: 409 n. Chr. ende der Römerherrschaft, 449 ankunft der Sachsen in Britannien[2]). Das zweite ist also ohne jede bedeutung, und wir haben keinen grund, an der angabe der gallischen chronik zu zweifeln.

Fassen wir nun die übrigen daten ins auge. Die jahreszahl der alten *Historia Brittonum*: 347 nach Christi passion, ist allerdings ein offenbarer fehler[3]). Doch hilft sie ihn selbst verbessern, indem sie von Maximus' tod (388) vierzig jahre vergehen lässt bis zur aufnahme der ersten Sachsen; das wäre etwa 428. Um jene zeit, erzählt die alte legende, kam S. Germanus auf die insel. Wirklich ist dieses nach dem zeugniss seines zeitgenossen Prosper Tiro im jahre 429 geschehen. Die zwei daten stützen sich also gegenseitig. Ob sie auch eine zwiefache überlieferung darstellen, ist freilich nicht über jeden zweifel erhaben. Denkbar ist auch, dass nur die verknüpfung von S. Germanus mit Guorthigirn im *liber beati Germani* gegeben war. Dann hätte der verfasser der ältesten *Historia* oder seine quelle auf grund der daten bei Prosper den vierzigjährigen abstand[4]) erst berechnet. Ebenso k a n n man die daten der *Annales Cambriae* auf die *Historia* des Nennius zurückführen, wozu zunächst der umstand einlädt, dass die annalen in den text des Nennius eingeschoben worden sind. Sie hätten dann die 40 jahre von Maximus' tod (388) an g e n a u genommen und wären so einestheils auf das 28. jahr nach Stilicho's consulat, anderntheils auf das consulatsjahr des Felix und Taurus, d. h. 428 n. Chr.

---

[1]) Nach dieser quelle fügt Nennius in § 31 ein: *Transactoque Romanorum imperio,* s. oben p. 169, anm. 2.

[2]) Aehnliches vermuthete schon Ranke, Englische gesch. I, 12, anm. 2. Winkelmann (Gesch. d. Angelsachsen p. 29, anm. 1) lehnte es ab, weil ihm das bindeglied zwischen Beda und Nennius fehlte.

[3]) Vermuthlich für 397; s. Zeitschr. f. d. philol. 28, 87.

[4]) Genau sind es 41 jahre.

gekommen. Wahrscheinlich ist dies aber nicht, da gerade Maximus'
todesjahr in ihnen nicht erwähnt wird, und sie weitere nachrichten enthalten, die sie nicht aus der *Historia* geschöpft haben
können. So die notiz, dass die Sachsen im vierten regierungs-
jahre Guorthigirn's anlangten, und besonders die erwähnung der
schlacht bei Guoloph zwischen Guitolin und Ambrosius, von der
weder Nennius noch eine andere erhaltene quelle etwas weiss.
Guitolin (= *Vitalinus*) ist höchst wahrscheinlich ein verwandter
Guorthigirn's, da in dem stammbaum bei Nennius § 49 sein grossvater denselben namen führt; Ambrosius dagegen ist der wirkliche
oder angebliche abkömmling einer vornehmen Römerfamilie. Wir
dürfen daraus schliessen, dass die lostrennung Britannien's von der
römischen herrschaft nicht ganz friedlich verlaufen ist, was man
auch aus Zosimus' bericht herauslesen kann. Es gab offenbar
noch lange zeit zwei sich befehdende parteien, eine brittisch-nationale
und eine römische[1]). Das spiegelt sich auch in der späteren
tradition wieder. Gildas ist durchaus römisch gesinnt; die Britten
sind ihm feiges, nichtsnutziges gesindel, das sich immer undankbar
gegen seine wohlthäter, die Römer, bewiesen hat. Der erste, der
ihnen den Angelsachsen gegenüber luft verschafft, ist der Römer-
spross Ambrosius Aurelianus, dessen nachkommen *(suboles)*, wenn
auch 'degenerirt', noch zu Gildas' zeit lebten (§ 25, ende). Aehnlich
erscheint bei Nennius § 48 Ambrosius als *rex inter omnes reges
Brittannicae gentis*. Zu dieser römischen partei mag auch der fürst
Riothamus gehört haben, der im bunde mit kaiser Anthemius nach
Gallien fuhr. — Ganz anders die ursprüngliche *Historia Brittonum*.
Für sie sind die Römer nur fein de[2]). Der erste helfer gegen
die Angelsachsen ist der einheimische fürstensohn Guorthemir.
Die wundergeschichte vom knaben Ambrosius findet sich in einem
abschnitt, der deutlich dieser tradition ursprünglich fremd war (s.
oben); von seinen späteren thaten weiss diese kein wort zu berichten oder doch, falls der satz in § 31 nicht erst auf grund

---

[1]) Ueber spuren des fortdauernden Römerthums vgl. Winkelmann, Gesch.
d. Angelsachsen p. 21 ff. Aber den *rex Romanorum* auf der verstümmelten
inschrift des Concenn (Hübner, *Inscr. Brit. christianae* no. 160) hätte er nicht
als zeugen anführen sollen. Gemeint ist kaiser Gratian, der durch den in der
vorhergehenden zeile genannten Maximus gefallen ist. Ebenso heisst es in den
alten welschen genealogien nr. IV: *Maxim Guletic qui occidit Gratianum regem
Romanorum.*
   [2]) Der bericht über die römische kaiserherrschaft in Britannien ist erst
später in die *Historia* eingefügt; s. Zeitschr. f. deutsche philol. 28, 90 f.

der §§ 40 ff. eingefügt worden ist, nur, dass sich Guorthigirn vor ihm gefürchtet habe.

Also im ungünstigsten fall beruht die brittische datirung auf einer legende, welche die reise des Germanus von Auxerre nach Britannien in die zeit könig Guorthigirn's verlegte, dem die allgemeine tradition die aufnahme der Germanen zuschrieb [1]). Wahrscheinlicher aber führen verschiedene brittische quellen auf das datum 428. Hierzu kommt nun, dass diese jahreszahl vortrefflich zu anderen berichten stimmt. Nach Gildas verfloss längere zeit von der aufnahme der ersten Sachsen bis zur überwältigung der Britten. Letztere fand nach der gallischen chronik 441 oder 442 statt. Seit 428 wären also 13 bis 14 jahre verstrichen gewesen. Somit scheint mir die brittische überlieferung recht glaubwürdig.

Noch bleibt der brief der Britten an *Aetius ter consul* (446). Obschon er den übrigen daten widerspricht, ist doch sehr unwahrscheinlich, dass der sonst mit eigennamen so sparsame Gildas ihn einfach erfunden habe. Der rhetorische stil der citirten stelle spricht nicht gegen die echtheit, da dieser ja im fünften jahrhundert durchaus sitte war. Sehr leicht, besonders wenn auch ihm nicht der ganze brief vorlag, würde sich dagegen das missverständniss erklären, dass Gildas die darin genannten *barbari* fälschlich als Pikten und Iren gefasst hätte, während sie in wirklichkeit die germanischen barbaren bezeichneten. Hatten diese sich um 442 zu herren des landes aufgeworfen, so ist die klage der Britten um 446, sie seien zwischen feinden und meer eingeklemmt, sehr zeitgemäss und wohl buchstäblich wahr.

Die schicksale Britannien's im fünften jahrhundert würden sich also ungefähr folgendermaassen gestalten. Um und nach 406 wurde Britannien durch den zug des usurpators Constantin nach dem festlande und das nachrücken des truppenführers Gerontius fast ganz von truppen entblösst. Als Constantin's herrschaft in's wanken kam, brachen um 410 die germanischen piraten, die man unter dem namen *Saxones* zusammenfasste, mit macht in's land, verwüsteten es und bedrängten die städte. In dieser noth raffte sich die einheimische bevölkerung der insel auf, griff zu den waffen und schlug den feind zurück. Zugleich beseitigte sie aber auch die

---

[1]) In diesem fall könnte man auch an die zweite reise des Germanus (rund um 440) denken. Doch drängen sich dann die ereignisse zu sehr.

römischen befehlshaber und beamten und erklärte sich von Rom
unabhängig; ein zum aushalten ermahnender brief des kaisers
Honorius konnte das nicht verhindern. Es mögen sich dann bald
in verschiedenen gegenden verschiedene häuptlinge aufgethan und
schon damals die bürgerkriege begonnen haben, die Gildas erwähnt.
Doch finden wir in den zwanziger jahren eine art oberkönig Wortigern
(Guorthigirn), über dessen macht wir freilich nichts wissen. Die
fortwährenden einfälle der Pikten und Iren, die nicht nur weithin
das land wüste legten, sondern auch dauernden besitz in ihm zu
gewinnen suchten, bewogen den könig um's jahr 428, eine schaar
Germanen, angeblich drei schiffe voll, unter zwei führern, von denen
wir nur die übernamen (?) *Hengist* und *Hors* 'hengst' und 'ross'
kennen[1]), zur landesvertheidigung in sold zu nehmen. Auch dass
er ihnen Tanet an der küste von Kent als eigenthum anwies, kann
historisch sein, wenngleich es weit genug vom kriegsschauplatz ab-
liegt. Sie mochten es eben schon vor dem vertrag aus eigener
macht besetzt haben. Diese ersten Germanen waren wohl Jüten,
da später Kent und Wight sich diesem volksstamme zuzählen.
Inzwischen erstarkte im innern wieder eine römische partei, an deren
spitze Ambrosius (Aurelianus), angeblich der spross einer römischen
beamtenfamilie, trat. Eine schlacht zwischen ihm und dem brittischen fürsten oder prinzen Guitolin um 440 wird uns überliefert,
nicht aber veranlassung und ausgang derselben.

Die germanische kriegerschaar war allmälig durch wiederholten
zuzug aus der heimath stark angewachsen. Die Britten waren
daher nicht mehr im stande oder nicht mehr willens, für ihren
unterhalt genügend zu sorgen[2]). Die unzufriedenheit der truppen
führte 441/442 zum offenen kriege, in welchem die Britten vollständig überwältigt und das land weithin von den plündernden
Germanen überschwemmt wurde. Wenn der brief an Aëtius echt
ist, den dann wohl die römische partei abgesendet hat, dauerte
dieser zustand bis 446 an. Viele Britten verliessen die insel, um
an der aremorischen küste eine neue heimath zu suchen. Dann
trat ein rückschlag ein. Die Germanen vermochten nicht das
ganze land zu halten, sondern zogen sich nach ihren wohnsitzen

---

[1]) Ueber eventuelle wirkliche namen s. oben p. 171, anm. 2.
[2]) Wer der phantasie etwas freieren raum gestatten will, mag sich vorstellen, dass die römische partei in jener schlacht bei Guoloph die oberhand
gewonnen hatte und nun die bisher von den Britten besoldeten barbaren ungern
im lande sah.

im südosten zurück. Die Britten rückten ihrerseits vor und waren
in mehreren kämpfen siegreich; die tradition der römischen partei
schreibt diese erfolge ihrem führer Ambrosius, eine andere dagegen
Guorthemir, dem sohne Guorthigirn's, zu. Doch gelang es nicht
mehr, die Germanen dauernd aus Kent (und Wight) zu vertreiben.
In den folgenden jahrzehnten zersplittert sich der krieg. Selbständige germanische schaaren landen an verschiedenen punkten
der küste; die einheimischen häuptlinge stellen sich ihnen mit
wechselndem erfolg entgegen. Im ganzen schreitet die occupation
des landes durch die Germanen stetig fort [1]). Erst mit dem ende
des fünften jahrhunderts trat eine änderung ein, als sich die brittischen fürsten wieder unter e i n e m führer, dem *dux bellorum*
Arthur, vereinigten. Eine reihe von schlachten war ihnen günstig,
und der entscheidende sieg am *mons Badonicus* oder *Badonis* um
oder bald nach 500 gebot für ein halbes jahrhundert der germanischen eroberung halt.

FFREIBURG i. Br., Januar 1896.

R. Thurneysen.

DAS
FRANZÖSISCHE ELEMENT IM ORRMULUM.

»Von französischen elementen enthält Orrm's sprache noch
gar nichts« — so hat ten Brink (Litteraturgeschichte I, 243) ge-
urtheilt. Morris scheint die gleiche anschauung zu vertreten,
wenn er in den bekannten und bequemen, auch viel benutzten
auszügen der französischen lehnworte aus texten der übergangs-
zeit (Historical Outlines of English accidence 1883, 337 ff.) das
Orrmulum überhaupt nicht vorführt. Neuerdings hat Napier, Academy
1894, I, 62, die frage gründlich behandelt, ohne das material zu er-
schöpfen. Ich möchte mit der folgenden zusammenstellung definitiv
den wahn zerstreuen, dass Orrm noch relativ frei von französischen
lehnworten sei; ich glaube, dass die zusammenstellung vielmehr
beweist, in wie überraschend grossem maassstabe schon um 1200
auch auf verhältnissmässig nördlichen gebieten der französische

---

[1]) Vgl. die angelsächsische chronik.

einfluss sich geltend gemacht hat. Der leser dieser zeilen wird sich vielleicht wundern, dass ich über die einzelnen worte eigent- lich nichts neues beibringen kann, dass ich nur bekanntes wieder- holen muss. Aber ich könnte leicht an andern früh-mittelenglischen texten zeigen, wie unvollständig ihre bearbeiter den französischen elementen gerecht werden. Vielleicht habe ich bald gelegenheit, das öffentlich auszuführen. Um zu Orrm zurückzukehren, so werde ich in der folgenden liste mich an seine orthographie halten; für das belegmaterial, dem ich keine eigenen sammlungen gewidmet habe, begnüge ich mich mit dem glossar der White-Holt'schen ausgabe, das sich bewährt hat. Die vor der eroberung entlehnten französischen worte wie *casstell, turnnenn, falls, orrʒhellmód* (Engl. stud. XXI, 335) habe ich hier ausser betracht gelassen.

beʒʒsannʒ münzname = afrz. *besan.*

bulltenn 'beuteln, sieben' v. 992 nach Murray NEDict. s. *bolt* vb. = afrz. *buleter.*

buttenn 'stossen' v. 2810 = afrz. *boter;* vgl. NEDict. unter *butt*[1] vb.

caritíþ 'liebe' vv. 2998. 3000. 3008. 10120 = afrz. *carité* (engl. *charity*); über das anglonormann. *th* in diesem worte wie in dem eigennamen *Daviþ* vgl. Gröber's Grundriss I, 397.

cæchen (in den participialformen *bikæched* v. 11628 — *bikahht* 11621. 12288), eigentl. *cacchen* ne. *to catch* beruht auf afr. *cacher.*

crúne 'krone' — *crúnedd* 'gekrönt'; vgl. Murray.

flumm begegnet überwiegend in der verbindung *flumm Jorrdan* = afrz. *flum Jordan.*

gluternesse, das man bisher für Nord. angesehen hat, beruht wohl auf afrz. *gluttoun?* vgl. me. *gluttoun.*

gýn v. 7087 ist durch das von Napier beobachtete anlautende *g* als frz. lehnwort gesichert; vgl. History of the Holy Rood Tree, London 1894, p. 71 ff.

hirrten 'to hurt' = afrz. *hurter* (engl. *to hurt*).

latin = afrz. *latin,* aber ae. *læden.*

léún (zweisilbig) engl. *lion* 'löwe' v. 5827 = afrz. *leon* (daneben *lé* = ae. *léo*).

messe 'messe' ist eher das afrz. *messe* als das ae. *mæsse.*

ollfent 'kamel' v. 3208 ist zwar das ae. *olfend,* scheint aber vom afrz. *olifant* 'elefant' beeinflusst zu sein.

paradís, im guten Angls. dafür nur *neorxna wong;* die Orrm'sche benennung zeigt sich schon im 11./12. jahrh.; die spätere form *paraïs* zeigt deutlicher frz. charakter; für *paradís* kann das Latein noch maassgebend gewesen sein.

passke 'ostern'; das an. *Páskar* passt wegen des *á* nicht; es ist afrz. *paske.*

primmseʒʒnen: Dietr. Behrens, Beitr. z. gesch. der frz. sprache in England s. 41, verweist auf afrz. belege in den Roman. forschungen I, 183 anm.

proféte: das ags. wort dafür ist *witega* = ahd. *wîʒʒago;* Toller führt kein ags. *proféta* auf.

rime 'versmaass' Ded. vv. 44. 101 ist nach Zupitza, A. f. d. a. II, 15 = afrz. *rime.*

scorrcnen 'trocknen, dörren' vv. 1474. 8626 = afrz. *escorcher*.
serrfen 'dienen' aus frz. servir.
skárn (me. *scórn*) vv. 4402. 4876 'hohn' = afrz. *escarn*.
wile hat Zupitza, Trans. Cambr. Phil. 1881/82 s. 253, als das afrz. *guile* erkannt.

Mit dieser liste ist das französische element bei Orrm nicht erschöpft. Man hat bisher viel zu wenig darauf geachtet, dass viele eigennamen im Orrmulum französische, aber nicht angelsächsische lautspuren aufweisen. Wenn der verfasser sich *Orrm* und *Orrmín* nennt, so ist es einseitig, darin nur nordisches zu finden; die bildungsweise *Orrmín* steht nach Napier auf einer stufe mit dem in Zupitza's anm. zu Guy v. 9529 behandelten falle. Und ist sein »bruder« *Wallterr* nicht deutlich mit einem halbfranzösischen namen gekennzeichnet? Die altenglische entsprechung ist ja doch *Wealdere Wealdhere*; vgl. Angl. I, 536. Will man darauf kein gewicht legen, so fallen unbedingt einige biblische eigennamen hierher. Wenn me. *Mathéw*, *Andréw* und *Bartoloméw* (Behrens a. a. o. s. 161) allgemein als französisch gelten, so gilt das gleiche auch von den entsprechenden namensformen im Orrmulum, die sich nicht aus der altenglischen überlieferung rechtfertigen lassen. Orrm nennt *Anndréw*, *Maþéw-Maþþéw*. Elisa ist *Helyséw*; der Jude heisst bei ihm *Judéw* und *Jupéw*, der Pharisäer *Fariséw*, der Saducäer *Saducéw*, Chaldaeus ist *Kaldéw* (in adjectivischer function), und diese endung ist Orrm so geläufig, dass er Galiläa auch *Galiléw* nennt. So kann *Jóhán* (ne. *John*) nicht das ae.-lat. *Johannes* sein; der neuenglische anlaut wie das *á* in Orrm's orthographie sprechen für entlehnung aus dem Französischen. Besonders lehrreich ist die den Angelsachsen ganz und gar nicht geläufige formel *Jesus Críst*; in der allitterationspoesie begegnet auch *Jesus* nicht éinmal, dafür immer nur *Críst* allein. Die ständige verbindung ist erst mittelenglisch und zwar nach französischem vorbild, das sich auch in der aussprache von me. ne. *Jesus* wiederspiegelt. Das häufige *flumm Jorrdán* beruht auf einer festen altfranzösischen verbindung, von der das Angelsächsische nichts weiss. So heisst der hlg. Augustin im Orrmulum *Awwstín (= Austín)*.

Ich glaube nicht, dass man in anbetracht einer solchen fülle von französischen lautspuren Orrm's sprache zu charakterisiren fortfahren darf, wie es ten Brink gethan hat. Ja, man wird noch weiter gehen und französischen einfluss in dingen suchen dürfen, die man bisher zu erklären nicht einmal versucht hat. Jerusalem ist bei Orrm *ʒerrsalém*; in der späteren aussprache ist der anlaut

13*

vom Französischen beeinflusst, wie ten Brink, Angl. I, 552, erinnert. Liegt es da nicht nahe, die unangelsächsische form des Orrmulums aus dem Französischen abzuleiten? Vor allem das *á* (*é*) der endsilbe — wie auch in *Bęþleám* — entfernt die worte von der angelsächsischen aussprache. Für *á* (= *é*) zeigt sich nach Anglia I, 550 später eine so entschiedene vorliebe, z. b. in den endungen von *Socrates, Diogenes, Ercules*, dass man in dieselbe kategorie Orrm's *Móysás* stellen darf. Zu Chaucer's *Daniẹl* stimmen bei Orrm *Rachál, Israél, Michaél, Raphaél, Natanaél, Fanuél, Abél*: abweichend *Ezechill*. Hierher gehören wohl noch Orrm's *Jósẹþ, Elisabáth, Nazaráþ, Jafáþ* [1]). Seltsam ist dagegen *ẹ* in *Nicodẹm*, aber *Eve* (*ẹve*) entspricht der altenglischen tradition. Petrus ist *Pẹter*, wie orthographie und versbau lehren — aber das scheint hinwieder französischer einfluss und nicht altenglischer zu sein.

Auch im consonantismus liegen kriterien zur bestimmung des französischen einflusses, nämlich das *g*-zeichen, das nach Napier a. a. o. in *Egypte* und in *magy* vorliegt.

Ich habe diese erörterung hier mitgetheilt, damit vielleicht ein jüngerer angeregt wird, das biblische eigennamenmaterial des Mittelenglischen und des Altfranzösischen mit einander systematisch zu vergleichen. Ich glaube, dass eine solche untersuchung ebenso sprachlich wie culturgeschichtlich reiche ergebnisse erzielen müsste; in den sonst so wichtigen arbeiten von Behrens und Sturmfels kommen die eigennamen zu kurz weg.

---

[1]) Fr. Neumann weist mich auf die durchaus entsprechende qualität in den provenz. reimen hin bei Orcans in Herrig's archiv 80, s. 318 (Moyzẹs s. 336, Nazarẹth s. 340) hin.

FREIBURG i. Br., Jan. 1896.   F. Kluge.

LORD BYRON ALS ÜBERSETZER.

III[1]).

Verhältniss der übersetzungen zu Byron's stil.

Es ergeben sich hier zwei nicht ganz unwichtige fragen: nämlich 1. Hat Byron in seinen sonstigen werken gedanken aus den übersetzungen verwerthet? und 2. Finden sich analogieen zwischen dem sprachlichen ausdruck, dessen er sich in seinen übersetzungen bedient, und der in seinen selbständigen dichtungen gebrauchten redeweise?

Man könnte vielleicht an dem werthe der hier folgenden erörterungen, namentlich soweit dieselben die zweite frage betreffen, zweifeln, insofern als lord Byron, ebenso wie jeder andere dichter, doch nur über ein gewisses maass von ausdrücken verfüge und darum naturgemäss sich gelegentlich wiederholen müsse. Und diese erwägung ist gewiss berechtigt, soweit es sich um original-dichtungen handelt. Für die übersetzungen aber gewinnt jene frage ein höheres interesse. Man stelle sich vor, wie der dichter nach einem ausdruck rang, um einen gedanken des originaltextes präcise zur darstellung zu bringen, — und wir wissen, dass er gerade hierbei nicht leichtfertig zu werke ging —: mussten sich da nicht seinem geiste von selbst solche wendungen aufdrängen, für die er auch sonst eine besondere vorliebe besass?

Ganz dasselbe gilt auch von den mannigfachen zusätzen verschiedener art, die er, wie wir gesehen haben, in seinen übertragungen anbringt. Derartige lieblingsgedanken und lieblingswendungen festzustellen, soll in diesem abschnitt meine aufgabe sein, und ich hoffe damit einen zwar bescheidenen, aber nicht ganz unbrauchbaren beitrag zur entwickelungsgeschichte von Byron's stil zu liefern. Vollständigkeit lässt sich freilich bei der menge des zu bewältigenden stoffes kaum erzielen und ist wohl nicht von wesentlicher bedeutung. Andererseits ist es freilich auch schwierig, in jedem falle das wesentliche vom unwesentlichen zu scheiden, und gewiss werden dem einen leser diese, dem anderen

---

[1]) Vgl. bd. XXI, p. 384 ff.

jene citate überflüssig erscheinen; das sprachgefühl des einzelnen muss da für jeden fall die entscheidung treffen. Auch die gruppirung verursacht öfters schwierigkeiten. Manches einschlägige hat übrigens bereits Kölbing in den anmerkungen zu seiner ausgabe der Siege of Corinth beigebracht. Bemerken will ich noch, dass ich der bequemlichkeit und übersichtlichkeit halber die beiden grösseren übersetzungen gesondert betrachten und die kleineren zusammenfassen werde. Ich citire hier wie früher nach dem einbändigen Murray'schen texte.

1. Die Nisus-übersetzung und ihr verhältniss zu Byron's stil.

a. Wiederholungen von gedanken, z. th. auch von worten.

v. 2:
Eager to gild his arms with hostile blood;
Original: acerrimus armis:

S. of C., XXV, 2, p. 128 b:
Sabres and swords with blood were gilt;
Das., XXVI, 10, p. 129 a:
But none on a steel more ruddily gilt;

v. 5 f.:
From Ida torn, he left his sylvan cave,
And sought a foreign home, a distant grave.

Vgl. The Adieu, str. 3, 8 ff., p. 534 a:
Why did I quit my Highland cave,
— — — — — — — —
To seek a Sotheron home?

v. 3 f.:
Well skill'd in fight the quivering lance to wield,
Or pour his arrows through th'embattled field:

The Island, II, 2, 21 f., p. 164 b:
they taught us how to wield
The club, and rain our arrows o'er the field:

v. 28:

And drowsy Silence holds her sable reign?

Elegy on Newstead Abbey, str. 24, 3. p. 403 b:
Silence again resumes her awful sway,
Corsair, III, 1, 34, p. 101 a:
The queen of night asserts her silent reign.
Aehnlich To Romance, str. 2, 5, p. 401 b:
While Fancy holds her boundless reign,

v. 32:

The deed, the danger. and the ame be mine,
v. 51:
Fame, fame is cheaply earn'd by fleeting breath:

The death of Calmar and Oria, p. 411 b:
mine be the deed, — and mine alone.
Def. Transf., I, 2, p. 308 b:
In such an enterprise to die is rather
The dawn of an eternal day, than death.
Curse of Minerva, p. 456 b:
With death alone are laurels cheaply bought:

v. 57:

So may I triumph, as I speak the truth,

v. 67:

Whose manly arm may snatch me back by force,

v. 71.

Thy pious care may raise a simple tomb,

v. 77:

Who braved what woman never braved before,

v. 92:

And poised with easy arm his ancient shield

v. 340:

Poising with strength his lifted lance on high,

v. 102:

Our slumbering foes of future conquest dream,

v. 106:

Whose shade securely our design will cloak!

v. 113 f.:

And Latian spoils and purpled heaps of dead
Shall mark the havoc of our hero's tread.

v. 137 f.:

Aeneas and Ascanius may combine
To yield applause

v. 190:

In thee her much-loved child may live again;

v. 222 f.:

but what can prayers avail,

Ode on Venice, III, 24, p. 481 b:
Rights cheaply earn'd with blood.
Satirisch spricht B. über Fame D. I., 1, 219, p. 610 a.
Lara, I, 23, 54 f., p. 112 b:
I gage my life, my falchion to attest
My words, so may I mingle with the blest!«
Sardan., I, 1, p. 246 a:
By the first manly hand which dares to snatch it.
Calm. and Orla, p. 411 b:
Live to raise my stone of moss;

Ch. H., II, 95, v. 3, p. 27 b:
Who did for me what none beside have done,
Child. Recoll., p. 407 b:
High poised in air the massy weapon hung,

Calm. and Orla, p. 411 b:
The sons of Lochlin slept; their dreams were of blood.
S. of C., XIII, 22, p. 124 a:
And yet they fearless dream of spoil;
Werner, II, 2, p. 354 b:
midnight for your mantle;
Vgl. Kölb. zu S. of C., v. 633 ff.
Aehnlich Ch. H., I, 42, v. 5 f., p. 9 a:
when they dare to pave their way
With human hearts
S. of C., X, 10, p. 123 b:
Or pave the path with many a corse,
Giaour, p. 75 a:
With havoc have I mark'd my way:
Engl. B. and Sc. Rev., p. 423 b:
Though Murray with his Miller may combine
To yield thy muse
Calm. and Orla, p. 411 b:
He will rejoice in his boy;

Farewell, str. 1, 1 ff., p. 537 b:
Farewell! if ever fondest prayer

Lost in the murmurs of the sighing
gale?
v. 227:
some slumber who shall wake
no more!

For other's weal avail'd on high,
Mine will not all be lost in air,
S. of C., XIII, 23 f., p. 124a:
where thousands pass'd
A night of sleep, perchance their last,
Umgekehrt Parisina, VI, 7, p. 133b:
When he shall wake to sleep no more,
Def. Transf., I, 2, p. 307b:
upon the eve
of many deaths, it may be of their own.
S. of C., XXVII, 41 ff., p. 129b:
And through his lips the life-blood
oozed,

v. 252:
From the swoll'n veins the blackening
torrents pour;

From its deep veins lately loosed;
Giaour, p. 63a:
Rush the night-prowlers on the
prey;

v. 262:
at dead of night he prowls,

Oscar of Alva, p. 391a:
On foes his deadly vengeance fell.

v. 266 f.:
Nor less the other's deadly vengeance
came,
But falls on feeble crowds without a
name;
v. 274:
Through wine and blood, comming-
ling as they flow,
v. 275:
One feeble spirit seeks the shades
below,

Vgl. Lara, II, 14, 23, p. 117a:
And blood is mingled with the
dashing stream,
Ch. H., I, 6, v. 9, p. 3b:
And e'en for change of scene would seek
the shades below.
Aehnlich Parisina, XV, 7, p. 136a:
The song for the dead below,

v. 344:
By night heaven owns thy sway, by
day the grove,
Original: astrorum decus et nemorum
Latonia custos

Sonst betont B. namentlich den
einfluss des mondes auf ebbe und fluth;
vgl. Kölbing zu S. of C., v. 385—388.

v. 351:
Through parted shades the hurtling
weapon sung;
Original: hasta volans noctis diverberat
umbras

Br. of Abyd., II, 25, 18, p. 87b:
Whose bullet through the night-air
sang,

v. 353:
Transfix'd his heart, and stretch'd
him on the clay:
und v. 272:
Full in his heart, the falchion searched his veins,

Don Juan, VIII, 105, v. 2, p. 694b:
That when the very lance was in his
heart,

v. 355:
Unconscious whence the death,

Giaour, p. 69a:
Unseen the foes that gave the wound,
Child. Recoll., p. 407b:
    unconscious of th'impending
        blow;

v. 372:
All, all was mine, his early fate
    suspend;

Br. of Abyd., I, 3, 24 f., p. 78a:
Know — for the fault, if fault there be,
Was mine,
    Epistle to Augusta, str. 3, 7, p. 471a:
The fault was mine;
    Mar. Fal., V, 1, p. 226b:
Ay, but he must not die! Spare his
    few years,

v. 380 ff.:
As some young rose, whose blossom
    scents the air,

    B. vergleicht auch sonst sterbende
menschen mit blumen:
    D. J., II, 110, v. 6 f., p. 621a:
And like a wither'd lily, on the land
His slender frame and pallid aspect lay,
    Das., II, 176, v. 5, p. 626b:
    like a young flower snapp'd
        from the stalk,

v. 381:
    expires beneath the share;

    D. J., VIII, 43, v. 1 f., p. 688b:
They fell as thick as — — — —
Grass before scythes, or corn below
    the sickle,
Vgl. auch S. of C. XXIII, 13 ff., p. 128a.

v. 390:
Steel, flashing, pours on steel,

    Durch zusammenschlagen der waffen
kennzeichnet B. auch sonst einen hitzi-
gen kampf; so
    Lara, II, 14, 20, p. 117a:
And flash the scimitars, and rings the
    steel;
    Sardan., II, 1, p. 254a:
And grappled with him, clashing steel
    with steel,
    Def. Transf., II, 1, p. 310b:
Now the meeting steel first clashes,
    S. of C., XXVIII, 5, p. 129b:
Clashing swords, and spears transfixing,

v. 394:
In viewless circles wheel'd, his falchion
    flies,

    Corsair, II, 4, 25, p. 97b:
    that sabre's whirling sway

v. 397:
The tyrant's soul fled groaning
    through the wound.
Im original entspricht diesem aus-
druck nichts.

    Byron's helden sterben sonst ohne
seufzer und klagen; so
    S. of C., XXVI, 23 ff., p. 129a:
The hero, silent lying,
Scorns to yield a groan in dying;

Vgl. Kölbing's weitere parallelstellen in seiner anmerkung zu dem
verse.

v. 402 ff.:

S. of C., XXV. 52, p. 128 b:

— if might my verse can claim,

But they live in the verse that immor-
tally saves.

Oscar of Alva, p. 393 a:

The song is glory's chief reward.

Zu vergleichen ist auch D. J., I. 5,
v. 4 f., p. 591 b:

But then they shone not on the poet's
page.

And so have been forgotten:

Das., VIII. 14. v. 5. p. 686 a:

And heroes are but made for bards
to sing.

v. 407.

Engl. Bards and Scotch Rev., p.
424 a:

And vanquish'd millions hail their
empress, Rome!

While awe-struck nations hail'd the
magic name:

b. Einzelne ausdrücke.

a. Substantiva in fester verbindung mit bestimmten adjectiven (ev. participien).

v. 6:

Occas. Pieces, p. 542 a:

And sought a foreign home, a
distant grave.

And I will seek a foreign home;

v. 9:

Parisina, X. 7. p. 134 a:

Her cavalier mien adorn'd the ranks
of Troy.

Her gentle voice — her lovely
mien

v. 11:

Aehnlich Giaour, p. 73 a:

Though few the seasons of his
youthful life,

My days though few, have pass'd
below

Hours of Idl., p. 415 b:

Few are my years, and yet I feel

Cain, III, 1, p. 335 a:

thy soul seems labouring

v. 21:

Labouring soul, with anxious
thought oppress'd.

Aehnlich D. J., II, 67, v. 7, p. 617 a:

Your labouring people think beyond
all question

Occas. Pieces, p. 534 a:

v. 28:

Where Learning robed in sable
reigns,

Gloomy Silence holds her sable
reign?

Hours of Idl., p. 413 b:

Let priests, to spread their sable reign,

Corsair, I, 3, 1, p. 91 a:

promised

a promised prize to Hope!

v. 51:
Fame, fame is cheaply earn'd by
fleeting breath:
Vgl. Transl. from the Medea of
Eurip., V, 6, p. 396b:
May I resign this fleeting breath!

v. 53:
Calm thy bosom's fond alarms,

v. 118:
The distant spires above the valleys
gleam.

v. 141:
By hoary Vesta's sacred fane, I swear.

Hours of Idl., p. 388a:
Has fill'd that breast with fond alarms.
L'amitié est l'amour sans ailes, str. 5,
1, p. 413a:
Seat of my youth! thy distant spire
Hours of Idl., p. 403b:
To flit their vigils in the hoary fane
Occas. Pieces, The Adieu, p. 534a:
Adieu, ye hoary Regal Fanes,
Auch Def. Transf., I, 2, p. 308a:
And her temples so hoary
Ueber hoary als epitheton weiter
unten.
Br. of Abyd., I, 12, 23, p. 81a:
that sacred oath,

v. 205:
Now, by my life! — my sire's most
sacred oath

v. 256:
Half the long night in childish
games was pass'd;

Child. Recoll., p. 405a:
Our tricks of mischief, every childish
game,
Vgl. Hours of Idl., p. 381a:
And spend the hours in childish play.
Corsair, II, 2, 9, p. 96b:
The rising morn will view the chiefs
embark;
S. of C., XXXII, 15, p. 130b:
Massy and deep, a glittering prize,
Br. of Abyd., II, 4, 5, p. 83a:
With cautious steps the thicket
threading,
Engl. Bards and Sc. Rev., p. 424b:
Thou still wilt verseward plod thy
weary way;
Giaour, p. 70a:
my largess shall repay
His — — — weary way.
Hebr. Mel., Destr. of Senn., str. 5,
4, p. 467b:
The lances unlifted, the trumpet
unblown
Vgl. auch Ch. H., I, 73, v. 2, p. 12b:
With milk-white crest, gold spur, and
light-pois'd lance,

v. 285:
Now let us speed, nor tempt the
rising morn.

v. 288:
yet one glittering prize

v. 296:
Then from the tents their cautious
steps they bend,

v. 331:
While lengthening shades his weary
way confound;

v. 340:
Poising with strength his lifted lance
on high

Das., II, 27, 29, p. 88a:
That winds around, and tears the
            quivering heart!
Lara, I, 13, 18, p. 110b:
Rolls wild and wild, each slowly
            quivering limb
The Dream, III, 11, p. 475b:
And with his teeth and quivering
            hands did tear
D. J., II. 60, v. 8, p. 619b:
And gave no sign of life, save his
            limbs quivering.
Das., II, 109, v. 2 f., p. 621a:
But sank again upon his bleeding knee
And quivering hand;
    Zu skill'd vgl. beiläufig Br. of
Abyd., I, 2, 9, p. 77b:
The mind within, well skill'd to hide
    Engl. B. and Sc. Rev., p. 428a:
Skill'd to condemn as to traduce
            mankind,
    Das., p. 430:
Then let Ausonia, skill'd in every part
    Das., p. 431b:
Just skill'd to know the right and
            choose the wrong,
    Dom. Pieces, p. 469b:
Skill'd by a touch to deepen scandal's
            tints

v. 41:
By hoary Vesta's sacred fane,
v. 98:
The elder first address'd the hoary
    band.

Hoary »vor alter grau« ist ein bei
Byron beliebtes epitheton. Er bezeich-
net damit gern alte, ergraute menschen,
alte bauwerke und felsmassen.
    Mar. Fal., I, 2, p. 199b:
Honours and years, these scars, these
            hoary hairs,
    Das., I, 2, p. 201a:
To serve this hoary head;
    Das., III, 2, p. 213a:
Against this solitary hoary head!
    Hours of Idl., p. 393a:
What minstrel gray, what hoary bard,
    Engl. B. and Sc. Rev., p. 430b:
Of hoary marquises and stripling dukes
    Def. Transf., I, 2, p. 308b:
    were those hoary walls
Mountains,

Osc. of Alva, p. 390a:
Where Alva's h o a r y turrets rise,
Engl. B. and Sc. Rev., p. 435 b:
Shall h o a r y Granta call her sable sons,
The Dream, III, 30, p. 475 b:
Ai d ne'er repass'd that h o a r y
            threshold more.
Zahlreiche andere stellen im Don
Juan :
VII, 35, v. 5, p. 680 b:
He was opposed by young and h o a r y,
I, 134, v. 4, p. 603 a:
And the far mountains wax a little
         h o a r y,
Hints from Hor., p. 447 b:
M a t u r e r y e a r s require a little sense.
Vgl. Hours of Idl., p. 405 a:
M a t u r e d by age, the garb of pru-
         dence wears.

v. 119:
Mature in years, for sober wisdom
famed,

Def. Transf., I, 1, p. 303 b:
The g o d l i k e son of the sea-goddess,
Hours of Idl., p. 403 b:
     where g o d l i k e Falkland fall.

v. 124:
Yours is the g o d l i k e act, be yours
the praise;
   Vgl. Transl. from the Prom. Vinct.,
v. 11, p. 381 a:
When placed aloft in g o d l i k e state,
v. 169:
Alike through life esteem'd thou g o d -
l i k e boy,

v. 149:
Two m a s s y tripods, also, shall be
thine;

M a s s y verwendet B. mit vorliebe
als epitheton für steinerne säulen, basen
oder ganze gebäude, weniger oft in dem
hier angegebenen sinne (vgl. Kölbing
zu S. of C., v. 876). Zu den stellen,
die Kölbing anführt, treten noch:
Lara, II, 24, 33, p. 119 a:
A m a s s y fragment smote it,
Parisina, XX, 56, p. 137 b:
The m a s s y trunk the ruin feels,
Pris. of Chill., II, 3, p. 139 a:
There are seven columns, m a s s y and
         grey,
Heaven and Earth, I, 3, p. 242 b:
The forest's trees,
So m a s s y, vast, yet green in their
         old age,
Sardan., II, 1, p. 259 b:
And m a s s y portal;

v. 163 f.:
whose tender years
Are near my own,

v. 176:
One boon I beg, the nearest to my
heart:

v. 195:
Struck with a filial care so deeply
felt,

v. 203:
Fortune an adverse wayward course
may run;
Vgl. Transl. from Anacr., v. 17,
p. 380a:
My wayward lyre

v. 223:
Lost in the murmurs of the sighing
gale?

Cain, III, 1, p. 337b:
yon brand, massy and bloody!
Br. of Abyd., I, 5, 37, p. 78b:
No, nor the blood so near my own.
Mar., Fal. I, 2, p. 200b:
how near unto my heart
The honour of our house must ever be.
Werner, II, 2, p. 357b:
You have harp'd the very string next
to my heart.
The Adieu, str. 6, 1 f., p. 534a:
the scene,
Still nearest to my breast?
Vgl. Pr. of Chill., VII, 1, p. 140a:
I said nearer brother pined,
und Kölbing's anmerkung zu der stelle.
Mar., Fal., I, 2, p. 203b:
But will regard thee with a filial
feeling.
Ch. H., I, 82, v. 3, p. 13b:
his wayward bosom
Das., II, 30, v. 6, p. 19b:
This wayward loveless heart,
Giaour, p. 72a:
wayward deeds,
Br. of Abyd., I, 5, 28, p. 78b:
this wayward boy
Parisina, VI, 23, p. 133b:
his wayward youth,
Werner, IV, 1, p. 368a:
my wayward fate,
Hints from Hor., p. 447b:
wayward voices,
Occas. Pieces, p. 536a:
wayward fates
Child. Recoll., p. 406a:
The sighing woods that hide their
nameless grave.
S. of C., XV, 18, p. 124b:
The very gale their names seemed
sighing:
Man vergleiche ferner:
Ch. H., I, 13, str. 1, 3, p. 4b:
The Night-winds sigh,
Das., I, 62, v. 8, p. 11a:
Some gentle spirit — — —
Sighs in the gale,

Das., II, 55, v. 9, p. 22a:
Swelling the breeze that sigh'd along
                    the lengthening glen
Lara, II, 1, p. 114a:
Nor gale breathe forth one sigh for thee,
S. of C., XIX, 14, p. 126a:
As he heard the night-wind sigh.
Der wind erhält ähnliche epitheta:
The Island, II, 18, 4, p. 168a:
No dying night-breeze, harping o'er
                    the hill,
Vgl. Kölbing zu S. of C., v. 225.
Osc. of Alva, p. 391a:
          the murmering gale,
Engl. B. and Sc. Rev., p. 428a:
Low groan'd the startled whirlwinds
                    of the north
Occas. Pieces, p. 542a:
Loud sings on high the fresh'ning
                    blast,

v. 238:
And pierced proud Rhamnes through
          his panting breast;

Ch. H., III, 110, v. 7, p. 40b:
The fount at which the panting mind
Giaour, p. 67a:
With panting heart and tearful eye:

v. 260:
In slaughter'd fold,

S. of C., XXIX, 13, p. 130a:
The ranks unthinned, though slaught-
                    ered still;
Mazeppa, I, 3, p. 154a:
Around a slaughter'd army lay,
D J., VIII, 91, v. 2, p. 692b:
Thousands of slaughter'd men,
Corsair, II. 4, 46, p. 97b:
A glutted tiger mangling in his lair!

v. 263:
With murder glutted,
v. 267:
     on feeble crowds without a
          name;

Giaour, p. 65b:
Woe without name,
Aehnlich das., p. 64a:
               a nameless pyramid,
Das., p. 71b:
For in it lurks that nameless spell,
The Two Foscari, III, 1, p. 286b:
               or the meanest,
Without a name, is nothing,
Child. Recoll., p. 406a:
The sighing weeds that hide their
               nameless grave.
Werner, I, 1, p. 343a:
               in a nameless grave,

Engl. B. and Sc. Rev., p. 436b:
My page, though nameless never
disavow'd;

Hebr. Mel., When Coldness etc.,
str. 4, 7, p. 466a:
A nameless and eternal thing,
A Sketch, v. 16, p. 469a:
As many a nameless slander deftly
shows:

v. 307:
Sheds forth a silver radiance glancing
bright,

Aehnlich Occas. Pieces, p. 544b:
Through cloudless skies, in silvery
sheen,
Full beams the moon

v. 341:
On Luna's orb he cast his frenzied
eye:

Ch. H., III, 80, v. 6, p. 37:
But he was phrensied,
Occas. Pieces, p. 558a:
And she look'd to heaven with that
frenzied air,

v. 345:
chaste Dian

D. J., XVI, 13, v. 3, p. 752a:
the chaste orb shone
Das., I, 113, v. 3, p. 601a: they
Who call'd her chaste, methinks,
began too soon
Their nomenclature;

v. 350:
the hissing dart he flung;

S. of C., II, 18, p. 122a:
Wings the far hissing globe of death;
Giaour, p. 69b:
The death shot hissing from afar;
Hours of Idl., p. 388a:
Doubtless, sweet girl! the hissing
lead,

v. 351:
Through parted shades the hurtling
weapon sung;

Heaven and Earth, 1, 1, p. 234a:
Their bright way through the parted
night.
Hours of Idl., p. 388a:
And hurtling o'er thy lovely head,
Ein beliebtes fluchwort Byron's,

v. 361:
Thou youth accurst,

Manfred, I, 1, p. 178a:
Accursed! what have I to do with
days?
Mar. Fal., IV, 1, p. 219a:
On the accursed tyranny which rides
Def. Transf., II, 3, p. 313b:
Accursed jackals!
The Two Foscari, II, 1, p. 286b:
Accursed be the city where the laws
Would stifle nature's!

Werner, III, 1, p. 360b:

Accursed

Be he who is the stifling cause   .

Corsair, II, 4, 54, p. 97a:

Accursed Dervise!

v. 370:

Ye starry spheres!

The Island, II, 11, 17, p. 166b:

O'er whose blue bosom rose the starry
isles;

Hebr. Mel., She walks in b., str. 1,
2, p. 463a:

Of cloudless climes and starry skies;

v. 379:

And sanguine torrents mantle o'er
his breast:

v. 385:

And lingering beauty hovers round
the dead.

S. of. C., I, 18, p. 121b:

That sanguine ocean would o'erflow

Vgl. Kölb. zu S. of C., v. 18.

Ch. H., II, 60, v. 3, p. 22b:

But when the lingering twilight hour
was past,

D. J., I, 180, v. 5, p. 606b:

He stood like Adam lingering near
his garden,

Vgl. Giaour., p. 63b:

Have swept the lines where beauty
lingers,

Das., p. 66b:

There lingers Life, though but in
one —

v. 393:

Nor wounds, nor death distracted
Nisus heeds;

v. 396:

Deep in his throat its end the weapon
found,

Vgl. Translat. from Anacr., v. 44,
p. 380b:

Deep in my tortured heart it lies;

v. 397:

The tyrant's soul fled groaning
through the wound.

Corsair, II, 4, 12, p. 97b:

Distracted, to and fro, the flying
slaves

S. of C., XVII, 4, p. 125b:

Deep in the tide of their warm blood
lying,

D. J., I, 195, v. 4, p. 607b:

My shame and sorrow deep in my
heart's core:

Vgl. anm. p. 187 unten.

Ferner Sardan., I, 2, p. 249a:

and glide

Ungroaning to the tomb:

Corsair, II, 4, 42 f., p. 97b:

and the din

Of groaning victims

D. J., VIII, 11, v. 3, p. 686a:

Amidst some groaning thousands
dying near,

v. 400:

Then on his bosom sought his wonted
place,

S. of C., VIII, 7, p. 123a:

Her wonted smiles were seen to fail,

Vgl. v. 126:
And Ilion's w o n t e d glories still
survive.
Vgl. Adrian's Address, v. 5, p. 379a:
No more with w o n t e d humour gay,
Transl. from Anacr., v. 37, p. 380b:
Scarce had he felt his w o n t e d glow,

Das., XI, 26, p. 123b:
In midnight call to w o n t e d prayer;
Lara, I, 27, 37, p. 113b:
Unless 't was Lara's w o n t e d voice
that spake,

γ. Gebrauch des comparativs.

v. 156:
Which Turnus guides with m o r e
than mortal speed,

Ch. H., IV, 84, v. 2 f., p. 51a:
which made
Thee m o r e t h a n mortal?
Das., IV, 100, v. 9, p. 52b:
Placed to commemorate a m o r e t h a n
m o r t a l lot?
Hours of Idl., p. 386b:
Love, m o r e t h a n m o r t a l, would
be thine.
Lament of Tasso, VIII, 19, p. 480a:
Was m o r e or l e s s than m o r t a l,
Proph. of Dante, I, 111, p. 498b:
Who long have suffer'd m o r e t h a n
m o r t a l woe,
Ch. H., IV, 115, v. 7, p. 54b:
Who found a m o r e t h a n common
votary there
Corsair, III, 6, 31, p. 103a:
And m o r e t h a n doubtful paradise
Lara, II, 24, 26, p. 119a:
And slung them with a m o r e t h a n
common care.
The Two Foscari, I, 1, p. 278a:
With m o r e t h a n Roman fortitude,

v. 297:
To seek the vale where s a f e r paths
extend.

Ch. H., I, 70, v. 2, p. 12a:
Others along the s a f e r turnpike fly;
Giaour, p. 64b:
Till Port Leone's s a f e r shore
Aehnlich Parisina, I, 9 f., p. 132b:
And on the wave is deeper blue,
And on the leaf a browner hue,
Corsair, III, 1. 54, p. 101b:
That frown where gentler ocean seems
to smile.
Das., I, 14, str. 4, v. 52, p. 94a:
nerve thy gentler heart:

v. 258:
Ah! h a p p i e r far had he the morn
survey'd,

Lara, I, 18, 41, p. 111b:
Ah! h a p p i e r if it ne'er with guilt
had glow'd,

14*

ð. Verb mit object oder subject mit verb.

v. 3:
the quivering lance to wield,
v. 91:
the lance he well could wield,
Vgl: auch Morgante Maggiore,
LXXXII, v. 1, p. 495 b:
But to bear arms, and wield the
lance;

Von waffen sagt Byron noch oft so,
Ch. H. I, 37, v. 3, p. 8 b:
But wields not, as of old, her thirsty
lance,
S. of C., III, 18, p. 122 a:
To point the tube, the lance to wield,
Aehnlich Ch. H., III, 57, v. 8, p. 34 b:
On such as wield her weapons;
Corsair, II, 15, 11, p. 100 b:
That weapon of her weakness she can
wield,
The Island, IV, 10, 22, p. 173 b:
Against the arms which must be
wielded here?
Hours of Idl., p. 403 b:
Unconquer'd still, his falchion there he
wields,
Engl. B. and Sc. Rev., p. 428 b:
Herbert shall wield Thor's hammer,
D. J., VII, 79, v. 3 f., p. 684 a:
By merely wielding with poetic arm
Arms
Das., VIII, 2, v. 1 f., p. 685 a:
the fire, the sword, the men
To wield them

v. 70:
If in the spoiler's power my ashes
lie,

Hours of Idl., p. 377 b:
The spot where now thy mouldering
ashes lie,
Aehnlich Ch. H., IV, 9, v. 1 f., p. 43 a:
and should I lay
My ashes in a soil which is not mine,

v. 82:
Roused by their call, nor court
again repose;

S. of C., XIII, 16, p. 124 a:
His form in courtship of repose;
Aehnlich Mar. Fal., IV, 1, p. 217 a:
and will woo my pillow
For thoughts more tranquil, or forget-
fulness.

v. 109:
Where Pallas' walls at distance meet
the sight,
Vgl. Transl. from Anacr., v. 26,
p. 380 b:
Young Love, the infant, met my sight;

Corsair, I, 4, 45 f., p. 94 a:
the mast
That met my sight
The Island, IV, 10, 14, p. 173 b:
For the first further rock which met
their sight
Hours of Idl., p. 385 b:
What scene is this which meets the
eye?

Br. of Abyd., I, 13, 69, p. 81b:
I tremble now to meet his eye —
Engl. B. and Sc. Rev., p. 428:
When Little's leadless pistol met his
eye,
Werner, V, 1, p. 372a:
The moment my eye met his,
D. J., III, 31, v. 3, p. 632a:
Pilaus and meats of all sorts met the
gaze,
Das., IV, 62, v. 4, p. 646b:
since whatsoever met her view

v. 125:
In gallant youth my fainting hopes
revive,

Corsair, III, 24, 9, p. 107a:
Their hope revives — they follow
o'er the main.
Hours of Idl., p. 391b:
His hope now droop'd and now
revived,

v. 129:
With tears the burning cheek of
each bedew'd,

Hours of Idl., p. 381a:
For this these tears our cheeks
bedew;

v. 133:
Our deities the first best boon have
given

Ch. H., II, 4, v. 3, p. 16b:
Is this a boon so kindly given,

v. 157:
no envious lot shall then be
cast,

Mar. Fal., IV, 2, p. 222b:
Who have cast lots for the first death,
D. J., III, 79, v. 5, p. 636a:
For some few years his lot had been
o'ercast
Das., XII, 69, v. 3, p. 724b:
Than the more glowing dames whose
lot is cast

v. 158:
I pledge my word, irrevocably
past:

Lara, II, 3, 13, p. 114b:
The word I pledged for his I pledge
again,
Aehnlich D. J., IV, 42, v. 6. p.
644b:
I have pledged my faith;

v. 160:
To soothe thy softer hours with
amorous flames,

Mar. Fal., IV, 1, p. 217b:
How sweet and soothing is this
hour of calm!
Hours of Idl., p. 418b:
Oft have I thought, 't would soothe
my dying hour,
Hierzu stellt sich
Hours of Idl., p. 377b:
Though none, like thee, his dying
hour will cheer,

v. 161:
And all the realms which now the
Latins sway,

Sardan., I, 2, p. 248a:
                              to the realm
Which she once sway'd and thou
                    might'st sway,

v. 232:
for deeds of blood prepare,

Ch. H., I, 73, v. 3, p. 12b:
Four cavaliers prepare for venturous
                    deeds,

v. 236:
I'll carve our passage through the
heedless foe,

Giaour, p. 73a:
To such let others carve their way,
Aehnlich Sardan., III, 1, p. 260a:
We have cut the way short to it,
The Island, III, 8, 6, p. 170b:
Her heart on Torquil's like a torrent
                    pour'd:

v. 252:
From the swoll'n veins the blackening
torrents pour;
Aehnlich Transl. from Vittorelli,
v. 13, p. 568b:
the swoln flood of bitterness I pour,
Transl. from Filicaja, in Ch. H., IV,
43, v. 4 f., p. 46b::
Would not be seen the armed torrents
pour'd
Down the deep Alps;

v. 296:
their cautious steps they bend
Vgl. v. 276:
Now where Messapus dwelt they bend
their way,
sowie v. 108:
We'll bend our course

Ch. H., III, 109, v. 7 f., p. 40a:
                    as my steps I bend
To their most great and growing
                    region,
Heaven and Earth, I, 2, p. 235a:
    but, as I fear, to bend his steps
Aehnlich S. of C., XXVIII, 18,
p. 129b:
Thither bending sternly back,
Mazeppa, IV, 38, p. 155a:

v. 319:
To where Latinus' steeds in safety
graze,
Vgl. v. 278:
each grazing steed,

Before our steeds may graze at ease
Das., XX, 17, p. 161b:
May see our coursers graze at ease
Aehnlich The Dream, IV, 15,
p. 475b:
Stood camels grazing,

v. 325:
Tumultuous voices swell the passing
breeze;

Ch. H., II, 55, v. 9, p. 22a:
Swelling the breeze that sigh'd
                    along the lengthening glen.
Aehnlich Giaour, p. 66a:
The last sad note that swell'd the gale
Giaour, p. 64b:

v. 327:
Wake the dark echoes of the
trembling ground,

The cavern'd echoes wake around
Lara, I, 21, 4, p. 112a:
Whose steps of lightness woke no
                    echo there:

Das., I, 25, 14, p. 113a:

Awake their absent echoes in his ear,

Ch. H., IV, 75, v. 5 f., p. 50a:

         and awake

The hills with Latian echoes;

v. 341:

On Luna's orb he cast his frenzied eye:

The Island, III, 4, 29, p. 170a:

Then cast his eyes on his companions

Curse of Minerva, p. 455a:

On giant statues casts the curious eye;

D. J., I, 179, v. 6, p. 606a:

And cast their languid eyes down,

Das., II, 195, v. 5, p. 627b:

And now and then her eye to heaven is cast,

v. 361:

thy life shall pay for all!

D. J., IV, 73, v. 5, p. 647b:

If she loved rashly, her life paid for wrong

v. 367:

And pour these accents shrieking as he flies:

v. 369:

Here sheathe the steel,

Vgl. Ch. H., I, 13, v. 9, p. 4b:

Thus to the elements he pour'd his last »Good-Night«.

Giaour, p. 69a:

With steel unsheath'd and carbine bent,

Aehnlich Sardan., II, 1, p. 255b:

         Then sheathe

Your words.

v. 377:

the snowy bosom gored;

Ch. H., II, 15, v. 8, p. 18a:

And once again thy hapless bosom gored,

Vgl. Kölb. zur S. of C., v. 681, wonach gore in der bedeutung 'bluten' nicht nachzuweisen wäre.

v. 386:

But fiery Nisus stems the battle's tide,
   Aehnlich Transl. from the Medea, I, 3 f., p. 396b:

What mind can stem the stormy surge
Which rolls the tide of human woe?

Ch. H., III, 75, v. 5 f., p. 36b:

        and stem

A tide of suffering,

Hours of Idl., p. 406b:

And thus our former rulers stemm'd the tide,

Corsair, II, 11, 23, p. 99a:

One hour beheld him since the tide he stemm'd

Corsair, I, 16, 24, p. 95a:

That mute adieu to those who stem the surge;

Vgl. D. J., XIV, 18, v. 7, f. p. 737a:

Witness those »ci-devant jeunes hommes« who stem the stream,

v. 389:

Volscens must soon a p p e a s e his comrade's g h o s t;

Hours of Idl., p. 408 a, ält. lesart:
    but unfit to s t e m the storm.
Engl. B. and Sc. Rev., p. 433 a:
Stemm'd the rude storm and triumph'd
    over fate:
Ch. H., I, 56, v. 5, p. 10 b:
Who can a p p e a s e like her a lover's
    g h o s t?
Aehnlich S. of C., XXV, 13, p.
128 b:
If shades by carnage be a p p e a s e d,
    Corsair, III, 4, 6, p. 102 a:
Will save him living, or a p p e a s e
    him d e a d.

s. Charakteristische verben.

v. 18:

And now c o m b i n e d they hold their
    nightly guard.
Vgl. v. 137:
Aeneas and Ascanius shall c o m b i n e
sowie v. 230:
Bacchus and Mars to rule the camp
    c o m b i n e;

v. 46:

I t r a c k'd Aeneas through the walks
    of fate:

Engl. B. and Sc. Rev., p. 423 b:
Though Murray with his Miller may
    c o m b i n e
D. J., X, 16, v. 3, p. 705 b:
As far as rhyme and criticism c o m b i n e

The Island, IV, 9, 9, p. 173 a:
    in t r a c k i n g fast his ocean prey,
Sardan., III, 1, p. 260 a:
And not gone t r a c k i n g it through
    human ashes,
Def. Transf., II, 3, p. 313 b:
    You lie, I t r a c k'd her first;
Werner, II, 1, p. 352 b:
                        The father whom
For years I've t r a c k'd,
    Das., III, 1, p. 359 b:
But there's another whom he t r a c k s
    more keenly,
D. J., VIII, 17, v. 2, p. 686 b:
To t r a c k our hero on his path of
    fame:

v. 67:

Whose manly arm may s n a t c h me
    back by force,

Heaven and Earth, I, 3, p. 235 b:
To s n a t c h the loveliest of earth's
                        daughters from
A doom
    Cain, III, 1, p. 337 b:
                        yon brand,
    s n a t c h'd from off the altar,
D. J., VIII, 28, v. 7, p. 687 a:

In courage, was obliged to snatch
a shield,

Das., VIII, 84, v. 1 f., p. 692a:
the foot

Of a foe o'er him, snatch'd at it,

Das., XIV, 1, v. 2, p. 735b:
we could but snatch a certainty,

v. 74:
Her only boy, reclined in endless
sleep?

Sardan., I, 2, p. 252b:
How many a day and moon thou hast
reclined

Within these palace walls
Hours of Idl., p. 376b:

Within this narrow cell reclines her
clay,

Das., p. 386a:
As reclining, at eve, on yon tomb-
stone I lay:

Aehnlich das., p. 377b:
Where this frail form composed in
endless rest,

v. 83:
The pair, buoy'd up on Hope's
exulting wing,

The Two Foscari, III, 1, p. 288a:
In my native air that buoy'd my
spirits up

Cain, II, 2, p. 329b:
My spirit buoys thee up to breathe
in regions

The Blues, II, p. 511a:
I feel so elastic — »so buoyant,
so buoyantl«

v. 86:
And lull'd alike the cares of brute
and man;

Corsair, III, 22, 8, p. 106b:
And stupor almost lull'd it into rest;

D. J., I, 123, v. 6, p. 602a:
Or lull'd by falling waters;

Das., II, 68, v. 5, p. 617a:
Lull'd them like turtles sleeping on
the blue

Of Ocean,

Das., VIII, 91, v. 8, p. 692b:
Amidst the bodies lull'd in bloody rest,

Das., XIII, 4, v. 5 f., p. 727a:
Because indifference begins to lull
Our passions,

v. 88:
and their plans unfold,

Manfred, I, 1, p. 177a:
To the Spirit of Ocean
Thy wishes unfold!

Mar. Fal., III, 2, p. 212b:
Now
Let him unfold himself.

Hints from Hor., p. 442a:
While varying man and varying years
                                                unfold
Life's little tale,
    Curse of Minerva, p. 453b:
Again his waves in milder tints unfold
Their long expanse
    Corsair, I, 17, 32, p. 95b:
And there unfolds his plan
    Cain, II, 2, p. 328a:
He one day will unfold that further
                                                secret.
    Br. of Abyd., XX, 78 ff., p. 86b:
                          when death or woe
Or even Disgrace, would lay her Iover
                                                low

v. 171:
No day shall shame
The rising glories

Sunk in the lap of Luxury will shame —
Away suspicion! — not Zuleika's name!
    Sardan., I, 2, p. 249a:
Which shames both them and thee
                                        to coming ages.
    Das., IV, 1, p. 267b:
Shame not our blood with trembling,
    The Two Foscari, III, 1, p. 287b:
Or with a cry which rather shames
                                        my judges
    Ode to Nap. Bon., p. 461b:
To shame the world again
    Corsair, I, 1, 28, p. 101a:
The land, where Phoebus never
                                        frown'd before;

v. 173:

Fortune may favour, or the skies may
                                        frown,
Transl. from the Prom. Vinct., v. 16,
p. 381a:
    nor Iove relentless frown'd,

    S. of C., XXI, 63, p. 127a:
From the shadowy wall where their
                                        images frown;
    D. J., I, 112, v. 7, p. 601a:
She blush'd, and frown'd not, but
                                        she strove to speak,
    Das., XIII, 59, v. 5, p. 731a:
The first yet frown'd superbly o'er
                                        the soil,
    Das., XIV, 44, v. 2, p. 739a:
The misses bridled, and the matrons
                                        frown'd;

v. 225:
they wheel their wary flight.

    Giaour, p. 65a:
A moment check'd his wheeling steed,
    S. of C., II, 12, p. 122a:
And there his steed the Tartar wheels;

Calm. and Orla, p. 411 b:
Lightly w h e e l the heroes through the
slumbering band.

v. 262:
at dead of night he p r o w l s,

Werner, V, 1, p. 374 a:
Wolves p r o w l in company.

Engl. B. and Sc. Rev., p. 427 b:
Of northern wolves, that still in darkness p r o w l;

Curse of Minerva, p. 454 a:
Next p r o w l s the wolf,

Das., p. 455 b:
and yonder Rapine p r o w l s.

Aehnlich Giaour, p. 63 a:
Rush the n i g h t - p r o w l e r s on the
prey,

v. 348:
to pierce yon v a u n t i n g crowd,

Ch. H., p. 5 b, ält. lesart:
Of which our v a u n t i n g voyagers oft
have told,

Br. of Abyd., I, 12, 39, p. 81 a:
though little apt to v a u n t,

D. J., X, 34, v. 3, p. 707 a:
Loud as the virtues thou doest loudly
v a u n t,

Das., XIV, 55, v. 1, p. 739 b:
At sixteen she came out; presented,
v a u n t e d,

v. 355 f.:
with horror g a z e.
While pale they s t a r e, through Tagus'
temples riven,
v. 368:
your vengeance h u r l on me alone;
Vgl. Transl. from Hor., II, 7,
p. 380 a:
In vast promiscuous ruin h u r l'd,

D. J., XVI, 23, v: 3, p. 753 a:
And Juan g a z e d upon it with a s t a r e,

Br. of Abyd.. I, 4, 6, p. 78 a:
And b u r l the dart, and curb the steed,

The Island, IV, 7, 13, p. 172 b:
The buttress from some mountain's
bosom h u r l'd,

Child. Recoll., p. 405 b:
To h u r l defiance on a secret foe;

D. J., VIII, 8, v. 3, f. p. 685 b:
to their foes
h u r l i n g defiance:

Das., VIII, 118, v. 3, p. 694 b:
As carelessly as h u r l s the moth her wing

v. 385
And lingering beauty h o v e r s round
the dead.

S. of C., XIV, 20, p. 124 b:
In texture like a h o v e r i n g shroud,

D. J., IV, 3, v. 7, p. 641 a:
And the sad truth which h o v e r s o'er
my desk

Vgl. Morgante Maggiore, XX, v. 6, p. 487 b :
And Alabaster and Morgante hover
Second and third,

Das., VI, 64, v. 3, p. 673 a :
And slumber hover'd o'er each lovely limb

Das., VII, 56, v. 3, p. 682 b :
Some Cossacques, hovering like hawks round a hill,

Das., IX, 51, v. 3, f. p. 701 b :
a value on
Which hovers oft about some married beauties,

Das., XI, 24, v. 7, p. 713 b :
In shape of moonshine hovers o'er the pile

Calm. and Orla, p. 411 a :
and hovers on the blast of the mountain.

v. 391 :
Rage nerves his arm

Corsair, II, 11, 16, p. 99 a :
More need of rest to nerve me for the day !

S. of C., XII, 9 f., p. 123 b :
and he hath need
Of rest, to nerve for many a deed

The Two Foscari, I, 1, p. 280 b :
he hath nerved himself,
And now defies them.

Das., III, 2, p. 287 b :
The mind
Hath nerved me to endure the risk of death,

Oscar of Alva, p. 393 a :
Ambition nerved young Allan's hand,

ζ. Verben verbunden mit adverbien und adverbialen oder attributiven bestimmungen.

v. 13 :
'T was his, with beauty, valour's gifts to share

Von dieser sehr beliebten ausdrucks-weise Byron's nur einige beispiele:

Ch. H., III, 108, v. 3, p. 40 a :
It is not ours to judge,

v. 24 :
Be 't mine to seek for glory with my sword.

Das., IV, 39, v. 1 f., p. 46 a :
't was his
In Life and Death to be the mark

Br. of Abyd., II, 20, 64, p. 86 a :
't is mine our horde again to guide ;

The Island, I, 9, 9, p. 163 b :
But 't is not mine to tell their tale of grief,

Werner, IV, 1, p. 364b:
But what beyond 't is not ours to
pronounce.
Calm. and Orla, p. 412a:
— 't is mine to heal the wounds of
heroes.
Hours of Idl., p. 415a:
'T was thine to break the bonds of
loving.
Engl. B. and Sc. Rev., p. 421b:
With all the pages which 't was thine
to write.
To Thyrza, str. 6, v. 2, p. 549b:
'T was thine to reck of human woe,
D. J., XVI, lied, str. 3, v. 1 f., p. 754a:
And whether for good, or whether
for ill,
It is not mine to say;

v. 25:
Seest thou yon camp, with torches
twinkling dim,

Vgl. Hours of Idl., p. 387a:
Would twinkle dimly through their
sphere.
Child. Recoll., p. 404b:
And dimly twinkles o'er the watery
plain;
Vgl. Calm. and Orla, p. 411b:
The dying blaze of oak dim twinkles
through the night.
Aehnliche ausdrucksweisen:
Werner, V, 1, p. 372b:
Through distant crannies, of a twinkl-
ing light:
D. J., VI, 24, v. 6, p. 670a:
and look vainly for
Its twinkle through the lattice dusky
quite

v. 62:
Should lay the friend who ever loved
thee low,
Auch Morg. Magg., XXXIV, v. 5,
p. 489b:
'T was but by treachery thou laid'st
me low.

Ebenfalls ein lieblingsausdruck
Byron's:
Ch. H., II, 76, v. 5:
True, they may lay your proud des-
poilers low,
Giaour, p. 73b:
But true to me, I laid him low:
Oscar of Alva, p. 391b:
She thought that Oscar low was laid.
Hours of Idl., p. 399b:
But he raises the foe when in battle
laid low,

Engl. B. and Sc. Rev., p. 434a:
And help'd to plant the wound that
laid thee low:

Hebr. Melod., Jephta's d., str. 2,
v. 3, p. 464b:
If the hand that I love lay me low.

Vision of Judgment, X, 6, p. 516a:
And when the gorgeous coffin was
laid low,

To Thyrza, str. 1, v. 4, p. 549a:
Ah! wherefore art thou lowly laid?

v. 65:
When humbled in the dust,

The Adieu, str. 8, v. 9, p. 534b:
To humble in the dust my face,

v. 343:
Queen of the sky, whose beams are
seen afar!

Oscar of Alva, p. 390a:
And gray her towers are seen afar;

Vgl. v. 41:
Am I by thee despised, and left afar,

Calm. and Orla, p. 411b:
Wilt thou leave thy friend afar?

v. 367:
shrieking as he flies:

Proph. of Dante, VI, 82, p. 500a:
Vow'd to their God, have shrieking
fled,

η. Substantiv verbunden mit einem zweiten, von ihm abhängigen.

v. 42:
As one unfit to share the toils of
war?

Ch. H., II, 65, v. 4, p. 23b:
Who can so well the toil of war
endure?

Mar. Fal., IV. 2, p. 221a:
The toils and dangers of a life of
war.

v. 58:
And clasp again the comrade of
my youth!

Hours of Idl., p. 384a:
Or if, amidst the comrades of thy
youth,

v. 108:
We'll bend our course to yonder
mountain's brow,

Ch. H., I, 23, v. 2, p. 6b:
Beneath yon mountain's ever beaut-
eous brow:

Vgl. Morg. Magg., XX, v. 3, p.
487b:

under cover
Of a great mountain's brow the
abbey stood,

Giaour, p. 70a:
yon Tartar now
Has gain'd our nearest mountain's
brow,

Aehnlich S. of C., XIV, 7 f., p.
124b:
and, on the brow
Of Delphi's hill, unshaken snow,

v. 148:
Nor left such bowls an Argive robber's
prey:

Ch. H., II, 14, v. 7, p. 18a:
To scare a second robber from his
prey?

Aehnlich Occas. Pieces, p. 535a:
Nor fall the specious spoiler's prey.

Ch. H., I, 90, v. 8, p. 15a:
Ere the Frank robber turn him from his spoil,

v. 265:

In seas of gore the lordly tyrant foams.
Vgl. Greek War Song, v. 36, p. 547a:
Expired in seas of blood.

D. J., VIII, 3, v. 8, p. 685a:
than shedding seas of gore.
Aehnliche ausdrucksweisen:
Occas. Pieces, p. 562a:
In imperial seas of slaughter!
D. J., VII, 50, v. 7, p. 682a:
For glory gaping o'er a sea of slaughter:
Das., VIII, 122, v. 8, p. 695a:
back in blood, the sea of slaughter
Vgl. Sardan., I, 2, p. 250b:
'T is true I have not shed
Blood as I might have done, in oceans,
Das., I, 2, p. 248b:
That he shed blood by oceans;
S. of C., I, 17, p. 121b:
The stream of slaughter as it sank,
Das., III, 6, p. 122a:
Triumphant in the fields of blood;

v. 311:

Trusting the covert of the night,

Dazu stellt sich Mazeppa, XV, 6, p. 159a:
Spreads through she shadow of the night,
Cain, III, 1, p. 338a:
Under the cloud of night,

v. 341:

On Luna's orb he cast his frenzied eye:

v. 403:

Wafted on Time's broad pinion,

Curse of Minerva, p. 453b:
Hours roll'd along, and Dian's orb on high
Erinnert an Hours of Idl., p. 414a:
Yes, I will hope that Time's broad wing,
sowie an Occas. Pieces, p. 554b:
Time! on whose arbitrary wing,

ϑ. Coordinirte substantiva.

v. 86:

And lull'd alike the cares of brute and man;

Mazeppa, III, 7, p. 154b:
For danger levels man and brute,
Das., XVII, 5 ff., p. 159b:
Man nor brute,

— — — — — — — — — — —

Lay in the wild luxuriant soil;

ι. Einzelne substantiva.

v. 12:

As yet a novice in the martial strife,

Child. Recoll., p. 409a, ält. lesung:
yet a novice in the mimic art,
D. J., VIII, 36, v. 2, p. 688a:

Except Don Juan, a mere n o v i c e,
>> Das., XII, 23, v. 6, p. 721 a:

Thou art no n o v i c e in the headlong
>> chase
>> Das., XII, 67, v. 1 f., p. 724 b:

Juan, who did not stand in the pre-
>> dicament

Of a mere n o v i c e,

v. 80:
it scorns c o n t r o l!
>> Oscar of Alva, p. 390 b:

Allan had early learn'd c o n t r o l,
>> Br. of Abyd., I, 12, 48, p. 81 a:

Holds not a Musselim's c o n t r o l:
>> Parisina, XIII, 75, p. 135 a:

For that, like thine, abhorr'd c o n t r o l:
>> D. J., I, 82, v. 6, p. 598 b:

With any kind of troublesome c o n t r o l;
>> Das., XIV, 102, v. 6, p. 743 a:

Of those who hold the kingdoms in
>> c o n t r o l!

Vgl. auch Transl. from Hor., p. 380 a:

No factious clamours can c o n t r o l;
>> Aehnlich D. J., I, 116, v. 4 f., p. 601 b:

Your system feigns o'er the c o n t r o l l e s s
>> core

Of human hearts,

v. 111:
Then shall Aeneas in his p r i d e return,
>> Giaour, p. 636:

There passion riots in her p r i d e,
>> Mar. Fal., II, 1, p. 206 b:

I had the p r i d e of honour, of your
>> honour,
>> Heaven and Earth, I, 3, p. 236 b:

Yet walk the world in p r i d e,
>> The Two Foscari, I, 1, p. 278 b:
>> in the p r i d e of strength;
>> D. J., I, 195, v. 1, p. 607 b:

You will proceed in pleasure, and in
>> p r i d e,
>> Das., III, 61, v. 4, p. 634 b:

And wassail in their beauty and their
>> p r i d e:

v. 114:
Shall m a r k the h a v o c of our hero's
tread.
>> Giaour, p. 75 a:

With h a v o c have I m a r k'd my way:
>> Ch. H., I, 40, v. 9, p. 9 a:

And H a v o c scarce for joy can number
>> their array.
>> Lara, VI, 8, 8, p. 115 b:

New h a v o c, such as civil discord
>> blends,

Manfred, II, 2, p. 184a:
But I saved him to wreak further
          h a v o c for me!
The Two Foscari, IV, 1, p. 294b:
          although narrow'd
To private h a v o c ,

v. 176:
One b o o n I beg,
          Mar. Fal., IV, 1, p. 218a:
          A b o o n , my noble patron;
Vgl. v. 133:
          The Two Foscari, III, 1, p. 290a:
Our deities the first best b o o n have   For the only b o o n I would have
          given   ask'd or taken
v. 283:
          Corsair, III, 1, 20, p. 101a:
Full foes enough to-night have breathed   here thy Wisest look'd his l a s t .
          their l a s t :
v. 403:
          D. J., III, 73, v. 7 f., p. 635b:
Time's broad p i n i o n ,   whene'er some Zephyr caught
                                                    began
          To offer his young p i n i o n as her fan.
          Das., IV, 3, v. 5, p. 641a:
          and Imagination droops her
                    p i n i o n ,

x. C h a r a k t e r i s t i s c h e a d v e r b i a resp. n a c h g e s t e l l t e p r ä p o s i t i o n e n .

v. 87:
          Eine sehr beliebte zusammenstellung:
S a v e w h e r e the Dardan leaders   Ch. H., II, 86, v. 1, p. 26b:
          nightly hold   S a v e w h e r e some solitary column
                                                    mourns
          Das., v. 3:
          S a v e w h e r e Tritonia's airy shrine
                    adorns
          S. of C., XI, 20 f., p. 123b:
          S a v e w h e r e the watch his signal
                    spoke,
          S a v e w h e r e the steed neighed oft
                    and shrill,
          Manfred, II, 2, p. 183a:
          I sought in all, s a v e w h e r e ' t is to
                    be found,
          D. J., II, 181, v. 5, p. 626b:
          And all was stillness, s a v e the sea-
                    bird's cry,
          Das., III, 16, v. 2 f., p. 631a:
                    some he sold
          To his Tunis correspondents, s a v e
                    one man
          Das., v. 5:
          The rest — s a v e here and there a
                    richer one,

v. 181:
all selfish fears above,
Transl. from the Medea, IV, v. 4,
p. 396 b:
Which hover faithful hearts above!

v. 229:
And flowing flasks and scatter'd troops
between:
Morg. Magg., LXXIV, v. 7, p. 494 b:
nor bear him further the desert in.
Ballad on the Siege and Conquest
of Alhama, VII, v. 2, p. 566 b:
In these words the king before,

Dieselbe stellung der präp.:
Ch. H., I, 33, v. 1, p. 8 a:
But these between a silver streamlet
glides,
Elegy on Newstead Abbey, p. 403 a:
High crested banners wave thy walls
within.
Parisina, VI, 8, p. 133 b:
And stand the eternal throne before.
D. J., IV, 42, v. 3, p. 644 b:
When Haidee threw herself her boy
before;
Das., III, 106, v. 4, p. 639 b:
And vesper bell's that rose the boughs
along;
The Island, I, 4, 7, p. 162 b:
Full in thine eyes is waved the
glittering blade,
Lara, II, 8, 3, p. 115 b:
That soil full many a wringing despot
saw,

v. 272:
Full in his heart, the falchion searched
his veins,
v. 283:
Full foes enough to-night have breathed
their last;

λ. Zusammenstellung von begrifflichen gegensätzen.

v. 194:
To rise in glory, or to fall in fame.

Hours of Idl., p. 410 a:
That will arise, though empires fall.
Das., p. 414 a:
By thy command I rise or fall,
Aehnlich Corsair, I, 13, 24, p. 93 b:
No medium now — we perish or
succeed;
Auch S. of C., XXIX, 9, p. 130 a:
They perforce must do or die
Vgl. Kölbing zu S. of C., v. 885.
Die allitterirende bindung von
friend und foe ist sehr häufig:
Ch. H., III, 28, v. 9, p. 31 a:
Rider and horse, — friend, foe, —
in one red burial blent!
Das., IV, 43, v. 9, p. 46 b:
Victor or vanquish'd, thou the slave
of friend or foe.
Giaour, p. 73 a:
Now leagued with friends, now girt
by foes,

v. 212:
For friends to envy and for foes
to feel:

Br. of Abyd., VI, 20, 65, p. 86a:
Friends to each other, foes to
aught beside:
Lara, II, 8, 9, p. 115b:
owns but foes or friends,
Sardan., III, 1, p. 263b:
All augury of foes or friends;
Def. Transf., I, 2, p. 309a:
And worse even for their friends
than foes,
Hints from Hor., p. 447b:
Yet if an author, spite of foe or friend,
The Waltz, p. 459a:
New face for friends, for foes some
new rewards;
D. J., XIV, 25, v. 4, p. 737b:
Such small distinction between friends
and foes,
Hours of Idl., p. 384b:
For me, in future, neither friend nor
foe,

v. 339:
Or die with him for whom he wish'd
to live?

Das original bietet nichts entsprechendes.

Transl. from the Medea, IV, v. 8,
p. 396b:
With me to live, with me to die.

Br. of Abyd., I, 13, 10, p. 81a:
With thee to live, with thee to die,
The Island, IV, 9, 29, p. 173b:
How they had gladly lived and
calmly died,
D. J., II, 4, v. 3, p. 611a:
And live and die, make love and
pay our taxes,
Das., IV, 27, v. 2, p. 643a:
Why did they not then die? — they
had lived too long
Das., IV, 71, v. 1, p. 647b:
Thus lived — thus died she;
Aehnlich Hours of Idl., p. 378b:
Like you will he live, or like you
will he perish:
The Island, III, 6, 26, p. 170b:
In life or death, the fearless and the free.

μ. Anaphora.

v. 43 ff.:
Not thus his son the great Opheltes
taught;
Not thus my sire in Argive combats
fought;
Not thus when Ilion fell by heavenly
hate,

Br. of Abyd., I, 10, 13 f., p. 80a:
Not thus we e'er before have met:
Nor thus shall be our parting yet.
Ch. H., IV, 135, v. 3 ff., p. 56a:
Have I not had to wrestle with my lot?
Have I not suffer'd things to be for-
given?

v. 75 f.:
Who, for thy sake, the tempest's fury
    dared,
Who, for thy sake, war's deadly peril
    shared;

Have I not had my brain sear'd, my
    heart riven,
Parisina, I, 8 ff., p. 132b:
And in the sky the stars are met,
And on the wave is deeper blue,
And on the leaf a browner hue,
And in the heaven that clear obscure,
    Hours of Idl., p. 377b:
Could tears retard the tyrant in his
    course;
Could sighs avert his dart's relentless
    force;
Could youth and virtue claim a short
    delay,
    Engl. B. and Sc. Rev., p. 407b:
Together we impell'd the flying ball;
Together waited in our tutor's hall;
Together join'd in cricket's manly toil,
    The Dream, II, 16 f., p. 475a:
And both were young and one was
    beautiful;
And both were young — yet not alike
    in youth,
    Mar. Fal., II, 2, p. 209b:
We must forget all feelings save the
    one —
We must resign all passions save our
    purpose —
We must behold no object save our
    country —
    Das., III, 2, p. 215a:
So that I was a slave to my own
    subjects;
So that I was a foe to my own friends;
    Das., V, 3, p. 230b:
Even in the palace where they sway'd
    as sovereigns,
Even in the palace where they slew
    their sovereign,
    Cain, III, 1, p. 337b:
Curse him not, mother, for he is thy
    son —
Curse him not, mother, for he is my
    brother;
    Werner, I, 1, p. 343b:
Who, in this garb, the heir of princely
    lands?
Who, in this sunken, sickly eye,

D. J., I, 102, v. 5 f., p. 602 a:
'T is sweet to see the evening star
    appear;
'T is sweet to listen as the night-winds
    creep
Das., I, 123, vv. 1, 3, 5, p. 602 a:
'T is sweet to hear the watch-dog's
    honest bark
'T is sweet to know there is an eye
    will mark
'T is sweet to be awaken'd by the lark,

2. Die übersetzung des Morgante Maggiore und ihr verhältniss zu Byron's stil.

a. Wiederkehr von gedanken.

VIII, v. 5:
While the h o r n rang so loud, 'and
    knell'd the doom

The Age of Bronze, V, 72, p. 528 b:
    Again
The h o r n of Roland sounds, and not
    in vain,
D. J., X, 87, v. 8, p. 711 b:
Like Roland's h o r n in Roncesvalles'
    battle,

XVII, v. 3:
And on towards Brara p r i c k' d him
    o' e r the p l a i n;
Vgl. LXVIII, v. 8:
And still continued p r i c k i n g with
    the spur.

Ch. H., I, 43, v. 2, p. 9 a:
As o' e r thy p l a i n the Pilgrim
    p r i c k' d his steed,
Giaour, p. 69 a:
And there we 'll p r i c k our steeds again:

XVII, v. 7:
Raised up · his sword to smite her on
    the head,
XVIII, v. 1 f.:
. his revenge
On Gan in that rash act he seem'd to take,
XXII, v. 1 f.:
You are welcome; what is mine
We give you freely,

D. J., IV, 37, v. 2 ff., p. 644 a:
    and from off the wall
Snatch'd down his sabre, in hot haste
    to wreak
Vengeance on him who was the cause
    of all:
Manfred, I, 1, p. 178 a:
What we possess we offer; it is thine:

XXVIII, v. 7 f.:
I would dissuade you, baron, from
    this strife,
As knowing sure that you will l o s e
   . your life..

Mar. Fal., IV, 1, p. 218 b:
    if thou dost
As I now counsel — but if not, thou art
    l o s t !
D. J., XV, 99, v. 8, p. 743 a:
    but if they do, 't will be their ruin.

XXXIV, v. 8:
And then he s t o o p' d to pick u p a
    great stone.

D. J., VI, 77, v. 3 f., p. 674 a:
    that her first movement was to
     s t o o p
And p i c k it up, .

XXXV, v. 5 f.:
as he lay he bann'd,
And most devoutly Macon still blas-
phemed:
Vgl. XXXVIII, v. 8:
but o'erthrown, he
However by no means forgot Macone.
LII, v. 4:
He never can in any purpose err.

S. of C., V, 5 f., p. 122b:
He sank, regretting not to die,
But curst the Christian's victory —

Cain, III, 1, p. 335b:
Without whom all were evil, and with
whom
Nothing can err,

LIV, v. 5:
who hath withdrawn the curtain
Of darkness, making his bright realm
appear.
LVI, v. 3:
He Christ believes, as Christian must
be rated,

D. J., VIII, 115, v. 3 f., p. 694b:
and saw Paradise
With all its veil of mystery drawn
apart,
Mar. Fal., V, 1, p. 224b:
Doge — for such still you are, and by
the law
Must be consider'd,

LXI, v. 4 f.:
You shall be obey'd .
In all commands,
LXIV, v. 3:
As floor'd him so that he no more
arose,

Werner, III, 1, p. 360a:
I will follow
In all things your direction.
S. of C., XXVII, 34, p. 129b:
as be bent no more to rise,
The Island, IV, 9, 18, p. 173a:
Then dived — it seem'd as if to rise
no more:
Oscar of Alva, p. 392b:
.   his race is run ;
Oh! never more shall Allan rise!
Hours of Idl., p. 399a:
Drooping, alas! we fall to rise no
more.

LXVII, v. 1:
As though they wish'd to burst at
once, they ate;
LXXVIII, v. 4 ff.:
if I have less
Courteous and kind to your great
worth appear'd,
Than fits me for such gentle blood
to express,
XXXIX, v. 8:
For a rough dream had shook him
. slumbering,
LXXIX, v. 8:
And, on the other part, you rest with
me.

D. J., II, 158, v. 8, p. 624b:
And fed by spoonfuls, else they always
burst.
Mar. Fal., V, 1, p. 226a:
to accord
A patient hearing with the due respect
Which fits your ancestry, Your rank
and virtues

Mar. Fal., V, 1, p. 208b:
At length the thoughts which shook
: -your slumbers thus
Werner, V, 1, p. 370a:
Dear mother, I am with you.

b. Einzelne ausdrücke.

α. Substantiv in verbindung mit verb.

XI, v. 5:
with envy bursting

Aehnlich Beppo, LXIX, 3, p. 151a:
with envy broiling,

XIII, v. 6 f.:
his sight
He kept upon the standard,

Vgl. Werner, I, 1, p. 343a:
who so long
Kept his eye on me,
Das., II, 2, p. 357a:
Keep your eye on him!
Das., II, 2, p. 358a:
I may be sure you'll keep an eye
on this man,

XVII, v. 8:

Raised up his sword to smite her
on the head,

Vgl. Hebr. Melod., Herod's Lam.,
str. 2, 4, p. 467a:
The sword that smote her's o'er
me waving. —
Das., Destr. of Senn., str. 6, 3,
p. 467b:
unsmote by the sword,
Aehnlich Ch. H., I, 38, v. 3,
p. 8b:
Saw ye not whom the reeking sabre
smote,

XXI, v. 1:
The monks could pass the convent
gate no more,

Corsair, II, 4, 120, p. 97b:
For now the pirates pass'd the Haram
gate,
S. of C., XXI, 3, p. 126b:
I have passed the guards, the gate,
the wall;

XXI, v. 8:
How to the abbey he had found his
road.

Vgl. The Waltz, p. 458a:
How first to Albion found thy Waltz
her way?
D. J., I, 188, v. 3, p. 607a:
who favours what she should
not, found his way,

XXIX, v. 8:
And walk the wild on foot

Walk wird von Byron gern trans-
itiv gebraucht:
Heaven and Earth, I, 2, p. 235a:
Or else he walks the wild up to the
cavern
Aehnlich Manfred, III, 1, p. 187a:
Which walk the valley of the shade
of death,
Mar. Fal., IV, 2, p. 221a:
That slowly walk'st the waters!
Heaven and Earth, I, 1, p. 233a:
Thou walk'st thy many worlds,

Werner, I, 1, p. 342a:
And no one walks a chamber like
to ours
Cain, III, 1, p. 338a:
Let us depart, nor walk the wilderness
Aehnlich D. J., VIII, 92, v. 3, p.
692b:
The rudest brute that roams Siberia's
wild

XXX, v. 1:
The abbot sign'd the great cross
on his front,

S. of C., XXX, 15, p. 130a:
And made the sign of a cross with
a sigh,
Das., XXI, 15 f., p. 126b:
and sign
The sign of the cross,
Das., XX, 6 f., p. 126a:
His trembling hands refused to sign
The cross

XXXIII, v. 8:
Orlando has recall'd his force and
senses:

Aehnlich D. J., XVI, 25, v. 4, p.
753a:
Then by degrees recall'd his energies,
Das., XIV, 34, v. 6, p. 738a:
Swore praises, and recall'd their
former fires;

XXXVII, v. 1:
he went his way;

Lara, I, 25, 1, p. 113a:
And Lara call'd his page, and went
his way —

Vgl. LXI, v. 7:
And went out on his way
und XLVIII, v. 8:
And onwards to the abbey went their
way.

Werner, II, 2, p. 356a:
But let him go his way.
The Dream, III, 29, p. 475b:
And mounting on his steed he went
his way;
D. J., VIII, 30, v. 1, p. 687b:
Then, like an ass, he went upon his
way,
Werner, II, 1, p. 361a:
He knows his station,

XLVII, v. 4 f.:
make known —
your station,
LIX, v. 8:
and damn'd to hell before!
LXVIII, v. 2:
and to put him to the proof,

Hours of Idl., p. 413b:
Shall man condemn his race to hell,
Mar. Fal., III, 2, p. 212b:
who have seen me
Put to the proof;
Ch. H., III, 108, v. 2, p. 40a:
If merited, the penalty is paid;
D. J., XII, 17, v. 6 f., p. 720b:
I've paid, in truth,
Of late, the penalty of such success,

LXXIII, v. 3 f.:
Let them pay in hell
The penalty

LXXIV, v. 6:
Once more he bade him lay his burden
by:
LXXXI, v. 3:
By which we could pursue a fit
career

LXXXV, v. 6:
Who long had waged a war im-
placable:

Vision of Judgment, LXXXV, 5,
p. 523 a:
When his burden down he laid,
To the Duke of Dorset, p. 384 a:
A glorious and a long career pursue,
Engl. B. and Sc. Rev., p. 428 a:
The other half pursued its calm
career;
Ch. H., III, 94, v. 9, p. 38 b:
war within themselves to wage.

Das., IV, 94, v. 5 f., p. 52 a:
who wage
War for their chains,
Heaven and Earth, I, 1, p. 233 b:
And such, I feel, are waging in my
heart
A war unworthy:
Hints from Hor., p. 439 b:
The immortal wars which gods and
angels wage,
D. J., III, 55, v. 7 f., p. 634 a:
and war with every nation
He waged,
Das., IV, 98, v. 6, p. 650 a:
and liked poetic war to wage,
Das., VIII, 14, v. 6 f., p. 686 a:
thus in verse to wage
Your wars eternally,

β. Substantiv verbunden mit einem zweiten, von ihm abhängigen.

III, v. 7:
and on the horizon's verge
just now

Corsair, III, 15, 7, p. 105 a:
Far on the horizon's verge appears
a speck,
The Dream, II, 133, p. 475 a:
As the sweet moon on the horizon's
verge,
Proph. of Dante, IV, 132, p. 504 a:
Seas, mountains, and the horizon's
verge for bars,
D. J., XV, 99, v. 2, p. 751 a:
'Twixt night and morn, upon the
horizon's verge.
Aehnlich The Island, IV, 14, 15,
p. 174 b:
On the horizon verged the distant
deck,

Vgl. auch Kölbing's anmerkung zu
Dream v. 44 f.

γ. Coordinirte substantiva.

IV, v. 7:
For all that I can see in prose or
verse,

Engl. B. and Sc. Rev., p. 421 b:
big with verse or prose,
Das., p. 425 a:
That prose is verse, and verse is
merely prose;
Vgl. auch Milton, Par. Lost, I, v. 16:
Things unattempted yet in prose or
rime.

XI, v. 3:
While Charles reposed him thus, in
word and deed,

Ch. H., II, 74, v. 9, p. 25 a:
From birth till death enslaved; in
word, in deed
unmann'd.
Giaour, p. 73 b:
I proved it more in deed than word;
Br. of Abyd., I, 12, 40, p. 81 a:
A heart his words nor deeds can
daunt,
Lara, II, 8, 11, p. 115 b:
In word and deed obey'd,
Sardan., I, 2, p. 250 b:
I will not pause to answer
With words, but deeds.
D. J., II, 159, v. 2, p. 625 a:
Rather by deeds than words,
Das., VI, 101, v. 2, p. 675 b:
Nor much disposed to wait in word
or deed;

LXXXI, v. 1:
You saved at once our life and soul:

Vgl. Werner, I, 1, p. 349 a:
Risk lives and souls for the tithe
of one thaler?

δ. Einzelne substantiva.

XIII, v. 7 f.:
and the laurels
In fact and fairness are his earning,

Giaour, p. 73 a:
I smile at laurels won or lost;
D. J., I, 126, v. 1, p. 602 a:
'T is sweet to win, no matter how,
one's laurels,
Das., VIII, 17, v. 3, p. 686 b:
He must his laurels separately earn;

XX, v. 8:
In daily jeopardy the place below,

Mar. Fal., IV, 1, p. 219 b:
I place
In jeopardy a thousand heads,

XXIV, v. 1:
These make us stand, in fact, upon
the watch;

The Waltz, p. 458 b:
To you, ye matrons, ever on the
watch

D. J.; II, 203, v. 4, p. 628b:
That Wisdom, ever on the watch
to rob
Das., VIII, 89, v. 8, p. 696b:
For which all Petersburgh is on the
watch,
Das., VIII, 102, v. 7, p. 734b:
Or on the watch their longing eyes
would fix,

XXV, v. 5:
't is fit we keep on the alert

D. J., VII, 55, v. 1, p. 682b:
Suwarrow chiefly was on the alert,
Das., XIV, 37, v. 1, p. 738b:
But, light and airy, stood on the alert,

XXX, v. 5:
Right to the usual haunt of Passamont,

Lara, I, 7, 2, p. 109b:
Warm was his welcome to the haunts
of men;
Werner, V, 1, p. 372a:
carried from their usual haunt
Hours of Idl., p. 384b:
Former favourite haunts I see;
Das., p. 416a:
Fain would I fly the haunts of men —
Occas. Pieces, p. 551b:
If sometimes in the haunts of men

LI, v. 4:
If pity e'er was guilty of intrusion

Mar. Fal., V, 1, p. 227b:
By the intrusion of his very prayers:
Aehnlich Werner, I, 1, p. 344b:
If I intrude, I crave —
Oh, no intrusion!

LVI, v. 2:
Abbot, be thou of good cheer;
LX, v. 7:
And one of these Morgante for a whim
Girt on,
LXXXI, v. 4:
In search of Jesus and the saintly
host;
Vgl. Transl. der Franc. da Rim.,
v. 3, p. 505b:
With all his followers, in search of
peace.

Sardan., IV, 1, p. 265b:
Be of good cheer;
Sardan., I, 2, p. 249a:
in those founded cities,
Built for a whim,
Manfred, II, 4, p. 186a:
And gazed o'er heaven in vain in
search of thee.
Cain, I, 1, p. 322a:
In the vast desolate night in search
of him;
Werner, III, 1, p. 359a:
In the search
Of him who robb'd the baron.
Vision of Judgment, LIII, 7, p. 519b:
business carries them in search
of game,
D. J., VII, 1, v. 6, p. 677b:
in search of either lovely light;

*. Charakteristische adjectiva resp. participia.

XV, v. 1:
'T is fit thy grandeur should dispense
relief,
XXIII, v. 6:
'T was fit our quiet dwelling to
secure;

Ch. H., IV, 185, v. 2 f., p. 61 b:
it is fit
The spell should break of this protracted
dream.
Mar. Fal., I, 2, p. 200b:
'T is fit I were alone.
Das., II, 1, p. 204b:
'T were fit
He should be punish'd grievously.
Sardan., II, 1, p. 258b:
Nay, but 't is fit to revel now and
then.
The Two Foscari, V, 1, p. 296b:
'T was fit that some one of such
different thoughts
Werner, I, 1, p. 344 b:
As it is fit that men in office should be;
D. J., I, 120, v. 7 f., p. 601b:
't is fit
To beg his pardon when I err a bit.
Aehnlich Manfred, II, 2, p. 183b:
And died unpardon'd

XXXV, v. 4:
And Pagan Passamont died unre-
deem'd,
XLIV, v. 6:
And I will love you with a perfect
love.
Vgl. XLVIII, v. 3:
Oft, perfect baron!
LVI, v. 7:
with due thanks,

Sardan. II, 1, p. 260a:
Grief cannot come where perfect
love exists,
D. J., II, 23, v. 6, p. 612b:
his love was perfect,
Mar. Fal., I, 2, p. 203a:
To do yourself due right?
D. J., z. b. II, 68, v. 8, p. 617a:
with due precision
Das., III, 78, v. 5, p. 636a:
His verses rarely wanted their due feet
Das., V, 159, v. 5, p. 666 b:
with due applause,
Das., XII, 88, v. 2, p. 719a:
the due restriction
Das., XIII, 31, v. 5, p. 729a:
at their due estimation;
Ch. H., III, 27, v. 9, p. 31a:
And burning with high hope, shall
moulder cold and low.
Das., III, 115, v. 8, p. 41a:
And reach into thy heart — when
mine is cold,

LXVIII, v. 6:
while cold on earth lay head
and hoof.

S. of C., XXI, 37, p. 126b:
Though slight was that grasp so mortal
cold,
The Island, IV, 13, 7, p. 174b:
Cold lay they where they fell,
Oscar of Alva, p. 392b:
But Oscar's breast is cold as clay,

Dazu stellt sich XLV, v. 1 f.:

Mazeppa, VIII, 19, p. 157a:
And with one prayer to Mary Mother,

to the virgin breast
Of Mary Mother,

ς. Charakteristische verben.

XI, v. 1:
But watchful Fortune, lurking, takes
good heed

Ch. H., I, 8, v. 4, p. 4a:
Or disappointed passion lurk'd below:
S. of C., XXV, 22 f., p. 128b:
Many a scar of former fight
Lurke'd beneath his corslet bright;
D. J., VII, 57, v. 5 f., p. 682b:
And that beneath each Turkish-fashion'd
vest
Lurk'd Christianity;
Das., XIV, 6, v. 5, p. 736a:
The lurking bias,
Das., XIV, 89, v. 1 f., p. 742a:
she had that lurking demon
Of double nature,
Das., XVI, 123, v. 1 f., p. 760b:
seem'd a sweet soul
As ever lurk'd beneath a holy hood:

XI, v. 6:
To vent his spite,

Hours of Idl., p. 417b:
Or vent my reveries in rhyme,
Engl. B. and Sc. Rev., p. 430a:
While Reynolds vents his »damnes!«
»poohs!« »zounds!«
Das., p. 432a:
vent your venal spleen;
Hints from Hor., p. 451a:
He vents his spleen, or gratifies his
whim.
D. J., IV, 105, v. 3, p. 651a:
As if the peasant's coarse contempt
were vented
Das., V, 151, v. 5 f., p. 665b:
to vent
Their spleen in making strife,
Das., VI, 22, v. 3, p. 670a:
With one good hearty curse I vent
my gall,

XXVI, v. 5:
While thus they p a r l e y in the
cemetery,
XXXI, v. 3:
if it shall so please
God,

Vgl. The Island, III, 5, 9, p. 170a:
To give their first impressions such
a v e n t,
Werner, II, 2, p. 357 a:
I fain would p a r l e y, Ulric, with
yourself
Mar. Fal., III, 1, p. 211 a:
If it so please you, do as much
by me,
Das., V, 1, p. 227b:
If it so please him —
Sardan., II, 1, p. 256a:
I will wait,
If it so please you, pontiff, for that
knowledge.
The Two Foscari, II, 1, p. 282b
If it so please them: I am the
state's servant.

XL, v. 3:
and not an instant b a c k' d him;

XL, v. 5:
from all the fears which r a c k' d
him;

The Waltz, p. 458a:
Brunck's heaviest tome for ballast, and,
to b a c k it,
Engl. B. and Sc. Rev., p. 423b:
Who r a c k thy brains for lucre,
Hints from Hor., p. 451 a:
R a c k s his dull memory,
D. J., II, 79, v. 5, p. 618a:
with strange convulsions r a c k'd,
D. J., XI, 48, v. 5, p. 715b:
Against his heart p r e f e r r' d their usual
claims,

XLIII, v. 5 f.:
Hence to thy God
preferr'd I my petition;
XLV, v. 5:
A b j u r e bad Macon's false and felon
test,
XLVI, v. 3:
To the abbey I will gladly m a r s h a l
you.

Age of Bronze, VI, 18, p. 529a:
The Chili chief a b j u r e s his foreign
lord;
S. of C., XV, 15, p. 124b:
Their phalanx m a r s h a l l e d on the
plain,
Vgl. Kölbing zu S. of C., v. 359
und Engl. stud. XXI, p. 183 f.
Mar. Fal., III, 2, p. 215b:
let each be prompt to m a r s h a l
His separate charge:
Das., IV, 2, p. 222a:
or m a r s h a l me
To the council chamber.
Sardan., II, 1, p. 257a:
And m a r s h a l l'd me the way in all
their brightness,

Das., III, 1, p. 261 a:
To marshal half the horsemen of
: Arabia.
The Two Foscari, IV, 1, p. 295 a:
marshal me to vengeance.
S. of C., XXI, 95, p. 127 a:
He sue for mercy!
Mar. Fal., I, 2, p. 200 b:
fellow citizen who sues
For justice,
Hours of Idl., p. 389 b:
In leafless shades to sue for pardon,
Das., p. 402 a:
I sue for pardon, — must I sue in vain?
Occas. Pieces, p. 535 b:
Thus lowly I sue for forgiveness
before you;
D. J., I, 188, v. 7, p. 607 a:
And how Alfonso sued for a divorce,
Das., XIII, 70, v. 8, p. 732 a:
Who could not get the place for
which he sued.

XLVI, v. 5:
I to the friars have for peace to sue.

LX, v. 4:
And saunter'd here and there,

D. J., XIII, 102, v. 3, p. 734 a:
Or saunter'd through the gardens
piteously,
Heaven and Earth, I, 3, p. 237 a:
And heaven set wide her windows;

LXV, v. 8:
and set wide the gate.
LXVIII, v. 4:
Or to skim eggs unbroke

S. of C., Prol., v. 36, p. 121 a:
My thoughts, like swallows, skim the
main,
The Island, III, 10, 17, p. 171 a:
They skim the blue tops of the
billows,
D. J., VI, 41, v. 5, p. 671 b:
But rather skim the earth;
Das., X, 4, v. 4 f., p. 704 b:
would skim
The ocean of eternity:
Das., XIV, 39, v. 3, p. 738 b:
he scarce skimm'd the ground,
D. J., I, 143, v. 1, p. 603 b:
He search'd, they search'd, and rum-
maged everywhere,

LXXXIV, v. 4:
Morgante rummaged piecemeal from
the dust

Das., XVI, 58, v. 5 f., p. 756 a:
Who, after rummaging the Abbey
through thick and thin,

η. Geḫrauch des comparativs.

I, v. 2:
the Word no less was he:

The Two Foscari, IV, 1, p. 292a:
and, if not, you no less
Will know why you should have obey'd.

Def. Transf., I, 1, p. 305b:
An immortal no less
Deigns not to refuse thee.

Werner, III, 1, p. 360b:
but no less
Will serve to warn our vessels through
these shoals.

Proph. of Dante, IV, 71, p. 503a:
The age which I anticipate, no less,
Shall be the Age of Beauty,

D. J., V, 153, v. 8, p. 665b:
No less deserving to be hang'd than
crown'd.

XV, v. 3:
For the whole court is more or
less in grief:

Corsair, III, 17, 23, p. 105b:
His had been more or less than
mortal heart,

Manfred, II, 4, p. 184b:
And all that liveth, more or less,
is ours,

Mar. Fal. I, 2, p. 198b:
or an air
More or less solemn spread o'er the
tribunal.

Engl. B. and Sc. Rev., p. 426b:
By more or less, are sung in every
book,

Curse of Minerva, p. 455b:
See all alike of more or less bereft;

D. J., XIII, 107, v. 3, p. 735a:
Attuned by voices more or less
divine

ϑ. Adverbien und adverbiale ausdrücke.

II, v. 3:
and every thing beside,

Ch. H., III, 54, v. 9, p. 33b:
In him this glow'd when all beside
had ceased
to glow,

Das., IV, 130, v. 6, p. 55b:
For all beside are sophists,

Giaour, p. 72a:
But wears our garb in all beside,

Parisina, III, 1, p. 133a:
And what unto them is the world
beside,

Hours of Idl., p. 417b:
nor breathed a thought beside,
Das., p. 418b:
And unremember'd by the world beside.
Engl. B. and Sc. Rev., p. 421b:
Obey'd by all who nought beside obey;
Hints from Hor., p. 445b:
Whate'er their follies, and their faults
beside,
Stanzas to Aug., str. 11, v. 1, p. 470a:
when all was lost beside,

XIX, v. 2:
And far as pagan countries roam'd
astray,

Domest. Pieces, p. 471a:
a fate, or will, that walk'd astray;

XXX, v. 7:
Survey'd him fore and aft with eyes
observant,

The Island, II, 21, 13, p. 168b.
I had no glass: but fore and aft,

XL, v. 7:
grumbling all the while,

Occas. Pieces, p. 564b:
I see ye, ye profane ones! all the while,
D. J., I, 113, v. 8, p. 601a:
And then she looks so modest all the
while!
Das., I, 175, v. 1 f., p. 606a:
though all the while there rose
A ready answer,

LXV, v. 2:
and he brush'd apace

Def. Transf., I, 1, p. 306a:
You improve apace: — two changes
in an instant,
Engl. B. and Sc. Rev., p. 423a:
Each spurs his jaded Pegasus apace,
D. J., XIV, 36, v. 6, p. 738a:
When her soft, liquid words run on
apace,

LXX, v. 6:
But never mind your horse,

The Blues, II, p. 510a:
Never mind our friend Inkel;
Das., II, p. 510b:
Never mind if he did;
Das., II, p. 511b:
Pshaw! — never mind that;
D. J., II, 1, v. 4, p. 610b:
never mind the pain:
Das., V, 14, v. 6, p. 654a:
But never mind, — she'll turn, per-
haps, next week;
Das., IX, 26, v. 2, p. 699b:
I shall offend all parties: — never
mind!

Das., XIII, 41, v. 1, f. p. 729b:
its diversion
Is sometimes truculent — but ne ver
mind;

LXXIII, v. 5:
And hoisting up the horse f r o m
where he fell,

Br. of Abyd., I, 12, 2, p. 80b:
He raised the maid from where she
knelt;
Lara, II, 21, 5, p. 118b:
in raising him from where he bore
Giaour, p. 73b:
As filed the troop to where they fell;
Das., p. 76a:
I saw him buried where he fell;
The Island, IV, 13, 7, p. 174b:
Cold lay they where they fell, and
weltering,
Corsair, III, 23, 14, p. 106b:
but shrunk and wither'd where it fell
D. J., III, 19. v. 4, p. 631a:
He shaped his course to where his
daughter fair
Das., IV, 50, v. 1, p. 645a:
And then they bound him where he
fell;

LXXXIV, v. 4:
Morgante rummaged piecemeal from
the dust

Ch. H., IV, 157, v. 1, p. 58b:
but piecemeal thou must break,
The Two Foscari, III, 1, p. 288a:
And piecemeal I shall perish,
Lament of Tasso, IX, 17, p. 480a:
And crumbling piecemeal view thy
heartless halls,
D. J., XVI, 10, v. 8, p. 752a:
So perish every tyrant's robe piece-
meal!

ι. Conjunctionen.

XIV, v. 5:
Best speak the truth when there's a
reason why:
XXII, v. 7:
The reason why our gate was barr'd
to you:

Ch. H., I, 70, v. 5, p. 12a:
Ask ye Bœotian shades! the reason
why?
Beppo, LV, 7, p. 149b:
Which is, perhaps, the reason why
old fellows
D. J., III, 11, v. 6, p. 630b:
and show'd good reason why;
Das., XV, 9, v. 4, p. 744a:
The more's the reason why you
ought to stay;
Aehnlich das., XV, 31, v. 8, p. 745b:
the only reason wherefore

XXIII, v. 2:
These mountains, albeit that they
are obscure,

Ch. H., II, 24, v. 9, p. 19a:
Would still, albeit in vain, the heavy
heart divest.
Br. of Abyd., I, 5, 21, p. 78b:
Albeit against my own perchance.
Manfred, III, 4, p. 191b
Pray — albeit but in thought, —
but die not thus.
Heaven and Earth, I, 1, p. 233a:
Albeit thou watchest with »the seven«,
Sardan., II, 1, p. 259a:
Albeit his marble face majestical
Frowns
Werner, III, 1, p. 359a:
Albeit I never pass'd them,
Occas. Pieces, p. 560a:
Albeit too dazzling for a dotard's sight;
D. J., V, 1, 50, v. 2 f. p. 657a:
albeit they heard
No Christian knoll to table,
Das., XI, 55, v. 5, p. 716a:
albeit I'm sure I did not know it,

x. **Begriffliche gegensätze.**

XLIX, v. 7:
Good is rewarded, and chastised the
ill,
LXXI, v. 3:
To render, as the gods do, good for
ill;

Lara, I, 18, 23, p. 111b:
Till he at last confounded good and ill,
Mazeppa, V, 47, p. 156a:
In fierce extremes — in good and ill.
Cain, III, 1, p. 336a:
And whether that be good or ill I
know not,
Hints from Hor., p. 444a:
He whom our plays dispose to good
or ill
D. J., XVI, lied, str. 3, v. 1, p. 754a:
And whether for good, or whether
for ill,
Aehnlich The Island, IV, 10, 1,
p. 171a:
But brief their time for good or evil
thought;
Mar. Fal., II, 1, p. 204b:
His feelings, passions, good or evil, all
Sardan., I, 2, p. 248b:
In good or evil to surprise mankind.
The Two Foscari, III, 1, p. 288b:
And shall an evil, which so often leads
To good,

16*

Hints from Hor., p. 440b:
For tears and treachery, for g o o d and
evil,
u. s. w.

3. Die kleineren übersetzungen und ihr verhältniss zu Byron's stil.

a. Wiederholung von gedanken.

Adrian's Address, v. 4, p. 379 a:
Wilt thou now w i n g thy distant f l i g h t?
Original nur: abibis.

Hours of Idl., v. 4, p. 382b:
Oh! when shall my soul w i n g her
f l i g h t from this clay?
Das., p. 400a:
When my soul w i n g s her f l i g h t to
the regions of night,
Ch. H. III, 14, v. 5, p. 29b:
Could he have kept his spirit to that
f l i g h t
S. of C., XXVII, 16, p. 129a:
Nor weep I for her spirit's f l i g h t:
Hours of Idl., p. 414a:
My soul shall float on airy w i n g,
Calm. and Orla, p. 411a:
their souls ride on the w i n g s of the
wind;
Occas. Pieces, p. 534b:
There must thou soon direct thy
f l i g h t,
Heaven and Earth, I, 1, p. 234a:
I view them w i n g i n g
Their bright way

Translat. from Catull, v. 6, p. 379a:
That mouth, from whence such m u s i c
flows,

Manfred, II, 4, p. 186a:
The voice which was my m u s i c
Sardan., I, 2, p. 251b:
My eloquent Jonian! thou speak'st
m u s i c,
Aehnlich The Two Foscari, I, 1, p.
279b:

Das., v. 17:

Cold dews my pallid face o'erspread,

And the c o l d drops strain through my
brow,

Transl. from Hor., II, 9, p. 380a:
Still dauntless 'midst the wreck of earth
he'd smile.
Transl. from the Prom. Vinct., v. 13,
p. 381a:
while reverend O c e a n s m i l e d,
Das original hat nichts entsprechendes.

Heaven and Earth, I, 3, p. 243a:
Nor quiver, though the universe may
quake!
Giaour, p. 63a, ältere lesung:
Like dimples upon O c e a n's cheek,
So s m i l i n g round the waters lave
Corsair, III, 1, 54, p. 101b:
where gentler o c e a n seems to s m i l e.

Das., v. 14:
And mirthful strains the h o u r s be-
     guiled,
Transl. from the Medea, I, 3 f.,
p. 396 b:
                    the stormy surge
Which rolls the t i d e .of h u m a n woe?
Transl. of the Nurse Dole, v. 2,
p. 546 a:
Had kept in port the good ship A r g o!

Transl. of the Famous Greek War
Song, v. I, p. 546 b:
S o n s of the Greeks, arise!

Franc. da Rimini, v. 25 ff., p. 506 b:
          The greatest of all woes
Is to remind us of our happy days
In misery,
Das., v. 34:
But oft our eyes m e t,
Das., v. 37:
When we read the l o n g - s i g h' d - for
          s m i l e of her,
Das., v. 42:
T h a t d a y n o f u r t h e r leaf we did
     .. . uncover.
Conquest of Alhama, X, v. 2, p.
566 b:
The A b e n c e r r a g e, Granada's flower;

Das., XIII, v. I, p. 567 b:
F i r e f l a s h' d from out the old
     . Moor's e y e s,
Transl. from Vittorelli, v. I, p. 568 b:
Heaven for a nobler doom their worth
          desires,

Aehnlich Corsair, III, 18, 2, p. 105 b:
To them the very rocks appear to s m i l e;
Occas. Pieces, p. 544 a:
As in those h o u r s of revelry
Which mirth and music sped;
Occas. Pieces, p. 538 a:
As rolls the ocean's changing. t i d e
So h u m a n feelings ebb and flow;

Vgl. The Island, I, 10, 29, p. 164 a:
Thus A r g o plough'd the Euxine's
          .. virgin foam,·
D. J., II, 66, v. 8, p. 617 a:
Like the first old Greek privateer, the
          A r g o.
Das., XIV, 76, v. 7 f., p. 741 b:
     since the merchant-ship, the A r g o,
Convey'd Medea as her supercargo.
Ch. H., I, 37, v. I, p. 8 b:

Awake, ye s o n s of Spain! awake!
          advance!
D. J., III, 13, v. 5, p. 630 b:
When we have what we like 't is hard
          to miss it,
Lara, I, 21, 13, p. 112 a:
At length encountering m e e t s the
          mutual gaze
To Ianthe, 4, v. 5, p. 3 a:
That s m i l e for which my breast might
          vainly s i g h,
D. J., I, 76, v. 8, p. 598 b:
T h a t night the Virgin was n o f u r t h e r
          pray'd,
     The Age of Bronze, VII, 16, p. 529 b:

Long in the peasant's song or poet's
          page
Has dwelt the memory of A b e n c e r-
          r a g e;
D. J., V, 134, v. I, p. 664 a:
If I said f i r e f l a s h' d f r o m Gul-
          beyaz' e y e s,
Hours of Idl., p. 386 b:
She fear'd that, too divine for earth,
The skies might claim thee for their own:

b. Einzelne ausdrücke.

α. Substantiv verbunden mit verb.

Transl. from Catull, v. 22, p. 379 b:
Their o r b s are veil'd in starless
night:

Transl. from Horace, I, 5, p. 380 a:
Gales the warring w a v e s which
p l o u g h,

Transl. from Anacr., v. 24, p. 380 a:
To tell the tale my heart must feel:

Occas. Pieces, p. 540 b:
Veiling the azure o r b s below;

The Island, I, 10, 29, p. 164 a:
Thus Argo ploug h'd the Euxine's
virgin foam,

Ein beliebter ausdruck Byron's.
Br. of Abyd., II, 27, 12, p. 88 a:
Tell him thy tale!
Mazeppa, IV, 43 f., p. 155 a:
thou wilt tell
This t a l e of thine, and I may reap,
The Island, I, 9, 9, p. 163 b:
But 't is not mine to tell their t a l e
of grief,
The Island, IV, 9, 3 f., p. 173 a:
told
An olden t a l e of love, — for love
is old,
The Two Foscari, III, 1, p. 287 a:
Unless thou tell'st my tale
Werner, III. 1, p. 358 a:
Sir, I have told my tale:
Hours of Idl., p. 398 a:
And tells a tale it never feels:
Engl. B. and Sc. Rev., p. 425 a:
when he tells the tale of
Betty Foy,
The Waltz, p. 459 a:
And tell-tale powder — all have
had their days
Occas. Pieces, p. 535 a:
Thou tell'st again the soothing t a l e,
D. J., III, 34, v. 1, p. 632 a:
a dwarf buffoon stood telling
tales
Das., V, 84, v. 4, p. 660 a:
we'll have a tale to tell:
Das., XIII, 104, v. 3, p. 735 a:
if foul, they read, or told a tale,
Hours of Idl., p. 384 b:

Transl. from the Prom. Vinct., v. 14,
p. 381 a:
And mirthful strains the h o u r s be-
guiled,

Now no more, the hours beguiling,

Aehnlich das., p. 387 a:
When dreams of your presence my
    slumbers beguile,
Aehnlich das., p. 398:
The vision charms the hours away,
Vgl. Giaour, p. 73 b:

Das., v. 16:
Nor yet thy doom was fix'd,

His doom was seal'd — he knew it
    well,
Corsair, III, 5, 13, p. 102 a:
His doom is fix'd — he dies:

Transl. from the Medea, III, 4, p. 396 b:
Awakes an all-consuming fire:

Hours of Idl., p. 381 b:
Then let the secret fire consume,

β. Verben mit adverbialen oder attributiven bestimmungen.

Transl. from Catull, I, 2, p. 379 b:
Nor let your wings with joy be
    spread,
Transl. from the Medea, IV, 3, p. 396 b:
May all the hours be wing'd with
    joy,

Cain, III, 1, p. 334 b:
                while his little form
Flutters as wing'd with joy.
Aehnlich Hours of Idl., p. 417 b:
The bliss which wing'd those rosy
    hours
Aehnlich Occas. Pieces, p. 543 b:
Had braved the death-wing'd tempest's
    blast,

Transl. from Anacr., v. 29, p. 380 b:
Ah! little did I think the dart
Would rankle soon within my heart.

Mazeppa, X, 33, p. 157 b:
They little thought that day of pain,
Mar. Fal., I, 2, p. 202 a:
I little thought his bounty would
    conduct me
Lament of Tasso, VII, 1, p. 479 b:
I loved all Solitude — but little
    thought
Aehnlich Mazeppa, XVII, 64, p. 160 a:
I little deem'd another day
Cain, III, 1, p. 334 b:
Little deems our young blooming
    sleeper, there,
To spend I know not what of life,

Transl. from Hor., II, 7, p. 380 a:
In vast promiscuous ruin hurl'd,

Engl. B. and Sc. Rev., p. 436 a:
Like these, thy strength may sink, in
    ruin hurl'd,

Franc. da Rimini, v. 28 f., p. 506 b:
    our passion's first root preys
Upon thy spirit with such sympathy

Ch. H., III, 42, v. 6 f., p. 32 b:
And but once kindled, quenchless
    evermore,
Preys upon high adventure,

Conquest of Alhama, XVIII, v. 2,
p. 567 b:
And on my inmost spirit preys;

Das., III, 59, v. 5 f., p. 34 b:
And could the ceaseless vultures cease
    to prey
On self-condemning bosoms,

Mar. Fal., II, 1, p. 208 a:

I
have let this prey upon me till I feel
Heaven and Earth, I, 3, p. 236 b:
Shall cease to prey on man and on
each other,
The Two Foscari, IV, 1, p. 294 a:
Sorrow preys upon
Its solitude,
Hours of Idl., p. 381 b:
Though cureless pangs may prey on
me,

Franc. da Rimini, v. 40, p. 506 b:
Kiss'd my mouth, trembling in the
act all over,

Mar. Fal., IV, 1, p. 217 b:
it trembles in
The act of opening the forbidden
lattice,

Conquest of Alhama, XII, v. 1,
p. 567 b:
He who holds no laws in awe,

Vis. of Judgment, XLIV, 4, p. 519 a:

With those who did not hold the
saints in awe.

Greek War Song, v. 16, p. 546 b:
Oh, start again to life!

Occas. Pieces, p. 555 b:
He starts to life on seeing thee?
Das., p. 558 b:
In him the double tyrant starts to
life:

γ. Substantiv verbunden mit einem zweiten, von ihm abhängigen.

Transl. from Anacr., v. 9, p. 380 a:
Fired with the hope of future fame,

Occas. Pieces, p. 534 b:
Not e'en the hope of future fame,
Das., p. 549 a:
Nor hope of fame, nor good men's
praise;

Das., v. 8, p. 380 b:
Descending from the realms of joy,

Aehnlich Hours of Idl., p. 401 b:
But leave at once thy realms of air
Domest. Pieces, p. 472 b:
The nights are banish'd from the
realms of sleep!
D. J., XI, 55, v. 8, p. 716 a:
The grand Napoleon of the realms
of rhyme.

Romaic Song, III, 4, p. 547 a:
Hast pierced through my heart to
its core.

Manfred, II, 2, p. 182 b:
As I approach the core of my
heart's grief
The Two Foscari, III, 1, p. 290 a:
I have pierced him to the core of
his cold heart.
Occas. Pieces, p. 541 a:
Felt the glow which now gladdens my
heart to its core;

Das., p. 576b:

There was something so warm and
sublime in the core
Of an Irishman's heart,

D. J., I, 116, v. 4 f., p. 601b:

o'er the controlless core
Of human hearts,

Das., I, 195, v. 4, p. 607b:

My shame and sorrow deep in my
heart's core:

D. J., IV, 17, v. 7, p. 642a:

Where Hymen's torch but brands
one strumpet more,

Transl. from Vittorelli, v. 2, p. 568b:
while the torch of Hymen
newly fired

δ. Einzelne substantiva.

Adrian's Address, v. 2, p. 379a:
Friend and associate of this clay!

Für dieses substantiv vgl. Kölbing
zu S. of C., v. 461, wo sich zahlreiche
parallelstellen finden, die sich leicht
noch vermehren liessen.

Transl. from Catull, v. 20, p. 379b:
And life itself is on the wing,

Engl. B. and Sc. Rev., p. 434a:
That strain'd invention, ever on the
wing,

Transl. from Catull, II, 5 f., p. 379b:
Now having pass'd the gloomy bourne
From whence he never can return,

D. J., VIII, 41, v. 3 f., p. 688b:
Unto that rather somewhat misty
bourne,
Which Hamlet tells us in a pass of
dread.

Vgl. Shakespeare's Hamlet, III, 1:
— the dread of something after death, —
The undiscover'd country, from whose
bourn
No traveller returns.

Ch. H., II, 43, v. 9, p. 20b:
Beat back keen winter's blast,

Giaour, p. 69b:
Roused by the blast of winter,
rave;

Transl. from Anacr., v. 17, p. 380b:
Oh! shield me from the wintry
blast!

Hours of Idl., p. 410b:
Chill'd by misfortune's wintry blast,

Das., p. 414b:
We heed no more the wintry blast,

Engl. B. and Sc. Rev., p. 427b:
His hopes have perish'd by the northern
blast:

Hours of Idl., p. 399b:
The man doom'd to sail with the
blast of the gale,

Occas. Pieces, p. 543b:
Had braved the wing'd tempest's blast,

Romaic Song, III, 6, p. 547 a:
By pangs which a smile would dispel?
Transl. from Catull, v. 23, p. 379 b:
Such pangs my nature sinks beneath,

D. J., XIV, 50, v. 2, p. 739 b:
Sadder than owl-songs or the midnight
blast,
Ch. H., To Ianthe, 3, v. 9, p. 2 b:
But mix'd with pangs to Love's even
loveliest hours decreed.
To Inez, 2, v. 4, p. 13 b:
A pang ev'n thou must fail to soothe?
Corsair, I, 14, 3, p. 94 a:
The only pang my bosom dare not
brave
Hours of Idl., p. 381 a:
One pang, my girl, and all is over.
Das., p. 381 b:
Though cureless pangs may prey on
me,
    Wie an diesen stellen liebes-
schmerzen, so werden auch andere
schmerzen öfters als pangs bezeichnet:
Mazeppa, XIV, 30, p. 159 a:
In those suspended pangs I lay,
Cain, III, 1, p. 337 b:
May he live in the pangs which others
die with!

ε. Charakteristische verben.

Transl. from Catull, v. 10, p. 379 a:
I cannot choose but look on thee;

D. J., I, 63, v. 1, p. 597 b:
'T is a sad thing, I cannot choose
but say,
Occas. Pieces, p. 560 b:
They cannot choose but weep the
more;
Aehnlich D. J., V, 10, v. 8, p. 653 b:
Next Juan stood, till some might
choose to buy,

Transl. from the Prom. Vinct., v. 16,
p. 381 a:
Nor yet thy doom was fix'd,

Br. of Abyd., I, 3, 10, p. 78 a:
Her fate is fix'd this very hour:
Lara, I, 28, 25, p. 113 b:
Each had so fix'd his eye on Lara's
mien,
The Island, IV, 7, 21 f., p. 173 a:
And then a mitre or a shrine would fix
The eye
Manfred, III, 4, p. 191 b:
    my dull eyes can fix thee not;
Mar. Fal., I, 1, p. 198 a:
        and fix his gaze
Upon some edict;

Werner, II, 2, p. 355a:
and upon me
This worthy personage has deign'd to
fix
His kind suspicions — me!

ζ. Charakteristische epitheta.

Transl. from Catull, v. 24, p. 379 b:
And feels a temporary death.

Mazeppa, XIV, 20 f., p. 159 a:
And with a temporary strength
My stiffen'd limbs were rebaptized.
Mar. Fal., V, 2, p. 229 b:
When she shakes off this temporary
death,

Transl. from Anacr., v. 11, p. 380 a:
The dying chords are strung anew,

The Island, IV, 12, 14, p. 174 a:
Took their last farewell of the dying
sound.
Aehnlich das.:
And ere the word upon the echo died,
sowie Manfred, III, 4, p. 190 a:
the fitful song
Began and died upon the gentle wind.
Occas. Pieces, p. 534 a:
In dying strains may float.
Proph. of Dante, I, 17, p. 497 b:
From star to star to reach the al-
mighty throne.

Transl. from the Prom. Vinct., v. 1,
p. 380 b:
Great Jove, to whose almighty
throne
Das., v. 6.:
In sea-girt Ocean's mossy hall;

Ch. H., II, 28, v. 6, p. 19 a:
Coop'd in their winged sea-girt
citadel;
The Island, IV, 9, 21, p. 173 a:
Row'd round in sorrow the sea-
girded rock,
Mar. Fal., IV, 1, p. 217 b:
Of those tall piles and sea-girt
palaces,
Aehnlich das., V, 2, p. 229 b:
Unto all time against these wave-
girt walls,

Romaic Song, I, 2, p. 547 a:
Beloved and fair Haidee,
Transl. from Hor., I, 8, p. 380 a:
Would awe his fix'd, determined
mind in vain.

D. J., II, 20, v. 7, p. 612 b:
Beloved Julia, hear me still beseeching!
Ch. H., III, 10, v. 3, p. 29 a:
And deem'd his spirit now so firmly
fix'd
Das., III, 84, v. 6, p. 37 b:
Fix'd Passion holds his breath,
Lara, I, 24, 5, p. 112 b:
Yet there was something fix'd in that
low tone,

Das. II, 21, 4, p. 118a:
But cannot tear from thence his fixed
glance;
Hebr. Melod., Saul, v. 7, p. 465b:
Death stood all glassy in his fixed eye;
D. J., I, 196, v. 8, p. 607b:
As vibrates my fond heart to my fix'd
soul.

η. Allitterirende bindungen.

Imitat. of Tibull, v. 4, p. 379b:
That I might live for love and you
again;

Ch. H., II, 9, v. 2, p. 17a:
Have left me here to love and live
in vain
Parisina, XVIII, 6, p. 137a:
On him whose life and love thus
ended;
Beppo, XIII, 1, p. 146a:
Love in full life and length, not
love ideal,
Manfred, III, 2, p. 189b:
That lived, the only thing he seem'd
to love,
Sardan., IV, 1, p. 268a:
Live but for those who love.
Occas. Pieces, p. 555b:
Is doom'd to all who love or live;
D. J., I, 197, v. 8, p. 607b:
And bear with life, to love and
pray for you!
Das., II, 66, v. 2, p. 617a:
They live upon the love of life,
and bear

Transl. from Anacr., v. 4, p. 380a:
How heroes fought and nations fell,

Curse of Minerva, p. 455b:
Whose were the sons that bravely
fought and fell.
Hours. of Idl., p. 414b:
Attuned to love her languid lyre;

Das., v. 25:
Love, love alone, my lyre shall
claim,
Conquest of Alhama, XIV, v. 4,
p. 567b:
The Moorish king, and doom'd him
dead.
und Transl. from the Medea, V, 8,
p. 396b:
A doom to me far worse than death.

Ch. H., I, 72, v. 8, p. 12a:
None through their cold disdain are
doom'd to die,

Br. of Abyd., II, 24, 10, p. 87b:
Hath doom'd his death, or fix'd
his chain.
Aehnlich Corsair, II, 8, 11, p. 98b:
Would doom him ever dying —
ne'er to die!

Das. III, 6, 4, p. 103a:
When every hour might d o o m him
worse than dead,
Parisina, XIV, 8, p. 135b:
Would she thus hear him d o o m'd
to die!
Cain, II, 1, p. 326a:
All living, and all d o o m'd to d e a t h,
and wretched,
Werner, IV, 1, p. 368a:
and thy d e a d master's d o o m,
Hours of Idl., p. 414a:
Though d o o m'd no more to quit the
d e a d.

BRESLAU, October 1895.   F. M a y c h r z a k.

II.

EIN BERICHT ÜBER DAS VII. SOMMER-MEETING DER UNIVERSITY EXTENSION STUDENTS IN OXFORD 1895.

Angeregt durch den von E. Nader in dieser zeitschrift, XXI, p. 79—98, veröffentlichten bericht über das VI. *summer meeting* der *University Extension*, begab ich mich ende Juli d. j. nach Oxford, um an dem VII. *summer meeting*, das vom 1. bis zum 26. August abgehalten wurde, theilzunehmen. Während im vorjahre das junge *Keble College* eine anzahl besucher in seine gastfreundlichen hallen aufnahm, war es diesmal das altersgraue *Worcester College*, welches sich in grossmüthiger weise anbot, 30 männlichen theilnehmern an dem meeting für je 30 sh. per woche wohnung und kost zu geben. Natürlich ergriff ich mit freuden die gelegenheit, das so eigenartige englische *College*-leben aus eigener wahrnehmung studiren zu können, und liess mich im *Worcester College* nieder. Ausser mir und meinem freunde dr. Würzner wohnten daselbst noch sieben andere ausländer (3 Franzosen, 1 Holländer, 1 Norweger, 1 Schwede, 1 Schleswig-Holsteiner); die übrigen *Worcester men* waren Engländer, Schotten (2) und Amerikaner (2

Das VII. *summer meeting* erfreute sich nicht desselben zuspruches, wie das unmittelbar vorangehende; denn während an diesem die zahl der besucher 800 betrug, hatten sich heuer kaum 600 theilnehmer eingefunden. Ja die officielle »*List of Visitors*«, die allerdings als unvollständig zu betrachten ist, enthält nur namen und adresse von 462 extensionisten. Aus dieser liste ersehen wir zugleich, dass die männerwelt mit nur etwa 18 % vertreten war, und dass 59 personen aus dem auslande kamen; von diesen entfielen 17 auf die Vereinigten staaten von Nordamerika, 12 auf Norwegen, je 9 auf Deutschland und Frankreich, je 2 auf Holland, Oesterreich (Wien) und Russland, je 1 auf Belgien, Dänemark, Schweden, Canada, Neu-Seeland und Constantinopel. Die Oxforder zeitungen sprachen über die im abnehmen befindliche zahl der extensionisten ihr lebhaftes bedauern aus und maassen die schuld daran den grafschaftsräthen *(county councils)* bei, die heuer weniger stipendisten als in den früheren jahren nach Oxford entsendet hätten. Uebrigens tröstete sich darüber die *Oxford Times* vom 3. August 1895, wie folgt: »*But it will not be matter for regret should the attendance settle down into smaller proportions, if only those who attend are workers, not drones, and seek that enlargement of view and mental enrichment which can only be obtained under similar conditions.*«

Das meeting zerfiel, wie gewöhnlich, in zwei theile, wovon der erste, kürzere, vom 1. bis zum 12., der zweite, längere, vom 13. bis zum 26. August dauerte. Da jeder der beiden curse ein für sich abgeschlossenes ganzes bildete, so wollen wir auch ihren verlauf gesondert besprechen.

Der erste curs wurde donnerstag, den 1. August, um 8.30 ʰ abends mit einer *conversazione* in den *Examination Schools* eröffnet, wo wir die ehre hatten, von dem vice-kanzler der universität, dem Rev. W. Inge, *D. D., Provost of Worcester College,* feierlich empfangen und begrüsst zu werden. Während in der *North Writing School* musik aufspielte und ein buffet mit leichten erfrischungen für die leiblichen bedürfnisse der extensionisten sorgte, richteten in dem gegenüberliegenden prüfungssaale, der *South Writing School,* drei docenten nach einander kurze ansprachen an die versammlung, um diese über inhalt und tendenz der in diesem *summer meeting* zu haltenden vorträge zu unterrichten. Während die vorlesungen des letzten meetings dem

XVII. jahrhundert gewidmet waren, sollte heuer das XVIII. jahrhundert gegenstand des studiums sein.

Die vorlesungen begannen freitag, den 2. August. Von 10.30—11.30 [h] sprach *the Rev.* W. Hudson Shaw über Wilhelm III. und die revolution des jahres 1688. Von seinen auf den besten quellen beruhenden ausführungen war für uns ausländer besonders die stelle interessant, die sich auf das im sinken begriffene ansehen Macaulay's bezog. Macaulay habe als historiker folgende fehler: 1) mangel an tiefe; 2) auffassung der geschichte als geschichtenerzählung; 3) weitschweifigkeit; 4) voreingenommenheit gegen einzelne personen, wie z. b. Claverhouse, Marlborough, Penn. Diesen fehlern ständen allerdings ebenso viele vorzüge gegenüber: 1) eine unübertreffliche erzählungsgabe; 2) ein ausserordentlicher fleiss und eine allgemeine genauigkeit; 3) wahrheitsliebe; 4) vaterlandsliebe. Sein buch sei nicht so sehr eine vertheidigung der Whigs als vielmehr ein epos, mit Wilhelm III. als helden. — Zugleich sprach in einem anderen saale der *Schools*[1]) Mr. G. C. Bourne über die evolution in der biologie. Von 12—1 las Mr. Arthur Sidgwick über Addison. Von 5.30 bis 6.30 begann Mr. Graham Wallas seinen auf drei vorlesungen berechneten cyclus über englische städte im XVIII. jahrhundert. Er besprach zunächst Birmingham als das beispiel einer stadt, die im XVIII. jahrhundert rasch zur blüthe gelangte, trotzdem sie keine gemeindebehörde *(corporation)* hatte. Birmingham, das im jahre 1700 15000, im jahre 1741 25000 und im jahre 1780 50000 einwohner zählte, hatte in dieser zeit keine andere verwaltung als die des *Manor of Birmingham,* das 4 quadratmeilen umfasste, wovon ein fünftel auf die stadt entfiel. Die dichtbevölkerte stadt hatte also dieselbe gutsherrliche *(manorial)* und parochiale verwaltung, wie das geringste dorf im lande. Ihre bürger hatten kaum eine verbindung mit der centralregierung und wussten nicht, was im parlamente vorging. Trotzdem waren sie zufrieden und rühmten sich, dass es in Birmingham weder bettler noch friedensrichter gebe. Für die aufrechterhaltung der ordnung in der stadt sorgten commissäre, die auf grund privater parlamentsbeschlüsse ernannt wurden, und der bau von brücken, schulen, spitälern u. s. w. wurde von freiwilligen ausschüssen aus

---

[1]) Die meisten vorlesungen wurden in den *Examination Schools* (oder kurzweg *schools*) abgehalten; nur wo dies nicht der fall war, wird der ort der vorlesung ausdrücklich genannt.

freiwillig gesammeltem gelde durchgeführt. Diese art selbstverwaltung hatte allerdings den nachtheil, dass nur die wohlhabenden
mittelclassen, die genug musse zu öffentlicher thätigkeit hatten,
zum einfluss kamen, während die arbeitenden classen sich um die
leitung der stadtangelegenheiten gar nicht kümmerten.. — Von
8.30—9.30 hielt professor Odling, F. R. S., die inaugural-
vorlesung über den anfang der neueren chemie.

Samstag, den 3. August. Von 10.30—11.30 las Mr.
G. W. Powers über Marlborough; zugleich setzte Mr. Bourne
seinen vortrag über die biologie fort. Von 12—1 sprachen
Viscount St. Cyres über Bolingbroke und Mr. Sidgwick
über Pope.

Um 3^h begann eine wichtige conferenz »über das verhältniss
der University Extension zum mittelschulunterricht (*secondary
education*)« unter dem vorsitze des parlamentsmitgliedes und ehemaligen unterrichtsministers Sir William Hart Dyke. Der
vorsitzende bemerkte, dass England ein ausgezeichnetes system des
elementarunterrichtes besitze, dass aber die unterrichtsbestrebungen,
die zwischen dieser untersten stufe der volkserziehung und der
grossen University Extension-bewegung lägen, sich in einem chao-
tischen zustande befänden. In dieser frage sei in England nicht
dasselbe interesse zu finden wie in Wales, wo schon eine *inter-
mediate education* durch parlamentsbeschluss eingeführt sei. Nach
der ansicht des redners könne in einem künftigen plane des mittleren und höheren unterrichts die mitwirkung der grafschaftsräthe
nicht ausser acht gelassen werden. Wenn diese körperschaften
seit dem jahre 1890 so viel für das technisch-gewerbliche unterrichtswesen gethan hätten, warum sollten sie nicht einen schritt
weiter gehen und litterarische, historische und andere gegenstände
des mittelschulunterrichtes hinzufügen? Natürlich müsste der staat,
wie in Wales, dieses unternehmen financiell unterstützen. Was in
Wales geschehen sei, müsse früher oder später auch in England
zum vortheil und wohle des volkes geschehen. — Dr. Roberts,
secretär des *University Extension Syndicate* in Cambridge, sagte,
man stehe jetzt an einem besonders interessanten punkte in der
geschichte der University Extension. Er hoffe, dass der bericht
der commission für den mittelschulunterricht, der wohl bald erscheinen werde, die fehlenden mittelglieder zwischen dem elementar-
und dem hochschulunterrichte herstellen werde. Nach 21 jahren
des experimentirens mit der University Extension

müsse jetzt irgend ein festes system geschaffen werden. Es bestünden schon von der U. E. in's leben gerufene lehranstalten in Reading und Exeter; nach diesem muster sollten auch in vielen anderen grösseren städten anstalten errichtet werden, um der heranwachsenden jugend einen systematischen unterricht in technischen, litterarischen und historischen gegenständen zu bieten. — Mr. J. Wells, *Fellow* und *Tutor* des *Wadham College*, bemerkte, er glaube nicht, dass die errichtung solcher schulen jetzt durchführbar sei, da in der gegenwärtigen zeit die grosse masse des englischen volkes an unterrichtlichen dingen gar kein interesse nehme. — Professor Tout von der *Victoria University* sagte, es gebe überhaupt keine beziehung zwischen dem mittelschulunterricht und der University Extension; denn wenn man von dem ersteren spreche, denke man immer an den unterricht in den *grammar schools* und anderen höheren schulen dieser art, während der besondere charakter der U. E. der sei, dass sie als eine bildungsquelle für erwachsene männer und frauen dienen solle. Doch scheine es ihm, dass die U. E., obwohl grundverschieden von dem mittelschulunterrichte, doch neben diesem hergehen und ihn ergänzen könne. Da die U. E. von specialisten betrieben werde, so wisse er keinen anderen weg, den gedankenkreis der elementarlehrer der zukunft zu erweitern, als indem man ihnen gelegenheit gebe, eine reihe von vorlesungen über irgend einen packenden gegenstand, wie sie von der U. E. gehalten werden, zu hören. — Es sprachen noch der bischof von Hereford, einer der gründer der University Extension, der darauf hinwies, dass die centren der U. E. dieselbe materielle hilfe von der centralregierung verdienen, wie sie den universitäts-colleges bewilligt werde, und der Rev. W. Hudson Shaw, der seinem wunsche ausdruck gab, es möchten einige extensionisten ständigen aufenthalt in Oxford nehmen, um nach erlangung eines akademischen grades als lehrer hinauszugehen und das werk der U. E. fördern zu helfen. Nach einem von Mr. Marriott dem vorsitzenden im namen der versammlung ausgebrachten dankesvotum wurde die conferenz um 5 uhr geschlossen. Die bei dieser conferenz ausgesprochenen meinungen wurden von der Oxforder presse verschieden beurtheilt. Die liberale *Oxford Chronicle* schreibt in ihrer nummer vom 10. August 1895 am schluss eines der University Extension gewidmeten leitartikels: »*The time is fast approaching when England will follow in the wake of other civilized countries — of France, Germany, Switzerland, and the United States — and a s s i s t H i g h e r Education from the public exchequer.*« Dagegen kann sich die conservative *Oxford Times* mit einem derartigen vom staate geleiteten mittelschulunterrichte nicht befreunden, denn sie schreibt an demselben tage: »*It is to be hoped, however, that County Councils will not adopt his (*sc. *Sir W. Hart Dyke's) suggestion and extend their scheme into directions which would hamper the practical technical work so valuable to the labouring and artizan classes. T h e m o r e t h e o r e t i c a l a n d c l a s s i c a l s u b j e c t s m a y s a f e l y b e l e f t t o v o l u n t a r y e f f o r t s like the University Extension scheme.*«

Von 5.30—6.30 setzte M r. W a l l a s seinen vortragscyclus fort. Er wählte sich diesmal die stadt N o r w i c h zum thema, die seit dem beginne der englischen geschichte die zweitgrösste stadt im lande war, deren bevölkerung aber trotz einer wohlorganisirten stadtverfassung derart sank, dass sie am ende des 18. jahrhunderts nur noch halb so gross war wie das mit der verfassung eines dorfes ausgestattete Birmingham. In früheren zeiten waren die einwohner von Norwich fast militärisch organisirt. Jeder mann gehörte zu einer abtheilung von 10 mann (*tithing*), an deren spitze ein *tithing-man* stand. Diese *tithing-men* mussten einmal im jahr zusammenkommen; wenn ein mann sich eines vergehens schuldig machte, wurden die anderen 9 mitglieder des zehents gestraft. Als die stadt mächtiger und durch den blühenden wollhandel reicher wurde, kaufte sie sich privilegien vom könig und ahmte die organisation London's nach. Sie hatte jetzt 1 *mayor*, 2 *sheriffs*, 24 *aldermen*, die aus ihrer mitte den *mayor* wählten, und einen *common council*, der aus 60 mitgliedern bestand. Ausser diesem mächtigen magistrat hatte die stadt innerhalb ihrer mauern nicht weniger als 39 kirchspiele, von denen ein jedes seine eigene kirche und armenpflege hatte; einer durchaus selbständigen stellung erfreute sich der dom. Verschiedene ursachen wirkten nun zusammen, dass die stadt trotz ihrer festgefügten verfassung nicht gedieh. Erstens war daran schuld der kampf der beiden politischen parteien, deren jede die *corporation* für sich zu gewinnen suchte, was wieder verderbniss und bestechung bei den wahlen zur folge hatte. Zweitens wurden die *aldermen* auf lebenszeit gewählt und hatten gelder zu verwalten, die nicht direct von ihren wählern beigesteuert wurden, sondern zum grössten theil aus den zur zeit der reformation confiscirten religiösen stiftungen bestanden. Dass diese beiden letzteren umstände den einfluss der *aldermen* erhöhen und den der bürgerschaft vermindern mussten, liegt auf der hand. — Von 8.30—9.30 las *Sir Edward Russell*, eigenthümer der *Liverpool Daily Post*, über Garrick [1]).

Montag, den 5. August. Von 10.30—11.30 hielt professor R. Lodge von der universität Glasgow die erste seiner beiden vorlesungen über die revolution in Schottland und die vereinigung Schottland's mit England (1707). — Zugleich beendete Mr. Bourne seine vorträge über die biologie. — Von 12—1 hätte professor York Powell (nachfolger Froude's an der universität Oxford) über Defoe sprechen sollen. Da er aber nicht erschien, wahrscheinlich weil er dachte, dass an einem *Bank Holiday* keine vorlesungen stattfinden würden, trat Mr. Marriott in die bresche und hielt einen improvisirten vortrag über denselben autor. — Zugleich las Mr. Arthur Hassal über die geheime diplomatie Ludwig's XIV.

Nachmittag um 3 uhr wurde eine conferenz abgehalten »über die nützlichkeit der errichtung einer prüfungscommission, die befugt wäre, weiblichen docenten zeugnisse auszustellen«. Miss Edith Bradley, vorsteherin des vereins weiblicher docenten, führte aus, dass die nothwendigkeit der errichtung einer solchen commission sich daraus ergebe, dass häufig von den verschiedenen *county councils* sehr ungenügende vortragskräfte verwendet würden, die den stand im allgemeinen in verruf bringen könnten. Nach einigen ermunternden worten des Mr. J. Wells, der die conferenz leitete, wurde eine diesbezügliche resolution angenommen.

Von 5.30—6.30 beendete Mr. Wallas seine lichtvollen vorträge über englische städte im 18. jahrhundert. Den gegenstand seiner letzten vorlesung bildete die metropole, die zu beginn des 18. jahrhunderts 674 000 und am ende desselben 864 000 einwohner zählte. Was die *city* betrifft, so wirkte ihre verfassung, die ja bekanntlich von der stadt Norwich zu ihrem schaden nachgeahmt wurde, überaus wohlthuend. Die dörfer, die ausserhalb der *city* lagen, blieben selbst dann, als sie schon eine dichte bevölkerung hatten und mit London vereinigt waren, ihrer verwaltung nach offene dörfer, wie Birmingham. Wir finden hier

---

[1]) Dieser vortrag ist seither im verlage der »*Liverpool Daily Post*« *Office* in Liverpool im druck erschienen.

die überbleibsel der alten herrschaftlichen gerichtsbarkeit, deren ausübende factoren der *lord of the manor*, sein verwalter *(bailiff)* und das herrschaftliche lehensgericht *(court leet)* waren. Diese gerichtsbarkeit war aber sehr herabgekommen und hatte den grössten theil ihrer ehemaligen functionen der parochialen verwaltung abgetreten. Sehr viel wurde auch, wie in Birmingham, durch private sammlungen gethan. — Von 8.30—9.30 sprach professor M a h a f f y (Trinity College, Dublin) über die griechischen erziehungsideen.

Dienstag, den 6. August. Von 10.30—11.30 beendete prof. L o d g e seine vorlesungen über Schottland, während zu gleicher zeit Mr. G. J. B u r c h im museum über den chemiker Priestley las. — Von 12—1 wählte Mr. A. L. S m i t h, *Fellow and Tutor of Balliol College,* das aufblühen Preussen's zum gegenstande seiner vorlesungen, und Rev. W. H. S h a w sprach über Wesley. John Wesley (geb. 1703, gest. 1791) studirte in Oxford, wo am 24. Mai 1738 in der *Aldersgate Street* seine bekehrung zum methodismus erfolgte. Er begann nun seine mission und zog ein halbes jahrhundert predigend im lande umher. Die hauptergebnisse seiner arbeit waren: 1) die wiederbelebung der evangelischen lehren und 2) die begründung der modernen philanthropie. Unter den zahlreichen biographien Wesley's hat die von S o u t h e y grossen litterarischen werth, ist aber in manchen punkten unrichtig und sogar ungerecht; das beste bild von Wesley's leben und wirken giebt Rev. L. T y e r m a n's *Life and Times of John Wesley, 3 vol.* (Holder & Stoughton). — Von 5.30—6.30 besprach Mr. J. W e l l s den geistigen zustand Oxford's im 18. jahrhundert. Oxford war zu ende des 17. und anfang des 18. jahrhunderts die heimath von »*lost causes*«, nämlich der Jacobiter und der eidverweigernden geistlichkeit. So bitter war die opposition der universität gegen die regierung, dass sie mit dem verluste aller ihrer privilegien bedroht und im jahre 1715 sogar unter kriegsrecht gestellt wurde. Während zu beginn des jahrhunderts in Oxford ein kräftiges intellectuelles leben pulsirte, war es beim vorschreiten des jahrhunderts immer weniger geistig thätig. Nach dem zeugniss G i b b o n's, B e n t h a m's und H o g g's vernachlässigten die universitätslehrer ihre pflichten; die prüfungen für die akademischen grade waren zu einer blossen formsache verblasst, und der maasstab der moral war niedrig. Aber trotzdem gab es immer eine lichtseite des universitätslebens, wie von dr. Johnson bezeugt wird.

Die geistige wiederbelebung begann gegen das ende des jahrhunderts durch männer wie John Parsons und Cyril Jackson, durch deren bemühungen das tutor- und prüfungssystem in Oxford reorganisirt und dem ganzen universitätsstudium ein neues leben eingehaucht wurde. — Von 8.30—9.30 trug Mr. F. Cunningham Woods, Mus. Bac., über die musik und die musiker des 18. jahrhunderts vor.

Mittwoch, den 7. August. Von 10.30—11.30 sprachen Mr. Horsburgh in den *Schools* über Sir Robert Walpole und Mr. Garstang im museum über die theilung der arbeit in thiergemeinden *(animal communities)*. — Von 12—1 sprach Mr. A. L. Smith über Friedrich den grossen. — Um 3 uhr setzte Mr. Woods seinen vortrag über die musik fort, und von 5.30—6.30 las Rev. T. W. Fowle, rector von Islip und verfasser des büchleins »*The Poor Law*«, über das armengesetz im 18. jahrhundert. — Von 8.30—9.30 hielt dr. Fison einen interessanten vortrag über die milchstrasse.

Donnerstag, den 8. August. Von 10.30—11.30 lasen Mr. Marriott in den *Schools* über William Pitt, Lord Chatham und Mr. C. Carus-Wilson im museum über die geologie von Oxfordshire. — Von 12—1 sprachen Mr. Hilaire Belloc über Rousseau und Rev. W. H. Shaw über W. Wilberforce, den unermüdlichen kämpfer gegen sklavenhandel und sklaverei. — Von 5.30—6.30 setzte Rev. T. W. Fowle sein thema fort, und um 8.30 wurde in der *Union Society's Debating Hall* eine debatte über das büchlein »*Merrie England*« des socialisten »Nunquam« (Robert Blatchford) unter dem vorsitz des Rev. C. G. Lang abgehalten. Mr. Belloc stellte die motion, »dass das socialistische ziel des buches der wohlfahrt der gesellschaft schädlich sei.«. Er sagte, der autor des buches suche das gefühl der individualität und der individuellen freiheit zu unterdrücken, während er (der redner) als liberaler dafür halte, dass die freiheit das allerwichtigste gut der menschheit sei. Für den socialisten gebe es keinen unterschied, ob jemand 50 £ als lohn bekomme, oder ob er denselben betrag aus einem capital, das er schon besitze, erhalte; aber man müsse einen besitz haben, um ein freier staatsbürger zu sein. Wenn man die individuellen und persönlichen tugenden des muthes und der selbstbeherrschung, wenn man das gefühl der barmherzigkeit und der freiheit aus der welt schaffe, zerstöre man etwas, was weit wichtiger ist als der materielle wohlstand, zu welchem ein-

zelne personen eine zeit lang gehoben werden könnten. Mr.
C h a r l e s O w e n s (Oldham) bekämpfte die motion Belloc's; er
bemerkte, er sei nicht der ansicht seines vorredners, dass der
socialismus eine sklaverei sein würde, sondern er glaube im gegentheil, dass die sklaverei in der gegenwärtigen zeit weit mehr vor-
wiege, als dies unter irgend einem socialistischen systeme, das
man annehmen würde, der fall wäre. Gerade der individualismus,
den Mr. Belloc anrufe, schaffe und entwickle die übel, unter denen
der staat jetzt seufze. Das problem des individualisten sei: »Gegeben ein land und ein volk, wie kann ich den grössten vortheil
aus ihnen ziehen?«, während das von Nunquam in »*Merrie England*« gestellte problem folgendes sei: »Gegeben ein land und ein
volk, wie kann das volk den grösstmöglichen vortheil aus dem
lande und aus sich selbst ziehen?« Er gebe zu, dass die schwierigkeiten, die sich dem socialismus in den weg stellten, gross seien,
aber sie seien nicht unüberwindbar. Wie andere ideale, die ver-
lacht worden sind, werde der socialismus endlich siegreich aus
den kämpfen, die ihm bevorstehen, hervorgehen. — Nachdem
noch einige redner gesprochen, schlug Rev. W. H. S h a w folgendes amendement vor: »Dieses haus billigt die ziele und den geist
von »*Merrie England*«, aber missbilligt sein revolutionäres programm«. Als Mr. B e l l o c erwiderte, er sei bereit, dieses amendement anzunehmen, wurde seine frühere motion fallen gelassen und
das amendement Mr. Shaw's zur motion erhoben. Die »*noes*«
erklärten die mehrheit zu haben *(to have it)*, aber bei der vorgenommenen »*division*« stimmten für den antrag 310, gegen denselben nur 50.

F r e i t a g , den 9. A u g u s t . Von 10.30—11.30 lasen Sir
C h a r l e s A i t c h i s o n , K. C. S. J., über die englische macht in
Indien und Mr. J. E. M a r s h über Lavoisier. — Von 12—1 trugen
Mr. H i l a i r e B e l l o c über Frankreich vor der revolution und
Mr. M a c k i n d e r über capitän Cook vor. — Von 5.30—6.30
sprachen Mr. L. L. P r i c e über Adam Smith, den berühmten
verfasser des fünfbändigen werkes »*Wealth of Nations*«, und
dr. K i m m i n s , *Secretary to the London Society for the Extension
of University Teaching*, über die suche nach dem stein der weisen.

S a m s t a g , den 10. A u g u s t . Das programm der vorlesungen dieses tages war: 10.30—11.30 Mr. C. E. M a l l e t über
Burke und dr. C. H. W a d e über ansteckende krankheiten und
ihre lehre (im museum); 12—1 Mr. E. A r m s t r o n g , *Fellow and*

Tutor of Queen's College, über Alberoni und Mr. F. S. B o a s über Swift; 8.30—9.30 Mr. A u g u s t i n e B i r r e l, Q. C., M. P., über Dr. Johnson. Mr. Birrel sagte, das wahre geheimniss des interesses an Dr. Johnson, der weder ein grosser philosoph noch ein grosser dichter, sondern nur ein »*miscellaneous writer*« gewesen sei, liege darin, das uns seine persönlichkeit lebendiger als die irgend eines anderen mannes der welt überliefert worden sei. Dies geschah 1) durch Boswell's biographie, 2) durch die zahlreichen geschichten, die von Johnson erzählt werden, und 3) durch seine briefe.

S o n n t a g, d e n 11. A u g u s t, um 8.30 abends fand in der Hall von New College eine versammlung der *Christian Social Union* statt, bei welcher G a n o n G o r e die zwecke, die dieser verein verfolgt, näher erklärte. Dieselben sind nach einem gedruckten flugblatte, das an die versammelten vertheilt wurde, folgende: »1. *To claim for the Christian law the ultimate authority to rule social practice.* 2. *To study in common how to apply the moral truths and principles of Christianity to the social and economic difficulties of the present time.* 3. *To present Christ in practical life as the living Master and King, the enemy of wrong and selfishness, the power of righteousness and love*«.

Dies war in kurzem die in dem ersten theile des meetings geleistete arbeit. Zu erwähnen ist noch, dass täglich von 9—10 theologische vorlesungen gehalten wurden, in die sich Rev. C. G. L a n g in den *Schools* und Rev. P r i n c i p a l D r u m m o n d, Rev. J. E. O d g e r s, Rev. A. G o r d o n, Rev. V. D. D a v i s im *Manchester College* (der theologischen facultät der universität Oxford) theilten, und dass in den frühen nachmittagsstunden partien von extensionisten unter führung von fachmännern die *colleges* und andere denkwürdige gebäude besuchten. Am m o n t a g, d e m 17. A u g u s t, wurden ausflüge in die umgebung Oxford's unternommen; eine gruppe der extensionisten fuhr nach Broughton, um daselbst das alterthümliche schloss und die in der nähe gelegene *Wroxton Abbey*, den wunderschönen besitz des Lord North, zu besichtigen, eine andere gruppe begab sich nach Blenheim und Woodstock, und eine dritte machte eine *water-party* nach Nuneham mit. Abends fand in den Examination Schools eine schlussfeier statt, deren programm ausser einigen klaviervorträgen eine gelungene aufführung von drei dramatisirten scenen aus *Jane Austen's* romanen brachte. Zum schluss der feier wurde dem schriftführer der *Oxford University Extension Delegacy*, Mr. M a r r i o t t, und seinen administrativen collegen, sowie den professoren und docenten, die in dem abgelaufenen theile des meetings vorträge gehalten hatten, der dank der versammlung ausgesprochen.

Dienstag, den 13. August, begann der zweite theil des Summer Meeting, der sich vom ersten dadurch unterschied, dass er zwar bei weitem weniger theilnehmer zählte, dass aber diese viel mehr arbeiteten, indem jetzt der schwerpunkt des unterrichts in die *classes* [1]) verlegt wurde. Es bestand eine botanische *classe* unter der leitung Mr. P. Groom's, eine geologische *classe* unter professor G. A. Lebour's leitung, eine griechische *classe* unter Mr. H. C. Gibson und eine Education Class, in der Miss Beale, Miss Welldon, Mr. Cooke, Mr. Holman und Mr. Elford den unterricht leiteten. Für die theilnahme an diesen *classen*, in denen täglich 1—2 stunden unterrichtet wurde, musste ein *extra fee* von 10 sh. gezahlt werden.

Gehen wir nun an eine skizzirung der allgemein zugänglichen vorlesungen des zweiten curses. Von 9—10 wurde an den drei ersten tagen nicht gelesen; am 16. und 17. August las Mr. H. Sidebotham über die litterarische gesellschaft in Athen, und vom 19. bis 24. August hielt Mr. R. E. S. Hart seinen vortragscyclus über die philosophie Plato's. — Von 10.30—11.30 fanden täglich vorlesungen statt. An den zwei ersten tagen sprach Mr. Horsburgh über den aufschwung Russland's und über die vor-revolutionären reformatoren. Am 15., 17., 19., 21., 23. und 24. August hielt Mr. J. A. Hobson sechs vorträge über die entwickelung der nationalökonomischen theorien seit Adam Smith. Am 16. August sprach Mr. De Burgh über Montesquieu und am 20. Mr. Wells über Gibbon. Der vortragende sagte, Gibbon stehe über Hume und Robertson. Sein werk, das infolge der langen vorbereitung, die er zu seiner abfassung verwendete, wie aus einem gusse sei, müsse, trotzdem seitdem gründlichere studien über die spätrömische geschichte gemacht wurden, noch immer als autorität angesehen werden. Doch sei zu bedauern, dass Gibbon keine erklärung der ereignisse gebe, dass er den leser nicht zu begeistern verstehe, und dass es ihm nicht gelungen sei, grosse bewegungen, wenn sie nicht rein intellectuell seien, zu erfassen, was sich besonders auffallend in seiner behandlung des christenthums zeige. Er sei eben eine kalte, herzlose natur gewesen. — Auch von 12—1 wurden

---

[1]) Ueber das wesen der *class* vgl. Nader, Engl. stud. XXI, s. 95.

täglich vorlesungen gehalten. Am ersten tage wurde die Education Class mit einem einleitenden vortrage der Miss Beale eröffnet. Für die folgenden sechs tage hatte Mr. Boas einen cyclus über die romanqiers und dichter des 18. jahrhunderts angekündigt. Da er aber während der ersten vorlesung einen ohnmachtsanfall bekam und seine vorlesungen nicht mehr fortsetzen konnte, las Mrs. Boas am 16., 17. und 19. August das manuscript ihres gatten über Richardson, sowie über die dichter Allan Ramsay, James Thomson, Goldsmith und William Collins, während am 20. August Mr. Marriott statt des Mr. Boas einen vortrag über Fielding hielt. Ueber Smollet und Sterne bekamen wir zu unserem bedauern nichts zu hören. Dafür hielt am 15. August Mr. L. W. Lyde einen vortrag über die geographischen entdeckungen des 18. jahrhunderts, welches thema er am 22. August von 10.30—11.30 fortsetzte. Die vom 21. bis 26. August von 12—1 gehaltenen vorlesungen waren: Mr. Warwick Bond über Gray, Mr. Ashbee über die zeichen-kunst des 18. jahrhunderts, Mr. Richardson über die litteratur des 18. jahrhunderts im allgemeinen, Mr. A. E. Queckett über London im 18. jahrhundert und Mr. R. G. Oxenham über die erziehung in Indien. — In den frühen nachmittagsstunden wurden jeden zweiten tag den *colleges* unter führung des Mr. Wells besuche abgestattet. Von 5.30—6.30 hielt Mr. F. Bond seine vorträge über die baukunst, die mit wissenschaftlichen excursionen in verschiedene kirchen Oxford's und seiner umgebung abwechselten.

Es bleibt uns noch übrig, die vorlesungen, die an den abenden gehalten wurden, zu besprechen. Am ersten abend sprach Mr. H. R. Reichel, *Principal* und professor der geschichte am *University College, North Wales*, über die englische seemacht im 18. jahrhundert. Nachdem er die wichtigkeit des seehandels hervorgehoben, ging der redner daran, die entwickelung der eng-lischen flotte vom ende des 16. jahrhunderts an zu skizziren. Im jahre 1588 zerstörte England die spanische seemacht, aber einige zeit lang schien es, als würde Holland den ganzen nutzen davon ernten. Cromwell beschloss, die oberhoheit England's zur see wiederzugewinnen, und diese politik wurde bei der restauration fortgesetzt. Unter Ludwig XIV. wurden von Frankreich grosse anstrengungen gemacht, um die herrschaft zur see zu erlangen. Eine französische flotte besiegte eine englisch-holländische bei Beachy Head, wurde aber, da sie ihren sieg nicht verfolgte, bei La Hogue vollständig geschlagen. Im amerikanischen kriege fügten die Franzosen England empfindlichen schaden zu. Wenn sich auch die amerikanischen colonien von England losrissen, so gewann dieses in folge seiner überlegenen seemacht das indische reich. Zur zeit Napoleon's beherrschte Grossbrittannien ebenso die see, wie Napoleon das festland. Die heutigen staatsmänner England's sollten den seeangelegenheiten ihre grösste aufmerksamkeit zuwenden; denn nachdem die herrschaft zur see einmal gewonnen sei, müsse sie um jeden preis erhalten werden. An den zwei folgenden abenden sprach Sir Robert Pearce Edgcumbe, LL. D., über die geschichte und die grundsätze der währung (currency), wobei er die frage aufwarf, ob der monometallismus jetzt England nicht eher schade als nütze. Am 16. August hielt professor York Powell seinen aufgeschobenen vortrag über Defoe. Am 19. August sprach Mr. E. J. Mathew von Cambridge über Sir Walter Scott als den historiker des 18. jahrhunderts. Am 21. und 22. August las Mr. Marriott über Irland im 18. jahrhundert und über die einsetzung des von dem englischen parlament unabhängigen sogenannten Grattan'schen parlaments. Er setzte dieses thema am letzten tage des meetings (26. August) von 10.30—11.30 fort, indem er die umstände besprach, die zu dem *Act of Union* führten. Am 23. August sprach professor Wright über die grundsätze des *Dialect Dictionary* [1]) und am 24. August Rev. William Bayard Hale von Massachusetts über die entwickelung der amerikanischen verfassung.

Ausser diesen vorlesungen ist noch ein für die neusprachlehrer interessanter vortrag zu erwähnen, den Mr. Powell (nicht zu verwechseln mit professor York Powell) montag, den 19. August, von 8.55—9.45 früh über die sprachunterrichtsmethode Gouin's hielt. Der redner wies darauf hin, dass diese methode in einigen schulen London's für den unterricht in den modernen sprachen verwendet werde, und dass sie bei den schülern sehr beliebt sei. Er erzählte, dass die kinder Mr. Stead's, des bekannten herausgebers der *Review of Reviews*, nach dieser methode im Französischen und Deutschen unterrichtet wurden, und dass sie bei der öffentlichen prüfung wunderbare fortschritte in beiden sprachen aufwiesen. Der redner gab einige praktische beispiele, wie man kinder auf natürliche weise zum Französisch-sprechen anleiten könne, und empfahl seinen zuhörern das buch: »*The Art of Teaching and*

---

[1]) Ich kann leider über diesen vortrag nichts näheres berichten, da ich an diesem tage nicht mehr in Oxford anwesend war.

Studying Foreign Languages by Mr. Fr. Gouin. Translated by Mr. Howard Swann« zum studium.

Auch im zweiten theile des meetings fand eine debatte statt, und zwar am 20. August abends über die frage, »ob es zeit ist, dass das *House of Lords* aufgehoben werde«. Mr. Hesketh (Woolwich), ein arbeiter, bejahte diese frage und stellte die *motion*, dass das *House of Lords* abgeschafft werden solle. Nachdem mehrere redner, darunter Mr. Lyde, Mr. Wells, Mr. Richardson, gegen oder für diesen antrag gesprochen, wurde derselbe mit 66 gegen 42 stimmen abgelehnt.

Am montag, dem 26. August, abends wurde der zweite theil des meetings wieder mit einer *conversazione* feierlich geschlossen. Das programm dieser schlussfeier war dem der feier vom 12. August ähnlich. Wieder wurde dem Mr. Marriot ein dankesvotum ausgebracht, worauf dieser in einer längeren rede antwortete. Wir können uns nicht versagen, einen passus aus dieser rede, der sich auf die verschiedenen kategorien derjenigen, die zu dem Summer Meeting gekommen waren, bezieht, wörtlich nach dem berichte der *Oxford Chronicle* vom 31. August zu citiren: »*They had students and visitors there representing three classes: first of all those who came from their centres, or from the centres of other University Extension societies in Great Britain; secondly, there were those — and he wanted to lay special emphasis on this — who came from places which were not centres, but which he hoped would become centres, and, lastly there were those who had come to this meeting in especially large numbers from abroad. (Applause.) There were their own cousins from America who had come to them in large numbers, and they hoped to see them coming every year in increasing numbers. (Applause.) Then they had there friends from France, Vienna, Berlin, all parts of Germany, Denmark, Sweden, Norway, Constantinople and Rome, and if there were any other unenumerated towns in Europe, he hoped they would supply the blanks. He hoped they would all come again and bring others over with them.*« Mr. Marriott schloss seine rede mit der mittheilung, dass das nächste Summer Meeting in Oxford im jahre 1897 abgehalten und dem studium der geschichte, litteratur und kunst der revolutionären periode von 1789 bis 1841 gewidmet sein werde.

WIEN, November 1895. J. Ellinger.

BEITRÄGE ZUR ENGLISCHEN GRAMMATIK.

2. Ueber den artikel vor titeln[1]).

Die ansichten der grammatiker über den gebrauch oder die weglassung des artikels vor titeln mit folgenden eigennamen stimmen nicht in allen punkten überein, so dass eine speciellere behandlung dieser frage wohl einiges interesse für sich in anspruch nehmen darf.

J. Schmidt, Grammatik der englischen sprache[4], s. 268, sagt: »Bei folgenden titeln muss der artikel stehen: the *Emperor* Napoleon, the *Empress* Catharine, the *Czar* Peter, the *Princess* Charlotte, the *Archduke* Ferdinand, the *Elector* Maximilian. Der artikel darf ferner nicht fehlen, wenn of folgt: The Duke of Wellington, the Duchess of Kent, the Countess of Devonshire. In einzelnen fällen ist eine doppelte bezeichnung zulässig: Earl Grey, oder the Earl of Grey.«

John Koch, Wissenschaftliche grammatik der englischen sprache, § 256, sagt: »Tritt ein titel unmittelbar vor einen personennamen, so steht kein artikel, wenn der titel ein in England gebräuchlicher ist. Ausländische titel wie emperor, empress, archduke, archduchess, grand duke, grand duchess, elector, electress; czar, czarina; doge, abbé, dauphin, regent; sultan, sultana, khalif etc., erhalten jedoch in diesem falle den artikel. Hierhin gehört auch princess, eine bezeichnung, die sich erst seit dem 18. jahrhundert in England eingebürgert hat und gelegentlich (so in hofberichten) den artikel verliert.«

Gesenius, Grammatik der englischen sprache[9], § 6, bemerkt: »Czar, emperor, empress, archduke, duchess, archduchess und elector werden vor eigennamen mit dem artikel verbunden. Princess findet sich in diesem falle mit und ohne the.«

Gesenius-Regel, Englische sprachlehre, s. 237, behauptet, dass »'titel mit de' ohne artikel stehen: Count and Countess de Montbello.«

Es handelt sich hier zuerst um titel mit der französischen präposition de. Schmidt und Gesenius berück-

---

[1]) Vgl. bd. XX, p. 403.

sichtigen sie gar nicht. Nach der allgemein gefassten regel bei Koch müsste man den artikel setzen, aber es ist wohl anzunehmen, dass Koch diesen speciellen fall übersehen hat, da sich bei ihm kein beispiel dafür angegeben findet. Gesenius-Regel behauptet geradezu, dass kein artikel stehen dürfe.

Nach meiner beobachtung stehen titel mit folgendem de meistentheils mit artikel.

The old Baron von Rexelaer, *the Marquis de la Jolais*, the Vrouw Morel and Father Bulbius, Susanna Varelkamp and *the Comtesse de Mongelas* — all these and score of others live for us in his pages with a vividness that makes it hard to believe that they have no counterpart except as types. Graphic, Jan. 5, 1895, s. 17.

It must be owned that the »Vieux Souvenirs« of *the Prince de Joinville* contain a large admixture of small beer. Eod. s. 20.

The shaft of Mlle. Duvernay stuck deep in a column close to the head of *the Duc de Nemours*. Eod. s. 20.

Lady Mary Lloyd translated it for English readers under the title of »Memoirs of *the Prince de Joinville*«. Eod. s. 20.

Madame the Staël had fallen out with *the Viscount de Choiseul* owing to certain malicious reports circulated by the latter. Tit-Bits, Jan. 26, 1895, s. 292.

Last week it was announced that *the Comte de Paris* was lying seriously ill at Stowe House. Graphic, Sept. 8, 1894, s. 267.

The Queen of Portugal, *the Duc d'Aumale*, *the Duchesse de Chartres* and many other members of the French Royal Family have arrived at Stowe House. The Duc d'Orleans wrote to *the Comte d'Haussonville*. Eod. s. 267.

Who would recognise Bill Murphy in his Excellency *the Count de Morphy*. Tit-Bits, Sept. 22, 1894, s. 447.

She gave many interesting details of the death of *the Duc d'Orleans*. Baroness Bloomfield, Reminiscences of Court and Diplomatic Life I, s. 55 (Tauchnitz).

The Marquis de B. was sitting at a restaurant. Tit-Bits, Nov. 3, 1894, s. 76.

The coffin was then lowered into the vault where lie the remains of Charles X., Louis XIX., better known as *the Duc d'Angoulême*, *the Duchesse d'Angoulême*, the Duchess of Parma, and *the Comte de Chambord*. The Times (ed. Landmann) s. 90.

By the Comtesse's death her property devolves upon the Comte's two nephews, the Duke of Parma and *the Comte de Bardi*. Eod.

A requiem mass for *the Comtesse de Chambord* was solemnized yesterday by the direction of *the Comte de Paris* in St. Xavier François Church. The Times (ed. Landmann) s. 91.

My dear friend, says Jules to *the Marquis de Pierrepoint*, you know whether I am sufficiently fin de siècle. Blackwood's Edinb. Magazine, July 1891, s. 46.

The Count de Castellano has made a confidant of a journalist. Tit-Bits, April 6, 1895, s. 4.

In France *the Duchesse d'Uzes* and *the Comtesse de Martel* occasionally write articles. Tit-Bits, Febr. 23, 1895, s. 375.

A famous bon vivant of the first Empire, *the Marquis de Cussy* went even further. Blackwood's Edinb. Magazine, Aug. 1891, s. 166.

Many will hear with regret that *the Princess de Wagram* is seriously ill. Graphic, Sept. 8, 1894, s. 271.

Beispiele ohne den artikel:

A daughter of *Baron de Rothschild*, of Frankfort, the Princess spent two seasons in London and speedily became a general favourite here. Graphic, Sept. 8, 1894, s. 271.

It is felt that the appointment of *Baron de Courcel* is a matter of considerable importance. Graphic, Oct. 6, 1894, s. 387.

Baron de Courcel is well acquainted with English affairs and statesmen. Eod.

Count de Fancigny, another great royalist, was an old friend of my brother's. Baroness Bloomfield, Reminiscences of Court and Diplomatic Life I, s. 23 (Tauchnitz).

It seems that the propelling power which brought the plot to bear was mainly supplied by *Count de Morny*, and by a resolute Major named Fleury. Kinglake, The Invasion of the Crimea I, s. 241 (Tauchnitz).

The French army has sustained a severe loss by the death of *General de Miribel*. The Illustr. L. News, Sept. 16, 1893, s. 342.

The French patriotic festival on Dunkirk was not attended by any of the Ministers of State; but *General de France* (an appropriate name) commanding the 1st Army Corps, represented the Government of the French Republic. Eod. s. 343.

Stets ohne artikel stehen titel vor einem mit ›von‹ beginnenden eigennamen[1]). Den von mir bereits angeführten beispielen (progr. 1893) füge ich die folgenden bei:

General von der Tann, chief of the 1st Bavarian Corps was ready in the grey twilight to open fire. Sketches of the Franco-German War. Daily News Correspondence, s. 83 (ed. Ahn).

The leading division of General Steinmetz's army arrived at Saarbruck under *General Von Kamecke*, and began to reconnoitre. Eod. s. 43.

Two more volumes contain the essays, speeches, and memoirs of *Count Von Moltke*. Graphic, Febr. 17, 1894, s. 183.

Among the more prominent personages were Count Lehndorff,‑ *Baron von Schrader, Baron and Baroness von Reischach*, Comte Orloff Davidoff. The first prize was taken by *Major von Hasperg's* simple peasant waggon. Eod. Sept. 22, 1894, s. 332.

His purpose was, says *Major von Moltke*, to give a concise account of the war. Blackwood's Edinb. Magazine, Nov. 1891, s. 679 (A. Alison).

---

[1]) Wenigstens ist mir bei mehrjähriger beobachtung dieses punktes nicht ein einziges solches beispiel mit dem artikel aufgestossen.

Vor Princess verlangt Schmidt stets den artikel. Koch sagt, dass er »gelegentlich« vor diesem worte wegfalle, während Gesenius behauptet, dass Princess mit oder ohne artikel vorkomme. Meines erachtens entspricht das letztere durchaus dem jetzigen sprachgebrauch, der hier ausserordentlich häufig den artikel weglässt.

Her majesty the Queen, who is at Balmoral Castle with *Princess Beatrice*, laid the foundation-stone of the new parish church of Crathie. Illustr. London News, Sept. 16, 1893, s. 343.

Princess Margaret of Connaught, Princess Patricia of Connaught, and *Princess Victoria Eugénie of Battenberg* poured corn, oil and wine on the stone. Eod. s. 343.

Her Majesty the Queen with *Princess Henry of Battenberg* is at Balmoral Castle. Eod. Sept. 30, 1893, s. 407.

Princess Christian has done a good deal of journalistic work in her time. Tit-Bits, Febr. 23, 1895, s. 375.

Princess Louise and Lord Lorne left first, and the Duchess of Albany, with her children followed on Monday. Graphic, Jan. 12, 1895, s. 30.

Princess Mercedes is a very clever little girl. Tit-Bits, March 2, 1895, s. 303.

Princess Mercedes, who is now in her thirteenth year, enjoys the altogether exceptional distinction, for so young a girl, of being an ex-Queen. Eod.

The guests included *Princess Christian*, Countess Granville etc. Graphic, Aug. 4, 1894, s. 121.

Princess Louise, Marchioness of Lorne, is a singularly graceful skater Tit-Bits, March 16, 1895, s. 429.

Interessant ist der folgende kleine abschnitt aus der Weekly. Edition der Times, 1885, May 1, s. 1, in dem der eine satz den artikel setzt, und der folgende ihn auslässt.

The Queen and *the Princess Beatrice* were present on Saturday at the Confirmation of the Hereditary Grand Duke of Hesse at Darmstadt. Her Majesty also attended the christening of the infant child of *Princess Louis of Battenberg*, and was one of the sponsors.

Vgl. ausserdem The Illustrated London News Nov. 25, 1893, s. 363. — The Times, Weekly Edition, 1878, Oct. 25, s. 1; Nov. 29, s. 1; Dec. 6, 27, s. 1. 1879, Jan., s. 1; March 28, s. 1. 1885, May 8, s. 1. — Tit-Bits, April 6, 1895, s. 15, 3 beispiele.

Ein schwanken im gebrauch des artikels macht sich bei *Countess* bemerkbar.

She had seen *the Countess Lemoine* get into the same train. Tit-Bits, Dec. 8, 1894, s. 166.

The bridesmaids were six in number, Lady Constance Grosvenor, daughter of *the Countess Grosvenor* etc. Graphic, Dec. 15, 1894, s. 671.

Gentlemen, he said in his calmy dignified manner, let me present to you *the Countess Skariatine*. Crawford, A Cigarettemaker's Romance (Tauchnitz) s. 270.

Too delightful, ejaculated *the Countess Margaret*. Crawford, Dr. Claudius, s. 48 (Tauchnitz).

He was happy to communicate to *the Countess Margaret* the intelligence. Eod. s. 314.

In demselben roman, Dr. Claudius, ist aber auch *Countess* ohne artikel zu finden:

Countess Margaret was charmed. Eod. s. 71.

I think, *Countess Margaret* understands me very well. Eod. s. 81.

Countess Margaret did not know that Claudius was going. Eod. s. 108.

Auch *Baroness* findet sich zuweilen mit dem artikel.

Edward Whymper, from a photograph by *the Baroness Adolph de Roth-schild*. Graphic, Sept. 29, 1894, s. 377.

The Baroness Adolphe de Rothschild has a particular affection for cows. Graphic, Oct. 6, 1894, s. 14.

The guests included Princess Christian . . ., the Countess of Arran, Countess Granville, *the Baroness Burdett-Coutts*, and the immediate relatives of the bride and bridegroom. Graphic, Aug. 4, 1894, s. 121.

Als curiositäten führe ich die folgenden beispiele an, in denen *Emperor* und *Czar* ohne artikel stehen. An und für sich wäre es wohl denkbar, dass durch den häufigen gebrauch dieser wörter eine angleichung an die für die englischen titel geltenden regeln herbeigeführt würde, aber ich verhalte mich diesen sätzen gegen-über misstrauisch, weil sie, nach dem stile zu urtheilen, wahr-scheinlich alle von ein- und demselben mitarbeiter des Graphic herstammen.

The figure »Nine« has a peculiar connection with the career of *Emperor William* of Germany. Graphic, Febr. 10, 1894, s. 143.

By the by, the famous bottle of old wine which *Emperor William* sent to his Ex-Chancellor was Steinberger. Eod.

Emperor William declares that this conduct was less a personal insult to himself than an attack on the monarchical system. Graphic, Dec. 15, 1894, s. 670.

Nicholas won his bride; the announcement of their betrothal by *Emperor William* being one of the events of the Coburg festivities. Eod. Dec. 1, 1894, s. 623.

Besides opening the Reichstag, *Emperor William* has been at Kiel for the swearing in of the naval recruits. Eod. Dec. 8, 1894, s. 647.

In Germany *Emperor William* has shown himself keenly sympathetic. Eod. Oct. 27, 1894, s. 487.

Emperor William follows next day. Eod. April 14, 1894, s. 419.

Colonel of Knesebeck presented his Royal Honorary Commander with a banquet on behalf of *Emperor William*. Eod. May 5, 1894, s. 515.

Emperor William has been showering honours all round him. Eod. March 24, 1894, s. 327.

Emperor William can now enjoy his holidays at Abbazia freely. Eod.

Her Majesty has received General Tschertkof, the special Russian envoy, to announce the accession of *Czar Nicholas.* Graphic, Dec. 29, 1894, s. 734.

Possibly *Czar Nicholas* may form a Supreme Council including representations from all parts of the country. Eod. Dec. 15, 1894, s. 670.

Only two hours after *Czar Alexander's* death, all the Imperial Family and Court officials took the oath of allegiance to *Czar Nicholas,* cannons announcing his accession. Eod. Nov. 10, 1894, s. 542.

The death of *Czar Alexander III.* has cast much gloom over Court circles. Eod. s. 542.

The last State progress of *Czar Alexander III.* through his Empire is ended. Eod. Nov. 17, 1894, s. 567. (*Empress Elizabeth* of Austria. Tit-Bits, Nov. 19, 1895, s. 105.)

3. Trennung eines genetivs von seinem regierenden worte durch andere satztheile.

In bezug auf die stellung des genetivs tritt neuerdings ein eigenthümlicher gebrauch hervor, der sich bei älteren schriftstellern in grösserem umfange wohl nicht beobachten lässt. Anstatt: The arrival of the German Emperor at Cowes, kann man auch sagen: The arrival at Cowes of the German Emperor, und diese stellung ist besonders dann beliebt, wenn der genetiv einen näheren zusatz hat. Man vgl. z. b. den unten ausführlich angegebenen satz: The seizure by the Post Office of a journal which had the temerity etc.

Die grammatiken erwähnen diese stellung nicht, und desshalb erscheint es mir angebracht, sie durch eine reihe von beispielen zu belegen.

The people of the United Kingdom have improved upon it by *the addition to their triumph, so far as they are concerned, of free exchange,* and the hopes of the working men of all nations must henceforth rest exclusively on the unfolding of British genius. Blackwood's Edinb. Magazine, June 1891, s. 855.

I have, some months ago, been able pretty clearly to trace *the movements in Metz of our distinguished countrymen.* Eod. s. 831.

Dr. Alfred Russel Wallace has lately placed on record a very valuable and singularly interesting suggestion regarding *the influence on children's character of the parental mind.* Illustr. London News, Sept. 23, 1893, s. 391.

In France the topic of chief interest is *the arrival, on Friday, Oct. 13, of the Russian Naval squadron,* commanded by Admiral Avellan, at Toulon. The Illustr. London News, Oct. 14, 1893, s. 471.

A learned and versatile man is lost to English society by *the death, this week, of the Reverend Robert Percival Graves.* Eod. Oct. 14, 1893, s. 470.

The funeral at Zimbabwe of Major Wilson and his men. Graphic, Nov. 3, 1894, s. 512.

Mr. C. proposes to produce here *an adaptation by Mr. M. C. Burnand of Mr. Victorien Sardou's Belle Maman.* Eod. Sept. 1, 1894, s. 245.

She had time to see *the last appearance at Daly's Theatre of Signora Duse* whom she had not seen before. Graphic, June 23, 1894, s. 744.

Since *the publication in your paper of an interesting discussion* as to lofty foreheads indicate good mental capacity, I have been observing the foreheads of the persons I have met. Tit-Bits, Oct. 6, 1894, s. 10.

The debility was perhaps indirectly responsible for *the untimely end, in the zenith of his fame, of this unfortunate, but accomplished horseman.* The Million, Oct. 14, 1893.

The episode chosen was *the entry into Vienna, in 1713, of the Empress Elisabeth Christina.* Graphic, May 5, 1894, s. 515.

The arrival at Cowes of the German Emperor on board his yacht, the Hohenzollern. Eod. Aug. 11, 1894, s. 152. (Einige zeilen weiter lautet eine überschrift: The arrival of the German Emperor at Cowes.)

The resemblance which can only be purely accidental is in the case of Rider Hagard confined to the opening of an old Egyptian tomb, and *the discovery inside the mummy's coffin of a written scroll* containing the story related by the author. Blackwood's Edinb. Magazine, January 1891, s. 46.

Carmen was rendered more interesting than usual by *the reappearance, after an absence of three years, of Madame Minnie Hauk.* Graphic, April 2, 1887, s. 347.

The Portsmouth and Southsea Amateur Operatic and Dramatic Society achieved a considerable success this week with *the production, by kind permission of Mr. Doyly Carte, of the Yeoman of the Guard.* Graphic, Febr. 17, 1894, s. 170.

I cannot but regret with you this disappointment to my hopes of establishing *a connection with your respectable house, and your brother's at Liverpool, of an amicable and reciprocally beneficial character.* W. Anderson, Practical Mercantile Correspondence[5], s. 57.

In Mr. Arthur Law's new farce at Terry's Theatre, the fun arises from *the compulsory appearance as a schoolboy of a married man.* Graphic, March 10, 1864, s. 261.

The disappearance from the scene of a lawyer who, like Sir James Stephen, is also a man of letters is felt to be an event. Graphic, March 24, 1894, s. 335.

It is a crystallising in words of the supreme quality distinguishing the »Dii Majores« of the lyre. Blackwood's Edinb. Magazine, March 1891, s. 361.

H[E]l was a Tory, and one of her earliest results of her influence was *the introduction into the Cabinet of Robert Harley and Henry St. John,* the leaders of the Tory party. W. F. Collier, History of the British Empire, s. 251.

Marpas gave orders for *the seizure at the same minute of the foremost Generals of France.* Kinglake, The Invasion of the Crimea, I, s. 256 (Tauchnitz).

The seizure by the Post Office of a journal which had the temerity to reproduce in its pages an obsolete English postage stamp would at least afford satisfaction. Graphic, Sept. 22, 1894, s. 342.

The Earl of Aberdeen has undertaken to defray *the cost of maintenance and education, until they shall have reached the age of twenty-one, of the two sons* of the late Premier of Canada. Tit-Bits, Febr. 23, 1895, s. 374.

A celebrated French writer saw *the statue by a world-renowned sculptor of the Great Napoleon.* Tit-Bits, Febr. 23, 1895, s. 368.

Our obituary also records *the death in her hundred and first year of life of Anne Penelope Hoare.* Graphic, April 9, 1887, s. 375.

The appearance in the streets and promenades of Paris of brides robed in white, their white shod feet treading the asphalt pavement, is an endless source of amusement to American and other visitors to Paris. Dry Goods Economist, May 25, 1894.

GERA (Reuss), April 1895.   O. Schulze.

LITTERATUR.

I.

J. H. Gallée, Altsächsische sprachdenkmäler. Leiden, E. J. Brill, 1895.
LI + 367 ss. Gr. 8°. Pr.: mk. 45.

Wir dürfen auf dieses werk an dieser stelle zu sprechen kommen, nicht
nur weil es auch angelsächsisches glossenmaterial enthält, sondern auch weil
das Altsächsische dem Angelsächsischen so nahe verwandt ist. Freilich lag
kaum ein genügender grund vor, die bequem zugänglichen glossen des
amplonianischen codex mit seiner sippe hier aufzunehmen. Man wird immer
zu dem Corpus Glossarium band II (ed. Goetz und Gundermann) und zu
Goetzens sich daran anschliessendem Jenaer universitätsprogramm greifen müssen
für den text und seine erklärung. Und die Münster'schen fragmente, die
Steinmeyer Z. f. d. a. 33, 242 veröffentlicht hat, bedurften auch kaum an dieser
stelle eine neuausgabe, denn auch sie sind hier nicht endgültig publicirt, wie
mir eine collation Goetzens für das Corp. Gloss. gezeigt hat. So steht s. 341 [151]
eine wichtige glosse »pedules *strapulas*«, deren zweites element Gallée für
Lateinisch gehalten zu haben scheint. Freilich kann er zu seiner rechtfertigung
angeben, dass auch Steinmeyer *strapulas* nicht für Angelsächsisch gehalten
haben wird. Aber trotzdem ist es nicht Lateinisch, wie Georges ausweist. Es
ist ein gut angelsächsisches und mittelenglisches wort, das nicht zu verkennen
war. S. 361 fehlt laxitas *placunis* (Corp. Gloss. II, 585 [46]) und das von Sweet
erkannte »lignarium ligneum et est *fin*« (Corp. Gl. II, 586 [26]).

Ueberhaupt hat Gallée Germanisch und Lateinisch nicht durchweg auseinander zu halten vermocht. So lesen wir s. 158 *stiva* 'pflugsterz' als ein
altsächsisches wort, s. 357 »ador *spelta*« als Angelsächsisch. Und in den
Oxforder Virgil-glossen s. 160 hören wir »de incubis, quos demones Galli
dussios vocant«, und dies *dussios* hält Gallée für Altsächsisch, und so verzeichnet er s. 155 zu den altniederdeutschen nominativen des plurals wie *luisas*,
druhtingas auch *dussios* als altsächsischen beleg für *os* im nom. plur. [1].

Ueberrascht hat es mich, dass unserm altniederdeutschen specialisten die in
eine zu Paris befindliche Corveyer handschrift eingetragenen glossen entgangen sind,
die Finke 1889 in der Z. f. vaterländ. geschichte und alterthumskunde (West-

---

[1] 357 [101] »*trapete mole*«; Gallée schwankt, ob *mole* Lateinisch oder Altsächsisch ist; gemeint ist ein wort für 'oelmühle', also ist *mola* lateinisch.

falen's) 47, 214 mitgetheilt hat; es sind hochdeutsche und niederdeutsche glossen gemischt, aber von belang. Sie stehen Cod. Paris. Lat. 12269 fol. 58b und lauten nach collationen Gundermann's und Holder's: Incipiunt Glosae: olor *suuan*, cignus *helbis*, onocrotulus *alacra*, griuus *grif*, pauo *pao*, merula *ansla*, strutio *struth*, geometrix *gauli*, ciconia *storch*, pellicanus *heigro*, miluus *wio*, aquila *arn*, garrula *craha*, turdus *strala*, coruus *raban*, filomella *nahtagala*, accipiter *habuch*, tragis *hera*, cicatus *secgisaer*, palumbos *coscirila*, cardolus *snepfa*, aicrido *lohfinco*. Diese zum theil altsächsischen glossen, die auch Steinmeyer im heuer erschienenen glossenbande übersehen hat, verdienen um so mehr beachtung, als mehrere ἅπαξ εἰρημένα darunter sind. Ist für *strâla* nicht *sprâla* zu vermuthen (vgl. niederdeutsch *sprâle* in meinem Et. wb. unter *sprähe*)? *coscirila* kann ich nicht deuten, ebensowenig *secgisaer* (oder *secgisner*); *lôhfinco* ist ein gut westfälisches wort, es ist der älteste beleg für das im Grimm'schen wörterbuch unbelegte *lohfinke*, für das auch in Haupt's zeitschrift 5, 14 ein beleg steht.

Mancher wird vielleicht unter diesen altniederdeutschen denkmälern das Hildebrandslied vermissen, das — nach der herrschenden ansicht — die hochdeutsche umschrift eines niederdeutschen originals sein soll. So seltsam die sprachmischung in diesem text ist, der eigentliche lautcharakter der überlieferung scheint mir hochdeutsch zu sein. Von anfang bis zu ende ist niederdeutsches *d* im Hildebrandslied *t* wie in *gihôrta*, *fater*, *miti*, *lante* u. s. w.; nicht éin niederdeutsches *d* begegnet. Dieser absolut hochdeutschen schreibung in ihrer consequenten durchführung steht nur eine gleich feste consequenz in der beibehaltung des niederdeutschen *t* gegenüber; kein einziges *s* begegnet in unserm text. Es scheint mir nun geradezu unmöglich, dass dieselben schreiber — ohne nur einmal zu irren — einerseits hochdeutsches *t* für niederdeutsches *d* einsetzten, anderseits niederdeutsches *t* für hochdeutsches *ss — s* beliessen. Zufall ist ausgeschlossen. Ich vermuthe, dass das *t*-zeichen einen doppelten lautwerth hatte, und das wird von der überlieferung dadurch nahe gelegt, dass für niederdeutsches *t* bekanntlich öfters *tt* (*hwîtte urhêttun* u. s. w.) geschrieben wird, aber niemals für das *t* das niederdeutsche *d*. Ich glaube, dass das scheinbar auf niederdeutscher stufe stehende *t* des Hildebrandsliedes nur ein unvollkommenes lautsymbol ist für ein bereits verschobenes *t*, das aber noch nicht bei der normalstufe *ss — s* angelangt ist. Damit würde sich die überlieferung als mehr hochdeutsch herausstellen, als man bisher vermuthet hat, und man hätte die niederdeutsche sprachmischung damit auf ein minimum reducirt. Gallée scheint mir recht gehandelt zu haben, wenn er dieses lied nicht in seine altsächsischen sprachdenkmäler aufgenommen hat.

Im allgemeinen ist es schwer, über die Gallée'sche publication ein entscheidendes urtheil abzugeben. Gelegentlich ist einiges für das textverständniss geschehen. In andern fällen steht aufschluss erst von dem altsächsischen wörterbuch zu erwarten, das Gallée vorbereitet. Wahrscheinlich werden auch nachträge nöthig werden. Ich erinnere mich, auf einem pergamenteinband der Jenaer universitätsbibliothek einmal vier unbedeutende altniederdeutsche glossen gesehen zu haben; als ich dann später abschrift nehmen wollte, gelang es mir trotz mehrfachem suchen nicht, das buch wieder zu ermitteln.

Aber für das gebotene hat man nicht durchweg das gefühl, dass es sauber verarbeitet und verwerthet ist. Die litteratur wird unvollkommen und

ungentigend mitgetheilt, der verfasser des buches erneuert conjecturen seiner
vorgänger, ohne ihre namen zu nennen; er ignorirt conjecturen seiner vorgänger, ohne gründe für sein ablehnendes verhalten beizubringen. Man ver-
traut sich seiner führung nicht gern an, weil man ebensowenig durch diese
publication wie durch seine altsächsische grammatik zutrauen zu seinem können
gewinnt.

FREIBURG, December 1895.   F. Kluge.

Stopford A. Brooke, The History of Early English Literature. Being the
  history of English poetry from its beginnings to the accession of King Aelfred.
  In two Volumes. Vol. I: XVI und 344 ss. Vol. II: 337 ss. Gr. 8°.
  London, Macmillan and Co. and New York. 1892. Cash Price p. Vol.
  20/— net [1]).

Brooke's geschichte der englischen litteratur beginnt mit den ältesten
denkmälern Widsith, Deór, the Scop und endet mit der thronbesteigung könig
Aelfred's. Als er im jahre 871 auf den thron gelangte, war die lateinische sowohl wie die englische litteratur nach einer glänzenden blüthezeit von 200 jahren
untergegangen. Ihre letzte zufluchtsstätte hatte sie in Northumbria gefunden;
während der ersten jahre seiner regierung wurden die letzten noch nicht ge-
plünderten sitze der alten gelehrsamkeit zerstört. Als der grosse könig starb,
war eine neue litteratur in einem anderen theile des landes entstanden, und
der könig selbst war der urheber und mittelpunkt davon. Das land der altenglischen dichtung war Northumbria gewesen, das land der englischen prosa
wurde Wessex. Daher sind die beiden bände von Brooke's litteraturgeschichte
hauptsächlich poetischen erzeugnissen gewidmet. Natürlich ist das leben des
volkes, die lateinische litteratur und die politische geschichte des landes nicht
unberücksichtigt gelassen. Der verfasser bezieht sich darauf aber nur insofern,
als sie die angelsächsische dichtung beeinflusst haben oder zu ihrer erklärung
dienen. Die angelsächsische dichtung hat ja auch ihren werth in sich, weil
sie mit ausnahme der klassischen die einzige endemische in Europa ist, die einer
so frühen zeit wie dem siebenten und achten jahrhundert angehört. Dass die
Angelsachsen in dem zeitraum von 670—870 vorzügliche erzeugnisse der religiösen,
erzählenden, elegischen, beschreibenden und sogar epischen dichtung aufzuweisen haben, steht einzig in Europa da. Die angelsächsische litteratur hat
aber auch insofern ihren grossen wert, als sie die elemente zur mittel- und
neuenglischen enthält und beweist, dass trotz aller fremden einflüsse der germanische geist kräftig genug war, sich immer wieder bahn zu brechen und
allen erzeugnissen seinen stempel aufzudrücken. Es ist Brooke meisterhaft gelungen, nachzuweisen, dass die englische litteratur bei allen griechischen,
lateinischen, französischen, keltischen, italienischen und spanischen einwirkungen
germanisch, trotz aller nordischen einflüsse aber auch specifisch sächsisch geblieben ist. Allenthalben merkt man das bestreben, den unbeugsamen, allem

---

[1]) Wenn diese anzeige hier ungebührlich spät erscheint, so liegt die
schuld theils daran, dass lange umsonst auf die lieferung eines recensions-
exemplars gewartet worden war, theils daran, dass dieselbe wegen raummangels
mehrmals zurückgestellt werden musste.   Die red.

fremden misstrauisch gegenüber tretenden sächsischen charakter der litteratur darzustellen.   Brooke will in seinem buche nicht bloss zeigen, was die angelsächsischen dichter schufen, sondern wie sie arbeiteten, welche gefühle sie begeisterten.   Die aufgabe ist interessant; gelöst kann sie nur dadurch werden, dass der leser möglichst viele von den angelsächsischen dichtungen selbst durchnimmt.   Brooke hat desshalb nicht bloss über die dichter und dichtungen gesprochen, sondern er hat viele von den besten und nach seiner meinung charakteristischsten stellen ins Neuenglische übersetzt.   Das vierte räthsel und der Wanderer sind z. b. ganz übersetzt.   Er musste sich also wie so viele andere für eine form der übersetzung entscheiden.   Die principien, die er dabei befolgt, scheinen mir richtig, besonders weil sie einfach und natürlich sind.   Die prosaübertragung angelsächsischer gedichte verwirft Brooke ganz.   Die übersetzungen, die er giebt, schliessen sich möglichst genau an den urtext an und folgen ihm meistens zeile für zeile.   Die eingeschalteten worte sind immer in klammern gesetzt.   Die einzige freiheit besteht darin, dass worte wie then, there und all eingeführt sind, wenn dem rythmus eine silbe fehlte.   Die angelsächsischen dichter wenden dies mittel übrigens auch selbst an.   Der zu wählende rhythmus musste so genau wie möglich die bewegung und mannigfaltigkeit der originalverse darstellen.   Die modernen metren passen für die alten dichtungen wie ein modernes staatskleid für einen angelsächsischen könig.   Besser würde schon der blank verse passen, der dem kurzen epischen vers Cynewulf's nicht so unähnlich ist.   Brooke wählt ihn nicht, weil Shakespeare (Brooke: Shakspere), Milton, Tennyson ihm gleichsam mit beschlag belegt haben, und der gedanke an diese den leser leicht aus der atmosphäre altenglischer dichtung herausbringt. Dieser grund scheint mir nicht stichhaltig.   Ich halte den blank verse für zu feierlich, um die hüpfende, wie ebbe und fluth auf- und absteigende bewegung des angelsächsischen verses wiederzugeben.   Brooke findet einen neuen rhythmus, indem er von der zusammensetzung des angelsächsischen verses ausgeht.   Man kann wohl im allgemeinen sagen, dass der vers in jeder halbzeile zwei hebungen hat; die senkungen, deren grösserer theil an dem anfang der zweiten halbzeile nach der cäsur steht, füllen den übrigen theil des verses aus.   Die eine schule von dichtern, deren haupt Cynewulf war, wandte eine kurze zeile mit mehreren verschleiften (slurred) silben an.   Eine andere schule, die cädmonische, hatte eine zeile mit einer verschiedenen anzahl von senkungen, die die lange epische zeile genannt wird (long epic line) im gegensatz zu Cynewulf's kurzer, weil allerdings oft eine grosse anzahl von senkungen eingeschaltet werden.   Ein dichter konnte also eine zeile von acht silben oder eine dreimal so lange anwenden, je nach dem gefühl, das er ausdrücken wollte, sei es feierlicher ernst oder schnell hinfliessende fröhlichkeit.   Nach vielen versuchen wählte denn Brooke den trochäischen rhythmus, in dem also jede halbzeile aus aufeinander folgenden trochäen besteht, mit einer betonten, meist langen silbe am schluss, um die theilung der zeile zu bezeichnen.   Abwechselung in dies eintönige versmaass bringt der verfasser dadurch, dass er oft ganz unvermittelt das metrum ändert; selbst reine jambische verse finden sich hie und da.   Regelmässig sind die verse also folgendermaassen gebaut:

> For a longish time   lived I with Eormanric;
> There the king of Gotens   with his gifts was good to me;
> He, the Prince of burg-indwellers,   gave to me an armlet.

On the which 600   scats of beaten gold
Scorèd were,   in scillings reckoned.
This I gave to Eadgils,   to my lord who guarded me —
When I homeward came —   for his own possession,
For my Masters' s meed,   Lord of Myrgings he —
Since he granted land to me,   homeland of my fathers.

And another gift   Ealdhill gave to me,
Folk queen of the doughty men,   daughter of Eadwine.
Over many lands   I prolonged her praise,
When so e'er in singing   I must say to men
Where beneath the sky   I had known the best
Of all gold-embroidered queens   giving lavishly her gifts.

Scilling then and with him I,   in a voicing clear,
Lifted up the lay   to our lord the conqueror;
Loudly at the harping   lifted high our voice.
Then our hearers many,   haughty of their heart,
They that couth it well,   clearly said in words
That a better lay   listed had they never.

Die allitteration ist angewendet, wo es ohne künstelei angeht, möglichst
tragen die allitterirenden worte den ton; auch ist die länge der zeile nach
dem original eingerichtet. Die theilung der angelsächsischen verszeile ist durch
den freien raum innerhalb jeder zeile der übersetzung kenntlich gemacht.

Das buch ist vom litterarischen gesichtspunkte aus geschrieben und will
vor allem englisch redende leser veranlassen, die dichtung ihrer vorfahren zu
achten, zu bewundern und zu lieben. In kritische und wissenschaftliche fragen
hat sich der verfasser desshalb nur dann eingelassen, wenn er es für unbedingt
nöthig hielt. Die lectüre zeigt aber dem aufmerksamen leser, wie genau er
mit den deutschen, englischen und amerikanischen arbeiten auf angelsächsischem
gebiete bekannt ist. Allen, besonders den deutschen gelehrten, schuldet er dank.
Green lieferte ihm die materialien aus der angelsächsischen geschichte, die er hier so
lehrreich mit angelsächsischer dichtung verquickt hat. Grein's wörterbuch und
seinen stabreimenden übersetzungen ins Deutsche verdankt Brooke seine erste
bekanntschaft mit der angelsächsischen litteratur; Wülker's Grundriss wirkte
dann fördernd auf den gang seiner studien. Earle's buch »The Deeds of
Beowulf« sind noch benutzt, ebenso die correcturbogen von der ausgabe des
Christ durch Gollancz. Von Gollancz nahm der verfasser die neue eintheilung
des gedichtes und den abschluss mit zeile 1663 an.

Die dem ersten bande beigegebene, ausgezeichnete karte, sowie der index
stammen von miss Kate Warren. Die karte dient zur illustration jenes capitels,
das die frage behandelt, wesshalb Northumbrien die eigentliche heimath englischer
dichtung war. Sie stellt ferner die allgemeinen beziehungen der englischen
königreiche zu den wälschen, irischen und den völkerschaften der Picten dar.
Sie lehnt sich an die karte auf seite 21 von York Powell's History of England
an. Um die verschiebung der grenzen zwischen den einzelnen gebieten im
laufe der jahre zu erkennen, wird man die karten in Green's Making of England nicht entbehren können. Roth unterstrichen sind auf der karte die berühmtesten geistlichen centren der bildung, die vor Beda's tod gegründet

waren. Dies sind die allgemeinen gesichtspunkte, unter denen der verfasser die angelsächsische litteratur betrachtet. Zur vorläufigen orientierung gebe ich den inhalt der einzelnen capitel an, damit der leser weiss, was er in dem buche zu suchen hat.

Capitel I behandelt Widsith, Deor, and the Scop.
Capitel II: Beowulf — Introduction.
Capitel III: Beowulf — The poem.
Capitel IV: The Episodes of Beowulf and the Fight at Finnsburgh.
Capitel V: The mythical Elements in Beowulf.
Capitel VI: Waldhere.
Capitel VII: The Conquest and Literature.
Capitel VIII: Armour and War in Poetry.
Capitel IX: The Settlement in Poetry.
Capitel X: The Sea.
Capitel XI: Christianity and Literature.
Capitel XII: Monasticism and Literature.
    Es folgen dann im zweiten bande folgende 14 Capitel:
Capitel XIII: The Rise of Literature.
Capitel XIV: Literature in Northumbria.
Capitel XV: Cædmon.
Capitel XVI: Genesis A.
Capitel XVII: Genesis B.
Capitel XVIII: Exodus.
Capitel XIX: The Daniel and Christ and Satan.
Capitel XX: Judith and other Cœdmonian Poems.
Capitel XXI: Northumbrian Literature other than English.
Capitel XXII: The Discourse of the Soul to the Body and the Elegiac Poems.
Capitel XXIII: Cynewulf.
Capitel XXIV: The Signed Poems of Cynewulf.
Capitel XXV: Unsigned Poems either by Cynewulf or by men of his school.
Capitel XXVI: The School of York.

So mannigfaltig der inhalt dieser 26 capitel ist, so gründlich sind die einzelnen ausgeführt. Es wundert mich, dass der verfasser sich nicht mit ten Brink auseinandergesetzt, sondern ihn nur gelegentlich erwähnt hat, der ja auch eine grosse anzahl von übersetzungen giebt. Abgesehen davon aber kennt und verwerthet Brooke die ganze vorhandene litteratur, stellt auch durchweg klar und gut dar, nimmt aber freilich hie und da noch nicht unbestrittene behauptungen gewisser gelehrten einfach als thatsachen auf. Einer, der nicht ganz genau mit den angelsächsischen studien der letzten jahre bekannt ist, wird dadurch öfters verführt werden, hypothesen, die Brooke verarbeitet hat, als bewiesen anzusehen.

    Das zeigt sich am besten bei vielumstrittenen gedichten, wie der Beowulf und Cynewulf's werke. Nachdem der verfasser auf s. 18 Müllenhoff's Beowulf-theorie auseinandergesetzt hat, kommt er zu folgendem resultat (s. 19): »The main point, however, seems clear. Beowulf was built up out of many legends which in time coalesced into something of a whole, or were, as I think, composed together into a poem by one poet. The legends were sung in the Old England across the seas, and brought to our England by the Angles,

or by that band of Jutes or Saxons whom many suppose to have settled, at
an early time, in northern Northumbria. They were then sung in Northumbria,
added to by Northumbrian singers, and afterwards, when Christianity was
still young, compressed and made into a poem by a Christian singer.«

Es ist aber doch gewiss nicht ausgemacht, dass das Beowulfslied in dieser
weise entstanden ist. Eine andere frage ist dann die entstehungszeit des gedichtes. Brooke untersucht, ob der inhalt ganz sagenhaft ist, oder ob darin
historische thatsachen enthalten sind, die uns befähigen, gewisse bestimmte
daten anzunehmen. Ein solcher zusammenhang mit der weltgeschichte ist von
manchen seiten nachgewiesen oder wenigstens nachzuweisen versucht. Der
Hygelac des gedichtes, Beowulf's herr, ist mit dem könig Chochilaicus identificirt,
der in der Historia Francorum Gregor's von Tours und den Gesta Regum
Francorum erwähnt ist. Um das jahr 512—520, als die eroberung Britannien's
begonnen hatte, als der sieg der Briten bei Mount Badon eine lange pause in
dem vorrücken der Engländer hervorrief, da wird uns erzählt, dass Chochilaicus
einen zug von dem heutigen Götaland zu den Attuarii der friesischen küste
— den Hetware des gedichtes — unternahm, um dort zu rauben und zu
morden. Als er im begriff war, mit schiffen voll sklaven und beute abzusegeln,
sandte ihm der Frankenkönig Theodorik ein heer von Franken und Friesen
entgegen. In der schlacht fiel Chochilaicus, und die ganze beute ging verloren. Dieser kampf wird im Beowulf viermal erwähnt, wenn wir Hygelac
mit Chochilaicus identificiren. Es wird ferner erzählt, dass das geschick
Hygelac im kampfe gegen die Friesen hinwegnahm; er fiel unter seinem schild.
Bevor Beowulf hinabsteigt, um mit dem drachen zu kämpfen, erzählt er uns
diesen kampf, wie Hygelac fiel, wie er seines herrn tod rächte. In dem gedichte werden noch zwei andere anspielungen auf dieselbe expedition und denselben kampf erwähnt. Man nimmt desshalb an, dass der hauptsächlichste theil
des gedichtes nach 520 entstand. Indess wenn auch darüber kein zweifel herrscht,
so müssen wir doch immer bedenken, dass einzelne theile des gedichtes aus
liedern stammen, die älter als 520 sind, lieder, von denen einige, wie die über
Scyld, in die graue vorzeit zurückgehen mögen. Im grossen und ganzen aber
weist uns das gedicht in die zeit vom tode Hygelac's ums jahr 520 bis zum
tode Beowulf's im jahre 570. Erst nach dieser zeit konnte der letzte theil, der
kampf mit dem drachen, zusammengeschweisst werden mit dem ersten theil der
geschichte, und dies dauerte wenigstens 30 jahre. Wenn wir dieses datum
annehmen und das gedicht in Northumbrien entstehen lassen, so ist die
erste verarbeitung der lieder zur zeit Aethelfrith's vor sich gegangen, bevor
Northumbrien christlich geworden war. Diese ganze argumentation ist auf die
annahme gegründet, dass Beowulf wenigstens zum theil eine historische persönlichkeit ist. Dies ist aber durchaus zweifelhaft; mit gewissheit ist die entstehungszeit des gedichtes überhaupt nicht festzustellen. Brooke hat angenommen, dass das gedicht seine jetzige gestalt in Northumbrien erhalten hat,
professor Earle denkt jedoch an Mercia als entstehungsort, und ten Brink
bemüht sich, westsächsische anklänge festzustellen. Ebenso schwierig zu entscheiden ist die frage nach dem schauplatz des gedichtes. Es ist ja der beweis
versucht worden, dass das ganze gedicht von anfang bis zu ende in England
spielt, und Haigh hat in geistreicher weise die naturbeschreibungen des Beowulf
mit localitäten an der küste von Yorkshire in einklang zu bringen versucht.

Die einfache lectüre belehrt uns aber, dass kein wort über England in dem gedicht vorkommt, auch nicht die leiseste andeutung davon, dass die dichter etwas von der existenz eines solchen volkes wussten, wie die Engländer in Britannien. Die handelnden personen, die erwähnten volksstämme stammen alle vom kontinent — Nord-, Süd-, Ost- und Westdänen, die Geaten und die Friesen. Die Dänen wohnten auf Seeland, dort lag auch ihre hauptstadt. Die Geaten hatten ihre wohnsitze in Skandinavien, speciell in Götaland, und ihre königsstadt lag auf der westküste nahe der mündung des Götaelf. Die namen Wederas und Weder-Geatas hat Grein mit der insel Väderöe oder Veiröe in verbindung gebracht. Der schauplatz wird also an die küste der Nordsee und des Kattegat verlegt, der erste theil des gedichtes unter die Dänen in Seeland, der zweite unter die Geaten in Südschweden. Ich vermag nun Brooke nicht zu folgen, wenn er folgendermaassen weiter argumentirt. Die sitten und gebräuche der Geaten und Dänen waren dieselben wie die der Angeln; alle drei sprachen auch dieselbe sprache. Desshalb will Brooke die stämme von Südschweden oder wenigstens die Geaten des gedichtes mit den Angeln identificiren und kommt (Vol. I, p. 22) zu dem schluss: »At any rate Beowulf became English«. Dass aber die frühesten 'lays' des gedichtes desshalb um so lieber in England aufgenommen wurden, weil sich die Engländer von der zeit her der scenerie erinnerten, wo sie noch nicht in Britannien eingewandert waren, glaube ich nicht. Da scheint mir denn doch Ettmüller's vermuthung richtiger, dass dänische und geatische colonisten das gedicht mit nach Northumbrien brachten, dass es dort von einem laien, vielleicht einem heiden, in's Englische übertragen und dann später im 8. oder 9. jahrhundert von einem geistlichen in's Westsächsische umgeschrieben wurde. Immerhin ist es ein vorzug von Brooke's darstellung, dass er wenigstens in den anmerkungen die verschiedenen theorien erwähnt und dem leser die wahl lässt, eine andere als seine auffassung anzunehmen. Interessant ist ferner Brooke's zusammenfassung der verschiedenen theorien über den aufbau des Beowulf.

Manchem leser freilich wird die darstellung zu subjectiv erscheinen, da der verfasser selbst zugiebt, dass er einige eigene conjecturen hinzugefügt hat. Er geht von dem tode Hygelac's (512—520) aus und nimmt an, dass ein Beowulf, eine historische persönlichkeit bei seinem untergange zugegen war und den mörder Hygelac's im kampfe erschlug. Beowulf's ruhm war schon vorher unter den Geaten, Inseldänen und Angeln gross gewesen; von nun an wurden seine heldenthaten bei allen festen besungen. In diesen einfachen gesängen sieht Brooke den keim zu dem epos. Nach Beowulf's tode bemächtigte sich die sage seiner; seine kindheit wurde mit wunderbaren geschichten ausgeschmückt, wie sein wettschwimmen mit Breca, und die thaten des mannes wurden immer abenteuerlicher erzählt. Diese legenden vermischten sich mit den ursprünglichen historischen lays und wurden wieder zu neuen gedichten. So war eine sage begonnen und über Südschweden und Dänemark unter den Geaten, Dänen, Angeln und vielleicht auch unter den Sachsen verbreitet. Dies war der erste schritt. Dann wurden schon existirende mythen und gesänge, die älter als der historische Beowulf waren, also älter als das sechste jahrhundert, zu der legende hinzugefügt. Brooke nimmt an, dass unter diesen skandinavischen, dänischen und englischen stämmen ein mythus existirte, der einen göttlichen helden Beowa betraf, den die einleitung zu dem gedicht als einen der vorfahren von Hrothgar dem Dänen bezeichnet.

Beowa ist der sohn Scyld's, des sohnes von Sceaf, der in den angelsächsischen geschlechtsregistern als einer der vorfahren Wodan's erscheint. Hier heisst er Beaw, und wir finden spuren von ihm in einigen englischen ortsnamen, wie Beowanhamm und Grendlesmere. Dieser mythische held war der wirkliche besieger Grendel's und des drachen. Im laufe der zeit wurden diese mythischen thaten auf den historischen Beowulf übertragen. Der stoff war nun so weit angewachsen, um in epischer form bearbeitet zu werden. Nicht viel später wurde der zweite theil der geschichte von Grendel — der kampf mit Grendel's mutter — zu der ersten hinzugefügt. Kleinere episoden, wie die von Scyld, von Finn's kampf, vom schwedischen krieg, von Thrydho und andere, konnten leicht von den barden eingeschoben werden, um die theile der sage auszuschmücken, die sie gerade in der halle vortrugen. Manche von diesen einschaltungen sind vielleicht wieder verloren gegangen. Man fuhr nun auch nach der einführung des christenthums in England fort, diese gesänge in ihrer alten heidnischen gestalt zu singen. Zuletzt wurde das epos von einem christlichen dichter, der eine besondere vorliebe für heidnische sagen haben mochte, überarbeitet und der charakter des Beowulf besonders herausgehoben. Dieser redactor hat auch die episoden aus anderen sagen im Beowulf verarbeitet. Bei der Thrydho-episode stellt sich Brooke in den schärfsten gegensatz zu Earle's auffassung. Earle behauptet bekanntlich, die Offa-episode gebe den schlüssel zu der gestaltung des ganzen gedichtes, und es sei so, wie es uns vorliegt, am hofe Offa's entstanden, mit dem bestimmten zweck, Ecgferth, den sohn Offa's, mit den herrscherpflichten bekannt zu machen. Brooke dagegen hält alle diese anspielungen auf den könig Offa und seinen hof im letzten theile des gedichtes für die jüngsten einschaltungen, die von einem sänger am hofe könig Offa's hinzugefügt seien, um dem könig oder seinem sohne zu schmeicheln.

Als endresultat findet Brooke, dass der Beowulf in Northumbrien am anfang des achten jahrhunderts entstand, dann in ganz England bekannt wurde, leichte veränderungen im christlichen sinne erfuhr, auch zusätze, wie die homiletischen theile des gedichtes, und schliesslich in den westsächsischen dialekt übersetzt wurde und seine heutige gestalt annahm.

Der letzte theil des zweiten capitels enthält dann eine vortreffliche schilderung von der bedeutung des Beowulfliedes für die angelsächsische culturgeschichte. Die wärme der schilderung zeugt von der liebe und begeisterung des verfassers für den dargestellten stoff. Um diese anzeige nicht ungebührlich zu verlängern, verweise ich die fachgenossen auf die betreffenden capitel des buches selber. Jeder, der die anfänge der englischen litteratur studiren will, muss es zur hand nehmen. Dass sich hier echte gelehrsamkeit mit gewandter, anmuthiger darstellung verbindet, ist gewiss ein nicht hoch genug zu schätzender vorzug vor ähnlichen werken.

WISMAR i. M., Januar 1895.   O. Glöde.

1. **The Complete Works of Geoffrey Chaucer.** Edited, from numerous Manuscripts, by the Rev. **Walter W. Skeat**, Litt. D., LL. D., Ph. D., M. A., Elrington and Bosworth Professor of Anglo-Saxon and Fellow of Christ's College, Cambridge. In six volumes: I. Romaunt of the Rose. Minor Poems. LXIV + 568 ss. — II. Boethius and Troilus. LXXX + 506 ss. — III. House of Fame. Legend of Good Women. Astrolabe. Sources of Canterbury Tales. LXXX + 504 ss. und 6 tafeln. — IV. The Canterbury Tales (Text) XXXII + 667 ss. — V. The Canterbury Tales (Notes) XXVIII + 515 ss. — VI. Introduction, Glossary and Indexes. CIII + 445 ss. Oxford, At the Clarendon Press 1894. Price: 4 l. 16 s.

2. **The Student's Chaucer.** Being a complete edition of his works. Edited, from numerous Manuscripts, by the Rev. **Walter W. Skeat**, Litt. D., LL. D., Ph. D., M. A. etc. Oxford, At the Clarendon Press 1895. XXIV + 732 + 149 ss. Price: 7 s. 6 d.

Zu den zahlreichen werken, durch die prof. Skeat bisher unsere kenntniss der älteren englischen sprache und litteratur in so hohem maasse gefördert hat, hat er ein neues und bedeutendes hinzugefügt, indem er als erster es unternommen hat, eine auf der höhe der wissenschaft stehende, mit allem zum verständniss der texte erforderlichen gelehrten rüstzeug versehene kritische ausgabe der gesammten prosaischen und poetischen werke Chaucer's zu veröffentlichen. Mit wohlgefallen wird jeder, der sich für die ältere englische litteratur und insbesondere die dichtungen Chaucer's interessirt, mag er diesseits oder jenseits des Canals, diesseits oder jenseits des Atlantischen oceans wohnen, die stattlichen sechs bände der grösseren Chaucer-ausgabe oder den handlichen und gefälligen 'Student's Chaucer' vor sich sehen und gern danach greifen, sei es, um sich in die immer wieder fesselnde lectüre dieses oder jenes Chaucer'schen werkes oder in das nicht minder interessante studium der von einer ungewöhnlich reichen fülle des wissens zeugenden beigaben des herausgebers zu versenken. Auch von der leistungsfähigkeit der rühmlich bekannten Clarendon Press, die binnen jahresfrist diese sechs bände in der gewohnten vorzüglichen ausstattung der welt geschenkt hat, legt dieses werk ein neues, glänzendes zeugniss ab. Mit recht dürfen die Engländer stolz darauf sein, dass dieses mal ein sohn England's es war, der die werke eines der bedeutendsten ihrer älteren dichter, des *'father of English poetry'*, wie er ja wohl immer noch genannt wird, zum ersten male in einer ihrer bedeutung entsprechenden äusseren ausstattung und in einer den originalen möglichst nahestehenden textgestalt allgemein zugänglich gemacht hat, dass der *'inevitable German'* diesmal zu spät gekommen ist. Aber auch wir Deutsche dürfen uns neidlos dieses werkes freuen, denn wenn auch vielleicht der eine dieses, der andere jenes etwas anders gewünscht hätte, so müssen wir doch, wenn wir ehrlich sein wollen, eingestehen, dass kein deutscher verleger im stande gewesen wäre, dem werke eine so glänzende ausstattung zu geben, und dass kein deutscher gelehrter dieses gewaltige werk in so kurzer frist hätte beendigen können. Wäre ein deutscher anglist an dieselbe aufgabe herangegangen, dann hätte er uns vielleicht jetzt mit einem bande beschenkt, in drei bis vier jahren mit einem zweiten oder einem theile eines zweiten bandes, und wir hätten auf die vollendung des unternehmens wohl ein bis zwei decennien oder ein vierteljahrhundert warten können (vgl. z. b. Wülker's neubearbeitung von Grein's Bibliothek der angelsächsischen poesie oder ten Brink's Geschichte der englischen litteratur).

Damit soll aber durchaus nicht gesagt sein, dass Skeat seine arbeit überhastet habe. Denn wenn auch die sechs bände binnen jahresfrist herausgekommen sind, so datirt doch der plan des werkes mehrere jahre zurück, und ehe Skeat an die grosse aufgabe einer gesammtausgabe der Chaucer'schen werke herangegangen ist, hat er seine kraft an verschiedenen sonderausgaben einzelner werke Chaucer's (Astrolabe — auswahl aus den Canterbury Tales — Minor Poems — Legend of Good Women) erprobt, ausgaben, die sämmtlich mit beifall und dank entgegengenommen wurden und sich bereits durch die gleichen vorzüge auszeichneten, wie das jetzt vorliegende gesammtwerk. Ebenso hatte er durch zahlreiche zuschriften an die Academy und das Athenaeum, welche besonders die ausscheidung unechter werke, die erklärung schwieriger stellen, den werth einzelner hss. und ähnliche fragen zum gegenstande hatten, seine genaue kenntniss der werke Chaucer's und sein lebhaftes interesse für dieselben bekundet. Durch diese jahre lang andauernde, eingehende beschäftigung mit Chaucer ist Skeat nicht bloss mit dem inhalt seiner werke, sondern auch mit seinem sprachgebrauch und mit allen zur erklärung und zum besseren verständniss des dichters heranzuziehenden quellenwerken so innig vertraut geworden, dass er in weit höherem grade als irgend ein anderer befähigt sein musste, gerade diesen dichter herauszugeben.

Um den werth der Skeat'schen Chaucer-ausgabe gerecht zu würdigen, dürfen wir dieselbe nicht nach theoretisch aufgestellten anforderungen an das ideal einer kritischen ausgabe bemessen, sondern wir müssen berücksichtigen, was vor ihm da war. An gesammtausgaben von Chaucer's werken herrschte kein mangel, aber es war keine darunter, die auch nur den bescheidensten ansprüchen in bezug auf zuverlässigkeit des textes genügt und die zum verständniss des dichters erforderlichen beigaben enthalten hätte. Der abdruck der werke Chaucer's in Chalmers' English Poets I, London 1810, geht im wesentlichen auf die *black-letter editions* des 16. jahrhunderts zurück; echte werke Chaucer's sind dort mit unechten in buntem wechsel vereinigt, und der text lässt in bezug auf correctheit der verse und der sprachlichen formen gar viel zu wünschen übrig. Die ebenfalls einbändige ausgabe von Moxon, London 1855, hat zwar die von Tyrwhitt als unecht bezeichneten dichtungen bereits ausgeschieden; aber es ist doch noch vieles stehen geblieben, was Chaucer nie und nimmer geschrieben hat, und in der textgestaltung ist kein fortschritt zu merken. Bell's vierbändige ausgabe, London 1846, geht zum theil auf die hss. zurück; aber diese hss. waren nicht frei von fehlern und die eigenen änderungen des herausgebers oft willkürlich, so dass die zuverlässigkeit des textes nicht wesentlich gestiegen ist. Ein kleiner fortschritt ist die beifügung einzelner erklärender anmerkungen, doch sind dieselben noch sehr dürftig und oft irreführend. Auch die sechsbändige Morris'sche ausgabe, London 1866, war für rein philologische zwecke noch unbrauchbar, denn wenn der text auch etwas besser ist, als in den früheren drucken, so ist doch dadurch, dass Morris die abweichungen von der hs. zwar, soweit dies möglich war, durch cursivdruck kenntlich gemacht, die lesarten der hs. selbst aber nicht mitgetheilt hat, der leser über die berechtigung der änderung und über den ursprünglichen wortlaut einer stelle auf schritt und tritt in zweifel gelassen. Die ausgabe von

Gilman, Boston 1879, bietet zwar für die Canterbury Tales einen etwas besseren text, da die relativ beste hs. (Ellesmere) zu grunde gelegt ist; auch sind z. b. einige angaben über die zweite fassung des prologs der Legend of Good Women darin enthalten, im übrigen aber ist sie nicht besser und nicht schlechter als die ausgaben von Bell und Morris. Was darum Skeat (vol. III, p. LIV) von dem texte der Legend of Good Women sagt, gilt mehr oder weniger von allen anderen werken Chaucer's: »*The net result is this; that none of the editions are complete and they are all much the same. After twenty editions we are left almost where we started at first.*« Nur für wenige texte (Compleynte unto Pite ed. ten Brink; Minor Poems ed. John Koch; House of Fame ed. Willert; Minor Poems, Legend of Good Women, Astrolabe ed. Skeat) lagen wirklich brauchbare kritische ausgaben vor; für alle übrigen werke Chaucer's, also für den Romaunt of the Rose, für Boethius und Troilus und nicht zum mindesten auch für die Canterbury Tales darf Skeat sich rühmen, in der vorliegenden ausgabe den ersten lesbaren und brauchbaren, von den kleineren und gröberen versehen der schreiber gereinigten und den originalen inhaltlich wie in der sprachlichen form entsprechenden text geliefert zu haben.

Freilich ist auch das, was Skeat uns bietet, von dem letzten ziele, einer streng philologisch-kritischen textesrecension auf grund einer eingehenden untersuchung, vergleichung und würdigung aller uns erreichbaren hss., noch ein gutes stück entfernt; er hat in den meisten fällen sich damit begnügt, die relativ beste hs. oder hss.-gruppe seinem texte zu grunde zu legen und dieselbe da, wo sie fehlerhaft war, durch andere hss. zu bessern, aber es ist dieses mehr eklektische verfahren gerade bei den werken Chaucer's nicht mit allzugrossen nachtheilen verknüpft. Wenn auch theoretisch die von Skeat ausgewählte lesart vielleicht nicht immer streng begründet ist, so wird er, wie ich an dem beispiel der Legend of Good Women bei einer späteren gelegenheit zeigen will, thatsächlich wohl in den meisten fällen mit sicherem griffe das richtige getroffen haben, und die sorgfältigste nachprüfung wird an dem texte Chaucer's, wie er jetzt durch Skeat für lange zeit festgelegt ist, nicht im entferntesten so viel zu ändern finden, als Skeat selbst an dem texte seiner vorgänger ändern musste. Seine ausgabe wird eine sichere grundlage für alle späteren einzelarbeiten über den dichter bilden, und es wird niemand dankbarer als der herausgeber etwaige, durch die weitere einzelforschung sich ergebende besserungen entgegennehmen und einer neuen auflage einverleiben.

Doch sehen wir uns jetzt den inhalt der sechs bände etwas näher an. Allerdings muss ich in anbetracht der grossen fülle des stoffes mich darauf beschränken, über den inhalt einfach zu referiren, und kann nur hier und da, wo mir, oft zufällig, dieses oder jenes aufgestossen ist, eine eigene bemerkung beifügen.

Band I, mit dem bekannten bildniss Chaucer's aus dem Harleian Ms. 4866 als titelbild geschmückt, enthält nach einer *General Introduction* (p. VII f.), worin der plan des ganzen werkes und die principien für die herstellung des textes kurz dargelegt sind, eine lebensbeschreibung Chaucer's (*Life of Geoffrey Chaucer*, p. IX—LXIII), worin in annalistischer form alle bisher bekannt gewordenen urkundlichen zeugnisse, die auf das leben Chaucer's bezug haben, übersichtlich zusammengestellt und erläutert sind. Auf diese weise erhält der leser einen klaren einblick in die wirklich historisch gesicherten ereignisse aus dem leben Chaucer's, und er ist im stande, sich danach ungefähr ein bild von dem menschen Chaucer zu entwerfen. Dass dieses bild nur ein einseitiges ist, liegt nicht an dem herausgeber, sondern an den urkunden selbst, die uns gewisser-maassen nur über die pecuniären verhältnisse Chaucer's aufklären, die ja freilich wiederum rückschlüsse auf seine sonstigen schicksale und erlebnisse gestatten. In bezug auf die vielerörterte frage nach dem geburtsjahr Chaucer's giebt Skeat als grenzpunkte die jahre 1330 und 1340, entscheidet sich aber mit vollem recht mehr für das letztere oder ein diesem naheliegendes jahr. Auch die aus-beute, welche Chaucer's eigene dichtungen uns für die erkenntniss seiner lebens-verhältnisse gewähren, ist von Skeat sorgfältig zusammengestellt (*Personal Allusions in Chaucer's Works*, p. LIII ff.); freilich sind auch diese andeutungen gering an zahl und zumeist allgemeiner natur. Es folgen die hinweise auf Chaucer in den werken zeitgenössischer und späterer dichter: Eustace Deschamps, Gower, Scogan, Hoccleve, Lydgate u. a. (*Allusions to Chaucer* p. LVI—LXI) und endlich ein chronologisches verzeichniss der werke Chaucer's (*List of Chaucer's Works* p. LXII f.), so dass der leser alles, was wir über Chaucer's lebensumstände und die entstehungszeit seiner werke überhaupt sicher wissen, hier übersichtlich beisammen findet.

An texten enthält der I. band den *Romaunt of the Rose* (p. 93—259) und die *Minor Poems* (p. 261—415), denen ausführliche einleitungen (p. 1—20 und 20—91) vorausgehen und anmerkungen (p. 417—451 und 452—568) nach-folgen. Zu den *Minor Poems* rechnet Skeat jetzt folgende gedichte: I. *An A.B.C.* II. *The Compleynte unto Pite.* III. *The Book of the Duchesse.* IV. *The Compleynt of Mars.* V. *The Parlament of Foules.* VI. *A Compleint to his Lady.* VII. *Anelida and Arcite.* VIII. *Chaucers Wordes unto Adam.* IX. *The Former Age.* X. *Fortune.* XI. *Merciles Beaute.* XII. *Balade to Rosemounde.* XIII. *Truth.* XIV. *Gentilesse.* XV. *Lak of Stedfastnesse.* XVI. *Lenvoy to Scogan.* XVII. *Lenvoy to Bukton.* XVIII. *The Compleynt of Venus.* XIX. *The Compleint of Chaucer to his empty Purse.* XX. *Proverbs of Chaucer.* Appendix: XXI. *Against Women Unconstaunt.* XXII. *An Amorous Complaint.* XXIII. *A Balade of Compleynt.* Hierzu hat Skeat in band IV, p. XXV ff. noch hinzugefügt: XXIV. *Womanly Noblesse.* XXV. *Complaint to my Mortal Foe.* XXVI. *Complaint to my Lode-Sterre.*

In der einleitung zum Romaunt of the Rose (p. 1—20) erörtert Skeat zunächst die frage nach der echtheit der von dem ersten herausgeber, Thynne, Chaucer zugeschriebenen englischen übersetzung des Rosenromans. In über-einstimmung mit der mehrzahl der forscher adoptirt er die von Lindner vor-geschlagene theilung des überlieferten textes in zwei selbständige, von ver-schiedenen verfassern herrührende fragmente (v. 1—5810 und 5811 — schluss) und die weitere, von mir in dem buche 'Chaucer und der Rosenroman' näher begründete scheidung des ersten Lindner'schen fragmentes in zwei theile: A (v. 1—1705) und B (v. 1706—5810), die sich ausser durch ihr verhältniss zu der französischen vorlage auch im dialekt und im ganzen sprachgebrauch auffallend von einander unterscheiden. In dem ersten fragment, A, welches in allen wesentlichen punkten die engste übereinstimmung mit den echten werken Chaucer's zeigt, sieht Skeat mit vollem recht einen überrest der Chaucer-schen übersetzung, während er das in einem nördlicheren dialekt geschriebene fragment B ebenso richtig für das werk eines anderen verfassers erklärt. Fragment

C (v. 5811 — schluss), welches ich in der erwähnten schrift ebenfalls für Chaucer zu reclamiren versucht habe, schreibt Skeat einem anderen, also dritten, verfasser zu, ohne doch die möglichkeit der Chaucer'schen herkunft entschieden von der hand zu weisen. Er sagt darüber in den anmerkungen zum Romaunt of the Rose, p. 441: *Part C is considerably better than Part B, and approaches very much nearer to Chaucer's style; indeed, Dr. Kaluza accepts it as genuine, but I am not myself (as yet) fully convinced upon this point* und in der vorbemerkung zu der ausgabe des Romaunt of the Rose in dem Student's Chaucer, p. 1: *Fragment A is by Chaucer; Fragment B is by a Northerner and has many corrupt readings; whilst Fragment C is of doubtful origin and I do not feel sure that it is Chaucer's!* Eine entscheidung ist bei diesem fragment allerdings nicht leicht zu treffen, denn die reime y: ye, aunce: ence müssen bei jedem, der Chaucer's ausserordentliche sorgfalt in der reinheit des reimes kennt, schwere bedenken erregen, während doch andrerseits der ganze sprachgebrauch dem Chaucer'schen durchaus ähnlich ist. Es müsste also ein plausibler grund gefunden werden, der das vorhandensein dieser sonst bei Chaucer unerhörten reime entschuldigt: entweder ist fragment C früher übersetzt, als A, oder es ist ein erster entwurf, dem die letzte durchfeilung fehlt, blosses material für den privatgebrauch Chaucer's, bei dem er im interesse der treue der übersetzung auch einige unreine reime mit unterlaufen liess. Mag man aber über fragment C denken, wie man will, für die beiden ersten theile steht unumstösslich fest, dass A ebenso sicher von Chaucer herrührt, als B nicht von ihm verfasst sein kann, und es hat sich in diesem punkte die mehrzahl der kritiker durchaus auf die seite Skeat's und des referenten gestellt.

Nur Lounsbury zweifelt immer noch; er hält den gesammten, uns überlieferten text des Romaunt of the Rose für das werk éines verfassers und zwar Chaucer's. Die theilung in zwei oder gar drei fragmente, die sich so überzeugend beweisen lässt, erscheint ihm unsinnig, und er macht sich bei gelegenheit einer besprechung von Skeat's Chaucer-ausgabe in der New-York Daily Tribune vom 24. Februar und 3. März 1895 darüber lustig, dass Skeat den deutschen kritikern zu gefallen den Romaunt of the Rose in immer kleinere fragmente zerlegt habe. Er meint, es werde demnächst ein dritter Deutscher kommen, der noch weitere theile absplittert: *As yet no third German scholar has presented himself to divide the poem still further: but his coming is as inevitable as the process of the suns.* Auch Skeat's verhalten gegenüber fragment C gefällt Lounsbury nicht; er sagt: *Professor Skeat accepts Fragment A and throws out Fragment B; but his attitude towards Fragment C may be best described as that of chastened expectation, while waiting for further tidings from Germany.* Ich überlasse es den lesern, zu beurtheilen, wer richtiger handelt, ob Skeat, der eine früher ausgesprochene ansicht modificirt, sobald gewichtige gründe dazu vorliegen, oder Lounsbury, der selbst den klarsten argumenten gegenüber starr an seiner einmal ausgesprochenen, aber unzulänglich bewiesenen behauptung festhält, ohne die gründe der gegner zu widerlegen.

Den text des Romaunt of the Rose giebt Skeat auf s. 93—259 in der weise, dass zunächst das sicher echte fragment A in gewöhnlicher schrift und mit unten beigefügtem französischen text abgedruckt wird, sodann in etwas kleinerem zweispaltigen druck das sicher unechte fragment B und das zweifelhafte fragment C. Alle drei theile aber hat Skeat äusserst sorgfältig durchgesehen und mit dem französischen original verglichen und die zahlreichen, oft recht groben fehler, die den sinn vieler stellen ganz unkenntlich machen, daraus entfernt, so dass in der Skeat'schen ausgabe der text des Romaunt of the Rose zum ersten male in einer gesäuberten, lesbaren gestalt vorliegt. Einige der gröbsten fehler der bisherigen ausgaben des Romaunt of the Rose stellt Skeat in bd. VI, s. XI zusammen; vgl. auch Transactions of the Cambridge Philological Society, vol. III, p. 239, Engl. stud. XVIII, p. 106 ff. und die fussnoten zu meinem abdruck der hs. des Romaunt of the Rose (Chaucer Soc., First Ser. vol. LXXXIII). Ebenso hat Skeat als erster erklärende anmerkungen zum Romaunt of the Rose gegeben (p. 417—451) und darin werthvolle beiträge zur erklärung seltener wörter und dunkler stellen geliefert, auch seine textänderungen gerechtfertigt.

Die einleitung zu den Minor Poems (p. 20—91) ist dem wesentlichen inhalte nach aus der früheren separatausgabe derselben (Oxford 1888) herübergenommen, im einzelnen aber vielfach erweitert und verbessert. Ausser den einleitenden bemerkungen zu den in bd. I abgedruckten gedichten (p. 58—90) und einer kurzen beschreibung der hss., in denen sie überliefert sind (p. 48—58), wird darin namentlich die frage nach der echtheit der in den alten ausgaben von Thynne, Stowe, Speght u. a. Chaucer zugeschriebenen werken auf's eingehendste erörtert, die äusseren zeugnisse für die echtheit, soweit sie in den angaben von Chaucer selbst, von Lydgate oder von den schreibern der hss., insbesondere von Shirley, vorliegen, zusammengestellt und von der langen liste der dichtungen, die in den alten ausgaben gedruckt sind, erbarmungslos alles gestrichen, was nicht ausdrücklich durch die vorgenannten zeugnisse beglaubigt ist, und was sich durch incorrectheit des reimes und des sprachgebrauchs als unchaucerisch erweist. Skeat's beweisführung ist eine überzeugende, die resultate, zu denen er gelangt, durchaus gesichert; dennoch scheint es in England immer noch leute zu geben, welche *The Flower and the Leaf* und *The Court of Love* trotz alledem und alledem für echte werke Chaucer's halten.

In der einleitung zum 5. bande kommt Skeat nochmals kurz auf die hier ausführlich erörterte frage der ausscheidung der unechten werke zurück und stellt einen *Canon of Chaucer's Works* auf. Er sagt dort (V, p. IX): *»This has already been considered, at considerable length, in vol. I, p. 20—90. But it is necessary to say a few words on the whole subject owing to the extremely erroneous opinions that are so widely prevalent«*, und in der that muss man sich wundern und staunen, wenn man sieht, wie trotz der so klaren auseinandersetzungen Skeat's noch immer die gröbsten irrthümer über den inhalt der ersten Chaucerausgaben in umlauf sind. So sagt z. b. Courthope in seiner vor kurzem erschienenen History of English Literature I, p. 252 unter ausdrücklicher berufung auf die angaben Skeat's (*»The foregoing particulars respecting the Life and Works of Chaucer are mainly derived from the great edition of the poet by Professor Skeat, a work of inestimable value to all students of English Literature«*) über Thynne's ausgabe und den Romaunt of the Rose folgendes: *»The first edition of Chaucer's collected poems was published in 1532 by W. Thynne, and has served as the groundwork of all subsequent editions. All the poems contained in it are unquestionably genuine; but some poems, which are certainly Chaucer's, are omitted. This edition was reprinted by John Stowe in 1561, with large additions, and among them the* *translation of the Romaunt of the Rose and the Court of Love. As to the former of these poems, Chaucer himself says that he translated it in his youth; but there is no external evidence to show that the translation included by Stowe in his works was by him, while the omission of the piece from Shirley's Ms. and from Thynne's edition raises a presumption against its authenticity.«* Mehr, als es hier geschehen ist, kann man die dinge nicht auf den kopf stellen. Mit der angabe Courthope's, dass alle in Thynne's ausgabe enthaltenen dichtungen '*unquestionably genuine*' seien, vergleiche man, was Skeat (vol. V, p. X) darüber sagt: »*Thynne simply put together such a book as he believed would be generally acceptable; and deliberately inserted poems which he knew to be by other authors .... The edition, in fact, is a mere collection of poems by Chaucer, Lydgate, Gower, Hoccleve, Robert Henrysoun, Sir Richard Ros, and various anonymous authors; and the number of poems by other authors almost equals the number of Chaucer's.* [Von den 41 in Thynne's ausgabe enthaltenen dichtungen sind nur 18½ echt, 22½ unecht.] ... *And the net result is this; that Thynne neither attempted to draw up a list of Chaucer's genuine works, nor to exclude such works as were not his. He merely printed such things as came to hand, without any attempt at selection or observance of order, or regard to authorship.«* Ferner ist der Romaunt of the Rose nicht erst von Stowe (1561) in die gesammtausgabe der werke Chaucer's aufgenommen, sondern schon von Thynne (1532) zum ersten male gedruckt worden. In '*Shirley's Ms.*' fehlt er allerdings, aber auch dieser ausdruck beweist, wie wenig aufmerksam Courthope Skeat's einleitung gelesen hat; denn von Shirley stammt nicht bloss eine, sondern s i e b e n hss. mit dichtungen Chaucer's (vgl. bd. I, p. 25. 51). Endlich möchte ich fragen, an welcher stelle denn Chaucer selbst sagt, dass er den Rosenroman '*in his youth*' übertragen hat.

Doch kehren wir wieder zu Skeat's ausgabe zurück. Auf. p. 22 ff. bespricht er '*Lydgate's List of Chaucer's Poems*', in der auffallender weise das House of Fame nicht genannt ist. Skeat ist nun der meinung, dass Lydgate das House of Fame dennoch mit aufgeführt habe, und zwar unter der bezeichnung '*Dant in English*'. Die betreffende stelle aus Lydgate's Fall of Princes lautet nach Skeat's citat:

> *He wrote also full many a day agone*
> *Dant in English, him-selfe doth so expresse,*
> *The piteous story of Ceix and Alcion* etc.

Weil der einfluss Dante's gerade in dem House of Fame am stärksten ist, glaubt Skeat, dass Lydgate dieses gedicht als '*Dant in English*' bezeichnet habe; auf kein anderes gedicht Chaucer's würde eine derartige bezeichnung passen. »*In any case, I refuse to take any other view until some competent critic will undertake to tell me, what poem of Chaucer's, other than the House of Fame, can possibly be intended.«* Skeat fasst also *Dant in English* als object zu *wrote*, was mir ganz unmöglich erscheint. Man kann ja wohl den namen eines schriftstellers für sein werk setzen, aber *He wrote ... Dant in English* könnte nicht einmal heissen: »Er übersetzte Dante in's Englische«, viel weniger: »Er schrieb ein englisches gedicht in nachahmung Dante's«. Vielmehr müssen wir '*Dant in English*' überhaupt nicht als bezeichnung für ein gedicht, sondern als bezeichnung für eine person auffassen: '*Dant-in-English*' =

'der englische Dante', d. i. Chaucer. Dann ist der zweite vers mit Köppel (Anglia XIII, 186) in parenthese zu setzen und der dritte vers '*The piteous story of Ceix and Alcion*' als object zu *wrote* zu ziehen. Wir müssen also interpungiren:

> *He wrote also, full many a day agone,*
> *— Dant-in-English him-selfe doth so expresse —*
> *The piteous story of Ceix and Alcion* etc.

'Er schrieb auch vor langer zeit — der englische Dante [d. i. Chaucer] selbst drückt sich so aus — die leidvolle geschichte von Ceix und Alcyone«. Die bemerkung 'Chaucer selbst drückt sich so aus' besagt vielleicht zunächst nur, dass Chaucer selbst erzählt, er habe die geschichte von Ceyx und Alcyone poetisch bearbeitet, wie er dies thatsächlich in der Introduction to the Man of Law's Prologue, C. T. B 57 thut. Vielleicht will aber Lydgate durch den eingeschobenen satz auch seinen ausdruck '*Full many a day agone*' oder das epitheton '*pitous*' rechtfertigen, indem er sagt, Chaucer selbst habe diesen ausdruck gebraucht, und auch dann stimmt dies zu den thatsachen, denn Chaucer sagt an der oben angegebenen stelle (C. T. B 57): »*In youthe he made of Ceys and Alcion*«, was mit Lydgate's '*full many a day agone*' ungefähr übereinstimmt, und bei der darstellung der geschichte von Ceix und Alcyone im Book of the Duchesse gebraucht er wiederholt den ausdruck '*pitous*'; vgl. z. b. »*She longed so after the king, That, certes, hit were a pitous thing To telle hir hertely sorwful lyf That hadde, alas, this noble wyf* BD 83 ff.; *Such sorwe this lady to her took, That, trewely, I which made this book, Had swich pite and swich rowthe To rede hir sorwe, that, by my trowthe, I ferde the worse al the morwe After, to thenken on her sorwe* BD 95 ff.; *But doun on knees she sat anon And weep that pite wes to here* BD 106 f.

Köppel (Anglia XIII, 186) übersetzt den in parenthese stehenden vers: 'So drückt sich Dante in Englisch aus' und erklärt dies (ib. p. 363): »Lydgate's *so* bezieht sich auf Chaucer's schreibweise im allgemeinen, zu deren lob er sagen will, dass Dante, wenn er englisch geschrieben haben würde, sich ebenso wie Chaucer ausgedrückt haben würde. Der mönch hat jedoch diesen gedanken, um ihn in eine zeile pressen zu können, nicht mit der wünschenswerthen klarheit ausgesprochen.« Diese auffassung Köppel's widerspricht aber doch zu sehr dem wortlaut der stelle. Mochte sich Lydgate noch so ungeschickt ausdrücken, so konnte er den gedanken: 'Dante würde sich ebenso ausgedrückt haben wie Chaucer, wenn er in englischer sprache geschrieben hätte' doch niemals durch die positive aussage: »*Dante . . him-selfe doth so expresse*« wiedergeben. Auch kann *so* nicht mit Köppel aufgefasst werden 'ebenso wie Chaucer', sondern es muss sich, wie Hupe (ib. p. 363) mit vollem recht gefordert hat, auf einen vorhergehenden oder folgenden ausdruck beziehen. Allen diesen schwierigkeiten geht man nur aus dem wege, wenn man, wie ich oben vorgeschlagen habe, '*Dant-in-English*' als éinen begriff fasst: 'der englische Dante' = 'Chaucer'. Hoffentlich ist damit endlich die richtige erklärung dieser dunklen stelle gefunden.

Eine andere bemerkung, die ich beifügen möchte, betrifft Chaucer's ABC, dessen französische vorlage Skeat unter dem englischen text abdruckt. Die beiden letzten strophen des originals, die von Chaucer nicht übersetzt worden sind, giebt er auf p. 60 der einleitung; die erste davon beginnt: *Ethiques s'avoie leü* etc., die zweite: *Contre moy doubt que ne prie*. Skeat bemerkt hierzu (I, p. 60 anm.): »*The initial E stands for* et« . . . »*The initial C stands for* cetera. *It was usual to place* etc. (= et cetera) *at the end of the alphabet.*« Ich glaube nicht, dass sich wirklich am schlusse eines alphabets *etc.* findet; es wäre doch gewiss ganz unpassend, denn die buchstaben sind eben zu ende und es können keine anderen mehr folgen. Dagegen wurden, wenn ich auch im augenblick keine belegstellen dafür beibringen kann, am schlusse des alphabets einzelne damals übliche a b k ü r z u n g e n angefügt, und so steht hier *Ethiques* allerdings für die abkürzung &; aber die folgende, mit *Contre* beginnende strophe soll nun nicht *cetera* repräsentiren, sondern vielmehr die abkürzung für *con,* die ja in altfranzösischen texten sehr gewöhnlich ist.

Auf weitere einzelheiten in dem texte der Minor Poems und den zugehörigen lehrreichen anmerkungen Skeat's hier einzugehen, muss ich mir versagen, um diese ohnehin schon ausgedehnte besprechung nicht noch mehr anschwellen zu lassen.

Band II enthält den text des Boethius (p. 1—151) und Troilus (p. 153—417) mit ausführlichen einleitungen (p. VII—XLVIII und XLIX—LXXX) und anmerkungen (p. 419—460 und 461—506). Wodurch Skeat's ausgabe dieser beiden eng zu einander gehörenden und wohl ungefähr zu derselben zeit entstandenen werke die früheren übertrifft, hat er selbst in der *General Introduction* (I, p. VIII) richtig hervorgehoben: »*The text of Boethius is much more correct than in any previous edition, and appears for the first time with modern punctuation. The Notes are nearly all new, at any rate as regards the English version. The text of Troilus is also a new one. The valuable 'Corpus Ms.' has been collated for the first time; and several curious words, which have been hitherto suppressed because they were not understood, have been restored to the text, as explained in the Introduction. Most of the explanatory notes are new; others have appeared in Bell's edition.*« In der that fehlte es hier Skeat für die textherstellung des Boethius und Troilus und namentlich auch für die anmerkungen an jeder vorarbeit, da die bedeutsame arbeit von Kittredge, Observations on the Language of Chaucer's Troilus, London 1891 (issued 1894), Chaucer Soc. Second Series, vol. 28, erst nach fertigstellung des bandes ausgegeben wurde.

In der einleitung zum Boece (p. VII—XLVIII) erhalten wir auskunft über die lebensschicksale des Boethius, den inhalt seines berühmten werkes und dessen grosse verbreitung im mittelalter, über die englischen übersetzungen, insbesondere über die entstehung der Chaucer'schen Boethiusübersetzung, ihre vorzüge und fehler und über den einfluss, welchen die durch diese übersetzung vermittelte genaue bekanntschaft Chaucer's mit der schrift des Boethius auf seine späteren dichtungen ausübte; es ist eine lange reihe einschlägiger stellen von Skeat gesammelt worden (*Comparison with 'Boece' of other works by Chaucer*, p. XXVIII—XXXVI). Dann werden die (8) hss. des Boece und die ausgaben von Caxton und Thynne näher beschrieben und endlich die grundsätze für Skeat's ausgabe, »*practically the first in which the preparation of the text has received adequate attention*« (II, p. XLVI), dargelegt. Der text ist begründet auf die von Furnivall herausgegebene hs. C, die aber sorgfältig

mit A, den alten drucken und dem lateinischen original verglichen ist. Moderne
interpunction ist eingeführt und die orthographie, wie auch sonst, uniformirt.

Skeat (II, p. XIV) leugnet es, dass Chaucer bei anfertigung seiner übersetzung eine französische zu rathe gezogen habe (*I shall here dismiss, as improbable and unnecessary, a suggestion sometimes made, that Chaucer may have
consulted some French version in the hope of obtaining assistance from it; there
is no sure trace of anything of the kind, and the internal evidence is, in my
opinion, decisively against it*); inzwischen aber hat Liddell in der Academy
no. 1220, Sept. 21, 1895, p. 227 durch vergleichung einzelner stellen der
Chaucer'schen Boethiusübersetzung mit der französischen des Jehan de Meung
den nachweis geführt, dass Chaucer doch auch diese französische übersetzung
gekannt und neben dem lateinischen original benutzt hat.

In der einleitung zu Troilus bespricht Skeat zunächst die entstehungszeit
des gedichtes (1380—82) und die quellen (Boccaccio's Filostrato, Guido's
Historia Troiana u. a.). Räthselhaft muss es bleiben, warum Chaucer es vermeidet, den namen Boccaccio's zu nennen und dafür den verstecknamen
'Lollius' wählt, wie er auch 'Trophee' für Guido delle Colonne setzt (C. T.
B 3307; vgl. Skeat II, p. LIV ff.). Hier muss eine bestimmte absicht vorliegen; wahrscheinlich wollte er, wie G. C. Macaulay (Academy, April 6,
1895, no. 1196, p. 297) meint, durch berufung auf einen schriftsteller des
alterthums seinem werke eine grössere glaubwürdigkeit verleihen. Dass Chaucer
den Roman de Troie des Benoît de St. More doch in ausgedehnterem maasse
benutzt hat, als Skeat (II, p. LXII) annimmt, zeigt Macaulay (l. c.) an einigen
beispielen; vgl. auch ten Brink, Gesch. der engl. litt. II, p. 116. Für die
beurtheilung des verhältnisses von Chaucer's Troilus zu Boccaccio's Filostrato,
wie überhaupt für eine ästhetische würdigung von Chaucer's gedicht hätte
Skeat die vortreffliche arbeit von Kissner, Chaucer in seinen beziehungen zur
italienischen litteratur, Erlangen 1867, die ihm unbekannt geblieben zu sein
scheint, da ich sie nirgends citirt finde, gute dienste geleistet. Allerdings hat
Skeat die eigentlich ästhetische kritik mit absicht unberücksichtigt gelassen,
obgleich er sehr wohl im stande ist, die formellen und inhaltlichen vorzüge
der Chaucer'schen dichtungen zu würdigen; er sagt darüber (VI, p. XXIII):
»*The conspicuous avoidance, in this edition, of any approach to what has been
called aesthetic criticism, has been intentional. Let it not be hence inferred that
I fail to appreciate the easy charm of Chaucer's narrative, the delicious flow
of his melodious verse, the saneness of his opinions, the artistic skill with which
his characters are drawn, his gentle humour, and his broad sympathy. It is
left to the professed critic to enlarge upon this theme; he can be trusted to do
it thoroughly.*«

Weiterhin werden in der einleitung zu Troilus die (16) hss. des gedichtes,
von denen leider nur vier von der Chaucer Society gedruckt worden sind[1]),
und die alten ausgaben beschrieben, ihre bedeutung für die textgestaltung festgestellt und die einrichtung von Skeat's ausgabe näher erläutert. Die beiden

---

[1]) Demnächst wird professor McCormick »*Three more Parallel Texts of
Chaucer's Troilus*« für die Chaucer Society herausgeben (John's Ms., Corpus
Ms. und Harleian Ms. 1239); die veröffentlichung von drei weiteren hss. ist
für das nächste jahr in aussicht genommen; s. Academy, Dec. 21, 1895,
nr. 1233, p. 552.

relativ besten hss. Cp. (= Corpus Ms.) und Cl. (= Campsall Ms.) sind zu grunde gelegt, doch sind auch die andern von der Chaucer Society gedruckten hss. berücksichtigt und ihnen manche besserungen entnommen worden. Skeat citirt (II, p. LXXVI f.) eine grosse anzahl von stellen, an denen seine ausgabe zum ersten male die correcte lesart bietet, und er sagt wohl mit recht (p. LXXVI): *Thanks to the prints provided by the Chaucer Society, I have been able to produce a text which, I trust, leaves but little to be desired.* Die anmerkungen zu Boece und Troilus, die Skeat zum grössten theile neu geschrieben hat, geben dem leser wiederum alles für das verständniss des textes erforderliche an die hand.

Band III enthält an texten *The Hous of Fame* (p. 1—64), *The Legend of Good Women* (p. 65—174) und *A Treatise on the Astrolabe* (p. 175—241) nebst den zugehörigen einleitungen (p. VII—XV, XVI—LVI, LVII—LXXX) und anmerkungen (p. 243—287, 288—351, 352—367). Alle drei werke sind von Skeat bereits früher herausgegeben worden; er hat also hier sowohl den text als auch einleitung und anmerkungen im wesentlichen aus diesen früheren ausgaben herübergenommen; im einzelnen ist aber doch vieles geändert, gebessert und erweitert. Bei der angabe über die hss. der Legend of Good Women und ihre classificirung vermisse ich die anführung der Breslauer dissertation von Kunz, Das verhältniss der hss. von Chaucer's Legend of Good Women, Berlin s. a. Ebenso fehlt eine erwähnung von ten Brink's letztem aufsatz: Zur chronologie von Chaucer's schriften, Engl. stud. XVII, 1 ff. (1892), worin er den, meiner meinung nach überzeugenden nachweis führt, dass die fassung des prologs in der hs. Gg. nicht, wie Skeat annimmt, älter ist als die gewöhnliche version, sondern umgekehrt viel jünger. Diese durch gute gründe gestützte ansicht ist auch von Köppel (Engl. stud. XVII, p. 195 f.) adoptirt worden, während allerdings John Koch, The Chronology of Chaucer's Writings, Chaucer Soc. Sec. Ser. 27, im Appendix p. 81 ff. sich ablehnend dagegen verhält, ohne dass mich seine ausführungen von der unrichtigkeit der ten Brink'schen auffassung überzeugt hätten. Ich kann auf diese frage hier nicht näher eingehen; es wäre wünschenswerth, dass prof. Skeat selbst sich gelegentlich in der Academy oder im Athenaeum über ten Brink's gründe für die umkehrung der zeitlichen aufeinanderfolge der beiden prologe näher aussprächte. Die zwei verschiedenen fassungen des prologs sind von Skeat unter einander abgedruckt, ähnlich wie in der früheren sonderausgabe, doch so, dass hier wenigstens beide texte in extenso gegeben sind. Immerhin ist auch jetzt noch eine vergleichung derselben so sehr erschwert, dass Lounsbury (New York Daily Tribune, March 3, 1895, p. 22 c), freilich stark übertreibend, davon sagen kann: *One protest has, however, to be made on behalf of suffering humanity. In this large edition Professor Skeat has reproduced the two prologues to this work according to the method in which he printed them in his book for school use. Th· annals of editing will furnish no more diabolical specimen of perverted ingenuity. The object in view that led to its perpetration was to save a few leaves. For the sake of that the page is disfigured, the student is annoyed and irritated, and the ordinary reader is amazed and perplexed.* Im *Student's Chaucer* ist die anordnung eine erheblich praktischere und übersichtlichere. Es sind dort beide texte in zwei spalten parallel gedruckt und bei grösseren umstellungen ein kurzer hinweis auf die entsprechende stelle der andern version

gegeben, so dass man jetzt erst beide texte wirklich bequem mit einander vergleichen kann. Hoffentlich behält Skeat dies verfahren auch bei einem
neudruck der grossen ausgabe oder der sonderausgabe der Legend of Good
Women bei.

Der rest des III. bandes ist ausgefüllt durch eine ausführliche einleitung
zu den Canterbury Tales, *Account of the Sources of the Canterbury Tales*
(p. 371—504), doch werden nicht bloss die quellen zu den einzelnen erzählungen angegeben, sondern auch der allgemeine grundplan derselben, die reihenfolge der erzählungen, die verschiedenen gruppen und ihre vertheilung auf die
einzelnen tage, die entstehungszeit der Canterbury Tales u. s. w. besprochen. Man
findet hier zum ersten male alles, was zum allgemeinen verständniss der anordnung und einrichtung der Canterbury Tales und ihres verhältnisses zu den
quellen zu wissen nöthig ist, und was bisher in zahlreichen einzelschriften und
aufsätzen verstreut war, bequem und übersichtlich zusammengestellt. Auf eine
nähere erörterung einzelner punkte muss ich verzichten.

In band IV folgt der text der *Canterbury Tales* (p. 1—644) nebst der
unechten *Tale of Gamelyn*, die in kleinerem druck angefügt ist (p. 645—667).
Vorausgeschickt ist eine kurze einleitung (p. VII—XXXII), welche die einrichtung des vorliegenden textes erörtert und die (59) hss. und (5) alten drucke
der Canterbury Tales aufzählt, beschreibt und classificirt. Abgesehen von den
bereits früher von Skeat in einer auswahl herausgegebenen stücken ist der text
auch der Canterbury Tales vollständig neu bearbeitet und übertrifft, da er auf
der Six-Text Edition, insbesondere auf der besten der sechs hss., dem Ellesmere
Ms., aufgebaut ist, an correctheit und zuverlässigkeit alle früheren. *»The text
of the Canterbury Tales, as printed in the present volume is an entirely new
one, owing nothing to the numerous editions which have preceded it ... The
reasons for the necessity of a formation of an absolutely new text will appear
on a perusal of the text itself, as compared with any of its predecessors.«* In
der anordnung der gruppen und in der zählung der verse folgt Skeat streng
der Six-Text Edition, doch sind auch, wie bei Morris, die einzelnen erzählungen für sich besonders gezählt und die verszahlen aus Tyrwhitt's ausgabe
oben auf der seite in klammern beigefügt.

Band V enthält die anmerkungen zu den Canterbury Tales (p. 1—476)
und zu Gamelyn (p. 477—489) nebst Addenda (p. 490—494) und einem
alphabetischen index zu den anmerkungen dieses und der früheren bände
(*Index to Subjects and Words explained in the Notes*, p. 495—515). Mit
unglaublicher mühe und äusserster sorgfalt hat Skeat in den anmerkungen zu
den Canterbury Tales alles zusammengetragen, was für das verständniss der
erzählungen irgend von interesse ist. Sehr gern würde ich hier auf diesen
oder jenen in den anmerkungen behandelten punkt etwas näher eingehen,
nicht um zu tadeln, sondern um die bemühungen Skeat's zur aufhellung
dunkler stellen besser in's licht zu setzen, aber ich wüsste nicht, wo anzufangen und wo aufzuhören. Nur zu éiner stelle möge eine anmerkung gestattet sein. Von dem ritter heisst es im prolog v. 52 ff.:

Ful ofte tyme he hadde the bord bigonne
Aboven alle naciouns in Pruce.
In Lettow hadde he reysed and in Ruce,
No Cristen man so ofte of his degree.

In der anmerkung zu diesen versen (V, p. 6 f.) giebt Skeat zwar die richtige deutung des ausdrucks '*beginne the bord*' = 'den ehrenplatz an der festtafel einnehmen'; er weist auch darauf hin, dass englische ritter, so z. b. Thomas, herzog von Gloucester, der jüngste sohn Eduard's III., und Heinrich von Derby, der spätere könig Heinrich IV., gern in das ordensland Preussen zogen, um die ritter des Deutschen ordens auf ihren beständigen kriegszügen oder »reisen«, wie der terminus technicus lautete, gegen die heidnischen Lithauer zu begleiten und so ihrer thatenlust zu fröhnen; aber die wahre bedeutung der verse »*Ful ofte tyme he hadde the bord bigonne Aboven alle naciouns in Pruce*« geht uns doch erst auf, wenn wir in der vortrefflichen einleitung zu den von H. Prutz im auftrage des Vereins für die geschichte der provinzen Ost- und Westpreussen herausgegebenen 'Rechnungen über Heinrich von Derby's Preussen-fahrten 1390—91 und 1392.' Leipzig 1893[1]), p. XI f. lesen, dass derartige grössere kriegsreisen des Deutschen ordens gegen die Lithauer »nicht selten schon längere zeit vorher durch herolde auch in Deutschland und weiterhin als in aussicht stehend angesagt« wurden, und dass »als besonderes lockmittel« dann auch wohl »die verkündigung eines ehrentisches« erfolgte. »Diese ritterliche festlichkeit, die, soweit wir nachkommen können, allein bei dem Deutschen orden in Preussen üblich war, ohne dass sich ihr ursprung nach-weisen liesse, bestand in der veranstaltung eines prunkvollen mahles, zu dem aus den zur theilnahme an der kriegsreise erschienenen rittern durch heroldsruf die durch ihre waffenthaten berühmtesten geladen wurden, zehn, zwölf und mehr, je nach den umständen. Den vornehmsten platz erhielt von den auserwählten wiederum derjenige, der sich des grössten ruhmes erfreute. Gewöhnlich wurde, wie es scheint, der ehrentisch gedeckt vor dem aufbruch des ordensheeres und seiner gäste zur kriegsreise. Da für diese meist Königsberg der sammelplatz war, wird die festlichkeit auch meist dort stattgefunden haben. Besondere anlässe freilich bewirkten ihre abhaltung auch an anderen orten« etc. Wenn also Chaucer den von ihm eingeführten ritter einem derartigen 'ehrentische' präsidiren lässt, so verleiht er ihm damit die höchste, einem ritter damals erreichbare ehre; er erklärt ihn für den tüch-tigsten ritter der welt. Da diese 'ehrentische' aber doch wohl nicht allzu oft stattfanden, so ist sein ausdruck '*ful ofte tyme*' allerdings eine gelinde poetische übertreibung.

Ausser den anmerkungen zu den Canterbury Tales enthält band V noch eine *Introduction to the Notes*, in der wiederum einige fragen von allgemeinerem interesse erörtert werden, die Skeat zum theil schon in band I behandelt hatte, nämlich der canon der werke Chaucer's und die früheren ausgaben derselben, der werth des Harleian und des Ellesmere-Ms., die richtige aussprache der Chaucer'schen texte etc.

Auch der VI. band beginnt mit einer *General Introduction* (p. IX—CIII), in der Skeat zunächst nochmals das programm seiner ausgabe im einzelnen

---

[1]) Gleichzeitig von Miss Lucy Toulmin Smith für die *Camden Society* herausgegeben: *Expeditions to Prussia and the Holy Land made by Henry Earl of Derby (afterward King Henry IV.) in the years 1390—91 and 1392—93. Being the Accounts kept by his Treasurer during two years. Edited from the originals by Lucy Toulmin Smith with Introduction, Notes and Indices. London 1894. Camden Society, New Series LII.*

darlegt und bemerkungen zu einzelnen stücken giebt, sowie diejenigen schriften und ausgaben anführt, die er für sein werk vorzugsweise benützt hat, auch die unterstützung dankbar erwähnt, die ihm bei ausarbeitung des glossars zu theil geworden ist. Dann folgt eine längere erörterung über Chaucer's sprache und verskunst (p. XXIII ff.). Es werden die bei Chaucer begegnenden kentischen formen hervorgehoben, die aussprache der einzelnen laute und ihre schriftliche darstellung erörtert und v. 1—18 des prologs der Canterbury Tales in phonetischer umschrift gegeben (p. XXXI). Ferner geht Skeat auf den unterschied zwischen offenem und geschlossenem *o* und *e* ausführlich ein (p. XXXI—XLVII), erwähnt einige eigenthümlichkeiten des reimes bei Chaucer (p. XLVIII ff.) und widerlegt bei dieser gelegenheit einige irrthümliche äusserungen Lounsbury's über die reimbildung bei Chaucer (p. L—LVII). Dann folgen angaben über die verschiedenen von Chaucer gebrauchten strophenformen (p. LVIII—LXIV), eine formenlehre (p. LXIV—LXXXII) und eine verslehre (p. LXXXII—XCVII). Mit Schipper (Engl. metrik I, p. 440, jetzt auch Grundriss der engl. metrik p. 205 f.) stellt Skeat 16 verschiedene hauptarten des heroischen verses auf, wovon er aber nr. 9. 11. 13. 15. d. h. verse mit fehlender senkung nach männlicher cäsur als bei Chaucer nicht vorkommend verwirft. Er hätte auch nr. 2. 4. 6. 8, also die verse mit überschlagender silbe in der cäsur, streichen sollen, denn eine 'epische cäsur' giebt es bei Chaucer nicht und kann es nicht geben. Epische cäsur ist nur da möglich, wo der einschnitt im innern des verses so stark ist, dass eine nachtonige silbe ungehindert verklingen kann, und dies kann wiederum nur da geschehen, wo die cäsur an eine bestimmte stelle des verses gebunden ist, also z. b. im altfranzösischen zehnsilbler der chansons de geste, der gewissermaassen in zwei selbständige kurzverse von vier und sechs silben zerfällt, nicht aber in Chaucer's vers, der ein einheitliches ganze bildet, und bei dem die cäsur beliebig wechseln kann. Die von Skeat (p. LXXXIX) angeführten belege für epische cäsur sind sämmtlich nicht beweisend, denn es ist entweder elision möglich, wie z. b. *Whan they were wonne | and in the grete see; The droght of Marche | hath perced to the rote;* oder es steht in der cäsur ein wort, das auch sonst einsilbig gebraucht (verschleift) werden kann, wie *That no drope | ne fell upon hir brest;* vgl. *But never drope retourne may* Rom. of the Rose 384. Kittredge, Observations on the Language of Chaucer's Troilus, hat in § 144 (p. 389—401) alle fälle, in denen epische cäsur in betracht kommen könnte, sorgfältig zusammengestellt und gezeigt, dass in der cäsur in bezug auf die abmessung der silben nicht anders verfahren wird als auch an anderen stellen des verses. Der einzige vers, bei dem nach Kittredge (p. 400) 'the retention of a light extra syllable before the caesura seems to be unavoidable, if the reading of the best Mss. is to be followed', ist Troil. 6358 (IV, 1696): *Nentendement considere || ne tonge telle;* aber selbst dieser vers ist sehr leicht zu heilen, wenn wir mit Harl. 1239 und John's Ms. *or* für *ne* lesen: *Nentendement considere | or tonge telle;* vgl. den ähnlichen übergang von *Nor* zu *or,* ebenfalls in der cäsur, Troil. I, 497: *Nor of his peyne, or whatsoever he thoughte.* Eine eingehendere untersuchung, die dringend zu wünschen ist, würde gewiss das nichtvorhandensein der epischen cäsur bei Chaucer ebenso sicher erweisen, wie Freudenberger's abhandlung die zulässigkeit des fehlenden auftaktes in Chaucer's heroischem vers nachgewiesen hat.

Endlich bietet Skeat in p. 119, *Chaucer's Authorities* (p. XCVIII—CIII) eine kurze und übersichtliche zusammenstellung aller derjenigen schriftsteller und derjenigen werke, die Chaucer sicher gekannt und für seine dichtungen ausgebeutet hat. Ein *Index of Authors quoted or referred to* (p. 381—389) giebt die einzelnen von Chaucer benützten stellen näher an.

Den hauptteil des VI. bandes nimmt das glossar zu Chaucer's werken (*Glossarial Index*, p. 1—310) ein, welches alle früheren ähnlichen glossare an reichhaltigkeit und zuverlässigkeit weit übertrifft. Es wird hier auch zum ersten male der wortschatz Chaucer's in unverfälschter gestalt geboten, da alle unechten oder zweifelhaften werke, die in den früheren ausgaben von den echten nicht streng getrennt waren, unberücksichtigt geblieben sind. So ist auch der wortschatz der fragmente B und C des Romaunt of the Rose und der Tale of Gamelyn von Skeat besonders zusammengestellt worden (p. 311—346 und 347—358). Dann folgt noch ein *Index of Proper Names* (p. 359—380), ein *Index of Authors quoted or referred to* (p. 381—389), ein verzeichniss der *Books referred to in the Notes* (p. 390—398), ein druckfehlerverzeichniss, *General List of Errata, including a few Emendations and Addenda* (p. 400—409), und endlich ein *General Index* (p. 410—414). Beigefügt ist dem VI. bande noch das subscribentenverzeichniss: *List of Subscribers to the Complete Works of Geoffrey Chaucer* (p. 417—445).

Zu dem glossar möchte ich noch eine bemerkung beifügen, welche die mit *to-* (got. lat. *dis-*, nhd. *zer-*) zusammengesetzten verba betrifft. Neben *to-bete, to-breke, to-breste, to-cleve, to-dasshe, to-drawe, to-drive, to-hewe, to-melte, to-race, to-rende, to-scatere, to-shake, to-shivere, to-shrede, to-slitere, to-sterte, to-swinke, to-tere*, bei denen der bedeutungsinhalt des einfachen verbums eine verbindung mit dem präfix *to-* = *zer-* 'entzwei, auseinander' zulässt, führt Skeat auch andere composita mit *to-* auf, bei denen dies nicht möglich ist, nämlich *to-go, to-greve, to-hangen, to-laughe, to-romble, to-stoupe*. Sehen wir uns die stellen, an denen diese letzteren composita vorkommen sollen, etwas näher an, so ergiebt sich, dass dort *to-* nicht das präfix (= *zer-*) sein kann, sondern die präp. *to* vor dem infinitiv, dass also getrennt zu schreiben ist *to go, to greve, to hangen, to laughe, to romble, to stoupe*. So heisst es in Skeat's ausgabe LGW 653: *Til, at the laste, as every thing hath ende, Antony is shent, and put him to the flighte, And al his folk to-go, that best go mighte.* In der anmerkung zu der stelle sagt Skeat: »*To-go, disperse themselves; pres. tense. The prefix to has the same force as the Lat. dis-, i. e. 'in different directions'. We even find to-ga used as a past tense in Barbour's Bruce (VIII, 351; IX, 263, 269; XVII, 104, 575) with the sense 'fled in different directions' or 'fled away'. Cf. 'the wlcne to-gad', the clouds part asunder; Morris, Spec. of Eng. pt. I, p. 7, l. 169. And again 'thagh the fourme of brede to-go', though the form of bread disappear; Shoreham's Poems, p. 29.*« Nun giebt es allerdings ein ae. verbum '*tō-gān*', dasselbe kann aber nur die bedeutung haben 'zergehen, sich auflösen, verschwinden'; es passt also sehr gut auf die beiden letzten von Skeat angeführten stellen: 'die wolken zergehen, lösen sich auf'; 'wenn auch die brotsgestalt vergeht, verschwindet', aber es kann nicht gebraucht werden von dem blossen auseinandergehen, sichzerstreuen von menschenmassen. Vielmehr haben wir *to go* in der oben angeführten stelle LGW 653 *And al his folk to go* als absoluten infinitiv mit der präp. *to* aufzufassen = 'et tout son peuple d'aller', ebenso in Barbour's Bruce VIII, 351: *He turnit his bridill, and to ga;* IX, 263: *Thai turnit thar bak all, and to ga;* IX, 269: *Thai war ilkane abasit swa That thai the bakkis gaf, & to ga;* XVII, 575: *Thai gaf the bak all, and to ga,* während es XVII, 109 *For als soyn as it dawit day, The twa part of thair men and ma All scalit, throu the toune to ga* einfach finaler infinitiv ist. Uebrigens kann ja *to-ga* gar nicht, wie Skeat es im glossar zum Bruce auffasst, 3. sg. (pl.) prät. sein, denn dies müsste *to-went* heissen, auch nicht 3. sg. (pl.) präs., denn dort wäre *-s* als endung unerlässlich; es weist also auch die überlieferte form *to ga* deutlich auf den infinitiv hin.

Der präpositionale infinitiv *to greve* ist sodann für Skeat's compositum *to-greve* einzusetzen Troil. I, 1001 : That thou *shalt be the beste post, I leve, Of al his lay, and most his foos to greve*, wo der absolute infinitiv gewissermaassen einen relativsatz vertritt: 'Du wirst, wie ich glaube, die beste stütze seines glaubens sein und derjenige, der am meisten seine feinde kränkt'. Wir können auch den inf. *to greve* direct von *shalt* abhängig sein lassen: 'Du wirst . . . sein und am meisten seine feinde kränken', denn vor dem zweiten von zwei durch längere einschiebungen von einander getrennten infinitiven kann auch bei regierendem hilfszeitwort die präp. *to* stehen; vgl. Engl. stud. XIV, 179.

House of Fame 1782 druckt Skeat: *Men rather yow to-hangen oughte* und bemerkt in den Notes (III, p. 281): ». . . *I know of no other example of* to-hangen, *to hang thoroughly, but this is of little moment. The prefix to- was freely added to all sorts of verbs expressing strong actions; Stratmann gives more than a hundred examples.«* Ein verbum 'zerhängen' kann es aber nicht geben; vielmehr ist auch hier *to* die präposition vor dem infinitiv, abhängig von *oughte*.

Ebensowenig giebt es ein verbum *to-laughe* 'to laugh out, to laugh excessively', oder es könnte, wenn es vorkäme, nur reflexiv gebraucht werden, wie das deutsche 'sich zerlachen'. Es ist ferner unmöglich, dass *to-laugh* aus der 3. sg. pr. *to-laugheth* verkürzt ist, wie Skeat im glossar anmerkt, denn *th* kann nur einem vorhergehenden dentalen consonanten assimilirt werden, nicht nach einem gutturalen einfach wegfallen. In der anmerkung zu Troil. II, 1108 erklärt es Skeat für die 3. sg. pt. und fügt hinzu: »*A better form is* to-lough; *see l. 1163, and Pard. Ta. C 476.«* Dies erweckt den anschein, als ob an den genannten stellen ebenfalls ein compositum, *to-lough*, vorkäme. In wirklichkeit steht aber dort das simplex *lough*. Wir müssen also auch Troil. II, 1108 *to laughe* als absoluten infinitiv auffassen: »*'By god', quod he, 'I hoppe alwey bihinde'. And she to laughe, it thoughte, hir herte breste.«*

Unmöglich ist ferner das compositum *to-romblen* LGW 1218, vom rollen des donners gebraucht, denn durch das blosse rollen des donners geht nichts entzwei; es ist also auch hier getrennt zu lesen: *Among al this to romblen gan the heven, The thunder rored with a grisly steven.*

Sehr zweifelhaft erscheint mir auch *to-stoupe* 'stoop forwards' D 1560. Es sind hier von *bigonne* zwei infinitive abhängig; der zweite kann also sehr wohl mit *to* angeschlossen werden, wenn auch der erste ohne präposition steht (vgl. Engl. stud. XIV, 179), also: *And they bigonne drawen and to stoupe.*

Ein compositum *to-bete* 'zerhauen' kommt allerdings vor; vgl. G. 405: »*For which Almachius did him so to-bete With whippe of leed, til he his lyf gan lete*«, dasselbe muss aber transitiv sein und kann daher nicht mit *upon* verbunden werden, wie Skeat es Troil. V, 1762 thut: »*And god it woot, with many a cruel hete Gan Troilus upon his helm to-bete*«. Es ist demnach auch hier *to bete* getrennt zu schreiben und als präpositionaler infinitiv, von *gan* abhängig, aufzufassen. In einer neuen auflage wird also Skeat die 'ghost-words' *to-go, to-greve, to-hange, to-laughe, to-romble, to-stoupe* und *to-bete upon* wieder streichen müssen [1]).

2. Kurz nach vollendung der grossen sechsbändigen ausgabe hat Skeat noch eine zweite, einbändige ausgabe der prosaischen und poetischen werke Chaucer's veröffentlicht, welche (p. 1—717) in kleinerem druck sämmtliche in die grössere ausgabe aufgenommenen werke mit ausnahme von nr. XXV der Minor Poems und der Tale of Gamelyn enthält, nebst einer knappen einleitung (*Life of Chaucer* p. XI—XV, *Character of Chaucer* p. XV, *Writings of Chaucer* p. XVI f., *Editions of Chaucer* p. XVII f., *Grammatical Hints* p. XVIII—XXI, *Metre* p. XXI—XXII, *Versification* p. XXII, *Pronunciation* p. XXII—XXIV), einem Appendix (*Variations and Emendations* p. 719—732) und einem Glossar (*Glossarial Index* p. 1—132, *Glossary to Fragments B and C of the Romaunt of the Rose* p. 133—149). Diese ausgabe ist, wie ihr titel '*The Student's Chaucer*' besagt, in erster reihe für studenten bestimmt, und sie wird hoffentlich auch von deutschen studenten recht viel gekauft und eifrig gelesen werden; ist sie ja doch von dem herausgeber der philosophischen facultät einer deutschen universität gewidmet, nämlich der universität Halle, die ihn anlässlich der 200jährigen jubelfeier zu ihrem ehrendoctor ernannt hatte. Der text ist in dieser kleineren ausgabe derselbe, wie in der grösseren, nur fehlen die angaben über die abweichenden lesarten der hss. am fusse der seite; dafür sind in dem Appendix (p. 719—732) die wichtigsten von Skeat vorgenommenen textänderungen zusammengestellt und die ursprüngliche lesart der hs. mitgetheilt. Praktischer wäre es gewesen, diese notizen unmittelbar unter jeder seite anzufügen; dann wäre das lästige nachschlagen und vor allem die störenden kreuzchen (†) mitten im text vermieden worden. Die einleitung ist auf das allernothwendigste beschränkt, auch das glossar etwas gekürzt, indem bekanntere wörter weggelassen und für die anderen weniger belegstellen gegeben worden sind; die anmerkungen fehlen leider ganz. Bei seinem verhältnissmässig so geringen preise (7 s. 6 d.) ist das buch allen, denen die grosse ausgabe zu kostspielig ist, zur anschaffung dringend zu empfehlen; insbesondere sollte es keinem studirenden der neueren philologie fehlen.

Wenn wir die erscheinenden doctordissertationen als prüfstein zulassen wollen, dann ist die beschäftigung mit dem Mittelenglischen an den deutschen universitäten, zum theil wohl in folge der geringer gewordenen zahl der studirenden, zum theil aber auch in folge der gegenwärtig herrschenden strö-

---

[1]) Wie ich nachträglich sehe, hat bereits Stoffel in einer von Skeat in den *Errata and Addenda* (VI, p. 403) mitgetheilten zuschrift *to laughe* Troil. II, 1108 als 'infinitivus historicus' aufgefasst unter hinweis auf '*Ainsi dit le renard, et flatteurs d'applaudir*', und Skeat fügt hinzu, dass dann auch *to go* LGW 653 und *to ga* in Barbour's Bruce ebenso zu verstehen seien.

mung, die nur das modernste Englisch als geeignetes object und erstrebens-
werthes ziel des studiums hinstellt, in den letzten jahren stark im rückgange
begriffen. Mögen Skeat's vortreffliche Chaucerausgaben dazu beitragen, bei
studirenden wie bei lehrern des Englischen in Deutschland das interesse für
die ältere englische sprache und litteratur, ohne deren kenntniss ein wahres
verständniss der modernen englischen sprache und litteratur nun einmal nicht
möglich ist, auf's neue zu erwecken und zu beleben. Der herausgeber aber
möge des dankes auch der deutschen anglisten für seine werthvollen gaben
versichert sein.

KÖNIGSBERG i. Pr., Januar 1896.   Max Kaluza.

Paolo Bellezza, Introduzione allo studio dei fonti Italiani di G. Chaucer
  e primi appunti sullo studio delle letterature straniere in generale. Milano,
  presso l'autore. [1895.] 59 ss. 8°.

Wer in diesem schriftchen irgend welche neue resultate in bezug auf die
quellen Chaucer's zu finden erwartete, würde sich enttäuscht sehen. Es handelt
sich thatsächlich nur um eine 'einleitung', die einer wirklich eingehenden behandlung des auf dem titel genannten themas vorausgeschickt wird, um eine
zwanglose plauderei über allerhand mängel, welche in der behandlung der
ausländischen litteraturen in italienischen werken zu tage treten, vor allem um
das zähe festhalten an längst antiquirten fehlern, die in folge der ignorirung
neuerer forschungen und der vorwiegenden benutzung secundärer quellen sich
von einem buche in's andere weiter schleppen.

Im letzten abschnitte, welcher sich noch am meisten mit Chaucer selbst beschäftigt, hebt der verf. zunächst die ausserordentlich divergirenden meinungen
hervor, welche hervorragende englische autoren z. b. über Chaucer's Troilus
geäussert haben, um dann zu betonen, dass das studium Chaucer's schon
darum auch für seine, des verfassers, landsleute von besonderem interesse sei,
weil mit ihm die engeren berührungen zwischen der englischen und der
italienischen litteratur anheben, um nie wieder ganz aufzuhören. Schliesslich
wendet der autor sich dazu, einige stark übertriebene urtheile von Engländern,
welche Chaucer nur erheben, um zugleich seine italienischen vorbilder auf
seine kosten herabzusetzen, mit vollem rechte zu geisseln.

BRESLAU, Januar 1896.   E. Kölbing.

English Miracle Plays, Moralities and Interludes. Specimens of the Pre-
  Elizabethan Drama edited, with an Introduction, Notes and Glossary, by
  Alfred W. Pollard. Second edition, revised. Oxford. At the Clarendon
  Press. 1895. LX + 250 ss. 8°. Pr.: sh. 7,6.

Die erste auflage dieses seiner idee und anlage nach sehr nützlichen
buches ist in dieser zeitschrift, bd. XVI, p. 278—82, eingehend besprochen
worden. Dass Pollard von dieser anzeige kenntniss genommen hat, bezeugt
er selbst im vorwort zur zweiten auflage (p. VIII), wo er von mir allerdings
als »Dr. Max Kölbing, of Breslau« spricht. Dagegen scheint ihm, zu meinem

bedauern, ein einschlägiger aufsatz von mir, welcher mitte Mai des vorigen jahres erschienen ist (Engl. stud. bd. XXI, p. 162—176) nicht zu gesicht gekommen zu sein. Andere detaillirte besprechungen dieser chrestomathie sind meines wissens nicht erschienen. Der umstand, dass nach kaum fünf jahren bereits eine zweite auflage nöthig geworden ist, liefert ein redendes zeugniss dafür, dass das buch einem wirklichen bedürfniss entgegen gekommen ist. Um so mehr ist es zu beklagen, dass es auch jetzt noch in einer so wenig zufriedenstellenden form vor die interessenten tritt. Ausser einigen, zum theil durch meine recension hervorgerufenen besserungen im texte ist z. b. für den abschnitt aus den York Plays weder auf die anzeigen von Miss T. Smith's ausgabe der York Plays durch Zupitza und Hall, noch auf Holthausen's aufsatz in Herrig's Archiv — die ich in meiner recension ausdrücklich namhaft gemacht hatte —, noch endlich auf meine späteren 'Beiträge zur erklärung und textkritik der York Plays' (Engl. stud. bd. XX, p. 179 ff.) rücksicht genommen worden. Die mängel, welche ich am schlusse meiner recension am glossar gerügt habe, sind jetzt noch in genau demselben maasse vorhanden. So muss leider diese zweite auflage schon bei ihrem erscheinen als veraltet bezeichnet werden. Wie wenig sorgfalt Pollard ihrer vorbereitung gewidmet hat, geht schon aus einem falle hervor. Zu C. of P. v. 321: *He is III poynt to be spylt* bemerkt Pollard (p. 201): »Dr. Skeat suggests to me that for '*III*' we should read '*in*', and the phrase as it stands in the transcript is barely (?) possible« [1]). Dagegen hat er im glossar p. 242a s. v. *Poynt* ruhig die alte thörichte erklärung stehen lassen: »*three poynt*, three parts, i. e. nearly«.

BRESLAU, Januar 1896.   ————————   E. Kölbing.

Emil Koeppel, Quellenstudien zu den dramen Ben Jonson's, John Marston's und Beaumont und Fletcher's. Erlangen und Leipzig, A. Deichert'sche verlagsbuchhandlung. 1895. 159 ss. Pr.: mk. 3.60.

Herr Koeppel has undertaken a task in this little work which will insure him the thanks of all who work in the same field. A full account up to date of all that has been hitherto discovered of the sources of the above mentioned dramatists was much wanted and Koeppel's book not only brings us this (complete as far as I can judge) but also some new material of his own. I fully agree with him in his opinion that the old dramatists were much fonder of making use of foreign tales (chiefly in French and English translations) than of adapting dramas. Nevertheless what A. L. Stiefel said about Fletcher's making use of Spanish dramas, the originals of which he had discovered, has excited so much curiosity that I heartily join with Koeppel in the wish: »Hoffentlich findet Stiefel bald die zeit, uns die ergebnisse seiner forschungen mitzutheilen, ich möchte ihm nicht gerne vorgreifen.« As regards Ben Jonson there is nothing to add to what Koeppel says of him. Together with Aronstein's article on John Marston in Engl. stud. XXI, p. 28 ff. we have here a better appreciation of Rare Ben Jonson than any that has yet appeared. Characteristic of Jonson

———————————

[1]) Beiläufig bemerkt, begegne ich mich in bezug auf diese besserung mit Skeat (vgl. Engl. stud. bd. XXI, p. 169).

is what Koeppel says on p. 19. In no fewer than eight plays the plot is the
poet's sole property.

With respect to John Marston there is little to add to what Koeppel has
said. I cannot see my way to such a reconstruction of Kyd's Hamlet (if the
old play was his) as Sarrazin and Koeppel accept. However that is a matter
of opinion. Perhaps also Koeppel strains analogies between Marston's and
Shakespeare's language a little too far. Perhaps we might suspect that he
finds a design to parodise Shakespeare where there is no necessity for such
an assumption. Not every man who says: »Durch diese hohle gasse muss er
kommen« means to laugh at Schiller. But these are very subordinate considerations. On p. 33 Koeppel says that Marston adopted from Shakespeare the
trick of working up two plots into one. With as much right we might say
that Shakespeare learnt this of Lyly and with more right that Lyly learnt it
of the Spanish dramatists.

I could have wished that Koeppel had not adopted the traditional Beaumont
and Fletcher title, but had boldly ventured on treating Beaumont, Fletcher
and Massinger together. We then should have had the lately discovered play
of Barnavelt, which Koeppel has unfortunately left out in his present division.

Oliphant has too much honour done him in being cited as an authority
in authorship. In his articles in the Engl. Stud. he has advanced only a mass
of reckless assertions without a shadow of proof. As to Fleay I have shown
in the Engl. Stud. that in a great many plays of the Beaumont and Fletcher
series, he has adopted my views expressed in the Engl. Stud. and in the Transactions of the New Shakspere Society, not only without acknowledgment, but
also with much abuse of the man he has robbed. However I shall not break
my heart over this infliction. I cannot help adding however that neither
Oliphant nor Fleay has answered the charges I brought against them in the
Engl. Studien.

p. 35. About the supposed parody of the Player-king in Hamlet III,
2, 165 it is to be remarked that the words: »How like an ignorant poet he
talks«, are put into Lucio's mouth and cannot therefore be taken as a criticism
of Shakespeare. Lucio is the Polonius of the Woman-Hater. A similar passage
occurs in All's well that ends well (Helena's speech to the king, act II sc. 1
l. 163 to 171).

To Thierry and Theodoret p. 36 I have only to remark that Fleay's allusion
to the events connected with the death of the Marshal d'Ancre probably hits
the mark. This would not exclude the possibility of the play being the one
mentioned in the famous letter to Henslow, on which Fletcher, Massinger, Field
and Daborne were engaged. Style and political allusions exclude the possibility
of its being a re-cast of the Brunhowlte of 1597 of which we know only the
name. Fleay is perhaps an exception. He is certain that the old play was
really historical. But Fleay is always 'certain'.

p. 43. The Knight of the Burning Pestle. For a lover to feign himself dead and
have his coffin carried to his lady, for one purpose or another, was too common an
artifice (compare Massinger's Parliament of Love) to build a theory of B. and F.'s
obligations to Marston on. On p. 44 Koeppel compares Romeo's words: »Dry sorrow
drinks our bloods« with Jasper Merrythought's: »Care never drunk their bloods«.
Granting the striking similarity of thought I do not really see the necessity,

here or elsewhere, of supposing that Beaumont Shakespeare »anulkt«. I have some recollection of a similar passage in an old emblem-book. A good many of Koeppel's analogies between the two dramatists and Shakespeare on the one side, and Marston on the other rest on just as slender foundations.

p. 57. The Honest Man's Fortune. Koeppel might have mentioned that I have given some reasons for ascribing a part of this play to Cyril Tourneur.

p. 62. The Faithful Friends. It has escaped Koeppel's notice that I have advanced the allusion to Lerma (after his disgrace, probably after Philip's death 1621) as a proof of the late date of this play, in which there is no trace of Beaumont, nor Fletcher, nor Massinger. The Old Law, The Noble Gentleman, The Laws of Candy, also show no trace of our authors and ought to be excluded from the works.

p. 64. The Widow might have been left out by Koeppel with advantage. It is in the same position as the above four dramas.

What Fleay and Oliphant say on Massinger and the Laws of Candy on p. 72 is a totally unsupported assertion. I have grounded my opinion that Massinger had no share in the play on the indubitable fact that it shows none of the oft repeated passages which every other play, in which he was engaged, does.

p. 75. Koeppel should have mentioned that Middleton has dramatised the episode he alludes to out of Cervantes: »Fuerza de la sangre« in his Spanish Gipsy.

P. 110. It is easy to say that a drama was written by one author and revised by another. Till Fleay and Oliphant show that Love's Cure, or The Martial Maid is really a revised work (I don't deny that it is or may be) their assertions are merely exemplifications of the unconscientious way in which they both go to work. In order to ascribe the work to Beaumont, they are forced to assume that Massinger rewrote the play, although the allusion to the cold Muscovite, which fixes the date as 1622 or later, is not in the part ascribed to him. I should rather suppose that Massinger's share is contemporaneous with Fletcher's. If it has been revised it was not by Massinger.

p. 119. What Oliphant says of the date of the Noble Gentleman is ridiculous. Fleay ascribes the play to Fletcher, although there are no traces of his easily distinguishable style.

p. 128. The Two Noble Kinsmen. Koeppel should have mentioned that Fleay was formerly convinced by my paper on The Two Noble Kinsmen, that it was by Fletcher and Massinger. Afterwards he declared for Beaumont without a shadow of proof. Oliphant's opinion is not worthy of mention.

If Koeppel is so very diffident (p. 130) about the question of authorship he should not have mentioned the opinions of two such reckless innovators as Oliphant and Fleay without with one word alluding to the evidence advanced by me, which has convinced such men as Alexander Schmidt and Browning, that this play is a joint one by Massinger and Fletcher.

p. 144. Note. The Maid of Honour. That the disinclination to war shown by the king was in Massinger's source is no argument against the political tendency of the play, which, like Believe as you List, The Bondman and many others has so many allusions to contemporary events, that we may fairly assume that the poet chose these episodes in order better to be able to conceal the political tendency.

The few objections which I have in the above lines made to one part
of Koeppel's work are by no means meant to depreciate its value, which is
not affected by them. They chiefly concern the subordinate question of authorship, the more important part of Koeppel's work offering no inducement to
criticism.

ST. PETERSBURG, December 1895.   R. Boyle.

Of Royall Education. A Fragmentary Treatise By Daniel Defoe Edited for
the First Time, with Introduction, Notes, and Index By Karl D. Bülbring,
M. A., Ph. D. Professor of the English Language and Literature in the
University of Groningen, Netherlands. London, Published by David Nutt.
MDCCCXCV. XIX und 72 ss. 8°.

Die einleitung setzt auf sehr interessante weise das verhältniss dieses
fragments zu dem 1890 von Bülbring ebenfalls zum ersten male herausgegebenen
Compleat English Gentleman auseinander, erörtert die frage nach der abfassungszeit und den quellen und erweist, dass Defoe die kleinere abhandlung über die
erziehung der fürsten nicht zu ende geführt hat, und dass Of Royall Education
und der Compleat E. G. zwei selbständige werke darstellen. Die kurze untersuchung ist mit viel scharfsinn geführt, wirkt durchaus überzeugend und wird
von jedem kenner des merkwürdigen Robinsonverfassers mit vergnügen gelesen
werden. Hierbei passirt nicht herrn Bülbing, sondern dem alten Defoe selbst
ein komisches unglück — er wird bei einer offenbaren und groben lüge ertappt.
»We cannot avoid the deplorable conclusion that his misrepresentation is not
simply an error, but a deliberate falsehood.« Da sich Defoe selber nicht mehr
vertheidigen kann, möchte referent doch zu bedenken geben, dass, wenn
jemand sich vornimmt, einen andern tüchtig zu belügen, es aber nicht thut,
er doch eigentlich nicht gelogen hat, und dass immerhin angenommen werden
kann, Defoe habe die veröffentlichung unterlassen, weil er moralische bedenken
gehabt. Was wir von Defoe's charakter wissen, ist freilich nicht geeignet, diese
annahme zu unterstützen.

BRESLAU, October 1895.   _____   F. Bobertag.

Anima poetæ from the unpublished note-books of Samuel Taylor Coleridge edited by Ernest Hartley Coleridge. London (Heinemann)
1895. XV + 333 ss. 8°. Pr.: 7 s. 6 d.

Seit dem erscheinen des trefflichen werkes von Brandl hat die Coleridgelitteratur bereits mehrere neue hervorragende erscheinungen aufzuweisen. Im
jahre 1889 gab des dichters enkel, Ernest Hartley Coleridge, eine grössere
sammlung von briefen heraus unter dem titel: Letters from the Lake Poets
to Daniel Stuart, editor of the Morning Post and the Courier 1800—1838.
Das buch ist für die töchter des adressaten gedruckt und, leider, nur zum
umlauf in freundeskreisen bestimmt. — 1892 wurden im Januarheft von Scribner's
Magazine unter dem titel: Some unpublished Correspondence of Washington
Allston, einige werthvolle briefe C.'s an Allston veröffentlicht. — 1893 erschienen:
The Poetical Works of S. J. C. edited with a biographial introduction by

James Dykes Campbell. London (Macmillan). Die biographie, die dieser ganz ausgezeichneten ausgabe vorausgeschickt ist, bietet viele neue gesichtspunkte und bringt nicht wenig bisher ungedrucktes material. Die ausgabe, deren schöpfer leider inzwischen gestorben ist, enthält eine beträchtliche anzahl von zum theil aus dem Gutch Memorandum Book, zum theil aus andern handschriftlichen quellen nun zum ersten male gedruckten gedichten und fragmenten. Die verschiedenen »anhänge« liefern uns eine fülle neuer beiträge zur chronologie und zur geschichte der einzelnen dichtungen. — Im frühling des jahres 1895 veröffentlichte E. H. Coleridge, der übrigens schon seit jahren an einer Coleridge-biographie arbeitet: The Letters of S. T. C. London (Heinemann). 2 vols. 8°.

Hieran reiht sich nun in würdiger weise das vorliegende buch. Der herausgeber theilt uns in der vorrede mit, dass von Coleridge über 50 note-books, pocket-books und copy-books erhalten sind. Aus diesen ist bereits manches in den Literary Remains, dann bei Allsop und in dem von Thomas Ashe besorgten neudruck des Table-Talk, bei Brandl, Campbell und in der jüngsten ausgabe der briefe C.'s (s. o.) veröffentlicht. Hier bietet nun der enkel C.'s eine sammlung von ungedruckten aphorismen und sentenzen aus diesen verschiedenen heften, die er für das grosse publikum (the general reader), nicht für gelehrte zwecke bestimmt. Die einzelnen nummern sind, soweit dies anging, chronologisch geordnet, und zwar in zehn capiteln, welche die jahre 1797—1828 umfassen. Dem buche ist, zur raschen orientirung, ein namenverzeichniss sowie ein sachindex beigefügt.

Viele der stücke sind von hohem interesse für die kenntniss der dichter-persönlichkeit ihres verfassers. So die stelle auf s. 70 f., welche Places and Persons betitelt ist, und wo er sagt: »Of all men I ever knew, Wordsworth himself not excepted, I have the faintest pleasure in things contingent and transitory« und dies im einzelnen an beispielen ausführt, wozu man noch s. 102 vergleichen möge. Eine reihe der feinsten naturbeobachtungen, besonders über das wechselreiche bild, das mond und wolken oder sonne und wolken oft bieten, finden wir auf s. 12, 18, 43, 45, 50, 52, 63, 76, 97, 103, 104, 125, 171, 187. All diese fallen vor das jahr 1808. In den aus späterer zeit herrührenden stellen ist nichts mehr derartiges zu finden. Das buch enthält ausserdem zahlreiche vergleiche, unter denen sich neben vielen geschmacklosigkeiten auch manches prächtige stück findet. Unter seinen notizen über poesie sind ausser den zwei sentenzen, die wir hier citiren wollen: »Poetry, like schoolboys, by too frequent and severe correction, may be cowed into dullness« (s. 4) und: »Poetry which excites us to artificial feelings makes us callous to real ones« (s. 5), die längeren excurse auf s. 153 und 229 hervorzuheben. Beachtenswerth ist sein urtheil über Southey. Er sagt: »Australis [Southey] may be compared to an ostrich. They cannot fly, but he has such qualities that he needs not« (s. 6). Von Wordsworth schreibt er unter anderm, indem er dessen inangriffnahme von The Prelude begrüsst: »In those little poems, his own corrections coming of necessity so often — at the end of every forteen or twenty lines, or whatever the poem might chance to be — wore him out; difference of opinion with his best friends irritated him, and he wrote, at times, too much with a sectarian spirit, in a sort of bravado. But now he is at the helm of a noble bark; now he sails right onward; it is all open ocean and a steady breeze, and he drives before it, unfretted by short tacks, reefing and unreefing the sails, tangling and disentangling the ropes« (s. 30). Merkwürdig ist auch folgende äusserung über Johnson: Every one of tolerable education feels the imitability of Dr. Johnson's and other such's style, the inimitability of fShakespeare's &c. Hence, I believe, arises the partiality of thousands for Johnson. They can imagine themselves doing the same. Vanity is at the bottom of it« (s. 115). Man lese noch die notizen über Darwin's dichtung (s. 5 und 280), über Gray (s. 5), über Richardson (s. 160) und über die pseudo-poets (wie C. sie nennt) Campbell, Rogers &c. (s. 156).

Hie und da erfahren wir auch von den künstlerischen plänen des dichters. So schreibt er (c. 1801): »To write a series of love poems truly Sapphic save that they shall have a large interfusion of moral sentiment and calm imagery — love in all the moods of mind, philosophic, fanatic — in moods of high enthusiasm, of simple feeling, of mysticism, of religion — comprise in it all the practice and all the philosophy of love!« (s. 20 f.). Ein anderes mal (c. 1809) spricht er davon, dass er gerne, wenn es ihm die gesundheit erlaube, eine übersetzung der homerischen hymnen schreiben und dazu auch eine untersuchung über die Homerfrage liefern würde. Wieder ein anderes mal theilt er uns den plan einer episode mit, die er für Southey's Flight and Return of Mohammed geschrieben haben würde, wenn er nicht die mitarbeit an diesem werke aufgegeben hätte (s. 291). Den plan zu einem sonette finden wir auf s. 295.

Auf s. 172 findet sich ein prächtiges, bislang noch nicht gedrucktes fragment. Es lautet:

> And in life's noisiest hour
> There whispers still the ceaseless love of thee,
> The heart's self-solace and soliloquy.
> You mould my hopes, you fashion me within,
> And to the leading love-throb in my heart
> Through all my being, all my pulses beat.
> You lie in all my many thoughts like light,
> Like the fair light of dawn, or summer light
> On rippling stream, or cloud reflecting lake —
> And looking to the Heaven that beams above you,
> How do I bless the lot that made me love you.

Noch bleibt ein wichtiger beitrag zur chronologie des gedichtes Time, real and imaginary zu erwähnen. In seiner Coleridgeausgabe hatte Campbell von diesem gedichte, das bis dahin, auf grund einer notiz Coleridge's, stets unter den poetischen erzeugnissen der frühen jugendjahre aufgeführt wurde, bemerkt, es müsse 1815—1817 entstanden sein. Das vorliegende buch enthält nun eine notiz Coleridge's aus dem jahre 1811, die wir als den ersten prosaentwurf des fraglichen gedichtes ansehen müssen. Hierdurch erhält erst die vermuthung Campbell's eine feste stütze. E. H. Coleridge setzt nun die entstehungszeit des gedichtes auf 1811 oder etwa 1815 an.

Diese wenigen mittheilungen aus dem reichen inhalte des buches dürften zur genüge darthun, dass wir in Anima poetæ einen hochwichtigen beitrag zur Coleridgelitteratur besitzen. Sicherlich wird die biographie des dichters von des enkels hand nicht weniger gut gerathen.

Memmingen, December 1895.   Br. Schnabel.

Percy Bysshe Shelley, Der entfesselte Prometheus. Ein lyrisches drama in vier aufzügen. Deutsch in den versmaassen des ortginals und mit anmerkungen versehen von H. Richter. Leipzig, Reclam's universalbibliothek. Nr. 3321, 3322. Pr.: mk. 0,40.

Das grosse publicum kennt Shelley merkwürdigerweise noch immer nur als den dichter von »Königin Mab«, und das hat seinen guten grund. Shelley's dichtungen im original sind auch jenen lesern, die Englisch verstehen und selbst Byron würdigen können, schwer zugänglich; Shelley ist ausserordentlich abstract und von einer kühnheit des fluges, der nur dichterische phantasie leicht folgen kann. Ueberdies wird das verständniss durch einen umstand erschwert, der, soviel ich weiss, wenig beachtung gefunden hat. Shelley's ausdruck ist oft unverständlich, wenn man nicht die quelle kennt, aus der er geflossen ist, Shelley aber kannte die englische dichtung des 17. und 18. jahrhunderts aus dem grunde, und es ist nur natürlich, wenn er bei seinem seltenen gedächtnisse unbewusst mehr als einen poetischen ausdruck Gray's oder Milton's entlehnte. Daher die grosse schwierigkeit, Shelley ganz zu verstehen; die gewöhnlichen lexikalischen behelfe reichen da nicht ganz aus. Ein oder das andere beispiel soll dies bestätigen:

>And caverns on crystalline columns poised,
>   With vegetable silver overspread.   Prometheus IV.

Flügel bringt »vegetable gold« und übersetzt »pflanzengold«. Welchem leser Shelley's ist mit einer solchen übersetzung gedient? Der ausdruck ist freilich der Hesperidensage entnommen, aber in der modernen litteratur doch erst bei Milton anzutreffen, dem Shelley auch sonst sehr vieles verdankt.

>And all amid them stood the Tree of Life,
>High eminent, blooming ambrosial fruit
>Of vegetable gold.   Paradise Lost IV, 220.

Dass Milton's quelle thatsächlich die Hesperidensage war, geht aus folgender stelle hervor:

>But Beauty, like the fair Hesperian tree
>Laden with blooming gold . . .   Comus 394.

Der ausdruck »folding star« wird bei Flügel gar nicht verzeichnet; Milton hat

>The star that bids the shepherd fold.   Comus 93.

Anarch Custom, Arctic Anarch (Revolt of Islam X, 5), Cimmerian Anarchs (Ode to Naples) gehen alle auf Milton zurück.

>Thus Satan; and him thus the Anarch old . . . .
>Answer'd.   Paradise Lost II, 988.

»Anarch« ist hier das Chaos.

Wenn schon dem verständniss des textes solche sprachliche schwierigkeiten im wege stehen, mit welchem wissen und können muss der ausgestatte sein, der es unternimmt, ein werk Shelley's durch eine poetische übersetzung dem deutschen volke näher zu bringen? »Königin Mab« bietet dem übersetzer die geringsten schwierigkeiten, und es haben sich daher auch mehrere mit nicht gleichem erfolge der arbeit unterzogen. Am bekanntesten ist die von dr. Carl Weiser in Reclam's universalbibliothek geworden, und diese übersetzung in der weitverbreiteten billigen sammlung ist eigentlich der hauptgrund,

warum das grosse publicum mit dem namen Shelley nur die vorstellung von
»Königin Mab« verbindet.

Von »Prometheus Unbound«, dem tiefsten und kühnsten werke Shelley's,
ist die übersetzung des grafen Wickenburg kaum in weitere kreise gedrungen,
was vom standpunkte eines philologen nicht zu bedauern ist, denn der fein-
sinnige dichter nimmt sich dem originale gegenüber doch gar zu viele freiheiten heraus. Nun liegt eine neue übersetzung in volksthümlichem gewande,
aller welt zugänglich vor, die sicher entscheidend werden wird für eine neue
schätzung Shelley's in Deutschland: wie ist diese übersetzung gerathen? Ich
kann nach einer stelle für stelle durchgeführten vergleichung der übersetzung
mit dem original das urtheil aussprechen, dass Helene Richter's übersetzung
nahezu vollkommenheit erreicht. Was das verständniss des textes betrifft, so
kommen die geringen abweichungen vom original fast gar nicht in betracht,
an auffassung aber und dichterischem können lässt H. R. alle früheren übersetzer Shelley's weit hinter sich zurück. Der »Entfesselte Prometheus« liest
sich in der neuen übersetzung wie ein original — das ist wohl das äusserste
lob, das man einer übersetzung nachsagen kann. Mit rücksicht darauf, dass
der »Prometheus« den schwierigsten text unter den werken Shelley's bietet,
ist es nicht überflüssig, mit der übersetzerin bezüglich der interpretation einiger
stellen zu rechten.

    I, v. 23. O hätt' ich mich darein gefügt, die schmach
           Zu theilen deiner tyrannei . . .

Diese übersetzung könnte den deutschen leser leicht verführen, den satz als
einen wunsch zu deuten, was den sinn vollständig zerstören würde; wir haben
es mit einem bedingungssatze und zwar einem eingeschalteten bedingungssatze
zu thun.

    v. 39. Mit speeren von krystall, im mondenschein
          Erstarrt, durchbohren wehrlos mich die gletscher.

Moon-freezing ist wohl hier causativ gemeint: die gletscher haben den
mond in eine eismasse verwandelt. Der »kalte«, der »gefrorene« mond kehrt
bei Shelley häufig wieder.

    v. 50. Beauftragt sind die geister
       — — — — — — — — — —
          Die ränder meiner kaum vernarbten wunden
          Auf's neue aufzureissen.

Rivets war einfach mit klammern zu übersetzen, und das bild des originals
wäre nicht verdunkelt worden.

    v. 85.   Ihr wirbelwinde,
          Die ihr mit gleichen schwingen regungslos
          Und stumm ob jenem stillen abgrund hinget.

Poisëd wings ist freilich in den landläufigen wörterbüchern nicht erklärt,
aber statt »gleichen« schwingen sollte es heissen »regungslosen« schwingen; die
verse würden dann in genauem anschlusse an das original heissen:

          Die ihr mit regungslosen schwingen stumm
          Und starr ob jenem abgrund hinget.

    v. 196. Statt »von ihrem busen« sollte es wohl besser heissen »aus
ihrem schoss«.

v. 363. Statt »deinen letzten fall« richtig »deinen späten fall«.

v. 619. »bald rückgewandt« für »soon returning« verdunkelt den sinn.

v. 722. »Schrecklicher!« ist falsch. »O fürchterlich!« ist wohl am platze.

v. 729. Der strichpunkt ist zu tilgen.

v. 912—914 verwirren einigermaassen das bild. Delicate war mit »zart«, killing mit »tödtlich« zu übersetzen.

II, v. 275. Ich verstehe diese verse weder im originale noch in der übersetzung.

> There the voluptuous nightingales
> Are awake through all the broad noon-day.
> When one with bliss or sadness fails,
> And thro' the windless ivy-boughs,
> Sick with sweet love, droops dying away
> On its mate's music-panting bosom;
> Another from the swinging blossom
> Watching to catch the languid close
> Of the last strain, then lifts on high
> The wings of the weak melody,
> 'Till some new strain of feeling bear
> The song, and all the woods are mute.

Die übersetzung der letzten vier verse lautet:

> Und hoch in lüften breitet sie
> Die schwingen aus der melodie,
> Bis dass auf neuen gefühles saiten
> Das lied verklingt; es schweigt der wald.

Was bedeutet »the strain of feeling bear the song«? Fräulein Richter fasst strain offenbar im sinne von »melodie«; man versuche aber einmal, die worte genau, prosaisch in's Deutsche zu übersetzen! Wenn eine conjectur gestattet ist — und ich glaube, dass Shelley's text viele conjecturen gestattet —, so würde ich statt bear vorschlagen tear; der sinn ist dann: wenn die eine nachtigall, von ihren gefühlen überwältigt, das lied unterbricht, nimmt es eine andere auf, bis auch diese, von »einem neuen drange eines gefühls« über-wältigt, das lied abbricht, »zerreisst«; dann stille überall.

v. 805/6. Eine crux philologorum.

> We have past Age's icy caves,
> And Manhood's dark and tossing waves,
> And Youth's smooth ocean, smiling to betray;
> Beyond the glassy gulphs we flee
> Of shadow-peopled Infancy,
> Through Death and Birth, to a diviner day:
> A paradise of vaulted bowers,
> Lit by downward-gazing flowers,
> And watery paths that wind between
> Wildernesses calm and green,
> Peopled by shapes too bright to see,
> And rest, having beheld, somewhat like thee;
> Which walk upon the sea, and chaunt melodiously!

Fräulein Richter übersetzt:

> Zwischen stillen dunkeln gründen,
> All bewohnt von lichten feen.
> Nimmer ruht, wer sie gesehn,
> Dir gleich, singend auf den fluthen gehn.

Mich erinnert die stelle an Milton:

> Hail, divinest Melancholy!
> Whose saintly visage is too bright
> To hit the sense of human sight.
>
> Il Penseroso 13, 14.

Die »vorrede« enthält auf knappem raume eine aus dem vollen geschöpfte biographische skizze Shelley's und eine würdigung von des dichters weltanschauung; die kleine abhandlung verräth eine sehr genaue kenntniss der Shelley-litteratur und einen feinen sinn für die eigenart dieser himmelstürmenden, gewöhnlichen menschenkindern schwer verständlichen seele.

WIEN, December 1895.　　　　　　　　L. Kellner.

Walter Besant, Westminster. Chatto & Windus, 1895. 312 ss. 8°.

Walter Besant, seit diesem sommer ritter von lord Roseberry's gnaden, kann in ganz besonderem sinne als Londoner schriftsteller bezeichnet werden. Er kennt und liebt London, wie Johnson und Dickens. Der schauplatz seiner zahlreichen romane ist fast immer ein theil der so interessanten und vielgestaltigen riesenstadt. Als ein rühmendes denkmal seines enthusiasmus für London steht in dem öden strasseneinerlei des ostendes »der volkspalast«, der bekanntlich direct dem romane »All sorts and conditions of men« seine entstehung verdankt.

Aber Walter Besant nimmt auch ein historisches interesse an London und versteht es, die vergangenheit der stadt in lebendigen bildern vorzuführen. Eine solche gallérie von gemälden ist sein buch »London« (1892), dem sich als ergänzung das vorliegende: Westminster, anschliesst, das in fesselnder weise die geschichte der hof- und klosterstadt vor uns entrollt. Es beginnt mit der gründung der abtei auf der »Dorneninsel« (Thorney), wo eine furth über die Themse eine verkehrsstation veranlasste, erzählt dann die schicksale des klosters, das leben in der Benedictinerabtei, die weihe eines anachoreten, Westminster Hall, den palast der Plantagenets und Tudors, Whitehall, den palast der Stuarts, die maskenspiele Ben Jonson's unter Jacob I. und endlich eine parlamentswahl in Westminster im jahre 1784. Ich will hier nicht auf die einzelheiten des buches eingehen, sondern nur die fachgenossen darauf aufmerksam machen. Sie werden daraus unterhaltung und belehrung schöpfen können.

BATH (England), December 1895.　　　　　　　　Ph. Aronstein.

PROGRAMME.

R. W ü l k e r , Die Arthursage in der englischen litteratur. [Ex ordinis philosophorum mandato renuntiantur philosophiae doctores .... inde a die primo mensis Novembris a. MDCCCLXXXXIV usque ad diem ultimum mensis Octobris a. MDCCCLXXXXV creati. Praemissa est Ricardi Wülker dissertatio: —.] Lipsiae [1896]. 39 ss. 4°.

Beginnend mit des Gottfried von Monmouth Historia Regum Britanniae (p. 5 ff.) handelt der verfasser zunächst über Layamon's Brut (p. 7 ff.), Huchown's Morte Arthure (p. 13 ff.), Malory's Morte Darthure (p. 16 ff.) und Spenser's Faery Queene (p. 22 ff.), bespricht dann die absicht Milton's, die sagengeschichte Britannien's, vor allem das leben Arthur's, zu einem epos zu gestalten (p. 24 f.), ferner die durch die verhältnisse vereitelte idee Dryden's, gleichfalls ein epos: King Arthur, zu schreiben, sowie seine wirklich zur ausführung gekommene oper gleichen titels (p. 26 ff.) und R. Blackmore's mit recht vergessenen, nach Milton'schem muster gearbeiteten Prince Arthur (p. 30 f.), um schliesslich auf die beiden Arthurlieder in den Reliques (p. 31 ff.), auf Bulwer's heldengedicht King Arthur (p. 34 ff.), und auf Tennyson's einschlägige dichtungen (p. 37 ff.) einzugehen. Jede einzelne unter den namhaft gemachten poetischen productionen ist sorgsam charakterisirt; bei einzelnen sind auch proben hinzugefügt. Der ganze aufsatz scheint für weitere litterarisch interessirte kreise bestimmt zu sein und wird von diesen gern entgegengenommen werden.

Ich meinerseits habe zu dieser dankenswerthen übersicht über die behandlungen des themas von könig Arthur's leben folgendes zu bemerken. Auf p. 10 f. heisst es: »Nachdem einmal durch Layamon bahn gebrochen war, sollte man denken, dass nun die englische dichtung, durch die französische beeinflusst, sich der Arthursage bemächtigt und eine menge von Arthurepen geschaffen hätte. Dies ist aber nicht der fall! Der grund dieser auffälligen erscheinung lässt sich von jedem kenner der altenglischen litteratur leicht einsehen. Die englische sprache war noch immer unterdrückt. An dem hofe des königs, auf den burgen der edlen wurde bis tief in das vierzehnte jahrhundert hinein Französisch gesprochen, bis in diese zeit war Französisch die sprache des unterrichts in den schulen. Die höfischen sänger bedienten sich daher der französischen sprache. Ein bürgerlicher zug geht darum durch die ganze altenglische dichtung, die von den englischen bürgern und der niedern geistlichkeit, nicht aber von der ritterschaft, gehegt und gepflegt wurde. Unter diesen verhältnissen konnte die ritterdichtung, und damit die Arthursage, wie leicht ersichtlich, nicht recht gedeihen.«

Ganz so liegt die sache aber doch nicht. In der nachbarschaft von Kent lebte im dritten viertel des 13. jahrhunderts ein recht productiver dichter, von dem wir 3 zum theil sehr umfangreiche epen besitzen: Richard Coer de Lion, King Alisaunder und Arthour and Merlin, ein roman von fast 10000 paarweise reimenden versen, als dessen vorlage ein französischer prosaroman anzusehen ist. Vgl. Arthour and Merlin. Herausgeg. von E. K. Leipzig 1892. In der einleitung zu diesem, freilich unvollendeten epos, welches uns ausführlich erzählt, wie in den umarmungen Uterpendragon's und Ygerne's Arthour erzeugt wird, welches uns weiter seine geburt, erziehung und gewinnung

des thrones von England, seine kriege mit den baronen, seine vermählung mit
Gvenour u. s. w. mit allen details berichtet, spricht sich der verfasser über das
verhältniss der beiden sprachen zu einander, wie es sich zu seiner zeit gestaltet
hat, v. 21 ff. folgendermaassen aus:

> Riʒt is, þat Inglische vnderstond,
> þat was born in Inglond;
> Freynsche use þis gentilman,
> Ac euerich Inglische Inglische can;
> Mani noble ich haue yseiʒe,
> þat no Freynsche couþe seye:
> Biginne ichil for her loue,
> Bi Iesus leue, þat sitt aboue,
> On Inglische tel mi tale:
> God ous sende soule hale!

In ähnlicher weise heisst es Rich. v. 21 ff.:

> In frensshe bookys this rym is wrought,
> Lewede men knowe it nought;
> Lewede men cunne French non,
> Among an hondryd unnethis on;
> And neuertheles, with glad chere,
> Fele of hem that wolde here,
> Noble justis, I undyrstonde,
> Of doughty knyghtes off Yngelonde.

Solche äusserungen, die einen durchaus glaubwürdigen eindruck machen,
sprechen nicht für die annahme einer vollständigen unterdrückung der englischen sprache selbst in der zweiten hälfte des 13. jahrhunderts. Unter *mani
noble* kann schwerlich der bürgerstand und die niedere geistlichkeit zu verstehen sein, sondern nur die vornehmen Engländer, die sich auf ihren burgen
dem französischen einflusse absichtlich verschlossen, im gegensatz zu den
gentilmen, den Franzosen und solchen, welche vorzugsweise französische bildung genossen hatten. So war eine epische dichtung in englischer sprache
und würdiger form schon für jene zeit ein bedürfniss, dem der eben besprochene, leider uns persönlich nicht bekannte dichter entgegenzukommen
sein bestes gethan hat.

Auch Crestien's Artus-epen fanden zum theil in England eingang; wohl
am anfang des 14. jahrhunderts entstand Ywain und Gawain im norden
von England; in demselben landestheile[1]), vielleicht ein halbes jahrhundert
später, Sir Perceval of Galles, der wenigstens theilweise auf Crestien's
Perceval le vieil zurückweist; dagegen ist eine englische bearbeitung von Erec
und Enide entweder nie vorhanden gewesen oder wenigstens heute verschollen.
The Avowynge of king Arther, Sir Gawan, Sir Kaye, and Sir
Bawdewyn of Bretan gehört ebenfalls hierher. Auch die zweite periode
der allitterationspoesie, die im nordwesten von England in der zweiten hälfte
des 14. jahrhunderts ihre hauptpflege fand, weist producte aus der Artus-sage
auf; so The Anturs of Arther at the Tarnewathelan und vor allem

---

[1]) Vgl. ten Brink, Gesch. der engl. litt. I, p. 420: ».... wie überhaupt die pflege der Artus-sage damals namentlich im norden eine stätte fand«.

Sir Gawayne and the greene knight, welches den höhepunkt dieser gattung bezeichnet, soweit ritterliche stoffe in betracht kommen. Ich weiss natürlich sehr wohl, dass ich mit alledem prof. Wülker sowie den übrigen lesern der Engl. stud. nichts neues sage, und bin auch überzeugt, dass er ganz bestimmte gründe gehabt haben wird, die obengenannten dichtungen nicht hierher zu rechnen und darum unerwähnt zu lassen, aber gerade diese gründe zu hören, hätte man doch vielleicht beanspruchen dürfen. Jedenfalls kann ich ihm nicht beistimmen, wenn er p. 11 f. sagt: »Erst im 15. jahrhundert, zu einer zeit, wo sich das ritterthum bereits abgelebt hatte, entstanden in bürgerlichen kreisen England's rittergedichte, die in der art der französischen, meist auch nach solchen, gedichtet sind.«

Wülker fährt p. 10 fort: »Wir haben zwar englische rittergedichte aus dem 13. und 14. jahrhundert [dem zusammenhange nach ist zu ergänzen: ausserhalb der Artussage]. Allein soweit diese nicht einfach übersetzungen aus dem Französischen sind, tragen sie den stempel ihrer entstehung deutlich an sich. Die kämpfe der ritter erinnern mehr an derbe prügeleien, bei denen die leiber der edeln, die sonst weiss wie der schnee sind, braun und blau geschlagen werden, wo zarte ritterfräulein mit wangen 'wie die blüthe am brombeerstrauch' oder geradezu als 'nussbraun' geschildert werden, wo bei den hoffesten die könige und ihr gefolge bier und branntwein trinken, wenn auch aus goldenen bechern, und die damen kümmel mit lakritz.« Ich kann mich hier des gedankens nicht entschlagen, als habe Wülker sich bei dieser charakteristik der romanzen, die ich nicht billigen kann, etwas zu sehr von W. Hertzberg, G. Chaucer's Canterbury-geschichten. Hildburghausen 1870, p. 646 f., wo von Sir Thopas die rede ist, beeinflussen lassen, vielleicht auch von den bei beiden citirten essays von Wright, die mir momentan nicht zugänglich sind; Hertzberg sagt dort u. a.: »Sie [d. h. die vertreter der zu einer blossen spassmacherclasse herabgesunkenen minstrelbrüderschaft] machen sich von den nie gesehenen hofhaltungen der könige und herren dieser welt, wo bei den festschmäusen pfeffernüsse, lakritzensaft und kümmel als die summa irdischer genüsse erscheinen, ein ideal zurecht, das an die anekdote von Friedrich dem grossen und dem postillon (auch einem minstrel) erinnert.« Bennewitz, Chaucer's Sir Thopas, Halle 1879, p. 44, stimmt ihm bei. Indessen kenne ich wenigstens keine einzige stelle in den mittelenglischen romanzen, wo bei der schilderung eines hoffestes erzählt würde, dass die könige und ihr gefolge branntwein[1]) aus goldenen bechern, die damen kümmelschnaps mit lakritzensaft getrunken hätten; die letztere mischung würde wohl selbst für einen damaligen, auch noch so widerstandsfähigen frauenmagen schwerlich acceptabel gewesen sein. Dagegen habe ich in meinem kleinen aufsatze über Sir Thopas, Engl. stud. XI, p. 505 f., zu v. 142 ff. zu zeigen versucht, dass, wenn in den romanzen von *lycorys* und *comyn* (= kümmelsaamen) gesprochen wird, oder von *powder of ginger*, ausnahmslos von ingredienzen des als getränk sehr beliebten würzweines die rede ist, die sonst mit dem gesammtnamen *spices* be-

---

[1]) Dagegen wurde allerdings bei festen bier neben dem weine servirt; vgl. meine anm. zu Sir Tristrem v. 545, wo u. a. ein beleg dafür beigebracht wird, dass den vornehmeren gästen wein und bier, den geringeren nur bier vorgesetzt wird.

zeichnet werden, und hätte gehofft, durch die beigefügten belegstellen die
richtigkeit dieser behauptung über jeden zweifel erhoben zu haben; vgl. auch
Skeat's Chaucer, vol. II, p. 506, über *voidee* und *spices*. Im übrigen aber
muss man sich doch hüten, von den absichtlichen übertreibungen und dem
geflissentlichen herunterdrücken in die kleinbürgerliche sphäre, wie wir es in
Sir Thopas finden, auf die romanzen selbst rückschlüsse zu ziehen.

 p. 16 wird Harry Lonelich's gedicht über den heiligen gral erwähnt; warum nicht auch sein über 28000 verse langer Merlin, der ebenso
sicher auf den französichen prosaroman als quelle zurückgeht, wie die umfäng-
liche englische Merlin-prosa (ed. Wheatley, Part I—III, London 1865—69;
vgl. Arthour and Merlin, p. CLXXXIX), die Wülker gleichfalls nicht besprochen hat? Aus dem ende des 15. jahrhunderts stammt auch der wahrscheinlich dem Schotten Clerk von Tranent zuzuschreibende Golagrus
and Gawain, dem — direct oder indirect — eine episode aus Crestien's
Perceval zu grunde liegt (vgl. Anglia II, p. 395 ff.).

 Gegenüber der bemerkung Wülker's, p. 22: »Im schauspiel haben wir
allerdings kein einziges stück, das auf die Arthursage deutete« möchte ich
doch hinweisen auf The Misfortunes of Arthur (A Select Collection of
Old English Plays, Vol. IV, London 1874, p. 249 ff.), eine tragödie, welche
1588 von den studenten von Gray's Inn vor Elisabeth in Greenwich aufgeführt
wurde; Sarrazin (Ph. Kyd und sein kreis. Berlin 1892, p. 114) nennt es »ein
akademisch-steifes, für die aufführung auf der volksbühne nicht geeignetes buch-
drama.« Es beginnt mit Arthur's rückkehr nach neunjähriger abwesenheit
auf dem kriegszuge gegen Lucius Tiberius von Rom und schliesst mit Mordred's
fall und Arthur's tödtlicher verwundung, dessen letzte worte lauten:

> This only now I crave (O fortune, erst
> My faithful friend): let it be soon forgot,
> Nor long in mind nor mouth, where Arthur fell:
> Yea, though I conqueror die, and full of fame,
> Yet let my death and parture rest obscure.
> No grave I need (O fates!) nor burial-rights,
> Nor stately hearse, nor tomb with haughty top;
> But let my carcase lurk; yea, let my death
> Be aye unknowen, so that in every coast
> I still be fear'd, and look'd for every hour.

 Am anfang und schluss des stückes tritt Gorlois, der durch Pendragon
seiner gattin, seiner herrschaft und seines lebens beraubte, auf, dort rache-
dürstend — nicht ohne geschicktes compliment für die als Cassiopæa bezeichnete Elisabeth, welche, im gegensatz zu den greuelthaten vergangener jahrhunderte, ein zeitalter des friedens begründet hat — hier befriedigt von der
erhaltenen genugthuung. Die frage, wie Thomas Hughes, der verfasser des
stückes, auf diesen, Malory entlehnten stoff gekommen sei, beantwortet Ward
(A History of the English Dramatic Literature, I, London 1875, p. 121) so:
»The Arthurian legend had derived a new interest from the Welsh origin of
the founder of the Tudor dynasty, who bore the dragon on his flag when he
started on his march from Milford Haven, and who gave to his eldest son
the name of the Briton Prince . . . . He [sc. Th. Hughes] viewed the story
of Arthur's fall as the wreaking of a curse due in its origin to Arthur's sin

[d. h. sein incest mit seiner schwester, dessen folge Mordred's geburt ist] . . . The terrible complication of adultery and incest which avenges itself to Arthur and his son Mordred, resembles that of the most awful classical tragedies; nor is the solemn dignity of this drama unequal to its arduous theme.« In neuester zeit haben die von Sarrazin (a. a. o. p. 113 f.) und Köppel (Engl. stud., bd. XX, p. 158 f.) aufgedeckten wörtlichen anklänge an M. A. in Shakespeare's Hamlet und Macbeth das interesse für dies stück wieder rege gemacht, so dass dasselbe im zusammenhange von Wülker's abhandlung wohl eine besprechung verdient hätte. Auch das pseudo-Shakespeare'sche drama : The Birth of Merlin gehört in diesen kreis.

Endlich bemerke ich noch, dass der titel von Milton's geistlichem drama nicht Simson Agonistes lautet (p. 25), sondern Samson Agonistes.

BRESLAU, März 1896.   E. Kölbing.

Thomas Kyd, Cornelia. Nach dem drucke vom jahre 1594 herausgegeben von dr. Heinrich Gassner. Beilage zum dritten jahresbericht der kgl. Luitpold-kreisrealschule in München. München 1894. 74 ss. 8°.

Das wiederbelebte interesse für den halbverschollenen dichter Thomas Kyd zeigt sich auch in dieser neuen ausgabe seiner übersetzung von Garnier's tragödie Cornélie. Da diese, allerdings nicht originale dichtung die einzige ist, die wir Kyd mit unbedingter sicherheit zuschreiben können ; da sie offenbar von Kyd selbst in druck gegeben wurde, so ist ein möglichst genauer text den Kyd-forschern in der that erwünscht. Und der von Gassner besorgte abdruck scheint, soweit ich es beurtheilen kann, recht genau zu sein; doch hätten die besserungen durch cursiven druck gekennzeichnet werden sollen.

Die anmerkungen beschränken sich im wesentlichen auf vergleichung mit dem original. Wie der herausgeber zeigt, hat Kyd den französischen text mehrfach missverstanden oder wenigstens ungenau übersetzt. Die deutlichkeit des sinnes lässt daher auch manchmal zu wünschen übrig, so sinnlos aber, wie Gassner viele stellen erscheinen, sind die meisten für den, der mit der poetischen sprache jener zeit vertrauter ist, doch nicht, z. b. vv. 494, 525 f., 772, 1789.

In einer kurzen einleitung ist zusammengestellt, was die neuere Kyd-forschung über dies stück und die anderen vermuthlich oder sicher von Kyd herrührenden dramen ergeben hat. Die gehaltvollen recensionen von Koeppel in den Engl. stud. XVIII, 125 und von Schick im Archiv f. n. spr. XC, 176 sind leider nicht verwerthet. Wenn Gassner über das schauspiel von 'Soliman und Perseda' sagt: »Kyd's autorschaft von Sarrazin behauptet, von Koeppel, Schröer und Markscheffel angefochten«, so ist dies nicht ganz richtig: Koeppel hat seinen widerspruch jetzt ganz aufgegeben, Markscheffel hat die autorschaft nur als zweifelhaft hingestellt. Für die datirung der Cornelia scheinen mir die mehrfachen berührungen mit der Sp. Tr. von bedeutung, auf welche ich bereits in meiner schrift über Thomas Kyd andeutungsweise hingewiesen, die aber weder von Gassner noch von Schick, wie es scheint, beachtet worden sind:

Corn. 1725:

Bellona, fiered with a quenchless rage,
Runnes up and downe

Sp. Tr. (Dodsley-Hazlitt V, 13):
> — — *Bellona rageth here and there*

Garnier (herausgeg. W. Förster I, 140):
> *Bellonne* — — — —
> *Couroit qui çà qui là*

Corn. 1800:
> *Here lay an arme, and there a leg lay shiver'd*

Sp. Tr. (a. a. o. p. 13):
> *There legs and arms lay bleeding on the grass*

Garnier (a. a. o. p. 142):
> *Aux uns la cuisse estoit, ou l'espaule abbattue*

Corn. 1712:
> *The shyvered Launces (ratling in the ayre)*
> *Fly forth as thicke as moates about the Sunne*

Sp. Tr. (a. a. o. p. 13):
> *And shiver'd lances dark the troubled air*

Garnier (a. a. o. p. 139):
> *Ils rompent pique et lance, et les esclats pointus*
> *Bruyant, sifflant par l'air, volent comme festus*

Aus diesen parallelen geht mit grosser wahrscheinlichkeit hervor, dass der schlachtbericht im eingang der Sp. Tr. durch die übersetzung von Garnier's Cornélie beeinflusst ist. Also muss die Cornelia wenigstens theilweise kurz vorher übersetzt sein, als Kyd diesen abschnitt im eingang der Sp. Tr. dichtete. Wer nun nur eine redaction der Sp. Tr. annimmt, welche um 1588 verfasst sei, wird die Cornelia auch in diese zeit versetzen müssen; dann würde Nash's satirische anspielung auf die 'French dowdie' nothwendig auf die Cornelia zu beziehen sein. Ich nehme indessen aus anderen gründen an, dass Kyd um 1591 sein drama 'Jeronimo' zur Spanischen tragödie umarbeitete und den schlachtbericht bei dieser gelegenheit einfügte. Ich halte es aber nicht für unmöglich, dass er die übersetzung der Cornelia schon um 1588 begann, wenn er sie auch erst um 1591 oder noch später vollendete.

Noch mehrere andere stellen der Cornelia klingen in den ersten scenen der Sp. Tr. wieder.

Corn. 764:
> *For when our soule the body hath disgaged,*
> *It seeks the common passage of the dead,*
> *Downe by the fearefull gates of Acheron,*
> *Where, when it is by Aeacus adiudg'd,*
> *It eyther turneth to the Stygian Lake,*
> *Or staies for ever in th' Elisian fields,*

ein im prolog der Sp. Tr. ausgesponnener gedanke.

Corn. 642:
> *Citherea* — — — — — — —
> — — *(kissing) sighes, and dewes hym with her teares*

Sp. Tr. (a. a. o. p. 27):

> — — *There laid him down and dewed him with my tears*
> *And sigh'd and sorrow'd as became a friend*

Corn. 465:

> *Proserpina indeed neglects my plaints*
> *And hell it selfe is deafe to my laments*

Sp. Tr. (a. a. o. p. 22):

> *Fortune* — — *is deaf and hears not my laments*

Corn. 1205:

> *The sturdie oxen toyle not at the Plough*
> *Nor yeeld unto the yoke but by constraint*

Sp. Tr. (a. a. o. p. 36):

> *In time the savage bull will bear the yoke*

Wir können also deutlich beobachten, wie Kyd seinen stil an dem Garnier's gebildet hat.

Dass zwischen der tragödie von Soliman und Perseda und Kyd's übersetzung von Garnier's Cornélie nur wenige beziehungen bestehen, erklärt sich durch die frühere abfassung des ersteren stückes.

Auf einen geringfügigen anklang habe ich bereits hingewiesen (Th. Kyd s. 60). Die ähnlichkeit der folgenden bilder scheint mir noch beachtenswerth:

Corn. v. 1325:

> *Be it where the bright Sun with his neyghbor beames*
> *Doth early light the Pearled Indians* — —

Sol. (Dodsley-Hazlitt V, 260):

> *And far more welcome is this change to me*
> *Than sunny days to naked Savages*

Ich möchte sodann auf die von Kyd, wie es scheint, frei hinzugedichteten verse (631—646) aufmerksam machen, eine elegische betrachtung mit mythologischen naturbildern, im stil Seneca's. Die verse Corn. 639:

> — — *While Citherea sighing walks to seeke*
> *Her murdred love trans-form'd into a rose*
> *Whom (though she see) to crop she kindly feares;*
> *But (kissing) sighes, and dewes hym with her teares*

sehen fast aus wie eine reminiscenz an Shakespeare's kurz vorher (1593) erschienene dichtung Venus und Adonis.

Ven. 1171:

> *She bows her head, the new-sprung flower to smell,*
> *Comparing it to her Adonis' breath,*
> *And says, within her bosom it shall dwell,*
> *Since he himself is reft from her by death:*
> *She crops the stalk* — — — — — —
> *'Poor flower', quoth she, 'this was thy father's guise* —
> — — — — — — — — — — — —
> *My throbbing heart shall rock thee day and night:*
> *There shall not be one minute in an hour*
> *Wherein I will not kiss my sweet love's flower'*

Ob andererseits Shakespeare wohl Kyd's Cornelia gekannt hat? Ich bezweifle es sehr, obwohl einige stellen des Hamlet auffallend ähnlich sind, was ich indessen auf den (Kyd'schen) ur-Hamlet zurückführen möchte.

Doch sei noch auf einige übereinstimmende gleichnisse und wendungen aufmerksam gemacht.

Corn. 1732:

> *As on the Alpes the sharpe Nor-North-east wind*
> *Shaking a Pynetree with theyr greatest powre,*
> *One while the top doth almost touch the earth,*
> *And then it riseth with a counterbuffe*

Merch. of Ven. IV, 1, 75:

> *You may as well forbid the mountain pines*
> *To wag their high tops and to make no noise*

Corn. 951:

> *Words are but winde*

Ado V, 2, 52:

> *Foul words is but foul wind*

Corn. 79:

> *For Rome thou now resemblest a ship*
> — — — — — — — — — — — —
> *Thy mast is shyver'd, and thy mainesaile torn*
> *Thy sides sore beaten, and thy hatches broke.*
> *Thou want'st thy tackling, and a ship unrig'd*
> *Can make no shift to combat with the Sea.*

erinnert an das gleichniss im dritten theil von Henry VI., V, 4, 9.

Corn. 1577:

> — — *the vultures and the Crowes*
> — — — — *are theyr best Sepulchers*

Macb. III, 4, 72:

> *Our monuments shall be the maws of Kïtes.*

KIEL, August 1894. G. Sarrazin.

Alfred van der Velde, Englische bühnenverhältnisse im sechzehnten und siebzehnten jahrhundert. Beilage zu dem programm des städtischen gymnasiums Augustum zu Görlitz, 1894. 39 ss. 4°.

Seit Delius 1853 in seinem vortrage »über das englische theaterwesen zu Shakspere's zeit« die bedingungen darlegte, unter denen die werke der Elisabethanischen dichter in scene gingen, ist das thema wiederholt abgehandelt worden. Der als übersetzer von Marlowe's Faust (Breslau 1870) bekannte verfasser will ohne eigene quellenforschungen aus diesen arbeiten eine neue, »dem grossen kreise der gebildeten verständliche darstellung« schöpfen, die zugleich auch für den schulunterricht bei der einführung in die lectüre der Shakespeare'schen dramen mit nutzen verwendbar sein soll. Auf »die ersten anfänge der englischen bühne« im religiösen drama zurückzugehen, wäre er daher gar nicht verpflichtet gewesen. Da er es nun aber einmal gethan hat, muss doch bemerkt werden, dass dabei manche irrthümer und viele sehr anfechtbare behauptungen mitunterlaufen. Die den miracle plays vorangehenden formen des kirchlichen dramas sind doch nicht als blosse oratorienartige wechselgesänge zur seite zu schieben. Den eigentlichen inhalt seines programms gliedert v. d. Velde in die drei abschnitte: entwickelung des schauspielerstandes und entstehung von gesellschaften und schauspielhäusern — einrichtung der schauspielhäuser und verlauf der aufführungen — publicum und kritik. Leider ist dem verfasser nun gerade der bedeutende fund von Gaedertz, die abbildung des Schwantheaters aus dem jahre 1596, unbekannt geblieben, über dessen wichtigkeit L. Fränkel in den Englischen studien XV, 438 sachkundig gehandelt hat. Die kenntniss des bildes würde vor manchem irrthume, z. b. der annahme eines vorhangs (s. 25), bewahrt haben. Die ausbeutung der rüpelkomödie im Sommernachtstraum für die bühnenkunde ist vollständig berechtigt, doch neigt v. d. Velde sehr dazu, seine folgerungen mehr als zulässig zu verallgemeinern. Elze's unterhaltende plauderei im 14. bande des Shakespearejahrbuchs »Eine aufführung im Globustheater« führt alles viel anschaulicher vor, als v. d. Velde's zusammenstellung, und ist trotz ihrer belletristischen einkleidung doch auch zuverlässiger, als das programm, dessen verfasser manche angabe Genée's ungeprüft herübergenommen hat. Ich möchte diese darstellung der bühnenverhältnisse doch nicht zur einführung in die schullectüre Shakespeare's empfehlen.

BRESLAU, Mai 1895.   M. Koch.

R. Maack, Ueber Pope's einfluss auf die idylle und das lehrgedicht in Deutschland. Ein beitrag zur vergleichenden litteraturgeschichte. Programm der realschule am Eilbeckerwege in Hamburg. Hamburg 1895. 16 ss. 4°.

Nach einigen orientirenden worten über Pope werden in den zwei abschnitten, I. die idylle und II. das lehrgedicht, anlehnungen deutscher dichter an Pope nachgewiesen. Herangezogen sind: B. J. Brockes, A. v. Haller, Ewald v. Kleist, J. J. Dusch, F. v. Hagedorn, Ch. F. Zernitz, J. P. Uz, Lessing, Wieland und Schiller.

BRESLAU, October 1895.   F. Bobertag.

II.

SCHULLECTÜRE.

Sketches of English Culture, aus: A History of English Culture from the earliest known periods to the modern times by Thomas Wright. Zum schulgebrauch ausgewählt von dr. C. Klöpper. Dresden 1894. Gerhard Kühtmann. XII und 69 ss. 8°. Pr.: mk. 0,80.
Commentar zu Sketches etc. von dr. C. Klöpper. 48 ss. 8°. Pr.: mk. 0,60.

Die vorliegende auswahl aus Thomas Wright's Englischer culturgeschichte vermag in der that, wie der herausgeber in der einleitung sagt, »eine lehrreiche, unterhaltende und moralisch, geistig und stilistisch anregende lectüre zu bieten« und ist daher vorzüglich geeignet, im englischen unterrichte verwandt zu werden. Sie zerfällt in sieben skizzen über Education, Eating and Drinking,

Games and Amusements, Minstrelsy, Gardens and Gardening, Travelling and Hospitality. Vorausgeschickt ist eine kurze einleitung, die eine skizze der englischen culturgeschichte im frühen mittelalter giebt.

Folgende versehen und druckfehler sind mir aufgefallen: nach statt noch (einl. s. VI); Kennington statt.Kensington (18, 60); bach statt bench (26, 22); acquainted wohl statt unacquainted (54, 13); centure statt censure (61, 2).

Der commentar für lehrer giebt erklärungen meist sachlicher und besonders litteraturgeschichtlicher art, die auf einem gründlichen studium der angeführten quellenschriften beruhen und durchaus zuverlässig sind. Die übersetzungen aus Green's geschichte sind zuweilen etwas schwerfällig und ungewandt im ausdruck.

Im einzelnen ist wenig zu bemerken: 7, 18 scholarship bedeutet nicht bloss prämie, stipendium, sondern auch heute noch gelehrsamkeit, wissen, forschung. So heisst es in Cassel's »Illustrated History of England« p. 280: »Homeric scholarship occupied the leisure hours of Mr. Gladstone.« 19, 3 crèche wird heute allgemein in der bedeutung »kleinkinderbewahranstalt« oder »findelhaus« gebraucht.

Druckfehler: s. 1 »A Short History of English People« statt »A Sh. H. of the English People«. Zu s. 12, 11: mausonry statt masonry; Whright statt Wright.

Wir empfehlen noch einmal ausgabe wie commentar den fachgenossen auf das wärmste.

BATH (England), December 1895.   Ph. Aronstein.

English Authors. 66. Lieferung. Rambles through London Streets. In auszügen aus den werken von Hare, Pascoe, Fry, Routledge, Lottie u. a. Mit anmerkungen zum schulgebrauch herausgegeben von dr. H. Engelmann. Bielefeld und Leipzig, Velhagen & Klasing, 1895. 115 ss. 8°. Anm. 40 ss. 8°. Pr.: mk. 1,00.

Der text des vorliegenden werkchens, das aus einer reihe von büchern über London zusammengestellt ist, — warum führt der herausgeber nicht die quellen im einzelnen an? — kann zur lectüre auf den oberen classen höherer schulen unbedenklich empfohlen werden. Es wird dazu beitragen, dem unterrichte in der lebendigen sprache jene lebendigkeit und anschaulichkeit zu geben, der wir alle nachstreben, und besonders lehrern, die London aus eigener anschauung kennen, stoff zu gesprächen und freien aufsätzen liefern. Auch die ausstattung des büchleins ist musterhaft, die illustrationen sind hübsch und geschmackvoll, doch ist die beigegebene karte ungenügend; eine zweite, genauere strassenkarte wäre nöthig gewesen. An druckfehlern habe ich im texte gefunden: superbely statt superbly (24, 22), eights statt eighths (24, 29), St. Paul statt St. Paul's (43, die kirche ist gemeint), Clyde statt Clyve (74, 6), St. James Street und St. James Palace statt St. James's Street und St. James's Palace (84 a. a. o.), the Regent's Park wohl statt Regent's Park (93, 31).

Wenn somit der text als eine willkommene bereicherung der englischen lectüre zu betrachten ist, so ist dagegen die beigegebene präparation sowohl in dem, was sie giebt, als in dem, was sie nicht giebt, äusserst mangelhaft und macht den eindruck schneller fabrikarbeit. Ich werde dieses absprechende urtheil näher zu begründen versuchen.

Die aufgabe von anmerkungen für schüler kann doch, wie mir scheint, nur sein, sachliche und worterklärungen zu geben, wo das gewöhnliche wörterbuch im stiche lässt, nicht als eine art eselsbrücke für die faulen zu dienen. Ich verstehe daher nicht, warum der herausgeber worte, wie lane, bustle, particular, morass, string, cemetery, realm, inconvenient, abode, proportion, altogether u. s. w. übersetzt hat, die in der angegebenen bedeutung in jedem kleinen wörterbuch zu finden sind. Ueberflüssig scheinen mir noch erklärungen zu sein, wie dass Leicester Square nordwestlich von Trafalgar Square, Portman Square nordöstlich von Marble Arch liegt u. s. w., weil sie für den, der eine gute karte hat, entbehrlich, für den, der ohne dieselbe liest, wie den leser dieses buches, nichtssagend sind. Auf der anderen seite vermissen wir eine erklärung von Gog and Magog (59, 18), a Cockney (59, 29), Mermaid Tavern (60, 3, berühmt durch Ben Jonson's club), Eastcheap und Boar's Head Tavern (61, 4; vgl. Shakespeare, Henry IV, I, act II, 4) u. s. w.

Dieselbe willkür waltet in der erklärung der namen. Der schüler kann aus den anmerkungen erfahren, wer Tacitus, Eduard der bekenner, königin Elisabeth und die übrigen könige waren, dagegen sucht er vergebens nach aufklärung über die persönlichkeit von staatsmännern, wie Buckingham, Wolsey und Strafford, und malern, wie sir Edwin Landseer, Reynolds, Gainsborough und Romney.

Aber die anmerkungen sind nicht nur zugleich überflüssig und unvollständig, sie sind auch häufig irreleitend und fehlerhaft. Das gilt zunächst von den übersetzungen von worten und ausdrücken. Anbei einige beispiele: to trace (3, 7) ist hier nicht »entwerfen, schildern«, sondern »dem ursprunge nachgehen, die spur erkennen«; mockeries (4. 6) sind nicht »trugbilder, nachahmungen«, sondern den spott erregende nachahmungen, d. h. »caricaturen, zerrbilder«; rather more rarely (6, 29) ist nicht »schon seltener«, sondern »etwas seltener«; featureless (14, 21) ist nicht »unansehnlich«, sondern »ohne charakteristische merkmale, charakterlos, eintönig«; to limit (16, 29) bedeutet, wie aus dem folgenden deutlich hervorgeht, nicht »concessioniren, als gewerbe anerkennen«, sondern »der zahl nach beschränken«; total rateable value (18, 39) ist nicht »der jährliche gesammtbetrag an gemeindesteuern«, sondern »der communalsteuerpflichtige werth« (38830009 £!); profess (23, 1) ist nicht »behaupten«, sondern »vorgeben, sein wollen«; parlour (50, 27) ist heute in England nicht »empfangszimmer«, sondern »wohnzimmer«; barracks (62, 3) ist nicht »kasernen«, sondern »kaserne«; has the credit of being the founder (67, 11) ist, wie aus dem zusammenhang hervorgeht, nicht »wird für den gründer gehalten«, sondern »hat das verdienst, der gründer zu sein«; a representative man (80, 26) ist nicht ein »vorbildlicher, als muster dienender« mann, sondern ein solcher, der als vertreter seines standes gelten kann, d. h. »ein hervorragender mann«; ballot (81, 21) ist keineswegs »abstimmung«, sondern »geheime abstimmung«. Auch die sachlichen erklärungen sind vielfach unrichtig oder nur halb richtig. 10, 5 heisst es: »Der grund und boden wird bei dem lease-hold system nur auf 99 jahre verkauft oder verpachtet und fällt dann an den ursprünglichen eigenthümer zurück.« In wirklichkeit wird der grund und boden überhaupt nicht verkauft, sondern nur

auf 99 jahre verpachtet und fällt dann mit allem, was darauf steht, an
den grundherrn zurück. 4, 23 ist die rede von einem London County
Council Board; es giebt nur einen London County Council.

49, 14 wird der Lord lieutenant of a County mit dem ‹landrath
unserer kreise‹ verglichen; derselbe wäre eher einem provinzialpräsidenten gleich-
zustellen, doch ist jeder vergleich natürlich schief. Wenn der herausgeber
(70, 10 the Ministers in office) sagt, dass nur die minister im dienste
sitz im parlamente haben, die gewesenen minister ihren sitz im staatsrathe
(Privy Council), aber nicht im parlamente behalten, so zeigt das ein weit-
gehendes missverstehen des englischen parlamentarismus. Die minister werden
aus den hervorragenden parlamentariern gewählt; ein minister, der weder dem
unterhause noch dem oberhause angehörte, ist gar nicht denkbar. Die mitglied-
schaft zum Privy Council ist ein blosser titel ohne bedeutung.

Unter den grammatischen erklärungen sind folgende zu beanstanden:
16, 10 giebt der herausgeber als zusammensetzungen mit by die mir unbekannten
worte: by-coach, by-rooms, by-gains, dagegen nicht die gebräuchlichen
by-law,, by-name, by-street, by-stander, die er bei Muret hätte
finden können. 17, 25 heisst es: »until eigentlich präposition, hier conjunction
bis dass«. In der that wird until schon von Shakespeare als conjunction gebraucht.
Heute ist es jedenfalls viel gebräuchlicher in der letzteren bedeutung.

Die etymologie von beef-eater (66, 7) als verstümmelt aus buffetier
wird von Skeat beanstandet.

An druckfehlern und versehen habe ich in den anmerkungen gefunden:
9, 22 St. James' Palace statt St. James's Palace; 12, 30 change statt
chance; 24, 1 pargetting statt pargeting.

BATH (England), December 1895.   Ph. Aronstein.

LEHR- UND LESEBÜCHER.

Eugen Mory, English Master at the Obere Töchterschule in Basle, English
   Grammar and Reader. First Course. 87 ss. 8°. Pr.: mk. 1,20. — Second
   Course. 123 ss. 8°. Pr.: mk. 1,70. — Third Course. 168 ss. 8°. Pr.:
   mk. 2,40. Basle, Benno Schwabe, 1895.

Dieses aus drei theilen bestehende lehrbuch vereinigt in sich, wie schon
der titel anzeigt, eine grammatik und ein lesebuch. Der in den drei
theilen gebotene grammatische lehrstoff ist in methodisch richtiger weise
vom leichteren zum schwierigeren geordnet; im ersten theile wird uns in 30
lectionen die regelmässige formenlehre vorgeführt, im zweiten theile werden die
unregelmässigkeiten der formenlehre, besonders die »unregelmässigen« verba,
eingeübt, und der dritte theil enthält die wichtigsten regeln des syntax. Die
regeln des ersten theiles sind deutsch, die der beiden anderen theile englisch
abgefasst. Die fassung der regeln verdient alles lob, denn sie entspricht fast
immer dem jetzigen sprachgebrauche, was bei vielen in Deutschland erschienenen
grammatiken des Englischen nicht durchweg der fall ist. Zu eng gefasst sind nur
folgende regeln: »Some steht in bejahenden, any in fragenden und verneinenden

sätzen« (I, p. 43); »Alle hauptwörter, welche schiffe bezeichnen, sind weiblichen geschlechtes« (I, p. 62)[1]); »*Only after easy and difficult the active infinitive is used with a passive meaning*« (III, p. 55); »*Any adverb that determines an adjective or another adverb is placed before this adjective or adverb. Enough forms the sole exception to this rule, as it always follows the word to which it refers*« (III, p. 90). Diese wenigen ausstellungen sind der beste beweis für die gewissenhaftigkeit und genauigkeit, mit welcher der verfasser den grammatischen theil seines werkes behandelt hat.

Was den dargebotenen lese- und übungsstoff anlangt, so beginnt der verfasser im ersten theile mit einzelnen sätzen, geht aber bald zu zusammenhängenden stücken über, die den schüler besonders über geographische und gesellschaftliche verhältnisse England's belehren. Die beiden folgenden theile enthalten natürlich nur zusammenhängende lesestücke, die der verfasser theils guten englischen schulbüchern (*The Royal Star Reader*, *Chambers' Expressive Reader*, »*First Year of Scientific Knowledge*« by *Paul Bert*, *Roscoe's* »*Lessons in Elementary Chemistry*«) oder in England allgemein verbreiteten jugendschriften (*The Children's Friend*, *The Girls' Own Paper*), theils classischen prosaschriftstellern und dichtern entnommen hat. Unter den prosaikern sind auch Mark Twain, Anthony Trollope, Mrs. Ewing und andere moderne autoren mit bruchstücken vertreten. Am schlusse des dritten theiles wird der schüler auch in die sprache des täglichen verkehrs, sowie in den briefstil eingeführt. Damit nichts fehle, was den lernenden interessieren könnte, sind auch vier beliebte englische lieder mit den entsprechenden noten (singstimme und clavierbegleitung) aufgenommen worden. Freunde der übersetzung aus dem Deutschen ins Englische finden sowohl deutsche einzelsätze als auch deutsche zusammenhängende übungsstücke in genügender anzahl vor.

Alles in allem genommen haben wir es hier mit einem gediegenen erzeugniss der schulbücherlitteratur zu thun, das weder der einseitig grammatischen, noch der extrem analytischen methode huldigt und denjenigen schulen, die dem englischen unterrichte wenigstens fünf stunden in der woche widmen können, auf das wärmste empfohlen werden kann.

WIEN, December 1895.   J. Ellinger.

––––––––––

Dr. Hubert H. Wingerath, Headmaster of Saint John's High-School Strassburg (Elsass): a) The Intuitive English Reader for beginners in German Schools, being a selection of Readings in Prose and Poetry with Spelling and Pronunciation Lessons. XXVIII, 144 ss. 12°. Pr.: geb. mk. 1,20. — b) A Short English Vocabulary arranged according to the intuitive method. Köln, M. Dumont-Schauberg, 1895. VIII, 84 ss. 12°. Pr.: geb. mk. 0,80.

a) Der *Intuitive English Reader* ist im wesentlichen ein abdruck der *Object Lessons*, die den ersten abschnitt des von demselben verfasser herrührenden *New English Reading Book* bilden. Da es der verfasser für unpädagogisch hält,

––––––––––

[1]) Richtig ist dagegen die im II. theile, p. 23 gegebene regel: »*The moon, earth, ship and all words denoting a ship, the names of countries, towns, and of the gentle passions are often considered feminine nouns.*«

die schüler, die Englisch zu lernen beginnen, gleich auf englischen boden zu versetzen, führt er ihnen in möglichst einfach gebauten englischen sätzen die gegenstände ihrer unmittelbaren deutschen umgebung vor, wie die schule, die kirche, das haus, die familie u. s. w., und lenkt nur gelegentlich ihren blick auf englische verhältnisse. So wird bei der beschreibung der deutschen schule auch des englischen schulwesens gedacht, in dem abschnitte, der über die kirche handelt, werden auch die kirchlichen zustände England's berührt, der dritte abschnitt enthält eine beschreibung des englischen hauses u. s. f. Diese beschreibungen werden in angenehmer weise durch kleine stücke erzählenden inhalts, sowie durch kurze gedichte unterbrochen.

Da dieses originell angelegte und das interesse des schülers in hohem grade fördernde büchlein gewiss bald eine zweite auflage erleben wird, erlaube ich mir, hier einige verbesserungsvorschläge dazu vorzubringen. Zuerst einige bemerkungen sachlicher art. In einem abschnitte des ersten capitels (*The School*) schreibt der verfasser: »*There is a very strong feeling in England, that Parliament ought also to interfere with secondary education*« (p. 13). Demgegenüber muss betont werden, dass dieses »*strong feeling*« sich in wirklichkeit als ein frommer wunsch einiger einsichtsvoller und mit dem continentalen mittelschulsystem wohlvertrauter männer entpuppt, dass aber die masse des englischen volkes mit dem jetzigen unterrichtssystem vollkommen zufrieden ist. Von dem gebrauche der titel *Sir* und *Madam* heisst es p. 40: »*Do not introduce either of these titles freely into your conversation: they are right toward superiors, but must ever then be sparingly used.*« Der titel *Madam* ist allerdings von der conversation fast ganz verbannt; mit *Sir* sprechen sich jedoch auch gleichgestellte an, wenn sie mit einander nicht näher bekannt sind. Zu den briefadressen *To Mr. Robert Smith, or To Robert Smith Esquire, or To Captain Robert Smith* (p. 41) ist zu bemerken, dass *To* gewöhnlich weggelassen und statt *Esquire*, ausser etwa in formellen schriftstücken, stets die abkürzung *Esq.* gebraucht wird. In dem abschnitte *Food and Clothes*, dessen text dem »Elementarbuch des gesprochenen Englisch« von Henry Sweet entlehnt ist, sind auch folgende sätze aufgenommen worden, die nur vom englischen standpunkte einen sinn haben: »*The old English loaves were round and rather flat — more like buns than loaves* (Sweet hat *our loaves*). *They were generally marked with a cross, like the buns we eat at breakfast on Good Friday*« (p. 51). Komisch klingt auch in einem für Deutsche bestimmten buche folgende spöttische bemerkung Sweet's: »it looks very odd to see Germans and other foreigners (!) drinking gravy off the blades of their knives« (p. 53). Der verfasser hätte den text Sweet's adaptiren sollen, wie er es mit den beschreibungen *The House, Domestic Animals, Germany, England,* die auch englischen autoren entnommen sind, in so geschickter weise gethan hat. In den beschreibungen, die aus des verfassers eigener feder stammen, bekundet er sich als ein guter kenner des Englischen. Wir möchten nur darauf hinweisen, dass sätze, die halb aus englischen, halb aus deutschen worten bestehen, wie z. b.: *An establishment of only six courses is called a Progymnasium, a Realschule, a Real-Progymnasium* (p. 9) keinen guten eindruck machen, ferner dass in einigen sätzen, wie *To the farmer and his men this is the busiest part of the year* (p. 76) oder *By the plants as well as by the animals which they contain, woods are very useful to mankind* (p. 92) die englische wortstellung verfehlt ist. Der ausdruck »*Maturity Examination*« (p. 12) ist unenglisch.

Es erübrigt uns noch, von den leseübungen zu sprechen, die den besprochenen texten vorangehen. Sie bestehen aus wortlisten, die zum zwecke der einübung der verschiedenen laute, besonders wo es sich um den unterschied zwischen langen und kurzen vocalen, zwischen stimmhaften und stimmlosen consonanten etc. handelt, zusammengestellt sind. Zur bezeichnung des verschiedenen lautwerthes der vocale bedient sich der verfasser meist der accente und anderer einfacher zeichen. Diese aussprachebezeichnung ist zwar sehr einfach, leidet aber an dem übelstande, dass oft ein und dasselbe zeichen zwei verschiedene laute wiedergeben muss; vgl. *màke* und *càre*, *greàt* und *beàr*, *coàl* und *boàrd*. Andererseits wird ein und derselbe laut verschieden bezeichnet in *foùr* und *fŏrm*. Verfehlt ist die angabe *gäs-pìpe* (ä bezeichnet doch den vocal in *part!*)

Den schluss des buches bildet eine »präparation« (p. 123—144), die die vocabeln zu den 51 den *Object Lessons* eingefügten lesestücken enthält.

b) Das büchlein »*A Short English Vocabulary*« enthält eine vollständige präparation zu den *Object Lessons*, die, wie wir oben gesehen haben, den ersten abschnitt von des verfassers »*New English Reading Book*« und zugleich den kern seines »*Intuitive English Reader*« bilden. Verfehlt ist die bemerkung »s stimmlos« zu *husband* (p. 27); ferner wird *been* (p. 7) gewöhnlich mit langem und nicht, wie der verfasser will, mit kurzem i gesprochen.

Druck und ausstattung beider büchlein sind vorzüglich. Sie sind zum schul- und privatgebrauch bestens zu empfehlen.

Wien, December 1895.   J. Ellinger.

Anna Brückner. Life in an English boarding-school. In three parts. Appendix: Letters. Hilfsbuch zur erlernung der englischen sprache. Bielefeld und Leipzig, Velhagen & Klasing, 1895. VII + 178 ss. Gr. 8°. Pr.: geb. mk. 2.

Das obige buch schliesst sich, wie herr prof. Keller in dem vorworte sagt, an das lehrbuch der englischen sprache von Schmidt in derselben weise an, wie die »Causeries« von Josephine Weick an das lehrbuch der französischen sprache von Rossmann und Schmidt. Es ist dazu bestimmt, als lesebuch des Englischen an mädchenschulen zu dienen.

Es besteht aus einer reihe von gesprächen, die das leben in einem englischen mädchenpensionat in Oxford beschreiben. Die gespräche umfassen den kreis des täglichen lebens der mädchen in und ausser der schule. Sie handeln von dem aufstehen, ankleiden und zubettegehen, von den mahlzeiten, den unterrichtsstunden, spaziergängen, einkäufen und ausflügen; sie greifen auch über den engeren kreis des schullebens hinaus und behandeln, ebenfalls in gesprächsform, die geschichte der englischen sprache, die naturwissenschaft, die geographie, die gesundheitslehre und die englische geschichte. Daran schliessen sich zehn briefe und endlich ein wörterverzeichniss für jedes lesestück, welches die formen der starken zeitwörter und hie und da die entsprechende französische wortform, aber keine aussprachebezeichnung giebt.

Die gespräche sind anziehend und hübsch geschrieben, und das interesse wird durch eine gewisse dramatische charakterisirung der schülerinnen belebt.

Die sprache ist, soweit ich sehen kann, fehlerlos und die ausstattung des buches musterhaft. Dasselbe ist daher wohl geeignet, den englischen unterricht an der hand eines tüchtigen und der sprache durchaus mächtigen lehrers erziehend und nutzbringend zu machen, und es ist ihm im interesse der sache die weiteste verbreitung zu wünschen.

Vielleicht wäre es angebracht, bei einer neuen auflage ein gespräch über englische litteratur hinzuzufügen.

BATH (England), November 1895.   Ph. Aronstein.

METHODIK.

E. Towers-Clark, Die vier jahreszeiten für die englische conversationsstunde, nach Hölzel's bildertafeln. 4 hefte. 2. aufl. — Uebungen für die englische conversationsstunde, nach Hölzel's bildertafeln: 5. die stadt, 6. der wald, 7. das hochgebirge, 8. der bauernhof. Emil Roth, Giessen o. j. 18—38 ss. Pr.: à mk. 0,40.

Die ersten 4 hefte, welche die jahreszeiten behandeln, erscheinen nun in 2. auflage. Dem mehrfach ausgesprochenen wunsche nach vereinfachung der sprache ist rechnung getragen worden. Ein weiterer methodischer fortschritt zeigt sich darin, dass in den gesprächen eine gewisse überleitung von einer gruppe des bildes zur anderen stattfindet, und dass dem ersten dialoge, welcher den frühling behandelt, elementare fragen vorangestellt werden. Daher zählt das 1. heft in der 2. auflage um 8 seiten mehr. Das 2. heft (sommer) enthält leider nur 2 seiten einleitender fragen mehr als in der 1. auflage, das 3. heft (herbst) auch diese nicht. Das 4. heft (winter) ist in der 5. gruppe (the Christmas Tree) vermehrt worden und zählt eine seite mehr als in der 1. auflage.

In den neuen 5 heften ist die sprache im vorhinein einfacher gehalten. Immerhin wäre auch da noch einiges zu bessern und eine reihe von seltenen wörtern zu vermeiden, wie: girder, pediment, a sociable, trundle (für hoop), parachute, sinuate, indented, intersteices, boulder, agarie, rocket, pugaree, draught-excluder u. a. Die einteilung der gruppen scheint mir im ganzen übersichtlich und zweckmässig zu sein. Die verkleinerte wiedergabe der Hölzelschen bilder, die in der 1. auflage auf dem braunen umschlage der hefte stand, befindet sich jetzt auf einem eigenen blatte und hat dadurch an deutlichkeit gewonnen. Immerhin ist diese reproduction der bilder für den gebrauch noch lange nicht genügend. Das macht sich am meisten bei dem bilde 'die stadt' fühlbar, wo eine menge dinge, die auf dem grossen wandbilde vorkommen und im hefte besprochen werden, in der verkleinerung gar nicht zu erkennen sind.

WIEN, November 1895.   A. Würzner.

R. Kron, Dialogische besprechung Hölzel'scher wandbilder in englischer sprache. Stadt. 2. aufl. M.-Gladbach, verlag von Emil Schellmann, 1895. 68 ss. 8°. Pr.: mk. 0,75.

In der 2. auflage hat der verfasser diese gespräche über die stadt in 48 abschnitte mit den entsprechenden überschriften zerlegt und dadurch übersichtlicher gemacht. Aus den 321 fragen der 1. auflage sind jetzt 396 geworden, zum theil infolge zerlegung mehrerer längerer fragen und antworten. Das sind ohne zweifel verbesserungen. Im vorworte findet sich eine längere auseinandersetzung über den gebrauch des büchleins in der schule. Ich gestehe, dass dieselbe meine in der 1. auflage ausgesprochenen bedenken nicht ganz zu zerstreuen vermochte. Diese dialogische besprechung der stadt ist zwar sehr unterhaltend und belehrend und solchen, die in der erlernung der sprache schon weit vorgeschritten sind, gewiss recht nützlich, aber ich kann mir schwer denken, wie diese masse von wörtern und phrasen, zu deren erlernung und beherrschung ein enormer zeitaufwand erforderlich ist, im classenunterrichte neben dem eigentlichen lehrbuche, das ja auch seine ansprüche an die schüler stellt, raum finden soll. »Die antwort,« sagt der verfasser, »kann der lehrer entweder selbst bilden oder von einem schüler bilden lassen.« Ich meine, der lehrer wird wohl die meisten der in diesem büchlein enthaltenen antworten selbst bilden müssen, denn solche inhaltsreiche und in so fliessender form vorgebrachte antworten gehen einfach über das können der schüler weit hinaus. Für anfängerclassen giebt der verfasser die zweckmässigkeit kurzer und einfacher theilfragen selbst zu, wünscht aber zum schluss der stunde die freie formulirung des ganzen. »Im zweiten und dritten unterrichtsjahr aber« — fährt er fort — »ist zu verlangen, dass der schüler sich zur freieren unterhaltung erhebe« u. s. w. Ich meine, dass der verfasser hier doch etwas zu viel verlangt. Ich bin nicht so optimistisch und glaube, dass es mit der sprechfertigkeit der schüler im massenunterrichte aus verschiedenen gründen seine guten wege hat. Wenn man nicht alle unterrichtszeit lediglich der conversation widmet und der lectüre, den schriftlichen übungen und der grammatik auch noch einige beachtung schenkt, wird man im ersten unterrichtsjahre über die leichten theilfragen schwerlich hinauskommen. Und auch im zweiten und dritten unterrichtsjahre wird man sie nicht entbehren können, dagegen dürfte eine »freie unterhaltung«, wie sie in Kron's dialoge vorliegt, in den meisten fällen ein frommer wunsch bleiben.

Dass der schüler eine verkleinerte wiedergabe des betreffenden bildes in der hand hat, halte ich bei dem anschauungsunterricht geradezu für nothwendig. Leider ist die dem Kron'schen werkchen beigegebene reproduction des Hölzel'schen stadtbildes zu klein. Viel besser wäre die »handausgabe« dieses bildes, wie sie z. b. den »Conversations françaises sur les tableaux d'Ed. Hoelzel par Lucien Génin et Joseph Schamanek, Vienne 1894« angefügt ist.

WIEN, November 1895. A. Würzner.

K. A. Martin Hartmann, Die anschauung im neusprachlichen unterricht. Wien, Hölzel, 1895. 34 ss. 8°. Pr.: mk. 0,50.

Diese broschüre ist ein abdruck des vortrages, den der verfasser im April 1895 auf der jahresversammlung des Sächsischen gymnasiallehrervereins zu Chemnitz gehalten hat. Er handelt über das wesen der anschauungsmethode und ihre bedeutung für den neusprachlichen unterricht. Zunächst ist eine doppelte anschauung zu unterscheiden, die unmittelbare und die mittelbare. Stoffe für die unmittelbare anschauung bilden z. b. die einrichtungsgegenstände des schulzimmers, des wohnzimmers u. s. w. Die mittelbare anschauung wird durch das bild geboten. Die verwendung des bildes im dienste des fremdsprachlichen unterrichtes ist eigentlich sehr alt. Schon im vorigen jahrhundert hat Basedow auf grund von bildern im Französischen unterrichtet. In neuerer zeit haben zuerst Lehmann und Ducotterd (1868) ein lehrbuch des Französischen nach der anschauungsmethode verfasst. Aber erst die reformbewegung hat die allgemeine aufmerksamkeit auf diese methode gelenkt. Mittlerweile war auch in den Hölzel'schen wandbildern ein vortrefflicher behelf dafür entstanden. Der schweizerische pädagog Alge hat dieselben zuerst für den unterricht im Französischen verwendet. Seitdem sind verschiedene unterrichtswerke auf grund dieser bilder erschienen, wie die lehrbücher von Schmidt und die conversations-bücher von Durand, Bechtel, Génin und Schamanek. Bezüglich des Englischen sei an die arbeiten von Towers-Clark, Wilke und Kron erinnert, die zum theil in den »Engl. studien« besprochen wurden. Nach dieser übersicht über die litteratur der anschauungsmethode legt der verfasser die unterrichtliche behand-lung der bilder dar. Er meint, dass es nicht rathsam sei, den anfangsunterricht sofort mit dem bilde zu beginnen, sondern hält einige elementare vorkenntnisse für nothwendig. Das bild soll zuerst im engen anschluss an das darauf dar-gestellte besprochen werden, lässt aber auf einer höheren stufe auch eine freiere und erweiternde behandlung zu. Namentlich für letztere giebt der verfasser recht hübsche beispiele. Im weiteren verlaufe seiner darstellung zählt der ver-fasser die schriftlichen arbeiten, welche sich an den anschauungsunterricht an-schliessen, und die vorzüge desselben auf. Die wichtigsten vorzüge dieser methode sind, dass wort und begriff in ganz engem zusammenhange stehen, dass beständig in der fremden sprache und mit derselben gearbeitet wird, und — last not least — dass sie das interesse des schülers in hohem grade fesselt. Zum schlusse bespricht der verfasser einige einwände, die gegen die an-schauungsmethode erhoben wurden. Er ist der meinung, dass sie für das kindesalter die beste methode sei, er empfiehlt aber auch, sie an höheren schulen neben der lesebuchmethode zu verwenden, namentlich wenn geeignete bilder fremdländischen inhalts zur verfügung stehen.

Wir empfehlen diese abhandlung der beachtung der fachgenossen auf's wärmste; denjenigen, welche mit der anschauungsmethode einen versuch machen wollen, wird sie ein unentbehrlicher wegweiser sein.

WIEN, November 1895. A. Würzner.

GRENZGEBIETE.

L. Harcourt, German for Beginners. Marburg, Elwert, und London, Whittaker & Co., 1895. XI + 200 ss. Gr. 8°. Pr.: mk. 2; geb. mk. 2,60.

Das studium der deutschen sprache und litteratur hat im letzten jahrzehnt in England bedeutend an umfang und gründlichkeit zugenommen. »Die insulare beschränktheit« der Engländer ist heute, dank den schriften eines Coleridge, Carlyle u. a. und besonders dank der furcht vor dem erfolgreichen wettbewerb deutschen gewerbfleisses auf dem weltmarkte und in England selbst, ein ding der vergangenheit. Welchen werth man auf eine gründliche kenntniss des Deutschen legt, zeigen u. a. die prüfungsordnungen für die militärschulen zu Woolwich und Sandhurst und für die Londoner universität.

Um so merkwürdiger ist es, dass der unterricht im grossen und ganzen noch von dem Otto'schen lehrbuche beherrscht wird, das ganz und gar auf dem alten, rein grammatischen boden steht und sich nur desshalb conversations-grammatik zu nennen scheint, weil es höchst ungeeignet ist, zur conversation in der fremden sprache anzuleiten.

Das vorliegende werk kommt deshalb in der that einem bedürfnisse entgegen — gewiss eine seltenheit bei einem lehrbuche —, wenn es versucht, auf dem wege der analytischen methode in die deutsche sprache einzuführen.

Das buch ist offenbar nach dem muster des englischen lesebuches von Vietor und Dörr abgefasst. Es zerfällt in zwei haupttheile. Der erste theil, das lesebuch, enthält kinderlieder, kleine erzählungen, räthsel, sprichwörter, gespräche, gedichte und märchen; der zweite theil bringt eine ausführliche präparation jedes stückes nach grammatik und vocabeln mit anleitung zur einübung und durcharbeitung des gelernten. Daran schliessen sich als anhang eine kurze zusammenstellung der formenlehre und endlich 12 lieder mit beigegebener melodie. Das buch ist, wie der herr verfasser in der vorrede sagt, die frucht 2ojähriger erfahrung im unterrichte englischer mädchen in Deutschland und legt hierfür volles zeugniss ab. Es ist von anfang bis zu ende mit grosser sorgfalt, gründlichkeit und pädagogischem tacte bearbeitet. Es schreitet langsam und methodisch vom leichteren zum schwereren fort, auf seinem wege alle hülfsmittel zum schnelleren erfassen der sprache, wie die lautverschiebung und die wortbildung, mit geschick und ohne falsche wissenschaftliche scham verwerthend.

Was seine benutzung angeht, so ist es jedenfalls für mädchenschulen sehr geeignet. Ob es mit demselben erfolge an knabenschulen gebraucht werden kann, hängt von dem alter ab, in dem der deutsche unterricht beginnt. Manchem lehrer dürften die stücke zu kindlich für seine schüler erscheinen.

Im einzelnen mache ich auf einige kleinigkeiten aufmerksam. In der lautlehre wäre es wenigstens für englische lehrer des Deutschen gerathen, hinzuzufügen, dass das deutsche e in beet keineswegs ganz dem englischen ā in pale und ebensowenig o in deutsch boot dem englischen ō in note entspricht. Auf s. 17 muss es »schlafe wohl« (statt »schlaf gut«) heissen, auf s. 26 »eine heisse speise« (statt »eine heisse schüssel«). Ferner versündigt sich der herr verfasser dadurch gegen Wustmann und auch wohl das sprachgefühl, dass er überall in einsilbigen mascul. und neutr. das dativ-e fallen lässt (»an einem haus vorbei« s. 141, »auf dem feld« s. 148 etc.).

BATH (England), November 1895.   Ph. Aronstein.

Curt Abel-Musgrave, Assistant Master, Manor House, Felixstowe, The Caricature of German in English Schools. An Appeal to Parents. William Rice, London (ohne angabe der jahreszahl). 32 ss. 8°. Pr.: sh. 1,00.

In dieser broschüre will der verfasser beweisen, dass an vielen englischen schulen das Deutsche von leuten gelehrt wird, die dieser sprache so wenig mächtig sind, dass sie grammatiken benutzen, die voll der gröbsten versehen und irrthümer sind. Er unterzieht 6 solcher grammatiken, die an den Eton, Harrow, Rugby, Winchester, Wellington und Marlborough Colleges eingeführt

sind, einer eingehenden kritik. Einzelnes, was von diesen sprachlehrern geleistet wird, ist haarsträubend; so bildet z. b. Longman's *German Course* (by
J. Ulrich Ransom, B. A.) folgende sätze: »Das ei ist alt und das brot auch
ist schlecht. Haben Sie alle äpfel nicht verloren? Jene schuhe meiner brüder
sind nur für die söhne seiner tante« etc. Der verfasser des buches »*A Sketch
of the German Tongue*« sagt im vorworte: *»Il would be impossible to invite
enthusiasm for so monstrous a phenomenon (!) as the German language;
nevertheless it is a very necessary evil of our students' lives, inasmuch as
it is spoken by millions of Europeans, and is a subject in most examinations.«*
Ein lehrer, der über eine fremde sprache so denkt, wird sich schwerlich die
mühe nehmen, in den geist derselben einzudringen und ihre eigenthümlichkeiten
genau zu studiren. Ich glaube aber, dass herr Abel-Musgrave, ein Deutscher,
in seiner kritik ein wenig über das ziel schiesst, da er dinge bemängelt, die
eigentlich ganz richtig sind. So nimmt er es den grammatiken übel, dass sie
formen, wie »ahn, insass, gesell, theolog, ochs, kosack, wallach, Tartar«
anführen. Die behauptung *»No German will say nowadays »Ahn«, or »Insass«,
or »Gesell«, but he will invariably add an e«* trifft nicht zu. Auf s. 8 fragt er:
»Where in all the world has Mr. Beresford-Webb (verfasser einer *Practical
German Grammar,* die herr Abel-Musgrave für die beste unter den besprochenen
lehrbüchern erklärt) *found the verb »bezwingen — to ferule«, with the remarkable
forms »bezwingte, bezwingt«?* Der englische verfasser könnte seinem kritiker
antworten: *»in the dictionaries of* Grimm, Sanders, Weigand etc.«; denn es
handelt sich hier um »bezwingen« in der bedeutung »mit einer zwinge ver-
sehen«. — S. 10 bemerkt er zu dem buche »*A School German Grammar*« (by
H. W. Eye, M. A.): *»The author forms the monstrous Singular »Trumm« (Plural
Trümmer) and calls it »very rare«. No, dear Sir, it does not exist at
all«.* Diese behauptung ist ebenso gewagt, wie die folgende: »Bast, Lattich,
Fahrniss, Begegniss *are unknown to most Germans.«* — In dem buche »*An
Elementary German Grammar for the Use of Wellington College* (London,
David Nutt, 1887) finden sich viele versehen. Doch thut herr Abel-Musgrave
dem ungenannten verfasser unrecht, wenn er zu der in gebundener rede ver-
fassten regel

> »Gemüth, Gemach, Gewand, Gewänder,
> Gesicht, Gespenst, Geschlecht *(a gender);*
> Ohr, Insect *and* Auge, *take* en *instead,*
> *So do* Ende *and* Hemd *and* Bett, Betten *(a bed)«*

bemerkt: *»You are very much mistaken, my dear sir. The words from Gemüth
to Geschlecht never take »en«. That is another grammatical mistake, and a
very bad one, too.«* Die regel will ja im gegentheil dem schüler einprägen,
dass die wörter »gemüth« bis »geschlecht« den plural nach »gewand« bilden,
und dass die wörter »ohr« bis »bett« im plural auf -en ausgehen. Das wort
»*instead*« am ende des dritten verses hätte unseren verfasser auf die richtige
spur leiten können! Wenn auf s. 21 die formen »hieher« statt »hierher« und
»all'« statt »all« getadelt werden, so ist dagegen zu sagen, dass gerade die
beanstandeten formen von der österreichischen amtlichen orthographie vorgeschrieben sind. Auf s. 22 sagt der verfasser, der form »fichst« sei »fechtest«
vorzuziehen. Die richtige form ist doch »fichst«! Von »schleissen« sagt er,
dass es veraltet sei, und dass es nur noch in Oesterreich in dem compositum

»verschleissen« fortlebt. Kennt der herr verfasser die redensart »federn schleissen« nicht?

Allen besprochenen grammatiken ist es eigenthümlich, dass sie veraltete oder selten gebrauchte wörter ihren lesern als modern auftischen (z. b. »hagestolz«, »ohm«, »eidam«, »schnur«, »gevatter«), ferner dass sie poetische oder volksthümliche wörter nicht als solche bezeichnen (z. b. born, frauenzimmer, das mensch). Uebrigens wird in ähnlicher weise auch in einigen unserer englischen schulgrammatiken gegen die englische sprache gesündigt.

WIEN, November 1895.   J. Ellinger.

Ferdinand Holthausen, Lehrbuch der altisländischen sprache. I. Altisländisches elementarbuch. Weimar, E. Felber, 1895. XV + 197 ss. 8°. Pr.: mk. 4; geb. mk. 5.

Mit der zunehmenden specialisirung der einzelnen zweige der germanischen philologie ist die anglistik mehr und mehr aus dem gebiete der germanistik in der studienpraxis hinausgetreten; das Gothische als gemeinsame basis und das Altsächsische sind neben dem Angelsächsischen, dem auch die meisten germanistischen studenten zwei semester widmen, in der regel die einzigen zwei gebiete, in denen germanistik und anglistik in den universitätsstudien zusammenfallen. Es ist gleichwohl sehr wünschenswerth, dass nicht nur der zum wissenschaftlichen forscher sich ausbildende anglist, der sich aus beruf eine umfassende kenntniss der eigentlichen germanistik erwirbt, sondern jeder student der anglistik, der sein ausbildungsziel nicht nach den forderungen des examens allein sich gesteckt hat, aus seinen lernjahren die kenntniss eines weiteren altgermanischen dialects mitbringe, nicht bloss um der rein äusserlichen erweiterung des wissensgebietes willen, sondern vielmehr wegen der vertiefung und schärfung der grammatischen auffassung auf seinem specialgebiete, welche aus kenntniss gleicher, analoger und abweichender sprachlicher vorgänge und erscheinungen auf einem verwandten gebiete hervorgeht. In dieser beziehung ist kaum ein anderer germanischer dialect für den anglisten so bedeutungsvoll und instructiv, als das Altnorwegisch-isländische (oder nach älterer terminologie das Altnordische), das schon als schlüssel zu einer der reichsten und, von antiquarisch-realem standpunkt betrachtet, der wichtigsten litteratur des germanischen alterthums eindringenden studiums werth ist. Der reichthum nationaler angelsächsischer epik fordert in stilistisch-formaler beziehung zur kenntnissnahme und vergleichung der nordischen denkmäler nationaler poesie auf; die fülle analoger oder ähnlicher lautvorgänge auf grammatischem gebiete, brechungen, umlaute, contractionen etc. macht gerade für den anglisten das studium nordischer sprachentwickelung doppelt lehrreich, das ihm zudem durch die mehrhundertjährigen berührungen der Skandinavier mit den Angelsachsen auf britischem boden, die sich sprachlich in gegenseitiger übernahme von lehnworten, besonders seitens der altenglischen sprache, äussert, besonders nahe gelegt wird. Diese eigenthümliche stellung des Nordischen zu dem Angelsächsischen wird es wohl rechtfertigen, dass in den 'Engl. studien', die ja principiell auch die unterrichtslitteratur berücksichtigen, auf ein werk kurz hingewiesen wird, das die aneignung der sogenannten «altnordischen« sprache erleichtert und auch dem autodidakten bequem ermöglicht.

Dass eine kurzgefasste, auf das bedürfniss von anfängern berechnete einführung in das studium des Altnordischen einem mangel abhilft, den jeder gefühlt hat, der in die lage kam, seinen zuhörern zum ersten gebrauche eine
isländische grammatik anzuempfehlen, ist eine unbestreitbare thatsache. Die
lesebücher von Dietrich und Friedr. Pfeiffer sind veraltet, Wimmer's vorzüglicher
abriss leider sowohl in der deutschen als der dänischen ausgabe vergriffen (meines
wissens ist nur die schwedische übersetzung im buchhandel), und sowohl Brenner's
Handbuch als Noreen's Grammatik, gleich seiner Geschichte der nordischen
sprachen in Paul's Grundriss ein standard-work für jeden jünger nordischer
philologie, sind für den anfänger, der dem Nordischen nur zwei bis drei semester
widmen kann, oder gar für den autodidakten viel zu schwer und stoffreich[1]).
Holthausen hat sich seiner aufgabe sehr geschickt entledigt. Nebst der laut-
und formenlehre bietet er eine bildungs- und bedeutungslehre, sowie eine syntax,
erstere eine willkommene und instructive beigabe, die das studium sehr erleichtert, letztere ein gerade für den anfänger unentbehrliches hilfsmittel für
die erste lectüre. Sehr knapp ist der anhang: I. 'Geschichte der altisländischen
sprache', II. 'Die runenschrift' und III. 'Hilfsmittel' ausgefallen. Der zweite
abschnitt wird zwar zur primitivsten orientirung genügen und ist um so will-
kommener, als Noreen in der 2. auflage leider auf die wiedergabe der runen-
zeichen verzichtet hat und nur die lateinischen transscriptionen bietet. Aber
sowohl I. als III. scheinen mir allzu kurz gefasst, um ihrem zwecke zu entsprechen. Auf einzelheiten kann an dieser stelle nicht eingegangen werden;
soweit ohne pädagogische erprobung des buches ein urtheil über seine brauch-
barkeit im akademischen unterricht möglich ist, darf die erwartung ausgesprochen
werden, dass das übersichtliche, klar und praktisch abgefasste büchlein seinen
zwecken sehr gut genügen wird. Der verfasser stellt als zweiten theil eine
deutsche bearbeitung von Hjalmar Falk's Oldnorsk Læsebog in aussicht, die
texte mit glossar, anmerkungen, metrik und litteraturübersicht enthalten soll.
Möge es gestattet sein, an dieser stelle den wunsch auszusprechen, dass die
'anmerkungen' einen vollständigen sprachlichen commentar bilden mögen. An
nordischen texten, die sich dem akademischen unterricht zu grunde legen lassen,
ist kein mangel, und im allgemeinen wird man immer vorzieben, eine vollständige saga oder die Eddalieder, die nun einmal mit recht für germanistische
studenten den hauptanziehungspunkt für das nordische studium bilden, zu interpretiren und cursorisch durchnehmen zu lassen. Ein lesebuch wird immer zunächst auf das selbstudium berechnet sein müssen und soll darum nicht
nach litterarhistorisch-chronologischen gesichtspunkten allein geordnet, sondern
auch derart eingerichtet sein, dass der autodidakt von leichteren zu schwereren
stücken vorwärts schreitet und namentlich in der ersten hälfte des buches auch
die kleinsten schwierigkeiten erklärt findet[2]).

Möchte das buch in seiner wirkungssphäre dazu beitragen, dem anziehenden
studium der nordischen sprache neue jünger zuzuführen, nicht nur unter den

---

[1]) Inzwischen ist von Noreen's hand ein kurzer auszug (abriss) seiner
grammatik bei Niemeyer erschienen [nachträgliche bemerkung].

[2]) Als muster für eine solche interpretationsweise darf man wohl Zupitza's
Einleitung in das studium des Mittelhochdeutschen hinstellen, die im laufe der
zeit nicht weniger als vier auflagen erlebt hat.   E. K.

studenten der anglistik oder germanistik, sondern auch in den kreisen der akademisch gebildeten lehrer dieser fächer. Bei der immer schwerer erfüllbar werdenden anforderung, der fülle von stoff und neuen problemen auf dem eigenen studiengebiete gerecht zu werden, mag es manchem als eine starke zumuthung erscheinen, das studium einer weder durch examenforderungen noch durch spätere berufsthätigkeit unbedingt erforderlichen sprache als neue bürde auf sich zu nehmen. Aber er wird auch in beziehung darauf an sich erfahren, wie es in den Hávamál (wenn auch in anderer nüancirung des sinnes) heisst:

> Byrđi betri
> berrat madr brautu at
> en sé mannvit mikit.

BRESLAU, Januar 1896.

O. Jiriczek.

PROGRAMME.

Karl Schmidt, Die gründe des bedeutungswandels. Ein semasiologischer versuch. Programm des königlichen realgymnasiums zu Berlin. 1894. 44 ss. Gr. 8°.

Obwohl der ruf Reisig's, der im jahre 1839 die forderung aufgestellt hat, dass die bedeutungslehre (semasiologie) in den rahmen der grammatik gehöre, bisher unbeachtet verhallt ist, sind seitdem eine ansehnliche reihe von arbeiten über diesen gegenstand erschienen. Die wichtigsten dieser schriften sind wohl Littré's abhandlung »Pathologie verbale« und das buch »La vie des mots« von Darmesteter. Da aber Littré die erscheinungen des bedeutungswandels vom standpunkte des logisch geschulten akademikers als etwas krankhaftes (als »lésions«) betrachtet, und da auch Darmesteter den gründen des bedeutungswandels keine besondere aufmerksamkeit schenkt, so unternimmt es der verfasser, die hieher gehörigen erscheinungen mit dem maassstabe volksthümlichen empfindens zu messen und die gründe, welche bedeutungswandel hervorbringen, eingehend zu untersuchen. Der verfasser, der bei dem mangel an entsprechenden vorarbeiten zumeist auf lexikalische hilfsmittel angewiesen war, hat zahlreiche beispiele aus dem Lateinischen, Griechischen, Deutschen, Französichen, Italienischen und Englischen zusammengestellt. Wir wollen uns hier darauf beschränken, seine englischen beispiele herauszuheben und näher zu beleuchten. Die möglichen gründe des bedeutungswandels sind nach dem verfasser: I. Bedürfniss, II. Bequemlichkeit, III. Nachahmungstrieb, IV. Beeinflussung, V. Sinnliche kraft des ausdrucks, VI. Deutlichkeit, VII. Zartgefühl, VIII. Zorn und scherz, IX. Höflichkeit und eitelkeit. Ein bedürfniss nach bedeutungswandel liegt vor, wenn durch den culturwandel a) neue dinge geschaffen, z. b. *leaf, clock*, b) vorhandene dinge geändert, z. b. *town, board, to write, sock, kerchief*, c) vorhandene verhältnisse und sitten geändert, z. b. *cattle-chattels, inn, craft, cunning, to breed*, endlich d) neue abstracte begriffe geschaffen werden, z. b. *wrong, sad, grief*. Manche wörter spiegeln noch die anschauungen einer früheren culturstufe wieder, z. b. *disaster, ill-starred, jovial, mercurial, saturnine, ascendant*. Viele wörter, die ursprünglich termini technici gewisser classen waren, gingen in allgemeinen gebrauch über. So verdanken wir der kirche die ausdrücke *the Lord, the Scripture, parson, dean, miscreant, lewd, answer*, den juristen *fine* »geldstrafe«, *divorce*, den gelehrten *dunce*, dem ritterleben *knight;* ferner rühren z. b. *deer*[1]) aus der förstersprache, *tide* aus der sprache der fischer, *smug* aus der stutzersprache und *hind* aus der sprache der städter her. Zum capitel »bequemlichkeit« rechnet der verfasser schaffung von wörtern, wie *to burke* »*to murder lodgers like Burke*«, oder *turtle*, welches englische matrosen für das ihnen unverständliche portugiesische *tartaruga* »schildkröte« einsetzten, ferner abkürzungen, wie *mob, bus, cab, tar*, benennung der gegenstände nach dem stoffe, aus dem sie gefertigt sind (frz. *sedan* »tuch«, engl. *sedan* »sänfte«), benennung der stoffe nach dem herkunfts- oder aufbewahrungsort (*sterling, staple*), bezeichnung des grundes durch die folge (*thrifty* »gedeihend«, »sparsam«), übertragung des namens des thätigkeits- oder lebenskreises auf thätigkeit oder gesinnung (*kind, to like*), bezeichnung des einzelwesens nach der classe, der es angehört (*youth, grape, blackguard*). Nachahmungstrieb liegt zu grunde, wenn »ein wort, das durch eine persönlichkeit, ein buch, ein ereigniss oder verhältniss eine neue bedeutung angenommen hat, nun vom volke in dieser neuen bedeutung weitergeführt wird« (p. 26). So stammt *essay* in seiner heutigen bedeutung von Bacon; *Brother Jonathan* wurde von Washington, *John Bull* von Arbuthnot zuerst gebraucht; die ausgestaltung der bedeutung von *humour* rührt von Swift und Sterne her u. s. w. Beeinflussung nimmt der verfasser an, wenn »ein wort in seiner bedeutung von einem anderen worte oder einer wortverbindung sich abhängig zeigt« (p. 28). So ist z. b. die bedeutung der wörter *ingenuity, sorry, fulsome, bless, carriage, allow, cupboard* durch *ingenious, sorrow, foul, bliss, carosse, allouer* und *alouer, hoard* beeinflusst worden. Eine fernere beeinflussung findet statt durch übersetzungen (*fuller's earth, pipeclay, pitchstone*) und übertragungen (*fall ill* nach *tomber malade?*). Zur beeinflussung rechnet der verfasser auch die verschmelzung, welche darin besteht, »dass ein wort, das in einer stehenden verbindung vorzukommen pflegt, die dieser verbindung zukommende bedeutung in sich aufnimmt« (p. 31), z. b. *leave* (aus *to take leave*), *libel* (aus *libel of forsaking*), *meat* (vielleicht aus *flesh-meat?*). Endlich sind noch die emphatisch gebrauchten worte hieher zu rechnen, wie *king, gentle, feature, complexion*. Unter diesen emphatisch gebrauchten wörtern lesen wir auch p. 33: »*demure* aus afz. de murs, de mors = sittsam«. Der verfasser sagt p. 39 ganz richtig, dass *demure* nur im ältesten NE. »sittsam« bedeutete, und dass es dann eine abgeschwächte bedeutung annahm. So muss jeder die entwickelung der bedeutung von *demure* erklären, der an dem etymon »de murs« festhält. Es ist daher auffallend, dass Muret, Encyklop. wörterbuch, trotz des aufgestellten etymons »de (bounes) murs« die bedeutungen des wortes so ordnet: 1. verstellt ehrbar; zimperlich; spröde; 2. (selten) ernst, gesetzt; 3. (selten) ehrbar, bescheiden, sittsam. Diese reihenfolge passt aber vortrefflich, wenn wir uns Skeat anschliessen, der *demure* aus afz. demeur = me. demeur »unreif«, »schüchtern« ableitet (Athenaeum 1891, Nr. 3331, p. 290). Aus der ursprüng-

---

[1]) Shakespeare gebraucht das wort noch in seiner älteren, allgemeineren bedeutung:

> *But mice, and rats, and such small deer*
> *Have been Tom's food for seven long year* (King Lear III, 4).

citirt von Sweet, A New English Grammar, p. 178.

lichen bedeutung entwickelte sich sehr rasch die bedeutung »zimperlich, spröde, heuchlerisch«, und in dieser hat sich das wort bis auf den heutigen tag erhalten, nachdem es vorübergehend in einer zeit, wo der schein für die wirklichkeit genommen wurde (im zeitalter der Puritaner?), die bedeutung »ernst, gesetzt, sittsam« angenommen hatte.

Auch das streben nach deutlichkeit bringt bedeutungswandel hervor. »Wörter, welche mehrere bedeutungen haben, so dass missverständniss dadurch möglich wird, schränken den kreis ihrer bedeutungen ein, sobald sich ein geeignetes wort, auf das ein theil der bedeutungen übertragen werden kann, findet« (p. 37). So hiessen im älteren NE. *dreadful, frightful* (und jetzt noch *fearful*, was der verfasser nicht sagt!) »furchtsam« und »furchtbar«, *feminine* hiess »weiblich« und »weibisch«, die wörter *unvaluable* und *unvalued, property* und *propriety, Britain* und *Britany, cattle* und *chattle* wurden früher promiscue gebraucht u. s. w. Hieher gehört auch die unterscheidung zwischen *ox* und *beef* etc. Manchmal wurde ein wort, dessen bedeutung sich zu verdunkeln begann, durch ein synonymes wort gestützt, wodurch eine art tautologie entsteht, z. b. *cockboat, courtyard.* Im VII. abschnitt spricht der verfasser von euphemismen, die zur verhüllung gemiedener worte dienen, z. b. *wretch, silly, corpse, swear, knave, villain, varlet, rogue, antic, uncouth;* im VIII. abschnitt zeigt er, wie wörter von ursprünglich schlechter bedeutung im scherz einen besseren sinn annahmen, so z. b. *nice* me. »närrisch«, ne. »niedlich«, *shrewd* me. »verrucht«, ne. »verschmitzt«, *flirt* im ält. NE. »verachten«, jetzt »coquettiren«; endlich im IX. abschnitt stellt er wörter zusammen, deren bedeutung aus höflichkeit oder eitelkeit entwerthet worden ist, z. b. *gentleman, almost, leech, clerk, hostler.*

Die arbeit Schmidt's, die nicht durch zu viele druckfehler entstellt ist (*crossfish* p. 12 soll doch *crawfish* heissen?), ist als ein wichtiger beitrag zur semasiologie zu bezeichnen und verdient, den fachgenossen bestens empfohlen zu werden.

TROPPAU, October 1894. J. Ellinger.

Fritz Bock, Welche englische aussprache sollen wir lehren? Jahresbericht der staatsoberrealschule in Teschen. 1895. 20 ss. Gr. 8°.

Der verfasser weist auf die nicht geringen pädagogischen übelstände hin, die sich ergeben, wenn es jedem einzelnen lehrer überlassen bleibt, welche englische aussprache er lehren will. So wie der Engländer und der Franzose, der Deutsch lernen will, sich entscheiden müsse, ob er Nord- oder Süddeutsch lernen wolle, so müsse auch für uns entschieden werden, welche von den gebildeten aussprachen des Englischen an unseren schulen gelehrt werden solle. Für die schulen müsse ein *Standard English* gewählt werden. Da es nun ein solches in wirklichkeit nicht gebe, so müsse man sich für einen englischen dialekt entscheiden und diesen zum *Standard* machen. Dieser dialekt könne nach der begründeten ansicht der meisten autoritäten kein anderer als das gebildete Südenglisch sein.

Der verfasser giebt sodann die wichtigsten verschiedenheiten in der aussprache des Englischen an, wobei er die schriften von Sweet, Storm, Vietor,

Miss Soames, Western, Lloyd, Jespersen, Grandgent u. a. als quellen benützt und die in den schulbüchern von Nader und Würzner gebrauchten phonetischen schriftzeichen verwendet.

Im allgemeinen sind die ausführungen des verfassers recht gelungen, nur in wenigen punkten kann ich mit ihm nicht übereinstimmen. B. erklärt das *u* in *but* als einen gemischten vocal, d. h. einen solchen, der mit der mittelzunge in der mittleren mundhöhle articulirt wird. Nach Sweet ist dieser vocal *mid-back-narrow*, nach Miss Soames *back*. Die beschreibung, die B. s. 9 auf grund der Sweet'schen definition giebt, ist daher nicht zutreffend. Das wäre eher die amerikanische aussprache; vgl. Grandgent, Neuere sprachen II, 446, wo dieser vocal als zwischen *mid-back* (ò) und *low-mixed* (ä) liegend bezeichnet ist. Freilich erklärt auch der Nordengländer Lloyd, dessen autorität B. über die Sweet's zu stellen scheint, den vocal als *mixed*. — Nach dem ausführlichen excurs über die aussprache des ɐ fällt es auf, dass B. s. 10 die beschreibung der articulation des ə̂ *(hurt)* als nicht zu seiner aufgabe gehörend ablehnt. Nach Sweet ist dieser vocal bekanntlich *low-mixed-narrow*. — Die Grandgentschen quantitätsregeln, die B. s. 14 mittheilt, sind für die zwecke der schule zu complicirt; Sweet's unterscheidung von drei quantitätsarten ist viel einfacher und brauchbarer. — B. betont s. 18 »das grosse verdienst Sweet's, die verdunkelung aller vocale in unbetonter stellung nachgewiesen zu haben«. Aus dem umstande aber, dass insbesondere Lloyd »sehr oft Sweet's kühnheiten bekämpft«, ergiebt sich für B., »dass man Sweet nicht blindlings folgen dürfe«, zumal da »in der langsamen, stolpernden aussprache unserer schüler gar viele transscriptionen Sweet's furchtbar lächerlich, schauderhaft klingen müssen«. Das scheint mir doch zu stark aufgetragen zu sein. Wenn die schüler gesprochenes Englisch verstehen lernen sollen, so müssen sie an zusammengezogene, geschwächte (neben den vollen) formen gewöhnt werden. Sie haben aber solche formen nicht etwa in transscriptionen oder aus dem stegreif zu lesen, sondern, wie sonst auch, nachzuahmen, was ihnen vom lehrer vorgesprochen wird. Wenn ihnen richtig vorgesprochen wird, so werden die 'kühnen formen' im munde der schüler nicht furchtbar lächerlich klingen. Uebrigens bleibt sich B. nicht consequent; denn s. 20 sagt er selbst: »In der umgangssprache sind auch hier bei *meet you, would you)* tš, dž sehr oft zu hören, und wie muss es jedem erschwert sein, gesprochenes Englisch zu verstehen, wenn er nie erfahren hat, dass oft *don't you know = dount͡šənou, did you see it = did͡žəsīit, pass your plate = pāš͡əpleit, it does you good = it dv͡žəgud* gesprochen wird !«

Von diesen paar einwänden abgesehen, kann Bock's arbeit als eine zeitgemässe, verdienstliche leistung bezeichnet werden, da sie in besonnener abwägung der verschiedenen ausspracheweisen des Englischen mit recht für das Südenglische die herrschaft in der schule beansprucht.

WIEN, December 1895.   E. Nader.

MISCELLEN.

I.

ZUM BEOWULF.

V. 1028 ff.: Ne gefrägn ic freóndlícor feówer mâdmas
Golde gegyrede gummanna fela
In ealo-bence ôðrum gesellan.

Obwohl diese stelle bisher, so viel ich sehe, nirgends beanstandet worden ist, scheint mir doch die richtigkeit der überlieferung sehr zweifelhaft. Erstens passt *fela* nicht zu *ôðrum*, und zweitens pflegen nicht gewöhnliche mannen so kostbare geschenke zu machen, sondern nur personen fürstlichen ranges. Ich möchte darum vorschlagen, für das unpassende *fela, freán* (geschr.: *freä*) zu lesen, das von vier lettern drei mit ihm gemeinsam hat; vgl. hier v. 1825: *Gumena dryhten*, und andererseits Gen. v. 1475: *flotmonna freá*.

BRESLAU, März 1896.   E. Kölbing.

CALLET, MINX, GIXIE.

At a recent meeting of the Royal Netherlands Academy of Sciences, Dr. A. Kluyver — whose ingenious derivation of *Caliban* I gave some time ago — read a highly interesting paper on the origin of the Dutch word '*gids*' (= guide), which he derives from a word '*gadžo*', used by the Gypsies to denote any one not belonging to their tribe. In the course of this paper — which those interested in the study of Dutch will find in »Verslagen en Mededeelingen der Koninklijke Academie van Wetenschappen, Afdeeling Letterkunde, 3e Reeks, Deel XII. — Dr. Kluyver had occasion to speak of the three English words, placed at the head of this article, and proposed to derive them from Gypsy words. As it is not likely that the »Verslagen« will be read by many students of English, and as it would be a great pity if the learned gentleman's valuable contribution to English etymology should remain hidden from the eyes of English scholars, I proposed to him to translate into English that portion of his paper which bears upon callet, minx, and gixie. Dr. Kluyver readily acceded to this proposal and added a few notes which do not appear in the original Dutch

version. After explaining how 'gadžo' was adopted in the cant of various
nations, how the new meaning of 'comrade' was developed, and how the feminine form 'gadži' became a slang name for a concubine, Dr. Kluyver goes
on to say:

In Cotgrave's well known French-English Dictionary of the 17th century, occurs the word 'Goguenelle', which he renders by 'wench', at the same
time giving as synonyms of 'wench' three nouns which — in my opinion —
are probably all of Gypsy origin.

In the first place 'callet', a difficult word, which it has not yet been
possible to explain. Murray, in the N. E. D. owns that it is not possible
to give a proper derivation from English, French or Celtic. 'Callet' denotes
a tramp's concubine, and a very clear instance of it we find in the following place from Shakespeare, where Jago's wife tells us how Desdemona
was 'bewhored' by her jealous husband (Othello IV, 2): »He call'd her
whore: a beggar in his drink Could not have laid such terms upon his
callet.« As far as the meaning is concerned, such a word would very well fit
the language of vagabonds, but if we wish to derive it from the Gypsy tongue,
we shall have to bear in mind the following: According to Murray 'callet' first
occurs at the beginning of the 16th century, and the question may be put,
whether even as early as that a Gypsy word could have passed into English.
This question is closely bound up with this other one: »when did the Gypsies
first cross to England?« The following reply is given to this by Crofton, one
of the greatest connoisseurs of the language of the English Gypsies: »The date
of the first appearance of Gypsies in England is unknown« [1]). I may not trouble
you with a circumstantial account of the conjectures of various scholars with
reference to this point, as all about it may be read in the well-known works
on this subject. It is generally acknowledged that the Gypsies are first indicated
by a distinct and recognizable name in a charter of 1505 — or, as some take
it, in one of 1492 — viz. in 1505 as 'Egyptianis', and in 1492 as 'Rowmais',
by which we may take it for granted the 'Romé(s)' are meant[2]). At the
same time however it is generally thought possible and probable by all, that
Gypsies may have crossed to England at a much earlier period, either by
themselves, or in company of other vagabonds, from whom they were not
distinguished by a separate name. Even previous to 1430 they had arrived
in the Netherlands, in Flanders, and in France; why should these nomads —
naturally inclined to pass easily from one country to another — have deferred
their passage to England till about 1500? For centuries they had been wande-
ring through the southeast of Europe, and smaller bodies — lost to history — may
have crossed the German boundary even previous to the 15th century. If then
an English word first occurs in the beginning of the 16th century, a derivation
of it from the romani čib, should not be called impossible a priori; the question
is, above all, whether the words we wish to connect, may be united as far as
form and meaning are concerned.

---

[1]) Journal of the Gypsy Lore Society I, 5.
[2]) On this last point consult Groome, in the article on 'Gypsy', Encyclopaedia Britannica.

In Scotland and England the Gypsies met with a singularly kind reception. Their skill in fortune-telling was to the taste of the English upper classes, as may f. i. be seen from one of those representations which Ben Jonson has written under the name of »masques at court«, and which is called »A masque of the metamorphosed Gipsies«. In it some persons disguised as Gypsies tell the fortunes of the king and his court. One of the company assures a high patron that the Gypsies have ever showed their gratitude, as well as possible, by singing and dancing:

> And ever at your solemn feasts and calls,
> We have been ready, with the Aegyptian brawls,
> To set Kit Callot forth in prose or rhyme,
> Or who was Cleopatra for the time[1]).

From this it is apparent that at one time there was a woman — here called »Kit Callot« — who figured, among the Gypsies and their comrades, as a sort of Queen, as a Cleopatra. According to Jonson's commentators this woman is also mentioned elsewhere, and was the trull of a notorious tramp, whose name is recorded, and »who first took up the trade of a gipsy in this country«[2]); one of the first therefore that joined the Gypsies. Whether this account is quite correct I cannot decide, but tradition itself seems to connect the nickname of »Callot« with a residence among the Gypsies. I further find that the term »Kit Callot« must have had a proverbial notoriety, for as early as 1532 More speaks of Luther »and Cate calate his nunne«, meaning Katharina von Bora. As a derivation from the Gypsy language is not impossible as far as regards the time of the first instance of 'callet', I think I may be allowed to propose the following:

There is a feminine noun, occurring among the Greek Gypsies as *kelavdi*. This is a participle of *kelaváva*, a causative form of *kelava*, to play, a genuine Indian Gypsy word, found in the various dialects. This form *kelavdi*, properly meaning: »celle qui fait jouer«, as Paspati translates it[3]), is used in such senses as: *meretrix, concubine*. Among the German Gypsies it undergoes a little change in pronunciation and accent, the stress being laid upon the first syllable. Liebich, in his work »Die Zigeuner in ihrem wesen und in ihrer sprache«, gives on p. 130: »*chellàdi*, die geliebte, *chellàdo*, der geliebte, im sinne eines geheimen und nebenbei unsittlichen verhältnisses«. To a high degree all Gypsy dialects have felt the influence of the European languages in the midst of which they were spoken, especially as regards the accent, and we may safely assume that a word which in Turkey takes the form of *kelavdi*, took the stress upon the first syllable among the English as well as the German Gypsies. Add to this that of the last vowel, which had become obscure, but little could remain. The dental became the last letter of the word, and accordingly it could easily pass into *t*. The vowel of the second syllable, owing to the want of stress, could not but become indistinct. If original *kelavdi*[4]) passed into the language of the English tramps, it could not, in my opinion,

---

[1]) Works ed. Gifford VII, 363.
[2]) See note to the quoted passage from Jonson.
[3]) See Miklosich VII, 236, X, 424.
[4]) Which could not but lose its *v* among the Gypsies of Western Europe, as appears f. i. from chellàdo, already quoted.

well take another form than *callet*. It is on this account that I venture to
bring forward this etymology, further drawing the attention to the fact that
the original meaning remained absolutely unchanged.

As I have observed, Cotgrave defined wench by three words. One of
them, *callet*, is probably a Gypsy word; the second is *minx,* the third *gixie*.
Of this last word I have nowhere found the derivation given, and of the
second Skeat owns he cannot give the etymology[1]). Dutch *minne,* and also
French *mignon* have been taken into consideration, but when Othello calls his
wife 'a lewd minx'[2]), this is sure to have some other meaning than that of
»*ma mignonne*«. Skeat sums up with these words: »the final *x* is difficult to
account for.« I will now try — though not without hesitation — to determine
this *x* and that by the following reasoning: Whether the character *x* in 'minx'
and 'gixie' have its ordinary value, I wish to leave undecided; I merely wish
to remark that in modern dictionaries the pronunciation of the former is indeed
given as 'minks'. If now we wish to assume that the *x* in the two words was
developed from another consonant, that supposition would be best justified if
we could show it to be probable that the *x* of either word has proceeded
from the same consonant. In case we should suppose it possible for *gixie* to
have developed in the English popular language from gidži, this supposition
would be greatly strengthened if we could at the same time assume that *minx*
might have taken its origin from 'mindž'. And this latter supposition is very
inviting. 'Mindž' is among the most common Gypsy words, and is given as
occurring in nearly all dialects. Its proper meaning is 'cunnus', a term of
which the Gypsies make a very liberal use. A word of that kind can easily
develop — especially if combined with an adjective — into a vulgar name
for a woman, thus having the same meaning as wench, to which it is added
as a synonym by Cotgrave. When Othello calls his wife a lewd minx, the
derivation from Gypsy 'mindž' would make us feel to the full, how deeply
poor Desdemona was humiliated by these words.

Apart from eventual correction by English philologists, I venture to
consider this etymology of 'minx' acceptable[3]); but in that case it would not

---

[1]) In his Etymol. Dictionary.

[2]) Othello, III, 3.

[3]) Mr. Swaen has had the kindness to draw my attention to the fact that
Prof. Skeat has proposed (in his Principles of English Etymology) another
derivation than that formerly given in his Etym. Dictionary. He tries to
derive it from the Frisian and Low German form »*minske*«, which, like '*mensch*'
in Dutch, is also used slightingly for »woman«. But in my opinion this
derivation is not free from objection, as '*mensch*' in that sense is rather used
of women who have reached a certain age; nor is it used slightingly. Its
meaning is, as given in Doornkaat-Koolman »eine frau, jedoch nicht gerade
im schlechten sinn«. It denotes something else than »a young, pert, wanton
girl«, as *minx* is defined in Johnson's Dictionary, who among other passages
quotes from Dryden: »She, when but yet a tender minx« etc. — The Gypsy
word mindž would be a fitter origin, and even in the Gypsy languages, *dž*
is not always kept intact. For the Polish Gypsies f. i. Miklosich gives the
forms *minsč* and *minsk*. In what territory the form *minx* arose, I cannot
decide; not in England perhaps. The only thing I should wish to take for
granted is, that the derivation of English *minx* from Gypsy *mindž*, as far as
the form is concerned, may be called not improbable, and as far as the sense
is concerned, is more satisfactory than other etymologies hitherto proposed.

seem impossible to derive 'gixie' from a purer form 'gidži', in doing which I return to »gadži.« with which I venture to identify it. The indifference vowel is, in my opinion, no insurmountable difficulty. It is not inconceivable that original *a*, before a palatal consonant occassionally assumed a pronunciation inclining to *e* or *i*, and which is here represented — perhaps a little roughly — by *i*. Probably this change from *a* to *e* had already taken place in various Gypsy dialects, even before gadži had penetrated into England. This supposition — (about which I shall speak presently) — would at all events be very useful to explain a Dutch form which I happened to find in v. d. Venne's Tafereel van de Belacchende Werelt (1635), p. 76. A company of countrymen and countrywomen falls in with a gang of Gypsies, and one of the Gypsies says:

Foey die Wyfs die loopen schooyen,
En de schaamte van heur gooyen!
Foey die *Gedsen* zonder Mans,
Mit veul jonckheyt by heur etc.

Like English gixie, gedse in this place is also a familiar term for a lewd, unmarried woman, more in particular a Gypsy woman: why could not both words have arisen from '*gadži*'? I should not omit saying that another derivation might be proposed. According to Grimm's Dictionary (IV, 1, 1495) there is in South German and Swiss dialects an adjective *gätsch*, meaning '*lascivus*', which seems to be a Germanic word. But why should a term occurring in the Dutch popular language be connected rather with a Swiss word than with a very common Gypsy word! The Gypsies used to reside in this country, and their word *gadži* may have passed from their tongue into the popular language, whereas it does not appear from anything, that the local Swiss expression, mentioned by Grimm, has ever left its own territory.

Adapted from the Dutch of Dr. Kluyver by

ALMELOO 1896.   A. E. H. Swaen.

ZUR ETYMOLOGIE VON 'GOSSIP', 'GODFATHER', 'GODSON' u. s. w.

Edward Schroeder hat in der Zs. f. d. a. N. f. 25, 248 meines erachtens mit vollem recht, das engl. gospel auf 'gôd spell' (statt wie gewöhnlich auf godspell) zurückgeführt [ebenso etwa gleichzeitig H. Logeman, M. L. N. VIII, sp. 89 ff. E. K.].

Auch in 'gossip' u. s. w. möchte ich, abweichend von der gewöhnlichen meinung, das erste compositionsglied ursprünglich als gôd deuten, wenngleich schon frühzeitig (vielleicht schon im Ae.) kürzung des vokals eingetreten sein mag, die eine umdeutung der wörter herbeiführte.

Ich erinnere an 'goodman', 'goodwife', 'bestman', 'bestmaid', an frz. 'beau-père' u. s. w., ferner an die verwendung von 'good' in kirchlichem sinne (Good Friday, good books).

KIEL, October 1895.   G. Sarrazin.

DER URSPRUNG VON NE. 'SHE'.

Die verbreitetste ansicht über die entstehung dieses pronomens ist wohl die von Morsbach (Ursprung der ne. schriftsprache, Heilbronn 1888, s. 121) so formulirte: 'Im satze unbetontes sêo ergab *seo, *sjo, sho, betontes sêo wurde zunächst zu sê, welches durch anlehnung an das unbetonte sho, mit dem es wechselte, gleichfalls zu she wurde' (ähnlich Sweet, New English Grammar p. 336). Dagegen sagt Kluge in Paul's Grdr. d. germ. phil. I, 902: 'Unerklärt ist die nördl. nominativform shó, im mittellande durch einfluss von he zu she geworden, welche man ihrer nördl. heimat wegen aus dem Altnord. (etwa sjá 'diese'?) deuten möchte; meist nimmt man ae. sêo 'die' als ihre grundform an.'

In der that bieten beide herleitungen grosse schwierigkeiten, auch wenn man über die singuläre entwicklung von s (sj) zu sch, sh sich hinwegsetzt.

Man sollte doch erwarten, im späteren Ae. oder im früheren Me. sêo oder wenigstens übergangsformen wie se, sio für den nominativ des fem. pron. der 3. person angewendet zu finden. Das ist aber keineswegs der fall. Für ae. sêo tritt im Me. bekanntlich in den meisten dialekten frühzeitig þeo, þe ein, woraus doch unmöglich scho, sche werden konnte; nur in südöstlicher (kent.) mundart erhält sich si (zi) noch bis um 1300, wird aber nie als persönliches pron. verwendet (Danker, Laut- und flexionslehre der mittelkent. denkmäler, s. 36). Die formen scho, sche aber tauchen gegen ende des XIII. jahrhunderts, wie Kluge richtig bemerkt, meist im norden und im mittellande auf. Bis dahin und darüber hinaus sind in allen dialekten (mit einer gleich zu besprechenden ausnahme) für das fem. der 3. person (nomin.) formen im gebrauch, die aus ae. hêo lautgesetzlich entwickelt sind: in Kent hi, in anderen südlichen und in westlichen dialekten heo, he, hye, hoe, ho, ha, ʒoe, hue; im nordöstlichen mittellande (Orrmulum, Gen. u. Exod.) ʒho, ghe, ge. In Gen. u. Exod. kommen daneben die formen 'sche', 'she', 'sge' vor...

Bei näherer betrachtung drängt sich also die überzeugung auf, dass scho (sche) nicht auf ae. sêo zurückgehen kann, weil diese pronominalform zur zeit der entwicklung von scho, sche längst erloschen war, wenigstens in den mundarten, aus welchen scho, sche stammen, weil ausserdem die formen des personalpronomens und des demonstrativums immer strenge auseinander gehalten werden. Die formen scho, sche knüpfen vielmehr zeitlich und mundartlich unmittelbar an ʒho, ʒhe an. Ist es nun wirklich so unmöglich, sie sprachhistorisch zu verbinden? Lautphysiologisch doch gewiss nicht. Orrm's ʒho ist sicher mit tonloser palataler spirans (χ) zu sprechen. Dieser laut geht bekanntlich sehr leicht in den zischlaut 'sch', 'sh' (= ś) über, mindestens ebenso leicht, wie 'kj' zu 'tsh' wird. Allerdings ist im Englischen die entwicklung der palatalen tonlosen spirans zu sch ungewöhnlich, aber doch bloss, weil jener laut eben nur in diesem falle, unter dem einfluss der accentverschiebung und schwachen satztons, entstanden war: hêo — hjô — ʒho. Höchstens in wörtern altnordischen ursprungs könnte ein ähnlicher lautwandel eintreten, und hier lässt er sich in der that beobachten. Der name der Shetlandsinseln ist bekanntlich aus altnord. Hjaltland, Hjatland entstanden (schon um 1300 Syettelandia), ebenso der name Shapinsha (eine der Orkneyinseln) aus Hjalpandisey (vgl. Munch, Annal. f. nord. oldkynd., 1857, p. 339).

Wie steht es nun aber mit der form 'scæ' der chronik von Peterborough (Laud Ms.)? Ich habe die besprechung dieser crux grammaticorum absichtlich bis zuletzt gelassen, weil ich glaube, bei der erklärung neuenglischer sprachformen zunächst von den gewöhnlichen, normalen mittel- oder altenglischen, nicht aber von ganz vereinzelten ausgehen zu müssen.

Die form 'scæ', welche der chronist von Peterborough um die mitte des XII. jahrhunderts mehrfach für ae. héo schrieb, ist ganz vereinsamt inmitten der ungefähr gleichzeitigen oder späteren héo, ʒho, ʒhe etc. Sie auf ae. séo zurückzuführen geht nicht an, denn der nom. fem. des bestimmten artikels, wo man doch am ersten eine dem ae. séo entsprechende form erwarten sollte, lautet auch in der sprache dieses denkmals þe (te). Aber auch die herleitung aus altnord. sjá macht schwierigkeiten (vgl. Würzner, Anglia VIII, Anz. s. 20; H. Meyer, Sprache der chronik von Peterborough. Freib. diss. 1889, s. 39). Zunächst sollte man für altnord. sjá lautlich eher sca, scɔ erwarten. Sodann ist altnord. sjá ja eine nicht gewöhnliche und keine specifisch feminine form. Endlich sind altnordische lehnwörter in der sprache der chronik von Peterborough nicht eben häufig, und es wäre sehr seltsam, wenn gerade ein vielgebrauchtes formwort aus dem Altnordischen entlehnt wäre.

Schwierig ist die erklärung von 'scæ' also in jedem fall. Der lautwerth von sc ist für dieses denkmal sicher nicht mehr sk. Aber ebenso sicher darf man annehmen, dass noch nicht die moderne aussprache von sh = sch (š) zu gelten hat. Entweder ist sc = ś oder = śχ anzusetzen. Die lautbezeichnung in der chronik von Peterborough ist nun öfters recht wunderlich und ungenau, wie ja in sprachlichen übergangsperioden leicht begreiflich ist (z. b. þurche, þoþwaethere, gaede = yede, Scesscuns = Soissons).

Es ist bekannt, wie wunderlich und unbeholfen in frühme. (spätags.) hss. oft die palatalen spiranten ausgedrückt werden, z. b. 'cniþt' = 'cniht', 'miþte', 'miste' = 'mihte', 'dristen = dryhten' Layamon hs. B (E. Förster, Zur geschichte der engl. gaumenlaute s. 24).

Es scheint mir daher gar nicht unmöglich, dieses 'scæ' auch auf ae. 'héo' zurückzuführen, sei es nun, dass in diesem dialekt die lautentwicklung hj — ś, ś schneller von statten ging, sei es, dass wir ungenaue lautbezeichnung für eine palatale spirans (χ) anzunehmen haben.

KIEL, October 1895.

G. Sarrazin.

NOCH EINMAL *THOMAS CHESTRE*.

In meiner Octavian-ausgabe hatte ich auf s. XXVIII der einleitung die vermuthung ausgesprochen, dass Thomas Chestre, der ausser dem mittelenglischen gedicht von Launfal wahrscheinlich auch die südenglische version der Octaviansage und den 'Lybeaus Desconus' verfasst hat (wie jetzt auch von Kaluza zugegeben wird, Engl. stud. XVIII, 165 ff.), seinem beruf nach wappenherold gewesen sei.

Nun finde ich nachträglich in dem werke von Al. Ellis, On Early English Pronunciation, Vol. I, p. 35, eine bemerkung, welche diese vermuthung zu bestätigen scheint und auf den namen 'Chestre' einiges licht werfen dürfte.

Der herold John Hart bezeichnete sich (a. 1569) als J(ohn) H(art) Chester,

Heralt, und dieser beiname wird von dr. Gill erklärt mit den worten — — 'e fecialibus vnus qui *eorum more ex gradu officii nomen sibi Chester* assumpsit'.

Ist 'chester' als appellativum im Mittelenglischen nachweisbar? Ich habe in den wörterbüchern keinen beleg finden können. Hängt das wort etwa mit me. cheste, streit, zusammen? Das aus dem 16. jahrhundert belegte ne. 'chester' 'einbalsamirer' (Flügel, Murray, nicht bei Muret) dürfte fernzuhalten sein.

KIEL, October 1895.   G. Sarrazin.

ZU DEN ALTENGLISCHEN SCHWELLVERSEN.
Eine thatsächliche berichtigung.

Bei der besprechung der bisher vorgebrachten theorien zur erklärung der schwellverse in Engl. stud. XXI, 337 ff. hat Kaluza meine ausführungen nicht richtig wiedergegeben (s. 348 f.). Meine ansicht ist nicht, dass der dichter bei einem schwellvers 'eigentlich die absicht hatte, einen ganz gewöhnlichen vers zu schreiben' (!), 'bei jedem einzelnen vers . . . erst mitten im verse' sich dazu entschloss, 'einen schwellvers daraus zu machen' (!), und daher bei der zweiten hebung von neuem anfing. Ich meine vielmehr nur, dass diese versformen ihren ursprung darin nahmen, dass an erregten stellen gewisse metrische elemente ebenso wiederholt wurden, wie die wiederholung syntaktischer elemente eines der ausgeprägtesten stilmittel der altenglischen poesie ist. In dem uns vorliegenden entwicklungsstadium müssen wir uns diese versformen natürlich gefestigt und dem dichter gegeben vorstellen. Dass ich mir jenen process nicht in jedem einzelfalle neuerlich sich vollziehend dachte, war doch deutlich aus meinen worten Beitr. XIII, s. 391 f. zu ersehen ('So denke ich mir den ursprung der schwellversformen; sobald sie sich gefestigt hatten . . .'). In der darstellung und färbung Kaluza's wäre meine theorie allerdings 'mechanisch'; nach meiner thatsächlichen auffassung würde aber diese metrische erscheinung nur eine parallele zu stileigenthümlichkeiten bilden und auf dieselben psychologischen grundlagen zurückgehen. Auch dies war bereits Beitr. XIII, 390 gesagt. Mein wunsch, mit mehr sorgfalt gelesen zu werden, dürfte demnach berechtigt sein.

Ich halte an meiner theorie auch jetzt noch fest. Der einwand Kaluza's, sie passe nicht für die zweite halbzeile, weil hier A³-verse ausgeschlossen sind, wird durch das Beitr. XV, 448 ff. gesagte erledigt.

GRAZ, Januar 1896.   K. Luick.

ERWIDERUNG.

Damit die leser der Engl. stud. sich selbst überzeugen können, ob ich Luick's auffassung von den schwellversen richtig wiedergegeben habe oder nicht, führe ich mit gütiger erlaubniss der redaction aus Luick's aufsatz, Beitr. XIII, 388 ff., die wichtigsten stellen im wortlaute an. Luick sagt (Beitr. XIII, 389):

'. . . Danach wäre die erste hälfte der schwellverse auf folgende weise gebaut. Der vers beginnt mit einem jener normaltypen, deren silbenzahl

nicht eine geschlossene ist, also mit A, B oder C; mit der zweiten hebung
jedoch tritt eine abfolge ein, als ob sie die erste hebung irgend eines der
fünf typen wäre. Z. b. der normale typus A ist $\angle x \angle x$; bei der zweiten
hebung ist das erregte gefühl noch nicht befriedigt. Es fängt
von neuem an, fasst sie als erste hebung, eine weitere schliesst
sich an, und zwar, wie leicht erklärlich, in einer weise wie sonst bei irgend
einem typus. Nehmen wir C, so entsteht $\angle x \angle \angle x$. Es findet eine durch-
dringung zweier typen statt: $\angle x \angle x$

$$x \angle \angle x$$
$$\overline{\angle x \angle \angle x}$$

Dabei wird gewissermaassen zweimal angefangen; da nun in den
gewöhnlichen typen normalerweise die erste hebung allitterirt — wenn nicht
alle beide —, so ist es natürlich, dass die ersten zwei hebungen des nun entstandenen gebildes, welche ursprünglich zwei erste hebungen waren, nunmehr
allitteriren, wenn nicht alle drei dies thun . . . . .«

(S. 390.) ».... Diese erklärungsweise scheint mir den vortheil zu besitzen, dass mittelst einer und derselben operation alle formen sich ergeben, und
dass die stellung der allitteration ihre begründung findet. Ja, ich möchte
sogar, wenn diese auffassung richtig ist, in dem wiederaufgreifen eines betonten elementes (der ersten hebung), in jenem sich nicht genug thun
können an erregten stellen ein metrisches seitenstück zu gewissen stileigenthümlichkeiten der ags. poesie erkennen.«

(S. 391.) ».... Danach wäre so zu formuliren: Der vers beginnt mit
einem der normaltypen, deren silbenzahl nicht eine geschlossene und deren
ausgang klingend ist; also A und C; mit der zweiten hebung tritt eine abfolge ein, als ob sie die erste hebung eines der fünf typen wäre. Von den
zehn theoretischen möglichkeiten kommen nur sechs zur geltung: AA, AB,
AC, AD, AE und CA.«

Gerade das also, was ich (Engl. stud. XXI, 348 f.) an Luick's auffassung im gegensatz zu der von Sievers getadelt hatte, der übergang vom
normalvers zum schwellvers mitten in der halbzeile, das zweimalige anfangen,
das mechanische ineinanderschieben zweier typen, ist hier von Luick selbst mit
den klarsten worten ausgesprochen worden, und ich weiss beim besten willen
nicht, inwiefern ich ihm in meiner darstellung unrecht gethan hätte. Er
schränkt zwar jetzt diese erklärung von dem bau der schwellverse ein auf den
ursprung derselben und beruft sich auf den schlusspassus seines aufsatzes
(Beitr. XIII, 390 f.), welcher lautet: »So denke ich mir den ursprung der
schwellversformen; sobald sie sich gefestigt hatten, mochte das gefühl für denselben mehr und mehr schwinden; daraus erklären sich jene stellungen der
allitteration, welche von der normalen abweichen. Namentlich sind die ersten
halbverse, in denen nicht die erste hebung allitterirt, mit der form A³ der
normalverse zu vergleichen. Manche mögen übrigens auftaktverse zu normaltypen sein.« Wenn aber Luick's erklärung von dem zweimaligen anfangen,
dem ineinanderschieben zweier typen, dem 'sich nicht genug thun können'
auf die grosse masse der späteren schwellverse nicht mehr anwendbar ist, was
soll sie dann überhaupt? Ist dann nicht, wie ich schon Engl. stud. XXI, 349
gesagt habe, 'die auffassung von Sievers, der einfach von der vorsetzung

eines stückes vor einen normalvers spricht, der Luick'schen bei weitem' vorzuziehen, 'weil dadurch derselbe thatbestand viel klarer ausgedrückt ist'?

Wenn endlich Luick mir gegenüber den wunsch ausspricht, 'mit mehr
sorgfalt gelesen zu werden', wie er bei einer früheren gelegenheit (Beitr. XV,
446 anm.) Kauffmann ersucht hatte, seine [Luick's] aufsätze 'genauer zu
lesen', so nimmt sich dies etwas eigenthümlich aus im munde Luick's, der in
seiner besprechung des ersten heftes meiner Studien zum germ. allitterationsvers
(Angl., beibl. IV, 294 f.) u. a. einen satz meiner schrift aus dem zusammenhange herausgerissen und dadurch unverständlich gemacht hat, der ferner die
wichtigsten von meinen auseinandersetzungen einfach ignorirt, und dann, als
ich ihn wegen dieser unterlassung zur rede stellte (Vorwort zu heft 2) geradezu
erklärt hat, dass er sich 'jetzt um so weniger in eine erörterung der streitfrage
selbst einlasse' (Angl., beibl. V, 198).

KÖNIGSBERG i. Pr., Januar 1896.   M. Kaluza.

II.
I DARE ALS PRÄTERITUM.

A. E. H. Swaen hat in den Engl. stud. XX, 266 eine dankenswerthe
und sonst wohl erschöpfende darstellung des formengebrauchs des hülfszeit-
worts 'dare' gegeben; Seltsamerweise hat er aber, ebenso wie andere
grammatiker, eine in neuerer zeit gar nicht seltene nebenform des präteritums
übersehen.

Neben der jetzt als correct geltenden form 'I dared' und der veralte-
den form 'I durst' wird auch 'I dare' von guten modernen schriftstellern als
präteritum verwendet, besonders von Charles Kingsley.

Ich gebe einige beispiele aus Kingsley's Hypatia (nach der Tauchnitz Ed.):
Hyp. I, 3: A sense of awe, weakness, all but fear, came over him. He *dare*
   not stoop to take up the wood at his feet, their great stern eyes watched
   him so steadily.
Hyp. I, 6: Could he, *dare* he, confess to him the whole truth — —?
Hyp. I, 108: »There was a — a poor black woman, wounded and trodden
   down, and *I dare* not leave her, for she told me she was a Christian.«
Hyp. II, 104: Orestes knew well enough that the fellows must have been
   bribed to allow the theft, but he *dare* not say so.

In diesen beispielen geht aus dem zusammenhang deutlich hervor, dass
das präteritum gemeint ist; ebenso in dem folgenden satze:
W. Black, Princess of Thule II, 44: He would sing songs to Sheila, and
   reveal to her that way of passion of which he *dare* not otherwise speak.

Die verstümmelung von 'I dared' zu 'I dare', in der umgangssprache
ganz gewöhnlich, erklärt sich wohl aus der häufigen verbindung des wortes
mit der negation. 'I daredn't' ergab eine schwer sprechbare lautverbindung,
die in ähnlicher weise erleichtert wurde, wie 'I mus(t)n't'.

KIEL, October 1895. _____   G. Sarrazin.

DIE ANGLICISTISCHEN UND PÄDAGOGISCHEN VORTRÄGE IN DER NEUPHILOLOGISCHEN SECTION DER 43. PHILOLOGEN-VERSAMMLUNG IN KÖLN IM SEPTEMBER 1895.

Mittwoch, den 25. September.

Oberlehrer **Gundlach** (Weilburg) spricht über den **reformunterricht in den oberclassen auf grund seiner praktischen erfahrungen.**

Das ziel bei der anfertigung **schriftlicher arbeiten**, gewandtheit im schriftlichen ausdruck, kann durch übersetzen in die fremdsprache nicht erreicht werden, da die hinlängliche bekanntschaft mit der fremdsprache fehlt. Wie soll aber der schüler die grammatik lernen? Dass dabei die übersetzungs-methode entbehrlich ist, konnte man seiner zeit in Frankfurt an der grammatischen sicherheit der schüler erkennen. Die regeln sind aus der lectüre bekannt, ehe sie als solche formulirt werden.

Eine der wichtigsten schriftlichen übungen auch für die oberstufe ist das **dictat.** Nach entsprechendem unterricht in den unter- und mittelclassen schreibt der schüler einen ihm **unbekannten** text nach dem gehör nieder. Ersatz für das extemporale bietet sich auch in der **schriftlichen beantwortung französischer oder englischer fragen.** Wie will man aus der von den lehrplänen geforderten schriftlichen übersetzung in das Französische feststellen, ob der schüler in der fremdsprache sich ausdrücken kann? Es ist zu wünschen, dass jene bestimmung geändert werde.

Das ziel, einen fremdsprachlichen aufsatz abzufassen, muss vom ersten unterricht an im auge behalten werden. Die beim übersetzen aus dem Deutschen unvermeidliche vermischung der beiden sprachen ist für freies sprechen und idiomatische aussprache ebenso wie für den stil nachtheilig. Bereits auf der unterstufe sind die gelesenen stücke erst mündlich, dann schriftlich zu reproduciren. Auch durch die conversation wird der freien darstellung vorgearbeitet, wie sie in dem historischen aufsatz im anschluss an die lectüre ihren abschluss findet. Es kommt darauf an, einen gegebenen inhalt unter vermeidung von germanismen wiederzugeben.

In der **lectüre** ist nur wirklich gutes und modernes zu bieten. Nur schwerere stellen lasse man übersetzen. So weit angängig, werde von unten herauf nur die fremdsprache benutzt, so dass sie in den oberclassen unterrichtssprache werden kann. Der lehrer überzeuge sich durch fragen, ob der inhalt verstanden ist. Auch die behandlung der **realien** geschehe in der fremdsprache.

So kann schliesslich in prima das französische **drama** in französischer sprache behandelt werden, wie ein deutsches in deutscher. Hier kommt besonders in rede und gegenrede bei den inhaltswiederholungen die conversation zur geltung.

Es erübrigt der betrieb der **grammatik.** Es handelt sich hier um das »festhalten des erworbenen« (Münch) und seine stoffliche ergänzung und vertiefung. Grammatische erörterungen werden vorzugsweise in deutscher sprache gegeben. Bei der erklärung der grammatischen erscheinungen ist ausser psychologie und logik die satzphonetik nicht zu entbehren.

Leitsätze:

1. Die schriftlichen arbeiten auf der oberstufe bestehen in dictaten, beantwortung von fragen und freien arbeiten. Schriftliche übersetzungen aus dem Deutschen und ins Deutsche sind zu vermeiden.

2. Bei der lectüre ist die fremdsprache unterrichtssprache. Uebersetzung ins Deutsche findet nur ausnahmsweise statt.

3. Die sprechübungen, bei denen das Deutsche ausgeschlossen ist, knüpfen vorwiegend an die lectüre an und bereiten auf die freien schriftlichen arbeiten vor.

4. Der grammatische unterricht beschränkt sich auf erhaltung und vertiefung des erworbenen. Dabei ist die satzphonetik heranzuziehen.

5. Für die abschluss- wie für die reifeprüfung ist die freie arbeit als ersatz der übersetzung zu verlangen.

Dem vortrag folgte eine lebhafte besprechung, an der sich betheiligten: director Steinbart (Duisburg), der das betreiben der lectüre in der fremdsprache für bedenklich hält und auf die nothwendigkeit der beibehaltung der übersetzung wegen der späteren prüfungsarbeit hinweist; professor Kühn (Wiesbaden), der G. im ganzen zustimmt; director Walter (Frankfurt a. M.), der die erklärung in fremder sprache auf die prosawerke beschränken möchte, und geheimrath Münch (Koblenz), der noch einmal an die ausserordentlich erfreulichen resultate in Frankfurt erinnert und auf dem von G. angedeuteten wege weiter vorzudringen empfiehlt.

Die einzelnen thesen werden angenommen.

Donnerstag, den 26. September.

Privatdocent dr. Kellner (Wien):
Goethe und Carlyle.

Zuverlässige nachrichten über das verhältniss von G. zu C. waren bis vor 10 jahren sehr dürftig. Die brieffragmente C.'s, die Max Müller 1885 veröffentlichte, waren nicht im stande, die legende von dem freundschaftsverhältniss der beiden zu zerstören. Bald darauf gab der Amerikaner Norton den ganzen briefwechsel heraus. Daraus geht deutlich hervor, wie G. zu dem schottischen schriftsteller sich verhielt. Kellner hat ausser diesem briefwechsel die werke C.'s zwischen 1821 und 1832 und die wichtigsten poesie- und prosawerke der modernen englischen litteratur bis etwa 1832 als material benutzt. Das ergebniss der untersuchung gestaltete sich zu einem einspruch gegen das vorurtheil von der geistigen zusammengehörigkeit der beiden. Eine chronologische darstellung soll die behauptung begründen.

Sohn eines maurers, besuchte C. volksschule, gymnasium und universität, ohne sich besonders auszuzeichnen. Der revolutionäre athem der zeit hatte den glauben der väter erschüttert, ohne ersatz dafür zu bieten. Ruhelosigkeit verzehrte auch C.'s geist. Von 1814—1821 jammert C. in gesprächen und briefen über seine geistige und materielle bedrängniss. Wodurch wird der umschlag bewirkt? Die prosaische hypothese, sein magenleiden habe sich gebessert, lässt K. bei seite. Aus den briefen ergiebt sich, dass das leiden bis zu C.'s ende andauerte. Die wendung zum bessern soll durch die bekanntschaft mit der deutschen litteratur herbeigeführt sein. Manche briefe scheinen diese ansicht zu bestätigen. Ein zeugniss aber erschüttert die beweiskraft: die bekehrung des helden im Sartor Resartus. Diese passt genau auf C. selber. Da ist aber keine spur von einem einfluss G.'s und der deutschen litteratur.

1823, mitten in der arbeit an der übersetzung des Wilhelm Meister, schreibt er an seine frau: »Neben stellen von genialität ist eine fluth von ungeniessbarem zeug darin.« Im jahre darauf: »G. ist das grösste genie seit einen jahrhundert und der grösste esel, den die welt seit drei jahrhunderten gesehen. Es ist poesie in dem buche und geschwätz, trauriges geschwätz.« Wer kann in solchen stellen die dankbare verehrung einer geretteten seele finden? Für die beweisführung ist es wichtig, eine reihe von briefen anzuführen. Dafür fehlt hier die zeit. G. berührt in dem briefwechsel eine menge dinge, die C. kalt lassen. 1830 spricht C. von seinem Sartor Resartus und von den stürmen seiner seele. G. geht mit keinem wort darauf ein. C. entwickelt eine religiöse, puritanische weltanschauung, ohne G.'s gegenliebe zu finden. Dagegen bietet ihm G. bei der geplanten abfassung einer deutschen litteraturgeschichte seine hülfe an. C.'s charakteristik, G. und Schiller seien grosse dichter, weil sie den zweifel überwunden und den glauben gefunden hätten, lässt G. ohne weiteres bei seite. So geht das fort bis zum letzten brief.

Der briefwechsel ist ein einzig dastehendes litterarisches curiosum ersten ranges. Wir haben zwei männer vor uns, die sich immer weiter von einander entfernen, während sie sich zu nähern suchen. Der eine weiss nicht, was der andere sagen will. Für G. ist der ausgangspunkt des briefwechsels die weltlitteratur, als deren vermittlerin er sich die deutsche denkt. So oft C. diesen punkt berührt, findet er G. aufmerksam. Die geplante litteraturgeschichte war jedoch C. eine grosse last: er freute sich, als er ihrer ledig war.

1832 schrieb C. für das englische publicum das letzte über G. Er betrachtet G.'s thätigkeit unter dem gesichtspunkte von dessen verhältniss zum glauben und zur religion. Vergebens suchen wir nach einer würdigung von G.'s lyrischer und epischer poesie. Hermann und Dorothea wird mit keinem wort erwähnt. Ueber dinge wie natur und kunst geht C. überlegen hinweg, vielleicht, wie K. glaubt, aus schonung für den meister. Unbewusst oder bewusst fälschte G. sein verhältniss zu ihm.

Man sollte erwarten, dass nach C.'s tode die englischen dichter irgend welchen einfluss G.'s zeigten. Die nachahmungen seiner werke sind aber spärlich vertreten und zum theil dunkel.

Oberlehrer dr. Rossmann (Wiesbaden):
Inwiefern unterrichten die französischen neuphilologen unter günstigeren bedingungen als die deutschen?

Wer das gute sucht, findet es oft bei seinen nachbarn. Rossmann will das französische system nicht als muster hinstellen, sondern zum kritischen vergleich heranziehen in bezug auf vorbildung, lehrthätigkeit, stundenzahl und leistungen unserer französischen collegen. Der französische neuphilologe erwirbt sich, wie wir etwa sagen würden, ein lehrer- oder oberlehrerzeugniss, dieses in der licentiatsprüfung, jenes in der für das certificat d'aptitude. Das ministerium bestimmt für einen zeitraum von 2 (früher 3) jahren die schriftsteller im voraus.

Die meisten prüflinge beherrschen ihre fremdsprache besser als unsere pro facultate geprüften candidaten, wenn ihnen auch, wie sie selbst eingestehen, die philologisch-historische schulung und vertiefung fehlt. Die Franzosen haben eingesehen, dass es ein unding ist, von éinem manne die beherrschung zweier sprachen zugleich zu verlangen.

1. these: In zukunft studirt der neuphilologe nur éine fremdsprache als hauptfach.

Zur aneignung der sprechfertigkeit ist das sicherste, rascheste mittel der aufenthalt im ausland. In Frankreich stehen zu diesem zweck zahlreiche, gutbemessene hülfsmittel zur verfügung (zweijährige stipendien von 1200—1500 mk. jährlich; für reise und unterhalt besondere beisteuer von 1200 mk.; jährlich 18—20 solcher stipendien). Wie unsere reserve-officiere alle 2—3 jahre üben, so müssen wir immer wieder in lebhafte persönliche berührung mit dem fremden volk treten.

2. these: Jeder neuphilologe hat vor seiner anstellung ein jahr und später alle fünf jahre zwei monate im ausland zu verbringen. Mittel hierzu gewährt der staat.

Der professeur d'allemand ist fachlehrer. Er unterrichtet nur Deutsch, wie der des Englischen nur Englisch. R. kann sich für das fachlehrersystem nicht begeistern. Der neuphilologe mag neben Französisch auch etwa Deutsch, geschichte oder geographie bis IV geben. In den mittelclassen sollte er nur in seinen beiden fremden sprachen beschäftigt sein, in den oberclassen wäre der specialist am platze. Dabei müsste er mit den schülern von unten nach oben steigen.

3. these: Der neuphilologe lehrt mehrere fächer in den unterclassen, nur Französisch und Englisch in den mittelclassen, nur sein hauptfach in den oberclassen.

Die geringe stundenzahl der französischen neuphilologen ist auffällig: wöchentlich 15. Wir können und müssen nach R.'s ansicht dem staat mehr bieten. Aber 22—24 wöchentliche sprachstunden nach neuer methode machen uns zu frühzeitigen staatspensionären. Die sogenannten freien nachmittage verbringen wir mit corrigiren und können dem fortschreiten unserer wissenschaft nicht folgen.

4. these: Der neuphilologe ertheilt wöchentlich höchstens 18 stunden.

Die unterrichtsergebnisse in Frankreich sind recht erfreulich, besonders was sprachfertigkeit betrifft (vgl. R.'s auseinandersetzung in der Zeitschrift Vietor's). Die methode Gouin (vgl. in Vietor's Neueren sprachen 1895 »Methode Gouin« von Kron und im Maître phonétique Mai 1895 den bericht über Aug. Western: Gouin's methode [Quousque Tandems smaaskrifter 10. 1894]) hat R. in Frankreich vorzüglich vertreten gefunden. Professor Schweitzer hat in seinem Lycée manche werthvolle methodische eigenthümlichkeiten.

In der discussion bemerkt prof. Steinschneider (Teschen), dass in Oesterreich die aufgestellten leitsätze bereits mehr oder weniger verwirklicht sind. Der lehrer für moderne sprachen hat dort nicht mehr als 17—18 stunden. Prof. Kühn (Wiesbaden) befürchtet ein auseinanderreissen des unterrichts, wenn jedes fach seinen besonderen lehrer hat. Prof. Heiner

(Essen) und privatdocent dr. Kellner (Wien) halten these 1 für unausführbar wegen der gefährdung des moralischen einflusses des ordinarius auf die schüler. Director Walter (Frankfurt a. M.): Wir werden in der that in den oberclassen isolirt dastehen. Aber für die schüler ist es wichtiger, dass sie einen vorzüglichen lehrer im Französischen und einen eben solchen im Englischen haben. Bei der abstimmung wird these 1 mit grosser mehrheit angenommen. Nach ihrem wortlaut ist es nicht ausgeschlossen, dass der neuphilologe ein nichtfremdsprachliches fach als hauptfach dazu nehme. Die 3. these wird fallen gelassen, weil sie mit der 1. zusammenhängt. Die 2. gelangt in folgender erweiterten fassung zur annahme: Es ist wünschenswerth, dass der neuphilologe vor seiner anstellung ein jahr und später nach ablauf angemessener fristen ein paar monate im ausland verbringe. Mittel und urlaub dazu hat der staat bezw. die schule zu bewilligen. Die 4. these wird einstimmig angenommen.

Freitag, den 27. September.

Universitäts-professor dr. Morsbach (Göttingen):

Das verhältniss von verleger und drucker zum autor in Elisabethanischer zeit.

Die bedeutung des verhältnisses von verleger und drucker zum autor kann für die litteraturgeschichte der Elisabethanischen zeit nicht hoch genug angeschlagen werden. Die kenntniss der einschlägigen thatsachen ist vorbedingung für fragen der textkritik, der echtheit, der verfasserschaft und der chronologie des älteren neuenglischen dramas.

Seit Caxton (1474 oder 1476) fand die buchdruckerkunst in England schnell eingang. Trotzdem wurden die erzeugnisse der dichtkunst nicht immer gedruckt, sondern in bekanntenkreisen handschriftlich in umlauf gesetzt. So ist Sidney's Arcadia gegen den willen der verwandten erst nach des verfassers tode gedruckt worden. Durch Meres' erwähnung aus dem jahre 1598 wissen wir, dass viele sonette Shakespeare's schon damals geschrieben waren, während sie erst 11 jahre später zum druck gelangten. So war Spenser bei dem von unternehmenden verlegern bewerkstelligten druck seiner jugendgedichte gänzlich unbetheiligt.

Drucker und verleger gehörten der buchhändlerzunft an. Wer buchhändler werden wollte, trat zu einem stationer in die lehre. Dieser hielt einen laden, wo die neueste litteratur ausgelegt und dem publicum laut angepriesen wurde. Nicht selten besass der stationer auch eine druckerei. Der lehrling wurde nach bestandener lehrzeit (6—11 jahren) von der Stationers Company zum meister gemacht. Fehlte ihm zur errichtung eines ladens oder einer druckerei das capital, so blieb er noch beim alten meister oder besorgte als middleman den verlegern mss. zum druck und verlag. Als einen der bedeutendsten middlemen der Elisabethanischen zeit kennen wir Thomas Thorpe, der auch Shakespeare's sonette sich zu verschaffen gewusst und veröffentlicht hat.

Nachdem der printer oder publisher zum druck und verlag eines buches die licence erlangt hatte, wurde das buch in die Stationers Registers (neudruck von Arber) eingetragen. Die erlaubniss erhielt er in der regel auf 5—6 jahre, wenn nicht ein anderer das druck- und verlagsrecht für dasselbe buch sich schon früher verschafft hatte. Das betreffende werk war dann als eigenthum des verlegers gesetzlich geschützt.

Dagegen genoss das geistige eigenthum des verfassers in keiner weise den schutz des gesetzes, bis zur ersten Copyright Act 1709. Der verleger druckte, während der autor das nachsehen hatte und bei druck und correctur nicht im geringsten betheiligt war.

Es kam auch vor, dass der drucker beim autor um das ms. sich bewarb. Einige autoren hatten zeitlebens denselben verleger. Somit haben wir die publication vieler werke dem unternehmergeist der verleger zu verdanken, ohne welchen uns manches verloren gegangen wäre. Andererseits sind die schriften der älteren neuenglischen zeit vielfach entstellt und mit fremdem vermischt in durchaus uncorrecter textgestalt auf uns gekommen.

Dem verleger wie dem publicum waren die namen der verfasser ziemlich gleichgültig. Vielfach war der name noch unbekannt, und so sind viele schriften ohne jeden autornamen überliefert, oder es sind bloss die initialen oder ersten buchstaben des namens angegeben. Da die verfasser bei der drucklegung oft unbetheiligt waren, trugen sie auch keine verantwortung, wenn etwa fremde, minderwerthige waare unter ihrem namen verbreitet wurde. Sie nahmen den betrug oft ebenso gleichgültig hin, wie das publicum.

Schlimmer als mit der echtheit der verfasserschaft steht es mit der textüberlieferung. Schon der titel muss in sehr vielen fällen als durchaus willkürlich betrachtet werden. Wie die namen der verfasser wurden auch die titel aus blosser speculation gefälscht. Manche verleger haben es mit dem text ziemlich ernst genommen, wenigstens was sinnstörende druckfehler betrifft. Bezeichnend dafür ist z. b. das verhältniss der drei ältesten drucke von Marlowe's Tamburlaine aus den jahren 1590/1592 und 1595/96. M.'s dramen enthalten eine anzahl komischer scenen, die wahrscheinlich nicht aus des dichters feder stammen. Auf die sprachliche form der vorlage wurde wenig rücksicht genommen.

Was die publicationen der dramatischen litteratur betrifft, so schrieben die autoren ihre dramen, die sie an schauspielertruppen verkauften, ausschliesslich für die aufführung. Waren sie einmal gedruckt zu haben, so minderten sich die einnahmen der theaterkasse erheblich. Trotzdem sind manche dramen bald nach ihrer aufführung als raubdrucke erschienen, in denen der text oft in willkürlichster weise wiedergegeben ist. Es ist eine der dringendsten aufgaben der englischen philologie, die überlieferung der dramen Shakespeare's vornehmlich unter dem gesichtspunkte der damaligen eigenartigen druck- und theaterverhältnisse nochmals kritisch durchzuprüfen.

Director Tendering (Elberfeld):
Der unterricht in der französischen litteratur im anschluss an die classiker-lectüre.

In den lehrplänen findet sich keine forderung bezüglich der litteraturgeschichte. Jedoch soll die lectüre so eindringlich getrieben werden, dass der schüler eine vorstellung von der eigenartigkeit des fremden volkes gewinnt. Corneille kann man nicht lesen, ohne den litterarischen hintergrund zu beleuchten, von dem er sich abhebt. Dasselbe gilt von Molière und den modernen dramatikern.

Alles den schülern zu übermittelnde muss sich an bekanntes anschliessen. Eine besondere stunde für litteraturgeschichte wäre verlorene liebesmüh. Dabei würde nur ein todtes, gedächtnissmässiges wissen ohne dauer herauskommen.

Freilich wird auch bei dem anschluss der litteraturgeschichte an ein gut gewähltes drama (etwa die Femmes savantes) mancher name genannt werden müssen, ohne dass von dem schriftsteller so viel gelesen werden könnte, um dem schüler ein eigenes urtheil zu ermöglichen. Es soll auch nur sinn und verständniss in ihm erweckt werden für die eigenartigen geistigen strömungen in den modernen culturvölkern.

Darin liegt eine gefahr. Ebenso wie der von dem zufälligen vorkommen der grammatischen erscheinungen in der lectüre abhängig gemachte unterricht in der grammatik ist auch der litteraturgeschichtliche unterricht nach der vorgeschlagenen methode ein mehr oder weniger zufälliger. Daher muss zu einem gewissen zeitpunkte eine zusammenfassung eintreten. Dazu empfiehlt sich der schluss des schuljahres. Hier kann der lehrer auf grund des dagewesenen die grundzüge der litteraturgeschichte vor dem primaner entstehen lassen. Ideal wäre es, wenn das Deutsche, Französische und Englische in einer hand lägen, und diese letzten stunden zu einer darstellung der vergleichenden litteraturgeschichte sich gestalteten.

T. führt im einzelnen näher aus, was dem schüler aus der französischen litteraturgeschichte bis in unser jahrhundert dargeboten und wie dies, im engen anschluss an die Femmes savantes, vorgeführt werden kann.

Bei der sich anschliessenden discussion hat prof. Kühn (Wiesbaden) den eindruck, dass ein grosser theil des aus der litteraturgeschichte vorgebrachten nicht ungesucht und ungezwungen sich anknüpfen lässt. Er hält zur einführung ein lesebuch für besser geeignet. Das 19. jahrhundert würde er nicht bei den Femmes savantes heranziehen. Da müsste die lectüre von Hugo, Musset, Béranger den anknüpfungspunkt bilden. Geheimrath Münch: Der vortrag soll wohl nur ein beispiel dafür sein, dass das einzelne stück, wenn man es auf die litteraturgeschichte hin benutzen will, genug anknüpfungspunkte bietet. M. glaubt nicht, dass die absicht war, alles genannte an die Femmes savantes anzuschliessen. Dass man am schluss des schuljahres das gefundene zusammenstellt, ist sehr wünschenswerth. Unsere schüler müssen auch von der neuesten litteratur etwas erfahren und eine gewisse directive bekommen. Wir können sie nicht prüde davon ausschliessen. Zola todtzuschweigen wäre moralisch unpraktisch. Jedenfalls würde M. sich hüten, ein lächerliches urtheil zu fällen. Die bedeutung des mannes ist anzuerkennen und dabei auch das unerfreuliche zu erwähnen. Director Walter: Nach den lehrplänen soll die lectüre so betrieben werden, dass der schüler den gedankeninhalt des gelesenen wiedergeben kann. Wie können wir den schülern in den 4 stunden die litteraturgeschichte bieten und zugleich recht viel mit ihnen lesen? Wir müssen uns sehr beschränken und danach streben, geeignete chrestomathien zu benutzen oder zu schaffen.

Privatdocent dr. Schultz (Berlin):
Ueber ein wenig bekanntes litterarisches testament
J.-J. Rousseau's.

Das testament ist enthalten in einem seit 1836 auf der Berliner königlichen bibliothek befindlichen büchlein von 62 seiten, Le Testament de J.-J. Rousseau, mit der jahreszahl 1771. Es handelt sich um die beiden fragen: Ist die schrift echt? und: Wie kommt es, dass sie ganz verborgen geblieben zu sein scheint? Auf beide punkte hatte schon der Rousseau-kenner Albert Jansen seine aufmerksamkeit gelenkt.

Wir haben einen ziemlich starken positiven beweis für die echtheit. Rousseau glaubte, die feinde wollten sein ansehen vernichten und hätten ein complott gegen ihn geschmiedet. Daher wollte er von England nach Paris zurückkehren, um seine verläumderischen widersacher zu brandmarken. Herr von St. Germain rieth ihm ab, nach Paris zu kommen. Die werke sollten für ihn sprechen und ihn reinwaschen. Eine ähnliche wendung findet sich am schluss des testaments, an dessen authenticität Jansen keinen augenblick zweifelt. Die zweite frage ist schwieriger. Jansen sagt, der titel habe abgeschreckt, da das fabriciren von testamenten damals sehr gewöhnlich war. Durch die zweite frage kann übrigens der glaube an die echtheit wenig gefährdet werden.

In dem anziehenden schriftchen lässt Rousseau seine hauptwerke revue passiren und spricht über diese seine ansicht aus. Er will sie nicht für sich selbst sprechen lassen, sondern geht sie einzeln durch, um gewisse schroffheiten zu mildern, wie er sagt, und um aller welt einen beweis von der güte seines charakters zu geben. Das testament zeichnet sich durch einen ton überlegener ruhe, durch klare und lichtvolle darstellung aus. Rousseau begründet seine ansicht über die englische verfassung, die er nicht so lobt wie Montesquieu. Von der Nouvelle Héloise sagt er, sie sei eine kleine pedantin. Merkwürdigerweise hat er in seinem urtheil den roman nicht in zwei theile zerlegt. Die hauptfehler des zweiten theiles, die weitschweifigkeit und süssliche sentimentalität, scheint er gar nicht empfunden zu haben.

Die meisten abschnitte des testaments fangen an mit: Je demande pardon, Je me repens, Je regrette u. s. w., sind aber in der regel ironisch gehalten. Die mediciner bittet er ausdrücklich um verzeihung, dass er ihre göttliche kunst missachtet habe. Am schluss sind noch einige worte über sein vermeintlich sonderbares wesen. Schliesslich bereut er auch noch, das vorliegende testament geschrieben zu haben, statt zu schweigen.

Universitätsprofessor dr. L i n d n e r (Rostock) giebt einige gesichtspunkte zu einer in Hamburg näher zu besprechenden r e f o r m d e s n e u s p r a c h l i c h e n s t a a t s - u n d d o c t o r e x a m e n s.

Das staatsexamen, wie es jetzt gehandhabt wird, läuft mehr oder weniger auf eine prüfung des gedächtnisses des examinanten hinaus. Es möchte sich die einrichtung von zwei prüfungen, ähnlich wie bei den andern facultäten, empfehlen. Das erste examen würde etwa gleich beim abgang von der universität abgelegt werden und wesentlich leichter sein müssen als das jetzige staatsexamen. Darauf hätte der candidat die beiden probejahre zu absolviren und ins ausland zu gehen. Die unter den jetzigen verhältnissen anscheinend nicht genügend ausgefüllte zeit der probecandidaten würde ausreichend in anspruch genommen sein, wenn nach ablauf des zweiten probejahres eine zweite prüfung stattfände. Besonders eingehend müsste hier in pädagogik und litteraturgeschichte examinirt werden, während die übrigen hauptdisciplinen eine einfache wiederholung erführen. Vielleicht wäre es auch praktisch, die zeugnissgrade aufzuheben und das examen einfach mit B e s t a n d e n oder N i c h t b e s t a n d e n zu censiren.

KÖLN, December 1895.   O. F. S c h m i d t.

UNIVERSITY OF CAMBRIDGE.

LOCAL EXAMINATIONS AND LECTURES SYNDICATE.
SUMMER MEETING, 1896.

SYNDICATE BUILDINGS, CAMBRIDGE.

December 1895.

A meeting of University Extension Students for purposes of study will be held at Cambridge from Thursday July 30 to Monday August 24, 1896. The meeting will be open (by ticket) to all persons who have attended University Extension Courses. Persons engaged in the profession of teaching and those who hold certificates (or present other evidence) showing that they are capable of profiting by the opportunities offered may also be admitted.

It is proposed that the scheme of work shall comprise

i. Four short general courses on aspects of Evolution bearing upon the subjects of the full courses.

ii. Full courses of twelve lectures and classes.

iii. Laboratory demonstrations.

iv. Single lectures, or series of two or three lectures, upon topics of general and special interest.

The general purpose of the short courses will be to present aspects of Evolution in different departments of knowledge. They will consist of three lectures each; and one lecture will be given every morning at 9.30 o'clock, the three lectures of each short course being given on successive days.

Full courses of twelve lectures and classes (or in the case of Science, laboratory demonstrations) will be given in various branches of Natural Science, History, Economics, Literature, Art, and Education. The treatment will, as far as possible, be such as to illustrate evolutionary growth. The lectures and classes will, as a rule, be held from 11 to 1. Work will be arranged in several of the laboratories on three or four days of the week. Each course of laboratory demonstrations will extend over the whole period of the meeting [1]).

It is probable that the full courses of lectures and classes and laboratory demonstrations will be held on four days of the week while two days, as well as the afternoons and evenings of other days, will be available for miscellaneous lectures, conferences, and excursions.

The purpose of the Syndics is to encourage regular study, especially in continuation of the work done at the various local centres during the previous session. It is hoped that every student will attend one of the full courses of lectures and classes or of laboratory demonstrations, and in addition, the four short courses given in the first hour in the morning. Students will also be at liberty to attend all the miscellaneous lectures to be delivered from time to time during the meeting.

---

[1]) The Syndicate have decided to accept work in the laboratory courses in lieu of requirement (ii) in the Alternative Scheme for Sessional Certificate (*Regulations for Certificates*, p. 7), so that students who obtain a terminal Certificate in the Session 1895—96, pass in the paper on the subject in the Higher Local Examination in June 1896 and complete the work in the laboratory course in the subject at the Summer Meeting, will be entitled to the Sessional Certificate.

The Syndics further desire to direct the attention of Candidates for the Sessional Certificate in Honours to the facilities for studying in Libraries, Laboratories, and Museums afforded by the Summer Meeting.

With the view of encouraging students to undertake the work for the Sessional Certificate in Honours the Syndics have decided to admit to the full privileges of the meeting without fee those who obtain certificates in the Michaelmas and Lent Terms of the current session on courses in sequence, or who have carried out the Alternative Scheme, provided at least one such certificate is a certificate of distinction.

For each week there will be arranged one or more evening illustrated lectures.

Conferences on educational matters will also be arranged.

The Inaugural Lecture will probably be delivered on the evening of Thursday, July 30.

There will be, as in former years, opportunities for visiting the Colleges and various University buildings.

The fee for the whole meeting will be £ 1. 10 s. 0 d. Tickets admitting students either from July 30 to August 11 or from August 11 to August 24 may be obtained for £ 1. 0 s. 0 d. These fees are inclusive, but it may be necessary to limit the numbers admitted to a course.

Applications for copies of this Circular and for forms of entry should be made to the Secretary for Lectures, R. D. Roberts, M.A., Syndicate Buildings, Cambridge.

[A detailed programme in pamphlet form price 7 d. post free will be issued about Easter. Accommodation will, as in former years, be provided for a certain number of students at Newnham College and the Cambridge Teachers' College at a charge of 25 s. a week, board and lodging included. Further particulars will be given later.]

Pierer'sche Hofbuchdruckerei Stephan Geibel & Co. in Altenburg.

I.

SIR CLEGES.
EINE MITTELENGLISCHE ROMANZE.

~~~~~~~~~

I.

Die mittelenglische romanze von Sir Cleges, die sich äusserlich an den sagenkreis des königs Arthur anschliesst, aber nicht
wie die sonstigen Artusromanzen von den kämpfen und abenteuern
des helden erzählt, sondern einen in den litteraturen verschiedener
völker wiederkehrenden schwank auf die person des ritters Cleges
überträgt, ist von Henry Weber nach einer leider unvollständigen
hs. in der Advocates' Library zu Edinburgh im I. bande seiner
Metrical Romances, Edinburgh 1810, p. 329 ff., veröffentlicht worden.
Weber's sammlung ist aber längst vergriffen und in Deutschland
selbst in bibliotheken nur selten anzutreffen; daher mag es kommen,
dass dieses inhaltlich nicht uninteressante gedicht bisher von den
forschern sehr vernachlässigt worden ist. In ten Brink's Gesch.
der engl. litt. und in Körting's Grundriss der gesch. der engl. litt. ist
die romanze von Sir Cleges überhaupt nicht erwähnt; nur Brandl,
Mittelengl. litt., in Paul's Grundriss II. abt. 1, widmet ihr p. 697
wenige worte. In der grammatischen untersuchung von Oskar
Wilda: »Ueber die örtliche verbreitung der zwölfzeiligen schweifreimstrophe in England«, Breslau 1887, ist unser gedicht übergangen,
obwohl es in derselben strophenform verfasst ist, wie die anderen
dort behandelten dichtungen. Ebenso ist bisher noch kein versuch gemacht worden, die quellen des gedichtes festzustellen und
den darin erzählten sagenstoff in seinen mannigfachen variationen
weiter zu verfolgen.

Dazu kommt, dass inzwischen eine zweite, Weber unbekannt
gebliebene, vollständigere hs. des Sir Cleges in der Bodleian

Library zu Oxford aufgefunden worden ist; erst mit hilfe dieser zweiten, bisher noch ungedruckten hs. lässt sich ein vollständiger text des gedichtes herstellen. Ich will es darum im folgenden versuchen, eine neue ausgabe der romanze von Sir Cleges zu veranstalten und in der einleitung hierzu die mit dem gedichte in zusammenhang stehenden litterarhistorischen, textkritischen, metrischen und grammatischen fragen eingehend zu erörtern.

I. Litterarhistorisches.

a) Inhalt des Sir Cleges.

Den inhalt des Sir Cleges bildet folgende erzählung:

Zur zeit des königs Uter, des vaters von könig Arthur, lebte ein edler ritter, mit namen Cleges, der an edelmuth und freigebigkeit kaum seines gleichen fand. Dieselbe milde und güte des herzens zeichneten seine gemahlin Clarys aus. Alljährlich zur weihnachtszeit pflegte der ritter zu ehren des heilandes ein grosses fest zu veranstalten, zu dem arm und reich, alt und jung geladen war. In grossen mengen strömten besonders die sänger zu dieser festlichkeit, wussten sie doch, dass sie nicht mit leeren händen abziehen würden. Allmählich aber hatte der ritter sein hab und gut in diesen lustbarkeiten verschwendet, so dass ihm zuletzt nur ein gütlein blieb, das kaum ausreichte, ihn und seine familie zu ernähren. Von allen mannen und dienern verlassen, lebte nun Sir Cleges mit weib und kind in gänzlicher zurückgezogenheit. Zur weihnachtszeit aber erinnerte er sich stets der grossen lustbarkeiten, die er veranstaltet hatte, und so war das fest des herrn für ihn eine zeit tiefer trauer, so sehr auch seine frau bemüht war, durch tröstende worte seinen schmerz zu lindern. An einem weihnachtstage betet nun der ritter in seinem garten inbrünstig zu seinem heilande, und als er, um aufzustehen, nach einem zweige greift, bemerkt er an diesem grüne blätter und reife kirschen, die einen herrlichen geschmack haben. In seiner verdüsterten stimmung hält er dies wunder für das vorzeichen eines kommenden grösseren unglücks, seine frau aber sieht darin ein günstiges omen. Sie räth ihm, einen korb von diesen kirschen seinem könige zum geschenk zu bringen. Am nächsten morgen macht sich denn auch Sir Cleges mit seinem ältesten sohne nach schloss Cardyff auf. Recht bescheiden war ihr aufzug; weder ross noch ritterliche kleidung besass der ritter, nur ein stab diente ihm beim wandern. Als er nun zum schlosse des königs kommt, wird ihm in folge seiner ärmlichen kleidung vom thorwächter der einlass verweigert, doch als er diesem den zweck seines kommens mittheilt und die kirschen vorzeigt, erklärt sich der wächter bereit, ihm den eintritt zu gewähren, falls er ein drittel der belohnung erhalte, die dem ritter vom könige in aussicht stehe. Wohl oder übel geht Cleges darauf ein; als er aber zum thürhüter kommt, ergeht es ihm nicht besser, denn auch dieser lässt ihn nicht früher hinein, als bis ihm ein drittel des gewinns zugesichert wird. Schliesslich begegnet Sir Cleges in der halle dem haushofmeister, der für sich ebenfalls ein drittel des geschenks in anspruch nimmt. Um überhaupt zum könige gelangen zu können, muss der betrübte ritter das letzte drittel des muthmaasslichen gewinnes versprechen. Als dann der über den korb kirschen hocherfreute könig Sir Cleges zur belohnung die gewährung eines wunsches zusichert, bittet dieser zur höchsten verwunderung des königs um zwölf stockhiebe, worauf er auch beharrt, als jener ihn zürnend tadelt. Schliesslich sieht er sich genöthigt, dem wunsche des ritters zu willfahren, und Sir Cleges vertheilt nun die 12 hiebe gewissenhaft und gründlich an den haushofmeister, den thürsteher und den thorwächter, um nachher zur grössten belustigung des hofes dem könige die ursache seines sonderbaren benehmens anzugeben. Er wird darauf vom könige, der in ihm seinen ehemaligen treuen ritter Cleges erkennt, reich belohnt und zu seinem haushofmeister ernannt.

b) Verwandte sagenstoffe.

In unserm gedichte sind zwei verschiedene motive mit einander eng verknüpft, und zwar:

1) Die erzählung von einem ritter, der durch die ungunst der verhältnisse und namentlich durch eine zu grosse freigebigkeit in armuth geräth, später aber durch irgend ein wunderbares ereigniss wieder zu reichthum und ehren gelangt.

Dasselbe motiv begegnet noch in zwei anderen mittelenglischen romanzen, nämlich in Thomas Chester's Launfal (hsg. u. a. von Ritson, Ancient English Metrical Romances, vol. I, London 1802, p. 170 ff., von Erling, Kempten 1883, von Kaluza, Engl. stud., bd. XVIII, p. 168 ff.) und in Sir Amadas (hsg. von Weber, Metr. Rom. III, p. 241—275, und Robson, Three Early English Metr. Rom., London 1842, p. 27 bis 56. Vgl. auch Hippe, Untersuchungen zu der mittelenglischen romanze von Sir Amadas. Herrig's archiv, bd. LXXXI, p. 141 ff.

Im Launfal ist es die fee Triamour, welche den helden seiner armuth wieder entreisst, im Sir Amadas der geist des verstorbenen kaufmanns, dessen leichnam Amadas auf eigene kosten hatte bestatten lassen, in Sir Cleges gott selbst, der ein wunder wirkt, indem er zur weihnachtszeit reife kirschen wachsen lässt, für die Cleges vom könige reiche belohnung erhält.

2) An das überbringen der kirschen an den hof des königs durch den in armuth gerathenen ritter Cleges ist in unserm gedicht in geschickter weise ein schwank angeknüpft, der in den litteraturen verschiedener völker in verschiedenen fassungen wiederkehrt, und der erzählt, wie die habgier der thürsteher und überhaupt der diener von fürsten und königen, welche anderen gebührende belohnungen an sich reissen wollen, bestraft wird.

24*

Ich gebe zunächst diejenigen erzählungen, die mehr oder weniger nahe beziehungen zu unserer romanze haben.

Im orient finden wir einen ähnlichen zug erzählt vom narren Nassureddin Chodscha beim kaiser Bajazet I. (Flögel, Gesch. der hofnarren, p. 178):

Als Nasureddin mit Tamerlan, dem gegner Bajazet's, bekannt wurde, machte er demselben zehn stück frühreifer gurken zum geschenk und erhielt dafür zehn goldstücke. Als nun die gurken reichlicher und leichter zu bekommen waren, belud er einen ganzen wagen damit und brachte sie Tamerlan. Der thürsteher liess ihn aber nur unter der bedingung hinein, dass ihm die hälfte der belohnung ausgezahlt werde. Als nun Nasureddin bei Tamerlan vorgelassen wird und ihm seine ladung gurken zum geschenk machen will, befiehlt Tamerlan, ihm so viel hiebe aufzuzählen, als gurken auf dem wagen sind. Es sind 500. Die hälfte der hiebe erträgt der narr geduldig, dann aber ruft er, man möge auch dem thürhüter sein theil zukommen lassen. Auf befragen des königs erzählt er seine vereinbarung mit dem thürhüter, und dieser erhält denn auch die übrigen 250 hiebe.

Hier scheint die einfachste und vielleicht auch älteste form unseres stoffes vorzuliegen. Die habsucht des thürhüters wird bestraft, aber jeder erhält die hälfte der prügel in gleicher weise, ohne dass eine list von seiten des narren hineinspielte.

Mit vielen anderen zügen vermengt finden wir dann denselben stoff in Grimm's Kinder- und hausmärchen, und zwar in nr. 7, »Der gute handel:«

Ein bauer bringt durch das erzählen der thorheiten, die er begangen hat, die tochter des königs, die so lange nicht gelacht hat, zum lachen. Der könig bietet ihm zur belohnung die hand seiner tochter an, die der bauer aber ausschlägt. Der könig wird darüber wüthend und befiehlt ihm, in drei tagen wiederzukommen, damit er 500 aufgezählt erhalte. Der bauer aber vertheilt davon 200 an die schildwache und lässt sich für 300 von einem juden scheidemünze geben. Nach drei tagen erhalten diese beiden ihre prügel, der bauer aber für den spass, den er dem könige dadurch bereitet hat, eine geldbelohnung.

Mit der erzählung von Nasureddin hat dieses märchen den zug gemein, dass 500 hiebe ausgetheilt werden. Hier aber tritt schon die vertheilung des ganzen geschenkes unter mehrere personen auf, wie wir sie in unserer romanze haben, so dass der überbringer des geschenkes frei ausgeht.

Den sicherlich ursprünglichen zug aber, dass, wie bei Nasureddin, die hiebe beiden personen wirklich ausgezahlt werden, finden wir wieder in einer erzählung in Wright's Selection of Latin Stories, London 1842 (Percy Soc. vol. VIII), p. 122.

CXXVII. De janitore imperatoris Frederici.

Vir quidam ad imperatorem Fredericum veniens cum fructibus, quos multum dilexit, ingressum habere non potuit nisi janitori lucri permitteret medietatem. Imperator vero in fructibus illis delectatus, eum coegit ut aliquid peteret, qui petiit ut sibi centum ictus dari praeciperet. Cujus causam cum imperator cognovisset, suos ictus leviter, alterius vero graviter solvi jussit.

Die hiebe werden also wirklich ausgezahlt, die einen leicht, die andern stark. Bemerkenswerth ist ausserdem noch in dieser erzählung, dass früchte dem kaiser zum geschenk gebracht werden. In unserer romanze sind es kirschen, bei Nasureddin gurken.

In den Notes, p. 241 bemerkt Wright zu dieser erzählung, die aus Ms. Reg. 7 E. IV, fol. 249 ro. (Jo. Bromyard, tit. Invidia) entnommen ist: ‹This story might be traced through several centuries. I think I have seen it in old French verse. It will be found in the collection entitled Nouveaux Contes à Rire, Cologne 1722, tom. II, p. 39. Le brochet du Florentin (s. u.) John of Bromyard, loc. cit. gives another similar story, in which one man voluntarily loses one of his eyes, in order that another should lose both his eyes. This last story is also found in Gower.›

Denselben zug, dass die hiebe verschieden, dem einen leicht, dem andern stark, ausgezahlt werden, zeigt eine englische erzählung aus dem 16. jahrhundert. Sie ist abgedruckt in Old English Jest-Books vol. III. (Shakespeare Jest-Books) ed. by Hazlitt, p. 40. The Pleasant Conceites of Old Hobson the Merry Londoner 1607.

Ich lasse sie im wortlaut folgen:

Nr. 24. How Maister Hobson gave one of his servants the halfe of a blind mans benefite.

Maister Hobson beeing still very good to poore and most bountyfull to aged people, there came to him usually twice or thrice a weeke a silly poore ould blinde man to sing under his window, for the which he continually gave him twelve pence a time. Maister Hobson had (Orig. reads: having) one of his servants so chorlish and withall so covitous, that he would suffer the blind man to come no more, unles he shard halfe his benefit: the which the blind singing man was forst to give, rather then to loose all. After twice or thrice parting shares, Maister Hobson had thereof intelligence, who, consulting with the blind man, served his servant in this maner; [since] still he looked for halfe whatsoever he got. So this at last was Maister Hobsons guift, who gave commandement that the blind man should have for his singing three-score jeerkes with a good wippe, and to be equally parted as the other guifts were; the which were presently given. The blinde mans were but easie, but Maister Hobson mans' were very sound ones, so that every jerke drewe bloud. After this he never sought to deminish his masters bounty.

Grosse ähnlichkeit zeigt auch ein schwank, den Sachetti in seiner 195. novelle erzählt. (Novelle, Milano 1815 vol. III, p. 169.)

Der inhalt, den schon Weber a. a. o., vol. I, p. XXXIX ff. mittheilt, ist folgender:

König Philipp von Valois hatte einen werthvollen lieblingsfalken. Dieser verstieg sich auf einer jagd so hoch, dass der könig ihn völlig aus dem gesichtskreis verlor und er auch von den ausgesandten dienern nicht wieder eingefangen werden konnte. Auf die wiederbringung des vogels setzte der könig eine belohnung von 200 francs, während mit dem galgen bedroht wurde, wer ihn zurückbehielte. Ein bauer sah den falken auf einem baume sitzen und fing ihn. An den wappen auf den glöckchen erkannte er, dass er einen königlichen vogel gefangen habe, und da er die bekanntmachung des königs gehört hatte, brachte er den vogel nach Paris. Unterwegs begegnete ihm ein thürsteher des königs, der ihm den falken abverlangte. Der bauer weigerte sich, der thürsteher aber wusste ihn durch drohungen und versprechungen zu bewegen, ihm die hälfte der belohnung abzutreten. Darein willigte der bauer, der nun den falken zum könige brachte. Dieser, hocherfreut, stellte dem bauer einen wunsch frei, worauf der bauer 50 stockschläge oder ebensoviel geisselhiebe verlangte. Als der könig nach dem grunde dieser närrischen forderung fragte, erfuhr er die vereinbarung, die sein thürsteher mit dem bauer getroffen hatte. Dem diener liess er nun auch die hälfte der hiebe auszahlen, während der bauer statt seiner hälfte 200 francs erhielt.

Auch hier haben wir noch die einfachere form. Ein diener hindert den bringer des geschenks, so dass die prügel zwischen beiden getheilt werden sollen; beim bauer freilich werden sie in eine belohnung umgewandelt.

Eine andere, deutsche fassung unseres stoffes findet sich in dem gedicht vom Kalenberger pfaffen [1]), dessen entstehung frühestens in das ende des 14. jahrhunderts fällt. Der inhalt der ersten erzählung dieses gedichtes ist folgender:

Zur zeit Otto's des fröhlichen lebte in Wien bei einem reichen bürger ein kluger und listiger student. Einst sah er auf dem markte einen überaus grossen fisch, den zu kaufen er grosse lust zeigte. Er lieh sich daher geld von dem bürger, kaufte den fisch und brachte ihn seinem fürsten zum geschenk. Er wurde aber von dem thürhüter nur unter der bedingung eingelassen, dass er ihm die hälfte der belohnung gebe. Der student muss es mit einem eide versprechen und fordert dann von dem über das geschenk erfreuten fürsten auf dessen frage nach seinen wünschen eine tüchtige tracht prügel. Er erhält sie, da er auf seinem wunsch besteht, aber als der fürst die veranlassung dieses sonderbaren wunsches erfahren hatte, wurde auch der thürsteher tüchtig durchgeprügelt. Der student aber erhielt bald darauf die pfarre von Kalenberg.

Diese erzählung nähert sich sehr der einfachsten form. Der student erträgt geduldig die hälfte der prügel, wie auch Nasureddin die hälfte der stockschläge erhielt.

---

[1]) Der pfarrer von Kalenberg. Herausgegeben von F. Bobertag, in: Narrenbuch. Berlin und Stuttgart. S. a., p. 7 ff. Vgl. auch Flögel, Gesch. der hofnarren, p. 254 f.

Wie in dem schwank vom Kalenberger, so bildet auch in einer französischen erzählung ein fisch das geschenk, das dem fürsten überbracht wird. Es ist dies die erzählung: «Le brochet (hecht) du Florentin» in den «Nouveaux Contes à Rire, auf die Wright a. a. o. hinweist (s. o. s. 9). Die erzählung lautet:

Nouveaux Contes à Rire, Cologne 1702, p. 186. Le Brochet du Florentin.

Un Florentin ayant pris un brochet d'une prodigieuse grandeur, résolut d'en faire présent au Grand Duc qui aimait les choses extraordinaires. Il se présente avec son brochet, et demande à parler au Grand Duc; mais il n'y eut pas moyen d'avoir entrée, à moins qu'il ne promît à un des Gardes la moitié de ce qu'il auroit du Duc. Ce Prince admira ce brochet; toute la Cour en fit de même, & il y eut ordre de donner cent Ducats à celui qui l'avoit apporté. L'homme entendant l'ordre: Non, Monseigneur, dit-il, cent coups de bâton; & non pas cent Ducats. Le Grand Duc étonné d'un cas si extraordinaire, lui en demande la raison. C'est, Monseigneur, répondit l'homme, que je n'ai pû avoir entrée ici sans promettre à un des Gardes de vôtre Altesse, qu'il auroit la moitié de ce que vous me feriez donner: Ainsi, je vous prie, de m'en faire donner cinquante & à lui autant. Non, répondit le Duc, il n'en sera pas ainsi: Vous aurez les cent Ducats, & lui les cent coups de bâton.

Auch eine andere französische erzählung zeigt ähnlichkeit mit unserer romanze. In der einleitung zu Sir Cleges sagt Weber (l. c. XL) hierüber: »It is probable that the novel of Sacchetti, as well as Sir Cleges, owed its origin to some French fabliau. The ingenuity of the trouveurs, in telling several stories upon the same original foundation is well known to the readers of Barbazan and Le Grand. There is also a distant similiarity between these stories and the fabliau, entitled 'Le dit du Buffet' printed by Barbazan.«

Freilich ist hier der hergang ein anderer, doch lassen sich immerhin übereinstimmende punkte auffinden. Der inhalt des französischen fabliau (Barbazan, Fabliaux et Contes. Paris 1808, tome III, p. 264) ist folgender:

Der haushofmeister eines grafen, ein geiziger, böswilliger mann, der nur auf sein wohl bedacht war, sah neidisch auf alle, die sein mildthätiger herr mit almosen und wohlthaten erfreute. Als der graf einst hof hielt und bekannt machen liess, dass alle, die zum schlosse kämen, frei bewirthet würden, da kannte des haushofmeisters groll keine grenzen. Er liess seinen ärger an einem bauer aus, den er sofort beim eintritt mit hohn und spott anredete. Als jener um einen sitz zum essen bat, tractirte ihn der haushofmeister mit ohrfeigen (buffes) und sagte: »Da ist dein buffet, das leihe ich dir zum essen und trinken.« Als dann während des festes der graf eine belohnung für den besten spass aussetzte, und alle sänger und spassmacher sich um den preis be-

mühten, trat schliesslich der bauer vor, überfiel den nichtsahnenden haushofmeister und prügelte ihn weidlich durch. Auf die verwunderte frage des
grafen, wie er dazu käme, gab der bauer zum grössten gaudium der um-
stehenden die erklärung ab, er gebe nur das »buffet« und das geschirr zurück,
das ihm der haushofmeister zum essen und trinken geliehen habe. Er erhielt
den ausgesetzten preis, während der haushofmeister spott und hohn obendrein
erntete.

Trotz des verschiedenen inhalts hat dieses fabliau doch, wie
gesagt, einige züge mit unserer romanze gemein. Wir haben auch
hier den habsüchtigen diener, der andern die wohlthaten seines
herrn nicht gönnt, da er sie nur für sich in anspruch nehmen
möchte, und hierfür gerechte prügel erntet.

Am nächsten an unsere romanze schliesst sich eine englische
fassung unseres stoffes an. Sie ist abgedruckt in: The Early
English Version of the Gesta Romanorum ed. Herrtage.
London 1879 (E. E. T. S. E. S. 33), p. 413. In den lateinischen
Gesta Romanorum ed. Oesterley ist diese erzählung dagegen nicht
enthalten.

Ich lasse sie ihrer wichtigkeit wegen im wortlaut folgen:

Nr. XC. How a king's son shared his reward.

þere was a kyng some tyme, that had II. sonys, an Eldre, and an
yongere. to the Eldre he bequathe his kyngdome, and gafe it hym in his
lyfe: And the yonger he sette to the scole, for to lere, for he bequathe hym
right nought. The Eldre brothere dwelled at home with his fadre in solace;
the yonge sone beynge atte scole, spendid Euyll the money that was take hym
to the vse of the scole. There come a Frende to the kyng, and passyd by
the scole, and he sawe how the yonge sone gafe hym to no studie, ne to
his lyrnyng, but spendid Euyll his tyme, and tolde the kyng. The kyng sente
for his sone, and askid, why he wold not lyrne? aud he seide, hit longed not
to hym, syne he was a kynges sone. then seide þe kyng to hym, »for thou
seyste thy brothere be with me at home in delites, Therfore thou [Ms. than]
woldiste lede his lyfe; but wete wele, thou may not; for when I am dede,
thy brothere hathe wherof he may lyve, for I gafe hym all my kyngdome;
and I putte the to scole, that thou myght helpe thy selfe after my dethe.«
But [whan] the kyng perseyued he wolde not profite in scole, but that he
wolde dwelle in his Fadres house, with his Eldre brothere and not laboure,
he sete hym Euery day atte mete with his knaues. The childe wes ashamed,
and prayde his fadre, that he myght go a-gayne to the scole. the kyng
saide, »nay«. Then the childe wente, and prayde his Frendes, that they
wolde pray his fadre for hym, that he myght go to the scole. and so they
didden; and the kynge graunted hem here prayere, but he gafe hym not so
large expenses as he did be-fore. On a day he made the childe to go with
hym in to a Chambre, in the which were dyuerse cofers, with money of the
kynges. The kyng toke the keyes of the cofers to the childe, and seide,
»opyn oon of thes Chestes, which that thou wilte; and that thou fyndes there

in, thou shalte haue«. he openyd a cheste, and fownde. XX ti s; and he
saide, »for sothe thou shalte haue no more of me«. But the Fadre loked to
the Erthward, and fownde a peny, and gafe it hym, and seide», haue this
peny, and now haste thou XX ti s and a peny.« The Childe toke his money,
and wente to the scole; and while he was in the way goyng, he mette a man
beryng at his back a panyere. the Child asked hym what he had in his
panyere? he seide, a wonderfull fyshe, that had a goldyn hede, and a syluer
bodie, and a grene tayle. The Childe sawe the fyshe, and asked whether he
wolde selle it? he seide »yee«. »what shall it coste?« he seide XX ti s. then
the Child toke hym XX ti s; and than lafte no more with hym but a peny.
and while the sellere tolde his money, the childe bownde the fyshe in the
panyere. that sawe the sellere, [ande seide], »all thofe I solde the þe fyshe,
I solde the not the panyere; who so shall haue þe panyere, shall gyve me
a peny, for it is so worthe.« The childe wiste wele he myght not bere it
with oute a vessell, and gafe hym a peny. now, as ye han herde, he hathe
paide all his money, that his Fadre toke hym to the scole. and the childe
toke the panyere with the fyshe, and bare it at his bak. he sawe a litill beside a fayre manere, and mette a man, and asked, if any man dwelled there?
he saide, »yee, a grete lorde and a gentill; for there is non that dothe any
thing for hym, be it neuer so litill, but he yeldes it hym wele a-gayne.«
The childe wente to the courte, and fownde the porter, and saide he wolde
speke with the lorde. The porter asked hym, what he wolde with the lorde?
The childe seide, he had a presente. The porter seide, »The maner is in this
courte, that I shulde se the presente or it come to the lorde«. and the child
shewed hym the gyfte. when the porter saw it, he seide, »this hede is myn;
for it is the maner, who so brynges a beste or a fyshe for a presente, I shall
haue the hede for my parte«. the childe thought, if the hede shuld be cutte
of, the presente shulde be the worse, and the more abhomynable. The childe
seide, »I pray the, suffere, and thou shalte haue halfe my mede.« the porter
graunted. Then wente the childe, and come to the vshere of the halle, that
saide, he shulde haue the bodie of the fyshe; for is was the maner of this
courte. To whom the childe seide,« if thou wilte be Curteyse as the porter
was, to whome I graunted halfyndele my mede, and that shall be more I
shall gyfe the the halfyndele.« and he graunted hym to Entere. Then come
the childe to the Chambreleyne, and he asked the tayle, sayeng, »it is the
custome of the courte, that I shuld haue the tayle«. To whome the childe
seide, »I graunted the porter the halfyndele of my mede, and to the vshere
halfe that lafte ouere, and nowe I pray the, suffere me to Entere, and I shall
gyfe the parte of that comythe to me.« the Chambreleyne graunted, and lete
hym Entere, hopyng, as his felawes diddin, to haue some grete thing. The
childe come to the lorde, and gafe hym this presente, the which the lorde
hely resseyued and saide, »this is a fayre gyfte; Aske therfore some good
thing, that I may gyve the; and if thou aske wisely, I shall gyve with that
to the my doughter to wife, with my kyngdome«. Some cownseyled [cown-
seylinge Ms.] hym to aske a maner, anothere cownsayled hym to aske golde
or syluer; and othere tresoure. This herde the childe, and seide to the
lorde, »lorde, these men cownseylen me to aske a maner, golde and syluere,
but I say you, I will aske non of all these, but if ye gyfe me any thing, me

moste gyve the porter the halfeyndele, and to the vshere halfe that leuyth
ouer, and the Chambreleyne moste haue a parte, as the Cause is before seide.
But I pray you, lorde, that ye wolde graunte me XII. buffettes, of the which
the porter shall haue the VI. the vshere III. and the chambreleyne III». and
this was done. the lorde sawe that slely and so wisely he had asked, and
gafe his kyngdome with his doughter. This king is Criste that had II.
sonys. be the Eldre sone are vndirstondyn aungells, to which is geuyn the
kyngdome that reigneth with the fadre, with oute laboure. the yonge sone is
man, that is putte in to the worlde, that is full of wrechidnesse, as vnto a
scole, for to lyrne to loue god. man is the fyshe; as the prophete witnesseth
Abacuck, *facies hominis quasi pisces* [pisses *Ms.*] *maris.* the porter is the
worlde, and right as by the porter so by the worlde we may transite. the
hede of þe fyshe is the loue that he wolde haue, for right as golde is moste
preciouse of all metalles, so is loue moste preciouse of all thing. but gyfe the
porter, that is, the worlde, VI. buffettes, that is VI. (VII *Ms.*) werkes of
mercy. Be the vshere is vnderstonden the fleshe, that wil haue the body, be
þe which are vnderstondyn delites; but gyfe hym III. buffettes, that are
wakynges, prayers, and fastynges. The chambreleyn is the deuyll, that wil
haue the grene tayle, that is, the lyfe; but gyfe hym III. buffettes, that is,
mekenesse, charite, and mercy. and so chesyng and deuydyng, the kyng, that
is, Criste, shall gyfe to the his doughter, and the kyngdome, that is, the
blisse of heuyn. to the which bryng vs Jesu Criste! Amen &c.

Wenngleich der anfang dieser erzählung zu Sir Cleges scheinbar keine nähere beziehung hat, so herrscht doch auch zwischen
dem ersten theil und unserer romanze eine gewisse übereinstimmung.
Dort ist es ein königssohn, hier ein ritter, der in armuth und noth
geräth, dann aber wieder zu reichthum und ehren gelangt.

Mit dem schwank des Kalenberger hat diese erzählung gemein,
dass ein fisch das geschenk bildet; hier ist ein schüler, dort ein
student der überbringer. Wichtiger aber für uns ist, dass der
knabe von 3 dienern des königs, dem »porter,« dem »usher« und
dem »chambreleyne«, aufgehalten wird, ihnen die belohnung versprechen muss und für sich nichts übrig behält. Ferner erbittet
er sich ebenso wie Cleges 12 hiebe als belohnung.

Wir sehen, es ist die einzige fassung, die mit unserer romanze
in der zahl und dem amt der diener übereinstimmt, auch die einzige, die die gleiche zahl von schlägen aufweist, wie die romanze.
Die vertheilung ist allerdings etwas abweichend, da der porter die
hälfte der belohnung verlangt, also 6 hiebe erhält, der usher die
hälfte des restes, also $1/4$ ($= 3$ hiebe) und der chambreleyne den
rest, also ebenfalls $1/4$ $= 3$ hiebe, während im Cleges jeder von
den dreien gleichmässig den dritten theil der belohnung verlangt
und demgemäss 4 hiebe erhält.

Jedenfalls aber vertheilt in beiden fassungen der bringer des geschenks die 12 hiebe so unter die 3 diener, dass er leer ausgeht; für seine list erhält er dann vom könige eine reiche belohnung. So kann diese erzählung sehr wohl die hauptquelle zu unserm gedicht geliefert haben.

Ausserdem werden dem dichter wohl noch andere versionen bekannt gewesen sein; so mag aus der lateinischen erzählung der zug genommen sein, dass früchte das geschenk bildeten. Auch eine stelle aus der mittelenglischen romanze »Sir Tristrem« kann dem verfasser vorgeschwebt haben. Hier ist die situation folgende:

Rohand, der hofmeister des jungen Tristrem, durchstreift, als sein schützling ihm durch list entführt worden ist, viele länder, um ihn wiederzufinden. Endlich erfährt er von pilgern, dass Tristrem sich am hofe des königs Marke aufhält, und begiebt sich ebenfalls dorthin. Als er aber einlass begehrt, wird er wegen seiner zerrissenen kleidung und seines ärmlichen aussehens zuerst von dem pförtner (porter), sodann vom thürsteher (huscher) zurückgewiesen und muss, um einlass zu finden, erst dem einen, dann dem andern einen kostbaren goldenen ring schenken.

Die stelle lautet (Sir Tristrem, ed. Kölbing, v. 619—647):

þe porter gan him wite
620 And seyd: »Cherl! go oway[1]),
Oþer y schal þe smite!
What dostow here al day?«
A ring he rauʒt him tite
— þe porter seyd nouʒt nay —
625 In hand.
He was ful wise, y say,
þat first ʒaue ʒift in land.
Rohand þo tok he
And at þe gate in lete;
630 þe ring was fair to se,
þe ʒift was wel swete.
þe huscher bad him fle:
»Cherl, oway wel sket«),

Or broken þine heued schal be[3])
And þou feld vnder fet   635
To grounde!«
Rohand bad him lete
And help him at þat stounde.
þe pouer man of mold
Tok forþ anoþer ring,   640
þe huscher he ʒaf þe gold,
It semed to a king;
Formest þo in fold
He lete him in þring:
To Tristrem trewe in hold   645
He hete, he wold him bring,
And brouʒt etc.

Interessant ist es dabei, dass, wie Kölbing in der anm. zu der stelle hervorhebt, die zweite bestechung, also die des »huscher« sich nur in der englischen version der Tristansage findet. Kölbing weist sodann auf die ganz ähnliche situation im Sir Cleges hin und bemerkt dazu: »Die situation ist unbestreitbar eine ähnliche wie hier, besonders ist die gleichheit in der unterscheidung zwischen

---

[1]) Cleg. 296 O: He seyd: »Go, chorle, out of my syght.
[2]) Cleg. 296 E: Go bake, þu chorle, he sayd, full tyʒt.
[3]) Cleg. 266: I schall b r e k e þi h e d e smertly.

porter und huscher in beiden gedichten zu beachten. Während jedoch in Sir Cleges diese wiederholung eng mit der tendenz der geschichte verflochten ist, erscheint sie hier als durchaus über- flüssig. Der englische dichter wird sich bei erzählung dieses passus an jene oder eine ähnliche geschichte erinnert und die pluszüge aus derselben entlehnt haben.« Da die romanze von Sir Tristrem viel älter ist, als die von Sir Cleges, so konnte dem verfasser des Sir Tristrem natürlich nicht dieses gedicht bekannt sein, sondern nur eine ältere fassung derselben sage, wahrscheinlich die erzählung, wie sie in den Gesta Romanorum vorliegt, die von Kölbing nicht erwähnt wird. Umgekehrt hat der verfasser des Sir Cleges sicher wohl die stelle in Sir Tristrem gekannt, da zum theil der wortlaut übereinstimmt. Auch der in den York Plays sich findende zug, dass 'Judas, ehe er mit dem anerbieten des ver- rathes vor die hohenpriester tritt, erst noch mit dem pförtner ver- handeln muss, der ihn nicht hereinlassen will' ist mit Kölbing, (Engl. stud., bd. XX, p. 439) 'als eine reminiscenz aus der romanzenlitteratur anzusehen'.

Uebrigens wird in derselben romanze Sir Tristrem bei einer anderen gelegenheit auch ein haushofmeister (steward) eingeführt, der die einem andern gebührende belohnung für sich in anspruch nehmen will.

Tristrem, der zu schiff nach Irland gekommen ist, erschlägt einen drachen, für dessen besiegung die hand der königstochter Ysonde als preis ausgesetzt ist. Er schneidet dem drachen die zunge aus und steckt sie in die tasche, fällt aber dann bewusstlos zu boden. Da kommt der steward des weges, haut dem drachen den kopf ab und verlangt nun den ausgesetzten preis, die hand Ysonde's. Diese aber sucht mit ihrer mutter an der stelle, wo der drache erschlagen war, nach und findet den ohnmächtigen Tristrem. Sie flössen ihm heilmittel ein und bringen ihn wieder zum bewusstsein. Er zeigt die zunge des drachen, und sie erkennen die betrügerei des steward, der nun in das gefängniss geworfen wird (Sir Tristrem vv. 1409—1639).

Dieses sind diejenigen mir zugänglichen fassungen der sage, die mehr oder weniger enge verwandtschaft mit unserer romanze aufweisen. Ausserdem aber begegnen wir in den litteraturen noch erzählungen, die entferntere ähnlichkeit mit unserm gedicht zeigen oder wenigstens éinen zug mit ihm gemeinsam haben.

Den zug, dass jemand die andern gebührende belohnung für sich in anspruch nehmen will, sahen wir in der geschichte von dem steward in Sir Tristrem ausgeführt. Aehnliche geschichten, in denen ein betrüger den von einem anderen errungenen siegespreis für sich beansprucht, sein betrug aber später entlarvt wird, finden sich auch anderwärts, doch würde es zu weit führen, hier näher darauf einzugehen.

Die bestrafte habsucht ist das motiv für viele und mannigfaltige versionen.

Die unersättliche habsucht, die sich an der theilung zur hälfte nicht genügen lässt, zu immer weiterem theilen drängt und schliesslich sich selbst zum opfer fällt, sehen wir dargestellt in der orientalischen geschichte von Abdallah, die Chamisso zu seinem gleichnamigen gedicht verarbeitet hat. Vielleicht steht auch in dem märchen in 1001 nacht »Harun al Raschid und der blinde Abdallah« der zug, dass Abdallah jeden almosengeber bittet, ihm einen backenstreich zur strafe für seine habsucht zu geben, mit der prügelstrafe in verbindung, die der gewöhnliche lohn in den verschiedenen fassungen unseres stoffes ist.

Für andere erzählungen bildet der zug die grundlage, dass eine strafe statt der belohnung gewünscht wird, da der anderen person ein theil der belohnung nicht gegönnt wird.

Hierhin gehört die von Wright (a. a. o.) erwähnte erzählung (s. o.), ferner ein capitel aus Gower's Confessio Amantis (Gower's Conf. Amant. ed. by Henry Morley, London 1889, p. 100 f.).

Die erzählung ist betitelt »Envy.«

Jupiter sendet einen engel zur erde, um die berechtigung der klagen der menschen zu ergründen. Dieser engel trifft zwei männer, von denen der eine habsüchtig (coveitous), der andere neidisch (envious) ist. Er sagt ihnen die gewährung ihrer wünsche zu, und zwar solle der eine doppelt so viel erhalten als der andere. Der habsüchtige bittet nun sofort den neidischen, den wunsch zu stellen, da er ja dann das zweifache des gewünschten erhalten würde. Der neidische aber kann es nicht ertragen, dass sein gefährte reicher sein solle als er, und so wünscht er, ein auge zu verlieren, so dass der habsüchtige um beide kommt.

Diese geschichte ist nach einer bemerkung des herausgebers genommen »from the Fables of Avian« (Vgl. The Fables of Avianus ed. by Robinson Ellis, Oxford 1887, nr. XXII: De Cupido et Invido). Sie wird auch erzählt in dem fabliau: Del Convoiteus et de l'Envieus par Jean de Boves (Méon's ausgabe I, 91—95). Auch Benfey (Pantschatantra I, 498) erwähnt sie, der sie bei Le Grand d'Aussy 1779, II, 235 gefunden hat.

Mehr humoristisch ist folgende fassung: Ein armer mann bringt dem könige eine grosse rübe und wird dafür reich belohnt. Ein reicher bringt ein grosses kalb und bekommt dafür die rübe.

Durch den zug, dass der neidische infolge seines thörichten wunsches ein auge verliert, gehört Gower's erzählung schon in das reiche gebiet der unvernünftigen wünsche, das sich bei den verschiedenen völkern mannigfach entwickelt hat. Ich nenne nur folgende versionen.

Die thorheit menschlicher wünsche wird gegeisselt in einem altdeutschen gedicht »drî wunsche« (v. d. Hagen, Gesammtabenteuer nr. 37), wo ein engel von gott herabgesandt wird, um die klagen zweier eheleute zum schweigen zu bringen. Schliesslich schlagen die wünsche zum verderben des mannes aus. In Hebel's »Drei wünsche« (Schatzkästlein des rheinischen hausfreundes) müssen sich die drei wünsche wieder aufheben; in Grimm's märchen »Der arme und der reiche« (Kinder- und hausmärchen nr. 87) werden die guten und die schlechten wünsche mit ihren wirkungen gegenübergestellt.

Die fruchtlosigkeit thörichter wünsche zeigt ferner das schlüpfrige altfranzösische gedicht: »Les quatre souhaits de St. Martin« (Méon's ausg. IV, 386) und ein gedicht der Marie de France (Poésies de M. de Fr. par Roquefort II, 140).

Gleiche züge bieten auch Lafontaine's fabel: »Les trois souhaits« und Perrault's erzählung: »Les souhaits ridicules«.

Diesen stoff können wir durch die verschiedensten abendländischen bearbeitungen bis ins Indische zurückverfolgen, wo wir ihn in Pantschatantra, in der achten erzählung des fünften buches vom »doppelköpfigen weber« wiederfinden.

Zu weitern bearbeitungen vgl. man: Grimm, Kinder- und hausmärchen, bd. III, anm. zu nr. 87, V. d. Hagen, Gesammtabenteuer II, XXII ff., Benfey, Pantschatantra I, p. 497 ff.

Fassen wir zum schluss kurz die züge zusammen, die der dichter unserer romanze seinen quellen entlehnt hat.

Der name des ritters, Cleges, ist dem französischen abenteuerroman Cliges des Chrestien de Troyes entnommen. Die person des in armuth gerathenen und durch ein wunder wieder zu reichthum gelangenden ritters findet sich auch in den mittelenglischen romanzen von Sir Launfal und Sir Amadas. Wie im Sir Cleges kirschen zur weihnachtszeit, so führen ebenfalls seltene früchte die belohnung herbei in der erzählung von Nasureddin und de Janitore. Von 3 dienern wird der überbringer des geschenks schon in den »Gesta Romanorum« aufgehalten. Ebendort findet sich auch der zug, dass 12 hiebe statt der belohnung verlangt und diese unter die 3 diener vertheilt werden.

Eigene zuthaten hat der dichter wenig gegeben. Seine erfindung ist wohl die frömmigkeit, mit der er den ritter ausstattet, dessen verehrung des heilandes, die feste, die jener zu ehren des erlösers giebt. Daraus folgt dann der weitere eigene zug, dass gott selbst das wunder bewirkt und kirschen am weihnachtstage wachsen lässt, die Cleges als ein geschenk des heilandes seinem könige bringt. Auch die vertheilung der hiebe ist abweichend von den sonstigen versionen. In unserer romanze erhält jeder diener gleichmässig ein drittel, d. h. 4 hiebe, während in den Gesta Rom. der pförtner 6, der thürsteher und haushofmeister je 3 erhalten.

Ausserdem versuchte der dichter seine erzählung weiter auszuschmücken. Neben der person des ritters führte er dessen frau und kinder ein. Die beiden eltern bemüht sich der dichter durch seine charakteristik ins beste licht zu stellen. Ferner malt er uns das familienleben und verweilt mit behagen bei den gesprächen der beiden gatten, ihren gebeten u. s. w. Ebenso nimmt er am schlusse des gedichtes die gelegenheit wahr, uns das leben am hofe zu schildern und uns den könig, umgeben von seiner höflingsschaar, seinen sängern und dienern anschaulich vorzuführen.

So bemühte sich der dichter, wenigstens einige selbständigkeit zu zeigen.

Aber auch ein gewisses poetisches talent können wir ihm nicht absprechen; zeigt sich dies doch schon in der geschickten verknüpfung der beiden motive, aus denen unsere romanze besteht, und die er zu einem einheitlichen ganzen zusammengeschmolzen hat. Allerdings ist auf der andern seite die möglichkeit nicht ganz von der hand zu weisen, dass der englische dichter sich eng an eine französische fassung der sage angeschlossen hat, die im wesentlichen schon dieselben züge enthielt, wie unser gedicht. In den bisher gedruckten sammlungen altfranzösischer fabliaux war aber ein derartiges gedicht nicht aufzufinden.

II. Handschriftliche überlieferung des Sir Cleges.

a) Die beiden handschriften und Weber's ausgabe.

Die mittelenglische romanze von Sir Cleges ist uns in zwei hss. überliefert:

1) **E.** Die papierhandschrift 19. 1. 12. der Advocates' Library zu Edinburgh, nach Weber 'apparently of the beginning of the fifteenth century', in wirklichkeit aber dem ende des 15. jhs. angehörend, enthält ausser Maundeville's Travels und Occleve's De regimine principum auf neun nicht numerierten blättern eine abschrift des Sir Cleges, die 531 verse umfasst. Leider ist aus dieser hs. ein blatt, auf dem der schluss des Sir Cleges stand, verloren gegangen, und auch im innern des gedichts finden sich einige kleinere, in der hs. allerdings nicht kenntlich gemachte lücken (s. u.). Henry Weber, der secretär Walter Scott's, hat nicht nur, wie oben schon bemerkt, nach dieser hs., die er für die einzige des gedichtes hielt ('the only copy of Sir Cleges extant' p. XLI), die romanze von Sir Cleges in bd. I seiner Metrical Romances veröffentlicht, sondern auch den fehlenden schluss selbst hinzugedichtet, ähnlich wie dies Walter Scott für die von ihm herausgegebene romanze von Sir Tristrem gethan hatte.

Weber's textabdruck der hs. E zeigt folgende, allerdings meist geringfügige ungenauigkeiten resp. änderungen. (Die richtige lesart ist die in klammern beigefügte:)

v. 5 A[r]thyr (statt Athyr); 8 dedes (dedis); 9 ryght (right); 15 gentyll (jentyll); 17 weren (wern); 25 gentyll (jentyll); 26 neuer (non); 31 almes (almus); 33 cherissched (cherisschid); 34 had (hade); 35 Reche (Rech); 44 Schulde (Schuld), dought (douȝtt); 46 Mynstrellis (Mynsstrellis); 49 Mynstrellys (Mynsstrellys); 51. 52 reche (rech); 52 ryng (rynges); 53 thyng (thynges); 60 gentyll (jentyll); 66 allmyghtt (allmyȝt); 72 Yn (In); 74 were (wern); 79 weren (wern); 86 kyng (kynge); 88 drewe (drowe); 89 svounyng (svounnyng); 94 Meche (Mech); 95 weped (wepyd); 99 mynstrelsee (mynstrelses); 100 trompes (trompus), pypes (pypus), claraneris (claraneres); 101 luttis (luttes); 104 hard (harde); 107 meche (mech); 116 nor (ner); 118 reche (rech), metis (metes); 133 Crystis (Crystes); 142 held (hold); 150 sorowe (sorewe); 152 teris (teres); 157 had (hade); 160 her (hyr); 165 end (and); 176 payne (peyne); 177 everlastyng (euerlastyng); 190 his (hys); 191 disese (dysese), pouertt (povertt); 195 his (hys); 207 fer (for); 208 taste (caste); 226 have (haue); les or more (more or les); 228 trewely (trewly); 235 seche (sech); 238 gravnted (gravntyd); 242 had (hade); 244 vp (vpp); 245 forthe (forth); 248 had (hade); 252 in (i); 255 Oppon (Vppon); 258 sothe (soth), say (saye); 266 high (higȝt); 271 God (Good); 272 thou (you); 273 Now (Nowe); 274 kyng (kynge); 291 Without (Wythout); 296 tyghte (tyȝt); 304 have (haue); 307 it (yt); 315 sekyrly (sekerly); 327 were (wern); 332 olde (old); 339 smartly (smertly); 343 kyng (kynge); 344 myne (myn); 346 part (partt); 350 betwyxt (bethwyxt); 355 — (þou); 365 schall (schyll); 366 or (ar); 372 before (beforn); 381 is (ys); 382 commaundyd (commaunndyd); 396 wyll (will); 401 anon (anoon); 403 kyng (kynge); 411 hast (haste); 426 meche (mech); 431 adverseryse (aduerseryse); 446 Among (Amonge); 467 Thou (Thowe); 468 behyght (behight); 471 there [too] (there); 474 nether (ner); 476 bone (bon); 479 has (haste); 480 couenaunte (couenaunnte); 481 his (hys); 494 yours (youres); 497 cuntre (cunntre); 499 myne (myn); 503 had (hade); 514 have (haue); 517 yenge (yonge); 518 weren (wern); 520 nott myght (myʒt nott); 521 this (thys); 522 wowe (wove); 526 lok (lokes); 530 is (ys); 531 now (nowe), rygh[t] (rygh); 532 hight (higʒt); 537 on (in); 539 had (hade); 543 his (hys).

Weber selbst führt nur folgende änderungen der hs. an (I, 381):

> Various Readings and Mistakes in the MS. corrected in the Text:
> v. 220 more or les; 519 myght not; 521 wove; 526 and 527 are written in one line in the MS.; 533—540 have been added by the editor.

2) **O.** Die gleichfalls dem ende des 15. jahrhunderts angehörende papierhandschrift Ashmole 61 in der Bodleian Library zu Oxford enthält neben zahlreichen anderen romanzen und geistlichen gedichten des 14. und 15. jhs. auf fol. 67 b — 73 a die romanze von Sir Cleges, die dort 570 verse zählt. Der in E fehlende schluss (32 verse) ist hier vorhanden; ebenso sind die übrigen lücken von E ausgefüllt; doch fehlen an zwei anderen stellen je drei verse, die in E mitgetheilt sind. Diese hs. des Sir Cleges ist bisher noch nicht gedruckt; nur hat prof. Zupitza, der eine abschrift davon besass, in seinen anmerkungen zu Athelston (Engl. stud. XIII, p. 343 ff.) einzelne verse daraus angeführt. Ich benutze eine von prof. Kaluza angefertigte, von prof. Bülbring nochmals mit dem original verglichene abschrift.

b) Gegenseitiges verhältniss der beiden handschriften.

Wie die meisten mss. der mittelenglischen romanzen, so weichen auch unsere beiden hss. bedeutend von einander ab[1]). Die abweichungen ergeben sich schon aus der verschiedenen zahl der verse: E hat 531, O 570 verse. Von diesen sind es nur 180, also ca. $1/3$, die in beiden hss. völlig gleichlauten; von den übrigen differiren 108 in einem wort, so dass also fast die hälfte der verse in mehreren worten oder ganz von einander verschieden sind.

Sehen wir nun, welche näheren beziehungen sich zwischen den beiden hss. herstellen lassen.

---

[1]) Ich verweise in bezug hierauf auf die ausführungen von Kaluza, welcher (Lib. Desc. p. XVII) gezeigt hat, wie wir uns diese grossen differenzen der hss. erklären können, ohne dass wir zu der annahme mündlicher überlieferung unsere zuflucht zu nehmen brauchen.

Als feststehendes metrum unseres gedichts nehme ich die zwölfzeilige schweifreimstrophe an. Sind auch in E vier strophen nur neunzeilig, so haben die entsprechenden in O doch 12 verse, und umgekehrt sind die zwei neunzeiligen strophen in O wiederum zwölfzeilig in E. Die zwölfzeilige strophe ist also beabsichtigt und war sicherlich vom dichter auch streng durchgeführt. Ausserdem haben ja Kölbing (Engl. stud. XI, p. 496) und Kaluza (Engl. stud. XII, p. 432; Lib. Desc. p. XIX) zur genüge gezeigt, dass die dichter so starke abweichungen von der einmal gewählten strophenform, wie sie in den hss. vorkommen, nämlich sechs- und neunzeilige strophen, sich nicht gestattet haben.

In E fehlen zunächst die vv. 166—168, das letzte viertel der strophe XIV, das der schreiber übersprungen haben kann. Für diese lücke findet sich ein ersatz in O, der echt zu sein scheint.

Eine zweite lücke in E ist von vv. 223—225, das dritte viertel der XIX. strophe. O hat auch hier die richtige lesart. Vielleicht ist die lücke in E durch das zweimalige reimwort t o k e n y n g entstanden.

Ferner fehlen in E vv. 367—369, das dritte viertel der strophe XXXI. Der schreiber hat die vv. 367—369, durch dasselbe reimwort m o r e veranlasst, übersprungen. O hat wiederum den ursprünglichen text bewahrt.

In strophe XXXV fehlt dann in E das letzte viertel, vv. 418—420. O hat diese lücke ausgefüllt, jedoch mit denselben reimworten wie vv. 420 u. 425. Indessen ist die wiederholung hier nicht ohne berechtigung. Der könig fragt nach den wünschen des ritters, ob er ihm land, leute oder anderes gut geben solle. Land, leute und anderes gut weist aber sir Cleges als ein zu grossmüthiges anerbieten zurück.

In strophe XLIV fehlt ein vers, v. 527. O hat die richtige lesart.

Endlich fehlen am schluss des gedichtes, nicht durch nachlässigkeit des schreibers, sondern infolge eines defectes der hs., 5 verse von strophe XLVI und die beiden letzten strophen XLVII und XLVIII, vv. 545—576. In O sind auch diese verse vorhanden.

Andererseits haben wir in O zwei lücken zu verzeichnen. Es fehlen zunächst vv. 40—42, das zweite viertel der strophe IV. Die lücke ist in E ausgefüllt; die verse sind allerdings formelhaft und inhaltlich unbedeutend, scheinen aber doch echt zu sein.

Eine zweite lücke von O, vv. 130—132, das letzte viertel von strophe XI, ist ebenfalls in E ausgefüllt, und auch hier hat E wohl die ursprüngliche lesart.

Hieraus lässt sich wohl schon schliessen:

1) dass E nicht die directe quelle von O ist, da sich in E mehrere lücken vorfinden, die in O ausgefüllt sind, und zwar so, dass O meistens die echte lesart bietet;

2) dass auch O nicht die directe quelle von E sein kann, da auch O zwei lücken aufweist, während in E die entsprechenden strophen vollständig sind.

Von sonstigen stärkeren abweichungen der beiden hss. verdient namentlich der abschnitt v. 484 ff. erwähnung.

Nachdem Cleges die als belohnung gewünschten zwölf hiebe unter die drei diener, den pförtner, den thürsteher und den haushofmeister, vertheilt hat, kehrt er in die halle zurück, wo der könig inzwischen dem harfenspiel und gesang eines minstrels gelauscht hatte. Nach der darstellung von E hatte der sänger ein lied von einem tapferen ritter vorgetragen, und zwar von Cleges selbst (*Hym selffe, werament.* E v. 486). Der könig, der hierdurch an seinen getreuen ritter Cleges erinnert wird, fragt den minstrel, ob er, der ja weit in der welt gewandert sei, den Cleges kenne, und ob er wisse, wo jener sich gegenwärtig befinde. Der minstrel erwidert: »Ja, ich kannte ihn früher; es war einer von euren rittern. Jetzt hat er das land verlassen; wir minstrels vermissen ihn gar sehr.« Der könig antwortet: »Wahrhaftig, ich glaube, dass Sir Cleges tot ist, den ich so sehr liebte. Wollte gott, er wäre noch am leben; ich würde ihn lieber haben, als manchen andern, denn er war tüchtig im kampfe.« Hierdurch ist die folgende situation, in der sich Cleges dem könig zu erkennen gibt, vorbereitet worden; es schliesst sich alles ungezwungen an einander an. Der sänger preist die kühnen thaten des Cleges; der könig wird dadurch an seine abwesenheit erinnert und spricht den wunsch aus, ihn wieder bei sich zu haben. Als nun der überbringer der kirschen sich als Cleges zu erkennen gibt, da ist es selbstverständlich, dass der könig ihn reich belohnt.

In O ist über den inhalt des liedes, welches der minstrel dem könige vorträgt, nichts näheres mitgetheilt; es wird also wohl kaum die thaten des Sir Cleges zum gegenstande gehabt haben. Der könig fragt nun dort den minstrel, ob er den armen mann kenne, der ihm die kirschen gebracht habe. Der minstrel antwortet: »Ja, gewiss, er heisst Cleges und war früher einer von euren rittern.« Der könig aber erwidert: »Das ist er nicht; Cleges, den ich sehr liebte, ist längst todt. Wollte gott, er wäre noch am leben!« Als dann der könig den überbringer des geschenkes nach seinem namen fragt, antwortet er: »Mein herr, dieser mann hat es euch ja eben gesagt; ich bin Cleges, euer ritter u. s. w.« Diese darstellung in O scheint mir weniger gut motivirt zu sein. Es ist auffallend, dass hier der könig den minstrel nach dem namen des überbringers des geschenks fragt, anstatt den dastehenden Cleges selbst zu fragen, wie er es später thut. Es ist ferner auffallend, dass der könig dem minstrel, der mit bestimmtheit in dem armen manne den ritter Cleges erkennt, nicht glauben schenken will und sich auch nicht durch eine sofortige anfrage bei dem überbringer des geschenkes von der richtigkeit oder unrichtigkeit der aussage des minstrels überzeugt, wie auch dass Cleges selbst, der der unterredung zwischen dem könige und dem minstrel beiwohnt, diese günstige gelegenheit nicht benützt, um sich dem könige sofort zu erkennen zu geben.

Darum glaube ich, dass E an dieser stelle die bessere und ursprüng-lichere darstellung uns überliefert hat, und dafür, dass E, von den lücken ab-gesehen, im allgemeinen den urtext des gedichtes besser bewahrt hat, als O, sprechen auch noch einige andere anzeichen, so besonders diejenigen stellen, an denen die beiden hss. in den reimworten abweichen. Unter den 525 versen nämlich, die in beiden hss. gleichmässig überliefert sind, stimmen nur 432 in den reimwörtern genau überein, in den übrigen 93 versen haben O und E verschiedene reimwörter, von denen natürlich nur das eine ursprünglich sein kann. In vielen fällen ist es allerdings schwer, mit sicherheit das eine der beiden für echt, das andere für eine spätere änderung zu erklären; wo dies aber möglich ist, scheint doch wiederum E die ursprüngliche lesart besser bewahrt zu haben, als O.

Trotzdem aber ist auch die hs. E nicht frei von fehlern, und namentlich bei den geringfügigen abweichungen der beiden hss. im innern der verse (z. b. v. 2: *eldyrs* E; *ansytores* O; v. 4: *In the tyme* E; *In tyme* O; v. 6: *in siȝt* E; *of syght* O; v. 7: *þat hight* E; *hyȝt* O; v. 8: *of dedis* E; *at nedys* O; v. 10: *a man* E; *man* O; v. 11: *full fayr of feture* E; *feyre of all fetour* O; v. 12: *And also of gret myȝt* E; *A man of mekyll myȝht* O; v. 13: *A corteysear knyȝt* E; *Mour curtas knyȝht* O; v. 14: *in all the lond* E; *in all þis werld* O; v. 18: *He yaue both gold and fee* E; *he gaff þem gold and fe* O; v. 21: *Meke of maners was hee* E; *Meke as meyd was he* O; v. 22: *fre* E; *redy* O; v. 26: *Ther miȝt non better bere life* E; *A better myȝht non be of lyfe* O etc.) ist es ganz unmöglich, mit sicherheit die eine oder die andere lesart für besser und ursprünglicher zu erklären.

Nach alledem erschien es am besten, beide hss. in paralleldruck zu bieten, E als die relativ bessere voran, O daneben zur ergänzung der vielen lücken von E.

Von der lesart der hs. bin ich nur an wenigen stellen, wo offenbare schreibfehler vorlagen, abgewichen; die ursprüngliche lesart ist in diesem falle unter dem text vermerkt. Auch die orthographie der beiden hss. ist unverändert beibehalten; nur sind die abkürzungen aufgelöst und der gebrauch der grossen anfangsbuchstaben geregelt worden.

III. Metrik.

a) Strophe.

Die mittelenglische romanze von Sir Cleges ist in der zwölfzeiligen schweifreimstrophe abgefasst. Die in der hs. E lückenhaft überlieferten strophen XIV, XIX, XXXI, XXXV finden sich vollständig in O. Andererseits sind die in der hs. O fehlenden viertel der strophen IV und XI in hs. E enthalten (s. o. S. 360 ff.).

Das reimschema ist: a a b c c b d d b e e b; unser gedicht gehört also nach Kölbing's eintheilung (Am. u. Amil. p. XIV) zu der dritten classe.

Freilich finden sich auch einige, allerdings wohl mehr zufällige, nicht vom dichter beabsichtigte abweichungen von dieser reimordnung. So haben in hs. E die strophen XVII und XXXIII das schema aab ccb ddb aab; das vierte reimpaar hat also denselben reim wie das erste; ferner strophe XX: aab ccb aab ddb, wo das dritte reimpaar denselben reim aufweist wie das erste, und strophe XLV: aab ccb ddb ddb, wo die beiden letzten reimpaare übereinstimmen.

In O hat strophe XVI das schema: aab aab ccb ddb, also das einzige beispiel von der strengeren reimordnung der zweiten classe, während für E die bemerkung Kölbing's (Am. u. Amil. p. XX), dass Sir Cleges nirgends die reimgleichheit biete, zutrifft. Dreimal kehrt derselbe reim in den reimpaaren wieder in strophe XLVII: aab aab aab ccb, die in E fehlt.

Bei den übrigen strophen ist die abweichung in ähnlicher weise wie in E erfolgt und zwar häufig dadurch entstanden, dass das gleiche wort zweimal im reime gebraucht ist.

So hat strophe XVII: aab ccb ccb aab; XIX: aab ccb ccb ddb; XLI: aab ccb aab ddb; XXXIII: aab ccb ddb aab (genau wie strophe XXXIII in E); XLV, XLVIII: aab ccb ddb ddb (strophe XLV auch in E, wogegen XLVIII in E schon fehlt).

Enjambement zwischen zwei strophen ist in unserm gedicht selten. In beiden hss. greift die directe rede zweimal in die nächste strophe über, und zwar bei strophe XI/XII, XVII/XVIII und XXII/XXIII. Ein sehr schwaches enjambement ist bei strophe VIII/IX anzumerken, wo strophe IX mit *And* und demselben subject *he* sich anschliesst.

An einer stelle zeigt dann noch E allein hinübergreifen der directen rede in die nächste strophe, und zwar bei strophe XLI/XLII:

The harper seyd: »Yee iwysse:

(strophe XLI): Sum time, for soth, I hym knewe etc.

Concatenatio d. h. wiederholung der schlussworte der einen strophe im ersten verse der folgenden liegt vor in O, strophe XVII/XVIII, v. 204/5:

That grow þis tyme of ȝere.

(strophe XVIII): I haue not se þis tyme of ȝere etc.

b) Reim.

Assonanzen sind:

O 7 f. *Clegys : nedys*; E *Cleges : dedis*; O 139 f. *belyue : blythe*; dafür E *swyth : blyth*; O 151 f. *blyth : blyue*; dafür E *blyth : swyth*; O 181 f. *com : ouergon*; E 181 f. *cam : than*; O 532 f. *tellys : Cleges*; dafür E *blysse : Iwysse*; O 543 ff. *with : grythe : frythe : myrthe*; O 550 f. *blythe : wyfe*; O u. E 364 f. *reward : part*; O u. E 511 f *inward : partt*. O und E 382 f. *mete : speke*.

Unreiner reim findet sich:

E 55 f. *helde : myld*; dafür O *held : weld*; O 85 f. *eve : wyfe*; dafür E *evyn : evyn*; O u. E 315 *sekerly : me : be : he*; O 406 f. *felle : wylle*; E *styll : will*; E 423 *sekyrly : me : me : charyte* dafür O 423 *be : me : me : charyte*; O 435 *made : hade : deleyd : payd*; dafür E *made : hade : glade : sade*; O 507 ff. *curtasly : why : me : trewly*; E 507 ff. *cortesly : thre : me : trewly*.

Andere, scheinbar unreine reime fallen nicht dem dichter, sondern dem schreiber zur last. Es ergeben sich ohne weiteres correcte reime, wenn wir an stelle der in der hs. stehenden wörter diejenige dialektform einsetzen, die offenbar vom dichter gebraucht wurde, oder wenn wir ein von dem einen schreiber eingefügtes falsches reimwort mit dem in der andern hs. stehenden richtigen vertauschen.

Hierher gehören:

O u. E 94 f. *þer* (lies: *þare*) : *sore* (l. *sare*); O u. E 106 f. *sore* (l. *sare*) : *þer* (l. *þare*); O 148 *care : mour* (l. *mare*); dafür E *sore : more*; O u. E 147 ff.

chere : stere : lyre (l. lere) : chere; O u. E. 183 ff. stynt (l. stent) : wente : verament : sente; O 235 f. þer (l. þare) : fare; dafür E ther : yer; O u. E 279 ff.
behold : schuld (l. schold) : mold : gold; O 310 f. smertly : sey (l. sy); dafür E
smartly : verily; O u. E 349 f. than (l. then) : men ; O 439 warryng (l. warraunt):
graunte; dafür E awaunt : graunte; O u. E. 447 ff. mour (l. mare) : sore (l. sare) :
were (l. ware) : mour (l. mare); O u. E 459 ff. lette : mette : grete : hyȝht
(l. hete); O 517 f. ȝenge (l. ȝing) : kyng; E yonge (l. ying) : kynge.

In E allein:

64 f. yere : squire (l. squiere) dafür O: yere : comener; 111 ff. sond : bond:
lond : lend (O wonde); 127 f. nowȝt : hart (dafür O thought); 171 ff. wiffe : stryffe :
lyf : penci (l. pencif); O dafür: ryfe; 190 f. hartt (O hertt) : povertt; 199 f.
hand (O hond) : fonde; 337 f. sone : pyne (l. pyne [anon]); O dafür sone : anon;
339 ff. myȝt (O mouȝht) : wrowȝt : bowȝt : nott (l. nought; O liest hier falsch:
oute); 486 f. harpor (O herpere) : herre (O here); 483 ff. went : werament :
i-went : iwysse (falsches reimwort; O dafür presente); 520 f. nott (O nott sytte):
wyȝt (O wytte).

Gleicher reim innerhalb eines reimpaares kommt dreimal in O vor,
und zwar:

O v. 52 f. thynges; E dafür ringes : thinges; O v. 142 f. trewly; E dafür
trewly : redy; O v. 325 f. hall; E dafür all : hall.

Oefters jedoch treffen wir gleichen reim in den schweifreimzeilen, so in:
O v. 75 : 81 : one; E dafür one : none; O v. 147 : v. 156 chere; E dafür
chere : in fere; O v. 291 : v. 297 : lettyng; E dafür lettyng : teryyng; O v. 366 :
v. 369 : more; O u. E. v. 426 : v. 429 : me.

In E allein:

v. 399 : v. 405 : beforn; O dafür beforne : lorn.

Dasselbe wort kommt zweimal im reime vor in O strophe XVII:

196 f. hond : upstond u. 199 f. hond : fond.

Ferner in O und E strophe 45:

535 f. me : fre und 538 f. the : me.

In der O allein angehörigen strophe 47 ist dieser fall sogar zweimal zu
verzeichnen:

553 f. squyere : were : 559 f. maner : squyere; 556 f. maner : clere : 559 f.
maner : squyere.

Reicher reim findet sich auch einige male. Ich folge hier Kölbing's
(Sir Tristrem, p. XXXIII), Münster's (Untersuchungen zu Thom. Chester's
Launfal, p. 7) und Kaluza's (Lib. Desc. p. XLV) eintheilung.

a) Die reimwörter haben bei verschiedener bedeutung völlig
gleiche form:

E v. 75 but on (num.) : 78 there on (adv.); v. 85 evyn (sb.) : 86 evyn
(adv.); v. 525 lowe (adj.) : lowe (sb.); O v. 75 but one (num.) : 78 þer one (adv.);
v. 499 dede (sb.) v. 500 dede (adj.).

b) Ein einfaches wort reimt mit einem zusammengesetzten oder
mit einem längeren:

O v. 103 dansyng : v. 104 syng; O u. E. v. 343 kyng : v. 344 askyng;
O v. 477 also : v. 480 so; O u. E v. 505 kyng : v. 506 askyng.

c) Die reimwörter haben vor der völlig gleichen reimsilbe verschiedene silben:

O u. E v. 10 statour : v. 11 fetour; O u. E v. 105 treuly : v. 108 pytewysly; O v. 220 tokenyng : v. 221 plenyng; O 244 gladly : v. 245 esyly und ebenso E 244 goodly : v. 245 esyly; O 262 spytously : v. 263 smertly und E 262 hastily : v. 263 smertly; E 310 smartly : v. 311 verily; O 316 wernyng : v. 317 wyneng; O u. E 523 stewerd : v. 524 reward; O 547 stewerd : v. 548 afterwerd; O 561 entente : v. 564 content.

Leoninisch ist der reim:

O 100 nakerners : v. 101 gytherners.

Auch erweiterte reime (Schipper, Engl. metr. I, p. 303) finden sich: O u. E v. 15 and fre : v. 18 and fe; O u. E. v. 382 to mete : v. 384 to speke; O u. E v. 466 my thryfte : v. 467 my gyfte, desgl. v. 478 : v. 479; O v. 469 he gare : v. 470 he thare; O v. 562 they hyght : v. 463 they myght.

c) Allitteration.

Die alitterirenden bindungen gebe ich nach dem von Regel (Germ. stud. I p. 171 ff.) aufgestellten und von Kölbing (Ipom. p. CXVIII ff.) erweiterten schema. Bei denjenigen allitterationsformeln, die nur in einer hs. vorkommen, ist der verszahl ein E resp. O vorgesetzt.

I A. Wiederholung eines bedeutenderen wortes in derselben oder einer anderen form:

a) Innerhalb zweier verse:

v. 51 f. rych; O v. 58 began : v. 59 gan; E v. 64 f. many a; O v. 81 f. þer left; O v. 182 f. his sorow; O v. 204 f. this tyme of ȝere; O v. 224—26 mour; O v. 503 knyghtes : v. 504 knyght; O v. 532 man : v. 533 men; O v. 534 f. knyght; O v. 558 f. She thankyd god;

b) innerhalb desselben verses:

E 149 *more* and *more*; O 226 *have* we les our *have* we mour; v. 271 Gode *sir*, seyd *sir* Cleges tho; v. 301 Gode *sir*, seyd *sir* Cleges than; v. 536 That was *so* gentyll and *so* free.

I B. Allitterirende bindungen, in denen ein oder mehrere eigennamen vorkommen:

a) Personennamen:

E 56 In the worschepe of *M*ari *m*yld; E 179 And thanked *g*od with *g*od entent; O 295 In *c*om sir *C*leges so wyght; 373 Syr *C*leges vn*c*oueryd þe pannyer; 382 He *c*omandyd sir *C*leges to mete; O 403 He brought *C*leges befor the *k*yng; O 494 Somtyme men *c*allyd hym *C*leges; 505 Syr *C*leges *k*nelyd before the *k*yng; O 533 Som tyme men *c*alled me sir *C*leges; O 557 Dame *C*larys þat lady *cl*ere.

b) Ortsnamen:

v. 233 Ȝe shall to *C*ardyff to the *k*yng; 544 The *c*astell of *C*ardyff also

II A. Wörter desselben stammes werden durch allitteration gebunden:

169 Syr Cleges *kne*lyd on hys *kne*; 193 As he *kne*lyd onne hys *kne*; O 372 *kne*lyng onne his *kne* hym before; E 404 On *kne*se he fell *knelinge*.

II B. Stabreimende bindung solcher worte, welche in begrifflichem verhältniss zu einander stehen:

a) Bindung concreter begriffe, welche innerhalb derselben lebensgebiete vorzukommen pflegen:

v. 22 Hys *me*te was redy to euery *m*an; v. 102 Off *s*ytall and of *s*autrey; v. 277 The *p*ourter to the *p*annyer wente; E 285 As I am *m*an of *m*old; O 553 The kyng made his *s*on *s*quyere.

b) Bindung abstracter begriffe, welche in gemeinsamen lebenssphären zu einander in beziehung zu stehen pflegen:

v. 95 u. 106: He *w*rong hys hondes and *w*epyd sore; 154 Than þei *w*esch and *w*ent to mete.

c) Bindung abstracter begriffe mit concreten:

O 12 a *m*an of *m*ekyll *m*yȝht; O 21 *m*eke as *m*eyd was he; 52 Hors and *r*obys and *r*ych thynges; 79 Hys *m*en that wer so *m*ych of pride; 294 With a *s*taff *s*tandyng; O 359 And *b*ete þi ragges to þi *b*ake; 451 He gafe the *s*teward sych a *s*troke.

d) Bindung gleichlaufender worte, welche die innere begriffliche ähnlichkeit mit einander verknüpft:

O 20 No man he wold *b*uske ne *b*ete; E 165 As yt was *r*eson and *r*yȝt; O 418 Weþer it be *l*ond or *l*ede; 424 Forto graunte me *l*ond our *l*ede; O 510 *W*herfor it was and *w*hy.

C. Allitterirende bindung von grammatisch zu einander in beziehung stehenden worten:

a) Substantiv und adjectiv (resp. particip) in attributiver oder prädicativer verbindung:

O 12 A *m*an of *m*ekyll *m*yȝht; E 19 The *p*ore *p*epull; O 21 *M*eke as *m*eyd was he; E 32 The *p*ore *p*epull; E 47 *m*ost *m*yrthis; E 56 *M*ary *m*ild; 79 Hys *m*en þat wer so *m*ych of pride; 84 Than *m*ade he *m*ekyll *m*one; 107 *M*ekyll *m*one he *m*ade ther; O 136 Now every *m*an schuld be *m*ery; 177 In to euer *l*astyng *l*yffe; 246 After þi *f*ader so *f*re; 282 *G*rete *g*yftes; 353 Bot if it be a *m*elys *m*ete; 397 When all *m*en wer *m*erye and glad; O 408 He seyd, *l*ege *l*ord, what is ȝour wille; 363 with *s*yȝhyng *s*ore;

b) Zeitwort oder adjectiv binden sich mit dem adverbium oder substantiv, welche ihre adverbiale bestimmung enthalten:

6 A *s*embly man of *s*yght; E 8 A *d*owtyar was non of *d*edis; E 11 *f*ull *f*ayr of *f*eture; O 11 *f*eyre of all *f*etour; O 14 In all this *w*erld *w*as þer non; E 21 *M*eke of *m*aners was hee; O 27 Ne non *s*emblyere in *s*yght; 50 Schuld not withoutyn *g*yftes *g*on; 89 Syr Cleges fell in *s*vounyng *s*one; 98 *S*ore *s*yȝeng, he herd a sowne; 104 In every *s*yde herd he *s*yng; 169 Syr Cleges *kne*lyd on

his *kne*; 193 As he *k*nelyd onne his *k*ne; O 234 *F*ull *f*eyre; O 245 And *b*ere it at thy *b*ake; 256 To the *c*astell ӡate þei *c*om; 280 *W*ele he *w*yst; 294 With a *st*aff *st*andyng; E 307 in my *g*ardeyne it *g*rewe; 312 He *m*eruyllyd in his *m*ode; 343 Thow shall *c*um no nere þe *k*yng; O 354 *s*ore *s*yӡeng; O 359 And *h*ete þi ragges to þi *b*ake; O 371 *F*ul *f*eyre; E 372 *k*nelinge the *k*ynge beforn; O 372 *k*nelyng onne hys *k*ne; E 403 he *c*am befor the *k*ynge; 465 So *g*rymly he hym *g*rete; O 488 *M*ykyll þou *m*ay ofte time here; O 490 *T*ell me *t*rew; O 497 *F*ull of *f*ortone; E 504 *st*ronge in *st*owr; O 504 *st*yff in *st*oure.

c) Substantiv und zeitwort sind im verhältniss von subject und prädicat mit einander verbunden:

E 26 Ther miӡt non *b*etter *b*ere life; O 26 A *b*etter myӡht non *b*e of lyfe; 58 his *g*od be*g*an to slake; 203 What *m*aner beryes *m*ay this be; 232 When þe *d*ay *d*o spring; O 295 In *c*om sir *C*leges; O 325 The *st*ewerd *st*ert fast; O 337 The *st*ewerd *st*ert forth; 373 Syr *C*leges un*c*oueryd þe pannyere; O 484 An *h*arper *h*ad a geyst i-seyd; E 496 We *m*ynstrellys *m*ysse hym; 517 The *l*ordes *l*ewӡe; O 571 His *l*ady and he *l*yved.

d) Zeitwort und substantiv treten als prädicat und object in allitterirende bindung:

v. 18 He *g*aff þem *g*old and fe; E 31 Almus *g*ret sche wold *g*eve; 47 *M*yrthys wher þei *m*ay fynd; 54 To *m*end with þer *m*ode; 84 Than *m*ade he *m*ekyll *m*one; 94 *M*ekyll sorrow *m*ade he þer; 107 *M*ekyll *m*on he *m*ade þer; 112 The *m*yrth that I was wonte to *m*ake; 114 I *f*ede both *f*re and bond; 116 They *w*antyd noþer *w*ylde ne tame; O 140 And *m*ake us both *m*ery and blythe; O 143 I have *m*ade owre *m*ete; O 155 With sych god as þei myӡht *g*ete; 156 And *m*ade *m*ery chere; 158 þei *d*rofe þe *d*ey away; 248 He *h*ad no *h*ors; 254 The ryght *w*ey to Cardyffe *w*ent; O 285 Be hym that *m*ade þis *m*old; 300 And þou *m*ake *m*our pressyng; 302 For his love þat *m*ade *m*an; 310 *l*yfte up þe *l*yde; O 327 That *w*eryd ryche *w*ede; E 338 He *p*ullyd out the *p*yne; O 371 he *p*roferd hys *p*resente; O 436 that *m*ade *m*e and the; 464 u. 473 He *w*old *w*ern no man þe *w*ey; 476 He *b*rake a two hys schulder *b*one; E 490 *T*ell me *t*rewth; O 533 *c*alled me sir *C*leges; O 550 A cowpe of *g*old he *g*ave hym.

D a) Schwurformeln oder sonstige füllphrasen werden mit anderen worten des verses gebunden:

E 42 For *s*oth as I you *s*aye; O 56 In *w*orshype of him, that all *w*eld; 416 I wyll þe *g*raunte, so *g*od me save; O 419 Or other *g*ode, so *g*od me spede; 425 Or any *g*ode, so *g*od me spede.

b) Ein vocativ reimt mit einem andern wort des verses:

O 1 *L*ystyns, *l*ordynges; O 334 u. 455 He *s*eyd, *s*ir; 355 *H*erlot, *h*as thou; O 493 my *l*ege, withouten *l*es; 530 Tell *m*e, gode *m*an;

c) Das verbum »sagen« als reimwort wird sehr häufig gebraucht. Vgl. oben D b; ferner in:

E 42 For *s*oth as I you *s*aye; 67. 157 u. 258 þe *s*oth to *s*ey; O 243 To hyr eldest *s*on *s*eyd she; 248 *s*o *s*eyth the boke; O 296 He *s*eyd: Go,

chorle, out of my *syght*; 313 The ussher *seyd*: Be Mary *swete*; 363 And *seyd*
with *syʒhyng* sore; 376 He *seyd* Jhesu our *savyoure*; O 380 And *seyd* I thanke
þe *suete* Jhesu.

d) Versrhythmus.

Bei betrachtung des versrhythmus müssen wir uns auf diejenigen verse beschränken, die in beiden hss. völlig gleichlauten (wie z. b. vv. 3. 9. 10. 15. 17. 23. etc.), weil diese allein
die ursprüngliche lesart des gedichtes unverfälscht darbieten;
höchstens können noch diejenigen berücksichtigt werden, bei denen
die abweichungen der beiden hss. von einander metrisch belang-
los sind, wie z. b. v. 6.: *A semely man in (of) siʒt*; v. 87: *He (They)*
dwellid by Cardyff syde. Ferner müssen wir an stelle der ganz
willkürlichen orthographie der schreiber der hss. hier wie in dem
folgenden, über den dialekt des Sir Cleges handelnden abschnitte,
den wirklichen lautbestand des gedichtes wiederzugeben suchen
und insbesondere die zahlreichen, von den schreibern beigefügten
stummen *e* am ende der wörter, da, wo sie etymologisch nicht
berechtigt sind, streichen.

Wie in der mehrzahl der in der schweifreimstrophe abgefassten romanzen
(vgl. Kaluza, Lib. Desc. p. LVI ff.) haben auch in Sir Cleges die verse in den
reimpaaren je vier hebungen, die schweifreimzeilen je drei, vgl. z. b. v. 193 ff.

> *Ás he knélid oṅ his knée*
> *Vṅdernéth a chéry-trée,*
> *Máking his preyére,*

oder v. 286 ff.:

> *The third part bút thou gráunte mé*
> *Of thát the king wil give thée*
> *Whether it be silver or góld.*

Wie aus diesen beispielen schon zu ersehen ist, kann ein auftakt nach
belieben stehen oder fehlen. Wo er gesetzt wird, ist er fast stets einsilbig,
und besteht aus sprachlich schwach betonten wörtern, wie z. b. *The* 286; *Of*
287; *He* 10, 15, 24; *That* 23; *Ther* 45; *To* 54; *Sir* 89; *And* 94; *In* 105
u. s. w. Zweisilbiger auftakt ist bloss dann gestattet, wenn die zwei silben
»verschleift« werden können, so dass sie metrisch nur für eine silbe gelten,
wie z. b. *Whether it* 288; *Ellis* 265; *The uschér* 310.

Dass das end-*e* in der sprache unseres dichters bereits verstummt war,
lehren nicht bloss reime wie *saye* (Inf.): *away* 67; *ageyn*: *peyne* 175; *holde* (inf.)
: *sold* (part.) 91; *sone*: *anoon* 337; *brouʒte* (praet. 3 s.): *nouʒt* u. ä., die bei
Chaucer incorrect wären, sondern auch die behandlung der auf ein *e* aus-
gehenden wörter im innern der verse. Nur in seltenen fällen, wie z. b.
graunte 286, *give* 287, *mende* 54, *seyde* 172, *mete* 257 etc., wird das auslautende
e noch als volle silbe gerechnet und zur ausfüllung der senkung eines verses
verwendet. In der regel bleibt es unberücksichtigt, nicht bloss vor einem vocal
oder *h*, wo es elidirt werden kann, wie z. b. *That wóld come ánd vesite him*

than 23; Làte us fillę a pànyér 230 etc., sondern auch vor einem consonanten, wie z. b. *The thírdę part bút thou graúnte mé* 286; *Therę wóldę no mán saye náy* 45; *I thánkę thee óf thy sónd* 111; *Of áll the sórwę that yé been ínne* 134; *Góddes sérvicę fór to wírche* 164; *Alway thánkę we gód therfóre* 227; *I tíllę ʒou véramént* 237 etc.

Ebenso ist das *e* der pluralendung *-es* oder der endung des praeteritums der schwachen conjugation *-ed* bereits so sehr abgeschwächt, dass diese endungen im verse mitunter nicht mehr als volle silben gerechnet werden, wie z. b. *He wróng his hóndęs and wíped sore*, 106; *Gréne lévęs ther-ón he fónd* 200; *That Í lovęd páramóur* 501; *No lénger knélęd he pér* 198, wenn wir auch daneben noch vollmessung finden, wie: *Góddes sérvice fór to wírche* 164; *Amóng the lórdes in the hálle* 326; *Amóng the gréte lórdes álle* 446; *As he knéled ón his knée* 193; *Sche kíssed him with gláde chére* 124 etc.

Das *e* der endsilbe *-er* kann vor folgendem vocal verstummen, wie z. b.: *Whethęr it be silvęr or góld* 288; *Behóld whethęr it (Í) be fáls or trtwe* 308 etc.

Endlich können auch zweisilbige wörter mit kurzer stammsilbe auf der hebung verschleift, also im verse nur für eine silbe gerechnet werden, wie z. b.: *Mány caríllęs and grét daunsing* 103; *Évery yéer Sir Cléges wóld* 37; *Fór his lóve that máde mán* 302; *This sáw I néver this týme of yére* 341; *Spék to mé and táry not lónge* 356; *The chérięs werę sérved throúgh the hálle* 391; *Be méry be mý counséyl* 393 etc.

Abgesehen aber von diesen, der gesammten mittelenglischen dichtung eigenthümlichen und auch bei sorgfältigen dichtern, wie z. b. bei Chaucer, anzutreffenden freiheiten ist der versbau des Sir Cleges in den uns in beiden hss. gleichlautend überlieferten versen ein durchaus regelmässiger. Der auftakt kann zwar fehlen, aber nie oder höchst selten fehlt eine senkung im innern des verses, und auftakt sowohl als senkung sind in metrischem sinne stets einsilbig. Wenn nun in den ca. 180 versen, die in beiden hss. übereinstimmen, der versbau ein streng regelmässiger ist, dann dürfen wir von vornherein annehmen, dass auch in den übrigen theilen des gedichtes die ursprüngliche fassung correct gebaute verse enthalten hat, die erst im laufe der zeit unter den händen der schreiber oder im munde der vortragenden sänger immer mehr ausarteten, so dass in dem texte von E oder O auch vielfach verse mit zweisilbigem auftakt oder zweisilbiger senkung oder sonstigen unregelmässigkeiten stehen, wie z. b.: *A córteysear knýʒt than hé was ón* E 13; *That the bétter we máy fare áll this yére* E 236; *In oúre gardéyne of a chérytré* E 218; *The Cástell of Cárdyffe he yáue hym thóo* E 544; *To squýres that tráueyled in lónd of wérre* O 16; *He thóuʒt hymselue óut to quýte* O 63; *The kýng saw þe chérys fréssh and néw* O 379; *And seýd 'And he gráunte þe ány rewárd* O 524 etc.

IV. Dialekt.

Der wahre lautbestand eines mittelenglischen gedichtes lässt sich bei der willkürlichen orthographie der schreiber mit sicherheit bekanntlich nur aus den reimen erkennen, die der ·änderung im allgemeinen länger widerstand geleistet haben, als das innere der verse. In unserem gedichte weichen die beiden hss. allerdings auch in einer grossen zahl von reimwörtern ab, so dass für die feststellung des dialektes nur diejenigen reime beweiskräftig sind, die in beiden hss. übereinstimmen. Die nur in einer hs. stehenden reime sind darum durch vorgesetzte E oder O kenntlich gemacht.

Für den ursprünglichen laut- und flexionbestand des Sir Cleges ergiebt sich aus den reimen etwa folgendes:

Ae. *a* vor *nd* ist zu *o* geworden, vgl. *lond* : *sond* : *wonde* (inf.) : *bond* (an. *bondi*) 111. Ae *panne* erscheint als *than* (: *man*) 22, 301. E 529; daneben *then* (: *men*) 349. Die ae. brechung *ea* vor *ld* wurde zu *a* und durch spätere dehnung zu *o*, wie sonst im mittelländischen dialekt, vgl. *holde* (inf.) : *wolde* (prät. 3. sg.) 37; *beholde* : *scholde* (prät. 3. sg.) : *molde* : *gold* 279. Nur in O 435 finden wir die dem schottischen dialekt eigenthümliche bindung von *a* : *ay*, nämlich *made* (prät. 1. sg.) : *hade* (prät. 2. sg.) : *deleyd* (part.) : *payd* (part.); E hat reine *a*-reime: *made* : *hade* : *glad* : *sad*. Ae. *ā* ist als *o* gesichert durch die reime *so* : *(un)to* 121; *also* : *to* : *(y)do* 414; *also* : *therto* O 544; *go* (inf.) : *therto* 238; *goon* (inf.) : *doon* (part.) 49; *anoon* : *sone* O 337; *boon* : *on* (präp.) 475; *more* : *therfore* 226; *sore* : *more* : *before* 363. Nur in O 148 finden wir *mare* : *care*, wofür E *sore* : *more* hat. Für ae. *ǣ* in *pǣr*, *wǣron* finden wir in unserem gedichte sowohl *e* als *o*, vgl. *there* : *preyere* : *in fere* : *yere* 195; *there* : *yere* E 235; *there* : *porter* E 469; *were* : *here* (inf.) 1; *were* : *frere* O 31; *were* : *dere* E 34 und *thore* : *sore* 94. 106. O 442; *thore* : *therfore* E 442; *thore* : *sore* O 442; *wore* : *more* : *sore* : *nomore* 447; aber in O erscheint dafür auch *a*; vgl. *thare* : *fare* (inf.) O 235; *ʒare* (ae. *gearu*) : *thare* O 469.

Ae. *ie* in *giefan*, *giet* erscheint als *e* in *geve* (inf.) : *releve* (inf.) E 31; *yet* : *swete* E 313.

Bindung von *ě* : *ȳ* finden wir nur in je einer hs., *helde* (prät. plur.) : *milde* E 55 (dafür in O: *helde* : *welde*); *felle* (adj. plur.) : *wille* O 406 (dafür in E *stille* : *wille*). Dagegen kommen in beiden hss. reime *ee* : *y* vor, wenn auch mit mehrfachen abweichungen; vgl. *sikerly* : *me* : *trewly* E 219; *sikerly* : *ny* : *plentee* : *treuly* O 219; *sikerly* : *me* : *be* : *he* 315; *sikerly* : *me* : *me* : *charitee* E 423 (aber *be* : *me* : *me* : *charitee* O 423); *three* : *courtesy* 454; *sikerly* : *countree* E 496; *curteisly* : *three* : *me* : *trewly* E 507; *curteisly* : *why* : *me* : *trewly* 507. Der reim *eve* (ae. *ǣfen*) : *wyf* O 85 ist wohl unursprünglich.

Ae. *y* ist zu *e* geworden in *stente* (ae. *styntan*) : *hente* (prät. 3. sg.) : *mente* (praet. 2. plur.) 123; *stente* : *wente* : *verament* : *sent* 183 und in *stere* (ae. *styrian*) : *lere* (ae. *hlēor*) : *chere* 147.

In afrz. *guerre* ist *e* bereits zu *a* verdunkelt, wie der reim *ware* : *bare* 16 beweist.

Afrz. nom. sg. *povérte* acc. sg. *povertí* (lat. *paupértas* — *paupertátem*) ist in beiden formen anzutreffen, *povérte* : *herte* 190 und *povertee* : *sche* : *fre* : *journee* 243. *squier* aus afrz. *escuier* (lat. *scutarius*) ist noch nicht zu *squire* zusammengezogen worden; vgl. *squiere* : *yere* E 64; *squiere* : *were* (inf.) O 553; *squiere* : *manere* O 559.

Afrz. *u* und *ou* reimt zwar jedes für sich in *stature* : *feture* 10; *saviour* : *honour* 376; *parlour* : *honour* E 481; aber auch beide mit einander: *gesture* : *stature* : *paramour* : *stour* E 495; *goure* : *stature* : *paramour* : *stour* O 495.

Die reime *quyte* (inf.) : *almigt* : *lyte* : *quyte* (inf.) O 63; *quyte* (inf.) : *almigt* : *ligt* : *rigt* E 63 scheinen darauf hinzudeuten, dass zur zeit der entstehung unseres gedichtes das *g* in der verbindung *-igt* bereits verstummt war; doch reimt sonst *-igt* stets mit sich selbst, nicht mit *-yte*. Nur in O 339 finden wir den reim *mougte* : *ywrougt* : *bougte* : *oute* (ae. *ūt*), der beweisen würde, dass auch das gutturale *g* schon verstummt war; aber E reimt an dieser stelle *mougte* : *ywrougt* : *bougte* : *nougt*.

Die reime *-ythe* : *-yve* finden sich nur in O; vgl. *blyve* : *blythe* O 139. 151 (aber *swythe* : *blythe* E 139. 151) und *blythe* : *wyf* O 550, wofür nach dem zusammenhange *blyve* : *wyf* zu lesen ist.

Von den flexionsformen unseres gedichtes verdienen folgende erwähnung: Der inf. präs. hat sein *-n* bereits eingebüsst, nicht bloss in zweisilbigen, sondern auch in einsilbigen formen; vgl. *make* : *sake* 112; *blede* : *wede* : *rede* : (präs. 1. sg.) 327; *sende* : *wende* : *hende* : *ende* O 567; *smyte* : *tyte* E 295; *sitte* : *witte* O 520; *holde* : *wolde* 37; *holde* : *sold* (part.) 91; *beholde* : *scholde* : *molde* : *gold* 279; *say* : *awey* 157; *sey* : *day* : *array* : *delay* 255; *be* : *countree* O 43; *be* : *trinitee* 202; *be* : *sikerly* : *me* : *he* 315. *thee* (ae. *þēon*) : *fee* E 436; doch finden wir neben *go* : *tho* 145. 259. 271. 460; *go* : *two* 184; *go* : *therto* 238; *go* : *tho* : *also* : *to* O 471 auch *goon* : *lone* (subst.) E 130; *goon* : *everichoon* E 285, während für *goon* : *doon* (part.) 49 auch *go* : *do* eingesetzt werden könnte.

Im part. prät. ist das *-n* ebenfalls bereits abgefallen, vgl. *(y)do* : *also* : *to* 411; *holde* : *olde* O 565; *lore* : *pore* O 34; doch sind auch formen mit *n* noch vorhanden; vgl. *lorn* : *born* : *beforn* : *skorn* O 399; *born* : *beforn* : *skorn* : *beforn* E 399.

Die 3. sg. präs. hat die endung *-es* in dem reime *telles* : *Cleges* O 532, der allerdings wohl unecht ist.

Von formen starker verba begegnen im reime *cam* (prät. 3. sg.) : *than* E 181; *com* : *overgoon* O 181; *was* (ae. *wæs*) : *pas* 292; *was* : *place* E 211; *was* : *grace* O 496; *bede* (part. ae. *beden*) : *wede* : *rede* : *blede* O 327; *sy* (prät. 3. sg.) : *smertly* O 310. Als part. prät. wird das ursprüngliche adj. *sene* (ae. *gesȳne*) verwendet, vgl. *sene* : *clene* O 211; *sene* : *schene* E 388. Ae. *boren* (part.) ist zu *born* geworden; vgl. *born* : *beforn* : *skorn* 399. — Ae. *loren* (part.) erscheint als *lorn* : *born* : *beforn* : *skorn* O 399, als *lore* : *pore* O 34 und in der schwachen bildung *lest* : *feste* 70. — Ae. *hět* (prät.) wurde nach ausweis des reimes zu *(be)hette* : *lette* (subst.) : *mette* (prät. pl.) : *grette* (prät. 3. sg.), 459 wofür die hss. *(be)higt* setzen.

Ae. *macōde* (prät.) ist zusammengezogen zu *made* (prät. 1. sg.) : *hade* (prät. 2. sg.) 435, letztere form erscheint also ohne die endung *-est*. Ebenso ist endungslos die 2. sg. *can* : *man* 490. — *may* (ae. *mæg*) wird bereits für den plural (ae. *magon*) gesetzt; vgl. *may* (1. pl.) : *day* : *pay* 135. Als präteritum zu *may* finden wir neben *migte* : *nigt* : *rigt* 159 auch *mougte* : *ougte* (prät. pl. ae. *āhton*) O 562; in der hs. steht irrthümlich *myght* : *hyght*. — Ae. *mōt* blieb *mote* : *bote* 361, wofür in E fälschlich *moste* gesetzt ist.

Alle diese sprachlichen erscheinungen weisen auf den norden des englischen mittellandes als entstehungsort des Sir Cleges hin. Als entstehungszeit dürfen wir, wenn die reime *iʒt : yte* und *ee : y* wirklich von dem dichter selbst herrühren, frühestens den anfang des 15. jahrhunderts ansetzen.

V. Text.

E

1.

Will ye lystyn, and ye schyll here

fol. 1 a

Of eldyrs, that before vs were,
  Bothe hardy and wyʒt,
In the tyme of kynge Vter,
5 That was fadyr of kynge Arthyr,
  A semely man in siʒt.
He hade a knyʒt, that hight sir Cleges;
A dowtyar was non of dedis
  Of the rovnd tabull right.
10 He was a man of hight stature
And therto full fayr of feture
  And also of gret myʒt.

II.

A corteysenr knyʒt than he was on
In all the lond was there non;
15   He was so jentyll and fre.
To men, þat traveld in londe of ware
And wern fallyn in pouerte bare,
  He yaue both gold and fee.
The pore pepull he wold releve
20 And no man wold he greve;
  Meke of maners was hee.
His mete was fre to euery man,

That wold com and vesite hym than;
  He was full of plente.

III.

25 The knyʒt hade a jentyll wyffe,
  There miʒt non better bere life,
    And mery sche was on siʒte.

5 Arthyr] Athyr *E.*

O

I.

[L]ystyns, lordynges, and ʒe schall here

fol. 67 b

Off ansytores, þat before vs were,
  Bothe herdy and wyght.
In tyme of Vter and Pendragoun,
Kyng Artour fader of grete renoune, 5
  A sembly man of syght.
He had a knyʒht, hyʒt sir Clegys;
A douʒtyere man was non at nedys
  Of þe ronde tabull ryʒht.
He was man of hy statoure   10
And þer-to feyre of all fetour,
  A man of mekyll myʒht.

II.

Mour curtas knyʒht þan he was one
In all þis werld was þer non;
  He was so gentyll and fre.   15
To squyres, þat traueyled in lond of werre
And wer fallyn in pouerte bare,
  He gaff þem gold and fe.
Hys tenantes feyre he wold rehete;
No man he wold buske ne bete;   20
  Meke as meyd was he.
Hys mete was redy to euery man,

fol. 68 a

That wold com and vyset hym than;
  He was full of plente.

III.

The knyght had a gentyll wyff,   25
A better myʒht non be of lyfe
  Ne non semblyere in syght.

1 Lystyns] ystyns *O; der platz für die initiale* L *ist freigelassen.* — 2 ansytores, *über dem* o *steht ein* e *geschrieben.*

Dame Clarys hight þat fayre lady;
Sche was full good, sekyrly,
30 And gladsum both day and nyʒte.
: Almus gret sche wold geve,
The pore pepull to releue,   *fol. 1 b*
Sche cherisschid many a wiʒt.
For them hade no man dere,
35 Rech ar pore wethyr they were,
They ded euer ryght.

IV.

Euery yer sir Cleges wold
At Cristemas a gret fest hold
In worschepe of þat daye,
40 As ryall in all thynge,
As he hade ben a kynge,
For soth, as I you saye.
Rech and pore in þe cuntre a-bouʒt
Schuld be there, wyth-outton douʒtt;
45 There wold no man say nay.
Mynsstrellis wold not be be-hynde,
For there they myʒt most myrthis fynd,
There wold they be aye.

V.

Mynsstrellys, whan þe fest was don,
50 Wyth-outton yeftes schuld not gon,
And þat bothe rech and good,
Hors, robis and rech rynges,
Gold, siluer and othyr thynges,
To mend wyth her modde.
55 Ten yere sech fest he helde
.In the worschepe of Mari myld
And for hym, þat dyed on the rode.
Be that his good began to slake
For the gret festes that he dede make,
60 The knyʒt jentyll of blode.

· VI.

To hold the feste he wold not lett;
His maners he ded to wede sett;
                    fol. 2 a
He thowʒt hem out to quyʒtt.
Thus he festyd many a yere
65 Many a knyʒt and squire
In the name of god all-myʒt.

Dame Clarys hyght þat lady;
Off all godnes sche had treuly
Glad chere boþe dey and nyʒht.   30
Grete almus-folke boþe þei were
Both to pore man and to frere;
They cheryd many a wyʒht.
Fore þem had no man ouʒht lore,
Wheþer þei wer ryche ore pore,   35
Of hym þei schuld haue ryʒht.

IV.

Euery ʒere sir Clegys wold
In Crystynmes a fest hold
In þe worschype of þat dey.
                                40

Ryche and pore in þat contre
At þat fest þei schuld be;
There wold no man sey nay.   45
Mynstrellus wold not be be-hynd,
Myrthys wer þei may fynd,
That is most to þer pay.

V.

Mynstrellus, when þe fest was don,
Schuld not with-outyn gyftes gon,   50
That wer both rych and gode,
Hors and robys and rych rynges,
Gold and syluer and oþer thynges,
To mend with þer mode.
X ʒere our XII sych festes þei held 55
In worschype of hym, þat all weld
And fore vs dyʒed vpon þe rode.
Be than his gode began to slake,
Sych festes he gan make,
The knyght of jentyll blode.   60

VI.

To hold hys feste he wold not lete;
Hys rych maners to wede he sete;

He thouʒt hym-selue oute to quyte.
Thus he festyd many a ʒere
Both gentyll men and comenere   65
In þe name of god all-myʒht.

52 rynges] thynges *O*. — 58 slake]
schake *O*.

So at the last, the soth to say,
All his good was spent a-waye;
Than hade he but lyʒt.
70 Thowe his good were ner-and leste,
Yet he thowʒt to make a feste;
In god he hopyd ryght.

VII.

This rialte he made than aye,
Tyll his maneres wern all awaye,
75　Hym was lefte but on,
And þat was of so lytyll a value,
That he and his wyffe trewe
Miʒt not leve there-on.
His men, that wern mekyll of pride,
80 Gan slake awaye on eʒery syde;
With hym there wold dwell non
But he and his childyrn too;
Than was his hart in mech woo,
And he made mech mone.

VIII.

85 And yt be-fell on Crestemas evyn,
The kynge be-thowʒt hym full evyn;
He dwellyd be Kardyfe syde.
Whan yt drowe toward the novn,
Sir Cleges fell in svounnyng sone,
90　Whan he thowʒt on þat tyde
And on his myrthys, þat he schuld hold,
And howe he hade his maners sold
　　　　　　　　fol. 2 b
And his renttes wyde.
Mech sorowe made he there;
95 He wrong his hand and wepyd sore
And fellyd was his pride.

IX.

And as he walkyd vpp and dovn
Sore syʒthyng, he hard a sovne
Of dyvers mynstrelsee,
100 Of trompus, pypus and claraneres,
Of harpis, luttes and getarnys,
　A sotile and sawtre.
Many carellys and gret davnsyng,
On euery syde he harde syngyng,
105　In euery place, trewly.

99 mynstrelsee] mynstrelses E.

So at þe last, soth to sey,
All hys gode was spendyd a-way;
Than he had bot a lyte.
Thoff hys god were ne-hond leste,　70
In þe wyrschyp he made a feste;
He hopyd, god wold hym quyte.

VII.

Hys ryalty he forderyd ay,
To hys maners wer sold a.-wey,
That hym was left bot one,　75
And þat was of lytell valew,　fol. 68 b -
That he and hys wyfe so trew
Oneth myʒht lyfe þer-one.
Hys men, þat wer so mych of pride,
Wente a-wey onne euery syde;　80
With hym þer left not one.
To duell with hym þer left no mo
Bot hys wyfe and his chylder two;
Than made he mekyll mone.

VIII.

It fell on a Crystenmes eue,　85
Syre Clegys and his wyfe,
They duellyd by Cardyff syde.
When it drew to-werd þe none,
Syre Clegys fell in swownyng sone;
Wo be-thought hym þat tyde,　90
What myrth he was wonte to hold,
And he, he had hys maners solde,

Tenandrys and landes wyde.
Mekyll sorow made he þer;
He wrong hys hondes and wepyd sore,　95
Fore fallyd was hys pride.

IX.

And as he walkyd vppe and done
Sore syʒeng, he herd a sowne
Off dyuerse mynstralsy,
Off trumpers, pypers and nakerners,　100
Off herpers, notys and gytherners,
Off syfall and of sautrey.
Many carrals and grete dansyng
In euery syde herd he syng,
In euery place, treuly.　105

102 sytall] sycall O.

He wrong his hondes and wepyd sore;
Mech mone made he there,
Syghynge petusly.

He wrong hys hondes and wepyd sore;
Mekyll mon he made þer,
Syȝeng full pytewysly.

X.

»Lord Jhesu«, he seyd, »hevyn kynge,
110 Of nowȝt thou madyst all thynge;
I thanke the of thy sond.
The myrth, that I was wonte to make
At thys tyme for thy sake,
I fede both fre and bond.
115 All, that euer cam in thy name,
Wantyd neythyr wyld ner tame,
That was in my lond,
Of rech metes and drynkkys good,
That myȝt be gott, be the rode,
120 For coste I wold not lend.«

X.

»A, Jhesu, heuen kyng,
Off nouȝt þou madyst all thyng; 110
I thanke þe of thy sonde.
The myrth, þat I was won to make
In þis tyme fore þi sake,
I fede both fre and bond,
And all, þat euer com in þi name, 115
They wantyd noþer wylde ne tame,
That was in any lond,
Off rych metys and drynkes gode.
That longes for any manus fode,
Off cost I wold not wonde.« 120

XI.

As he stod in mornyng soo,
His good wyffe cam hym vnto
And in hyr armys hym hent.
fol. 3 a
Sche kyssyd hym wyth glad chere;
125 »My lord,« sche seyd, »my trewe fere,
I hard, what ye ment.
Ye se will, yt helpyth nowȝt,

To make sorowe in your *thowȝt*;
There-fore I pray you stynte.
130 Let your sorowe a-waye gon
And thanke god of hys lone
Of all, þat he hath sent.

XI.

Als he stode in mournyng so,
And hys wyfe com hym to,
In armys sche hym hente.

Sche kyssed hym with glad chere
And seyd: »My trew wedyd fere, 125
I herd wele, what ȝe ment.
Ȝe se wele, sir, it helpys nouȝt,
fol. 69 a
To take sorow in ȝour thouȝt;
There-fore I rede ȝe stynte.
130

XII.

For Crystes sake, I pray you blyne
Of all the sorowe, þat ye ben in,
135 In onor of thys daye.
Nowe euery man schuld be glade;
Therefore I pray you be not sade;
Thynke what I you saye.
Go we to oure mete swyth
140 And let vs make vs glade and blyth,
As wele as we may.
I hold yt for the best, trewly;
For youre mete is all redy,
I hope, to youre paye.«

XII.

Be Crystes sake, I rede ȝe lynne
Of all þe sorow, þat ȝe be ine,
Aȝene þis holy dey. 135
Now euery man schuld be mery and glad
With sych godes, as þei had;
Be ȝe so, I ȝou pray.
Go we to ouer mete be-lyue
And make vs both mery and blythe, 140
Als wele as euer we may.
I hold it fore þe best, trewly;
I haue made owre mete treuly,
I hope, vnto ȝour pay.«

128 thowȝt] hart *E.*

XIII.

145 »I a-sent,« seyd he tho
And in with hyr he gan goo
And sum-watt mendyd hys chere.
But · neuer þe les hys hart was sore,
And sche hym comforttyd more and more,
150 Hys sorewe a-way to stere.
So he be-gan to waxe blyth
And whypyd a-way hys teres swyth,
That ran dovn be his lyre.
Than they wasschyd and went to mete
155 Wyth sech vitell as they myȝt gett
fol. 3 b
And made mery in fere.

XIV.

Whan they hade ete, the soth to saye,
Wyth myrth they droffe þe day away,
As will as they myȝt.
160 Wyth hyr chyldyrn play they ded
And after soper went to bede,
Whan yt was tyme of nyȝt.
And on the morowe they went to chirch,
Godes service for to werch,
165 As yt was reson and ryȝt.

XV.

Sir Cleges knelyd on his kne;
170 To Jhesu Crist prayed he
Be cavse of his wiffe:
»Gracius lord,« he seyd thoo,
W. 170] »My wyffe and my childyrn too,
Kepe hem out of stryffe !«
175 The lady prayed for hym ayen,
That god schuld kepe hym fro peyne
In euer-lastyng lyf.
Whan service was don, hom they went
And thanked god with god entent
180 And put a-way penci.

XIII.

»Now I assent,« quoþ Cleges tho. 145
In with hyre he gan go
Som-what with better chere.
When he *f*ell in thouȝt and care,
Sche comforth hym euer mour,
Hys sorow fore to stere. 150
After he gan to wex blyth
And wyped hys terys blyue,
That hang on hys lyre.
Than þei wesch and went to mete
With sych god as þei myȝht gete 155

And made mery chere.

XIV.

When þei had ete, þe soth to sey,
With myrth þei drofe þe dey a-wey,
The best wey, þat they myȝht.
With þer chylder pley þei dyde 160
And after euensong went to bede
At serteyn of þe nyght.
The sclepyd, to it rong at þe chyrche,
Godes seruys forto wyrche,
As it was skyll and ryght. 165
Up þei ros and went þeþer,
They and þer chylder togeþer,
When þei were redy dyȝht.

XV.

Syre Cleges knelyd on hys kne;
To Jhesu Cryst prayd he 170
Be chesyn of hys wyfe :
»Grasyos lord,« he seyd tho,
»My wyfe and my chylder two,
Kepe vs out of stryffe !«
The lady prayd hym a-geyn; 175
Sche seyd: »God, kepe my lord fro peyn
In-to euer-lastyng lyffe !«
Seruys was don and hom þei wente;
The thankyd god omnipotent;
They went home so ryfe. 180

XVI.

Whan he to hys place cam,
His care was will abatyd than;
[W. 180]　　There-of he gan stynt.
He made his wife afore hym goo

185 And his chyldyrn both to;
Hym-selfe a-lone went
Into a gardeyne there besyde
And knelyd dovn in þat tyde
And prayed god veramend　*f·l. 4 a*
190 And thanked god wyth all hys hartt
Of his dysese and hys povertt,
That to hym was sent.

XVII.

[W. 190] As he knelyd on hys knee
Vnder-neth a cherytre,
195　Makyng hys preyere,
He rawȝt a bowe on hys hede
And rosse vpe in that stede;
No lenger knelyd he there.
Whan þe bowe was in hys hand,
200 Grene leves there-on he fonde
And rovnd beryse in fere.
He seyd »Dere god in trenyte,
[W. 200] What manere of beryse may þis be,
That grovyn þis tyme of yere?

XVIII.

205 A-bowȝt þis tyme I sey neuer ere,
That any tre schuld frewȝt bere,
As fer as I haue sowȝt.«
He thowȝt to taste, yf he cowþe;
And on he put in his mowth
210　And spare wold he nat.
After a chery þe reles was,
The best þat euer he ete in place,
[W. 210]　Syn he was man wrowȝt.
A lytyll bowe he gan of-slyve
215 And thowȝt to schewe yt to his wife
And in he yt browȝt.

XIX.

»Loo, dame, here ys newelte;
In oure gardeyne of a cherytre　*fol. 4 b*
I fond yt, sekerly.

207 fer] for *E.* — 208 taste] caste *E.*

XVI.

When he to hys palys com,
He thouȝt his sorow was ouer-gon;
　Hys sorow he gan stynt.
He made hys wyfe before hym gon
　　　　　　　fol. 69 b
And hys chylder euerychon;　　185
Hym-selue a-lone he wente
In-to a garthyn þer be-syde;
He knelyd a-doun in þat tyde
　And prayd to god verament.
He thankyd god with all hys hert　190
Of all desesyd in pouerte,
　That euer to hym he sente.

XVII.

As he knelyd onne hys kne
Vnderneth a chery-tre,
　Makyng hys praere,　　　　195
He rawȝht a bowȝe in hys hond,
To ryse þer-by and vpstond;
　No lenger knelyd he þer.
When þe bowȝe was in hys hond,
Gren leuys þer-on he fond　　　200
　And ronde beryes in fere.
He seyd: »Dere god in trinyte,
What maner beryes may þis be,
　That grow þis tyme of ȝere?

XVIII.

I haue not se þis tyme of ȝere,　205
That treys any fruyt schuld bere,
　Als ferre as I haue sought.«
He thouȝt to tayst it, yff he couthe
One of þem he put in hys mouthe;
　Spare wold he nouȝht.　　　210
After a chery it relesyd clene,
The best þat euer he had sene,
　Seth he was man wrouȝht.
A lytell bow he gan of-slyfe
And thouȝt he wold schewe it hys wyfe; 215
　In hys hond he it brouȝht.

XIX.

»Lo, dame, here is a nowylte;
In ouer garthyn vpon a tre
　Y found it, sykerly.

185 hys] hy *O.*

26 *

220 I am aferd, yt ys to-kynnyng
    Of more harme, that ys comynge;
    For soth, thus thynkkyth me.

225
W. 220] But wethyr wee have *les or more*,
    All-waye thanke we god there-fore;
    Yt ys best, trewly.«

XX.

    Than seyd the lady with good chere:
230 »Latt vs fyll a panyer
    Of þis, þat god hath sent.
    To-morovn, whan þe day doþe spryng,
    Ye schill to Cardyffe to þe kynge
    And yeve hym to present.
235 And sech a yefte ye may haue there,
W. 230] That þe better wee may fare all þis yere,
    I tell you, werament.«
    Sir Cleges gravntyd sone there-to:

    »To-morovn to Cardiffe will I goo
240   After your entent.«

XXI.

    On the morovn, whan yt was lyʒt,
    The lady hade a panere dyglit;
    Hyr eldest son callyd sche:
    »Take vpp thys panyer goodly
245 And bere yt forth esyly
[W. 240]   Wyth thy fadyr fre!«
    Than sir Cleges a staffe toke;
    He hade non hors, so seyth þe boke,
                                    fol. 5 a
    To ryde on hys jorny,
250 Neythyr stede ner palfray,
    But a staffe was hys hakenay,
    As a man in pouerte.

XXII.

    Sir Cleges and his son gent
    The right waye to Cardiffe went
255   Vppon Cristemas daye.
[W. 250] To the castell he cam full right,
    As they were to mete dyʒt;
    A-non, the soth to saye.

    25 226 les or more] more or les E. —
    2 in] i E.

Y ame a·ferd, it is tokenyng   220
Be cause of ouer grete plenyng,
    That mour greuans is ny.«
His wyfe seyd: »It is tokenyng
Off mour godness, þat is comyng;
    We schall haue mour plente.   225
Have we les our haue we mour,
All-wey thanke we god þer-fore;
    It is þe best, treulye.«

XX.

The lady seyd with gode chere:
»Late vs fyll a panyere   230
    Off þe frute, þat god hath sente.
To-morow, when þe dey do spryng,
Ʒe schall to Cardyff to the kyng,
    Full feyre hym to presente.
Sych a gyft ʒe may hafe þer,   235
That a we schall ye beter fare;
    I tell ʒou, verament.«
Syr Clegys grantyd sone þer-to:
                                    fol. 70 a
»To-morowe to Cardyff I wyll go
    After ʒour entent.«   240

XXI.

The morne, when it was dey lyght,
The lady had þe pannyere dyght;
    To hyre eldyst son seyd sche:
»Take vp þis pannyere gladly
And bere it at thy bake esyly   245
    After þi fader so fre.«
Syr Clegys þan a staff he toke;
He had no hors, so seyth þe boke,

    To ryde hys jorneye,
Neþer sted ne palferey,   250
But a staff was his hakney,
    As maner in pouerte.

XXII.

Syre Cleges and hys son gent
The ryght wey to Cardyfe went
    On Crystenmes dey.   255
To the castell-ʒate þei com full ryʒht,
As þei wer to mete dyght,
    At none, þe soth to sey.

    236 a we] *l.* alwey. — 237 *Diese
zeile am rande nachgetragen.*

In sir Cleges thow3t to goo,
260 But in pore clothyng was he tho
   And in sympull a-raye.
The porter seyd full hastyly :
»Thou chorle, with-drawe þe smertly,
   I rede the, with-out delaye ;

XXIII.

265 Ellys, be god and seint Mari,
[W. 260] I schall breke thyne hede on high ;
   Go stond in beggeres row3t.
Yf þou com more in-ward,
It schall þe rewe after-ward,
270 So I schall þe clow3t.«
»Good sir,« seyd sir Cleges tho,
»I pray you, lat me in goo
   Nowe, without dow3t.
The kynge I haue a present brow3tt
275 From hym, þat made all thynge of now3t;
[W. 270] Be-hold all a-bow3t!«   *fol. 5 b*

XXIV.

The porter to the panere went
 And the led vppe he hentt;
   The cheryse he gan behold.
280 Will he wyst, for his comyng
Wyth þat present to þe kyng,
   Gret yeftes haue he schuld.
»Be hym,« he seyd, »that me bow3t,
In-to thys place comste þou nott,
285 As I am man of mold,
[W. 280] The thyrde part but þou graunte me
Of þat the kyng will yeve þe,
   Wethyr yt be syluer or gold.«

XXV.

Sir Cleges seyd, »I asent.«

290 He yaue hym leve, and in he went
   Wyth-out more lettyng.
In he went a gret pace ;
The vsscher at the hall-dore was
   Wyth a staffe stondynge,
295 In poynte Cleges for to smy3t:
[W. 290] »Goo bake, þou chorle,« he seyd, »full
            ty3t,
   With-out teryyng !

266 high] hig3t *E.*

As sir Cleges wold in go,
In pore clothyng was he tho,   260
   In a symple aray.
The porter seyd full spytously :
»Thow schall with-draw þe smertly,
   I rede, with-oute deley.

XXIII.

Els, be god and seynt Mary,   265
I schall breke þi hede smertly,
   To stond in begers route.
Iff þou draw any mour in-werd,
Thow schall rew it after-werd ;
   I schall þe so cloute.«   270
»Gode sir,« seyd sir Cleges tho,
»I pray 3ou, late me in go ;
   Thys is with-outen doute :
The kyng I haue a present brow3t
Fro hym, þat made all thinge of nou3t ; 275
   Be-hold and loke a-boute !«

XXIV.

The pourter to þe pannyere wente ;
Sone þe lyde vp he hente ;
   The cherys he gan be-hold.
Wele he wyst, fore his commyng,   280
Fore hys present to þe kyng,
   Grete gyftes haue he schuld.
He seyd : »Be hym þat me dere bou3ht,
In at þis 3ate commys þou nou3ht,
   Be hym þat made þis mold,   285
The thyrd parte bot þou graunte me
Off þat the kyng wyll gyff þe,
   Wheþer it be syluer our gold.«

XXV.

Syre Cleges seyd : »þer-to I sente.«
              fol. 70 b
He 3aue hym leue, and in he wente 290
   With-outen mour lettyng.
In he went a grete pas ;
The offycers at þe dore was
   With a staff standyng.
In com sir Cleges so wyght ;   295
He seyd : »Go, chorle, out of my
           syght,
   With-out any mour lettyng.

267 To] *l.* Go.

I schall þe bette euery leth,
Hede and body, wythout greth,
300   Yf þou make more pressynge.«

XXVI.

»Good sir,« seyd sir Cleges than,
»For hys loue, þat made man,
Sese your ahgrye mode!
I haue herr a present browʒt   *fol. 6 a*
305 From hym, þat made all thynge of nowʒt
[W. 300]   And dyed on *the* rode.
Thys nyʒt in my gardeyne yt grewe;
Be-hold, wethyr it be false or trewe;
They be fayre and good.«
310 The vsscher lyfte vp þe lede smartly
And sawe the cheryse verily;
He marveld in his mode.

XXVII.

The vsscher seyd: »Be Mari swet,
Chorle, þou comste not in yett,
315   I tell þe, sekerly,
[W. 310] But þou me graunte, with-out lesyng,
The thyrd part of þi wynnyng,
Wan þou comste ayen to me.«
Sir Cleges sey non othyr von,
320 There-to he grauntyd sone anon;
It woll non othyr be.
Than sir Cleges with hevi chere
Toke hys son and hys panere;
Into the hall went he.

XXVIII.

325 The styward walkyd there-with-all
[W. 320] Amonge the lordes in þe hall,
That wern rech in wede.
To sir Cleges he went boldly
And seyd: »Ho made the soo hardi,
330   To com in-to thys stede?
Chorle,« he seyd, »þou art to bold.
Wyth-drawe the with thy clothys old
Smartly, I the rede!«
»I haue,« he seyd, »a present browʒt
335 From our lord, that vs dere bowʒt
                    fol. 6 b
[W. 330]   And on the rode gan blede.«

306 on the rode] on rode tre *E.*

I schall þe bete euery lythe,
Hede and body, with-outyn grythe,
And þou make mour presyng.«   300

XXVI.

»Gode sir,« seyd sir Cleges than,
»For hys loue, þat made man,   .
Sese ʒour angry mode!
For I haue a presante brouʒt
Fro hym, þat made all thyng of nowʒht 305
And dyed vpon þe rode.
Thys nyght þis fruyt grew;
Be-hold, wheþer I be fals our trew;
They be gentyll and gode.«
The vsschere lyfte vp þe lyde smertly: 310
The feyrest cherys, þat euer he sey;
. He meruyllyd in his mode.«

XXVII.

The vsschere seyd: »Be Mary suete,
Thou comyst not in þis halle on fete,
I tell þe, sykerly,   315
Bot þou graunte me, with-out wernyng,
The thyrd parte of þi wyneng,
When þou comyst a-geyn to me.«
Syre Cleges sey non oþer wone,
Bot þer he grautyd hym a-non;   320
It wold non oþer weys be.
Than sir Cleges with heuy chere
Toke his son and his pannyere;
In-to þe hall went he.

XXVIII.

The stewerd stert fast in þe hall,   325
Among þe lordes in þe halle,
That weryd ryche wede.
He went to sir Cleges boldly
And seyd: »Who made þe so herdy,
To come heþer, our þou were bede? 330
Cherle,« he seyd, »þou arte to bolde.
With-draw þe with þe clothes olde
Smertly, I þe rede.«
He seyd: »Sir, I haue a presant brouʒt
Fro þat lord, þat vs dere bouʒht   335

And on þe rode gan bled.«

325 in þe hall] *lies* ther-withall.

XXIX.

The panyer he toke the styward sone
And he pullyd out the pyne [*anon*],
   As smertly as he myȝt.
340 The styward seyd: »Be Mari dere,
Thys sawe I neuer thys tyme of yere,
   Syn I was man wrowȝt.
Thou schalt com no nere the kynge,

But yf thowe graunt me myn askyng,
345 Be hym þat me bowȝt:
[W. 340] The thyrd partt of the kynges yefte,
That will I haue, be my threfte,
   Ar forthere gost þou nott.«

XXX.

Sir Cleges be-thowȝt hym than,

350 »My part ys lest be-thwyxt þes men,
And I schall haue no thynge.
For my labor schall I nott get,
But yt be a melys mete.«
   Thus he thouȝt syynge.
355 He seyd: »Harlot, hast þou noo tonge?
[W. 350] Speke to me and terye nat longe
And graunte me myn askynge,
Ar wyth a staffe I schall þe wake,
That thy rebys schall all to-quake,
360 And put þe out hedlynge.«

XXXI.

Sir Cleges sey non othyr bote,
But his askyng graunte he most,
   And seyd with syynge sore:
»What so euer the kyng reward,
365 Ye schyll haue the thyrd part, *fol. 7 a*
[W. 360] Be yt lesse ar more.«

370 Vpe to the desse sir Cleges went
Full soborly and with good entent,
   Knelynge the kynge beforn.

XXXII.

Sir Cleges on-cowyrd the panyere
And schewed the kynge the cheryse clere,

338 anon *fehlt in E.*

XXIX.

The stewerd stert forth wele sone
And plukyd vp þe lyde a-non,
   Als smertly as he mouȝt.
The stewerd seyd: »Be Mary dere, 340
Thys saw I neuer þis tyme of ȝere,
   Seth I was man i-wrouȝt,
Thow schall cum no nere þe kyng,
               fol. 71 a
Bot if þou grante me myn askyng,
 Be hym þat me dere bouȝt. 345
The thyrd parte of þe kynges gyfte
I wyll haue, be my thryfte,
   Or els go truse þe oute!«

XXX.

Syre Cleges stode and be-thouȝt hym
   þan:
»And I schuld parte betwyx thre men, 350
 My-selue schuld haue no thyng.
Fore my traueyll schall I not gete,
Bot if it be a melys mete.«
   Thus thouȝt hym sore syȝeng.
He seyd: »Herlot, has þou no tong? 355
Speke to me and tary not long
 And grante me myn askyng,
Or with a staff I schall þe twake
And bete þi ragges to þi bake
 And schofe þe out hedlyng!« 360

XXXI.

Syre Cleges saw non oþer bote,
Hys askyng grante hym he mote,
   And seyd with syȝhyng sore:
»What þat euer þe kyng rewerd,
Ȝe schall haue þe thyrd parte, 365
 Wheþer it be lesse our more.«
When sir Cleges had seyd þat word,
The stewerd and he wer a-corde
 And seyd to hym no more.
Up to þe kyng sone he went; 370
Full feyre he proferd hys presente,
   Knelyng onne hys kne hym be-fore.

XXXII.

Syre Cleges vn-coueryd þe pannyere
And schewyd þe kyng þe cherys clere,

375 On the grovnd knelynge.
He seyd: »Jhesu, our savyor,
Sent the thys frewȝt with honor
On thys erth growynge.«
[W. 370] The kynge sye thes cheryse newe;
380 He seyd: »I thanke Cryst Jhesu;
Thys ys a fayre newe-ynge.«
He commaunndyd sir Cleges to mete,
And aftyrward he thowȝt with hym to speke,

Wyth-out any faylynge.

XXXIII.

385 The kynge ther-of made a present
And sent yt to a lady gent,
Was born in Cornewayle.
Sche was a lady bryght and schene
[W. 380] And also ryght will be-sene,
390 Wythout any fayle.
The cheryse were servyd thorowe þe hall;
Than seyd þe kynge, þat lord ryall:
»Be mery, be my cunsell!
And he þat browȝt me þis present,

395 Full will I schall hym content;
Yt schall hym will avayle.«

XXXIV.

Whan all men were mery and glade,
Anon the kynge a squire bade: *fol. 7 b*
[W. 390] »Brynge nowe me be-forn
400 The pore man þat the cheryse browȝt!«
He cam anoon and teryde natt,
Wyth-out any skorn.
Whan he cam before the kynge,
On knese he fell knelynge,
405 The lordes all beforn.
To the kyng he spake full styll:
»Lord,« he seyd, »watte ys your will?
I am your man fre born.«

XXXV.

[W. 400] »I thanke the hartyly,« seyd þe kynge,
410 »Of thy yeft and presentynge,
That þou haste nowe i-doo.
Thowe haste onowryd all my fest,

Vpon þe ground knelyng.   375
He seyd: »Jhesu, ouer sauyoure,
Sente ȝou þis fruyt with grete honour
Thys dey onne erth growyng.«
The kyng saw þe cherys fressch and new,
And seyd: »I thanke þe, swete Jhesu, 380
Here is a feyre newyng.«
He comandyd sir Cleges to mete,
A word after with hym to speke,

With[out] any feylyng.

XXXIII.

The kyng þer-fore made a presente   385
And send vn-to a lady gente,
Was born in Corne-weyle.
Sche was a lady bryght and schen;
After sche was hys awne quen,
With-outen any feyle.   390
The cherys wer serued throuȝhe þe hall;
Than seyd þe kyng, a lord ryall:
»Be mery, be my conseyle!
And he þat brouȝt me þis present,
fol. 71 b
I schall make hym so content;   395
It schall hym wele a-vayle.«

XXXIV.

When all men wer merye and glad,
Anon þe kyng a squyre bade:
»Bryng hym me be-forne,
The pore man þat þe cherys brouȝt!« 400
Anon he went and taryd nouȝht,
With-outen any scorne.
He brouȝht Cleges be-fore þe kyng;
Anon he fell in knelyng,
He wend hys gyft had be lorn.   405
He spake to þe kyng with wordes felle;
He seyd: »Lege lord, what is ȝour wylle?
I ame ȝour man fre borne.«

XXXV.

»I thanke þe hertely,« seyd þe kyng,
»Off þi grete presentyng,   410
That þou hast to me do.
Thow hast honouryd all my feste

384 Without] With *O.*

Old and yonge, most and lest,
And worschepyd me also.
415 Watt soo euer þou wolt haue,
I will the graunte, so god me saue,
That thyne hart standyth to.«

420

XXXVI.

He seyd: »Gramarcy, lech kynge!
[W. 410] Thys ys to me a comfortynge;
I tell you, sekyrly.
For to haue lond or lede
425 Or othyr reches, so god me spede,
Yt ys to mech for me.
But seth I schall chese my-selfe,
I pray you graunt me strokys XII,
To dele were lykyth me,
430 Wyth my staffe to pay hem all *fol. 8 a*
To myn aduerseryse in þe hall,
[W. 420]   For send charyte.«

XXXVII.

Than aunsswerd Hewtar þe kynge:
»I repent my grauntetynge,
435   That I to þe made.
Good,« he seyd, »so mott I thee,
Thowe haddyst be better haue gold or fee;
More nede ther-to þou hade.«
Sir Cleges seyd with a-waunt:
440 »Lord, yt ys your owyn graunte;
Therfore I am full glade.«
[W. 430] The kynge was sory ther-fore,
But neuer the lesse he grauntyd hym
there;
There-fore he was full sade.

XXXVIII.

445 Sir Cleges went in-to þe hall
Amonge þe gret lordes all,
With-out any more.
He sowȝt after the prowȝd styward,
For to yeve hym hys reward,
450   Be cavse he grevyd hym sore.
He yaffe the styward sech a stroke,

436 Good] *l.* Good man.

With þi deyntes, moste and leste,
And worschyped me all-so.
What þat euer thou wyll haue,   415
I wyll þe grante, so god me saue,
That þin hert stondes to,
Wheþer it be lond our lede
Or oþer gode, so god me spede,
How þat euer it go.«   420

XXXVI.

He seyd: »Gare mersy, lege kyng!
Thys is to me a hye thing,
Fore sych one as I be.
Forto grante me lond our lede
Or any gode, so god me spede,   425
Thys is to myche fore me.
Bot seth þat I schall ches my-selue,
I aske nothyng bot strokes XII,
Frely now grante ȝe me,
With my staff to pay þem all   430
Myn aduersarys in þis hall,
Fore seynt charyte.«

XXXVII.

Than ansuerd Vter þe kyng;
He seyd: »I repent my grantyng,
The couenand, þat I made.«   435
He seyd: »Be hym þat made me and the,
Thou had be better take gold our fe;
Mour nede þer-to þou hade.«
Syr Cleges seyd with-outen warryng;
»Lord, it is ȝour awne graunteyng;   440
It may not be deleyd.«
The kyng was angary and greuyd sore;
Neuer þe les he grante hym thore,

The dyntes schuld be payd.

XXXVIII.

Syre Cleges went in-to þe hall *fol. 72 a* 445
Among þe grete lordes all,
With-outen any mour.
He souȝht after þe stewerd;
He thouȝht, to pay hym his rewerd,
Fore he had greuyd hym sore.   450
He gafe þe stewerd sych a stroke,

440 graunteyng] graunte *O.*

[W. 440] That he fell dovn as a bloke
　　　Before all, þat ther-in were,
　　　And after he yafe hym othyr thre;
455 He seyd: »Sire, for thy corteci,
　　　Smyȝte me no more!«

XXXIX.

　　　Out of the hall sir Cleges went;
　　　Moo to paye was hys entent,
　　　Wyth-out any lett.　　　　fol. 8 b
460 He went to þe vsscher in a breyde:
　　　»Haue here sum strokys!« he seyde,
[W. 450]　Whan he wyth hym mete,
　　　So þat after and many a daye
　　　He wold warn no man þe waye;
465　So grymly he hym grett.
　　　Sir Cleges seyd: »Be my threft,
　　　Thowe haste the thyrd part of my yefte,
　　　As I the be-hight.«

XL.

　　　Than he went to the portere
470 And IIII strokys he yaue hym there;
　　　His part hade he tho,
[W. 460] So þat after and many a daye
　　　He wold warn no man þe waye,
　　　Neythyr to ryde ner goo.
475 The fyrste stroke he leyde hym on,
　　　He brake in to hys schuldyr bon
　　　And his on arme there-to.
　　　Sir Cleges seyd: »Be my threfte,
　　　Thowe haste the thyrd parte of my yefte;
480　The couenaunnte we made soo.«

XLI.

　　　The kynge was sett in hys parlor
[W. 470] Wyth myrth, solas and onor;
　　　Sir Cleges thedyr went.
　　　An harpor sange a gest be mowth
485 Of a knyȝt there be sowth,
　　　Hym-selffe, weramerst.
　　　Than seyd the kynge to þe harpor:
　　　»Were ys knyȝt Cleges, tell me herr;
　　　　　　　　　　　　fol. 9 a
　　　For þou hast wyde i-went.
490 Tell me trewth, yf þou can:
[W. 480] Knowyste þou of þat man?«
　　　The harper seyd: »Yee, iwysse!

455 Sire] Sore *E*. — 471 tho] there *E*.

　　　That he fell doune lyke a bloke
　　　Among all, þat there were,
　　　And after he gaff hym strokes thre;
　　　He seyd: »Sir, for þi curtasse,　　455
　　　Stryke þou me no mour!«

XXXIX.

　　　Out of þe hall sir Cleges wente;
　　　To pay mo strokes he had mente,
　　　With-owtyn any lette.
　　　To þe vsschere he gan go;　　460
　　　Sore strokes ȝaffe he tho,
　　　When þei to-geder mette,
　　　That after-werd many a dey
　　　He wold wern no man þe wey;
　　　So grymly he hym grete.　　465
　　　Syr [*Cleges*] seyd: »Be my thryfte,
　　　Thou hast the thyrd parte of my gyfte,
　　　Ryght euyn as I þe hyȝht.«

XL.

　　　To þe porter com he ȝare;
　　　Foure strokes payd he thare;　　470
　　　His parte had he tho.
　　　Aftyr-werd many a day
　　　He wold wern no man þe wey,
　　　Neþer to ryde ne go.
　　　The fyrst stroke he leyd hym onne,　475
　　　He brake a-two hys schulder bone
　　　And hys ryȝht arme also.
　　　Syre Cleges seyd: »Be my thryfte,
　　　Thow hast þe thyrd parte of my gyfte;
　　　Couenant made we so.«　　480

XLI.

　　　The kyng was sett in hys parlere,
　　　Myrth and reuell forto here;
　　　Syre Cleges theder wente.
　　　An harper had a geyst i-seyd,
　　　That made þe kyng full wele a-payd,　485
　　　As to hys entente.
　　　Than seyd þe kyng to þis herpere:
　　　»Mykyll þou may ofte tyme here,

　　　Fore thou hast ferre wente.
　　　Tell me trew, if þou can:
　　　Knowyst þou thys pore man,　　490
　　　That þis dey me presente?«

466 Cleges *fehlt in* O.

XLII.

Sum tyme for soth I hym knewe;
He was a knyȝt of youres full trewe
495 And comly of gesture.
We mynstrellys mysse hym sekyrly,
Seth he went out of cunntre;
He was fayr of stature.«
The kynge sayd: »Be myn hede,
500 I trowe þat sir Cleges be dede,
That I lovyd paramore.
W. 490] Wold god, he were a lyfe,
I hade hym lever than othyr V,
For he was stronge in stowre.«

XLIII.

505 Sir Cleges knelyd before þe kynge;
For he grauntyd hym hys askynge,
He thanked hym cortesly.
Specyally the kynge hym prayed,
To tell hym, whye tho strokes he payed
510 To hys men thre.
He seyd, þat he myȝt nat com in-ward,
[W. 500] »Tyll euerych I graunttyd þe thyrd partt
Of þat ye wold yeve me.
With þat I schuld haue nowȝt my-selfe;
515 Werefore I yaue hem strokes XII;
Me thowt yt best, trewly.« fol. 9 b

XLIV.

The lordes lowe, both old and yonge
And all that wern with þe kynge,
They made solas i-nowe.
520 The kynge lowe, so he myȝt nott [sitte];
He seyd: »Thys ys a noble wyȝt,
[W. 510] To god I make a wove.«
He sent after his styward:
»Hast þou,« he seyd, »thy reward,
525 Be Cryst, he ys to lowe.«
The styward seyd with lokes grym:

»The dewle hym born on a lowe.«

XLV.

The kynge seyd to hym than:
530 »What ys thy name? tell me, good man,

XLII.

He seyd: »My lege, with-outen les,
Som-tyme men callyd hym Cleges;
He was a knyght of ȝoure. 495
I may thinke, when þat he was fol. 72 b
Full of fortone and of grace,
A man of hye stature.«
The kyng seyd: »This is not he in dede;
It is long gon, þat he was dede, 500
That I louyd paramour.
Wold god, þat he wer wyth me;
I had hym leuer than knyghtes thre,
That knyght was styff in stoure.«

XLIII.

Syre Cleges knelyd be-fore þe kyng; 505
For he had grantyd hym hys askyng,
He thankyd hym curtasly.
Spesyally þe kyng hym prayd,
The thre men, þat he strokes payd,
Where-fore it was and why. 510
He seyd: »I myght not com in-werd,
To I grantyd iche of þem þe thyrd parte
Off þat ȝe wold gyff me.
Be þat I schuld haue noȝt my-selue;
To dele among theym strokys XII 515
Me thouȝt it best, trewly.«

XLIV.

The lordes lewȝe, both old and ȝenge,
And all þat there wer wyth þe kyng,
They made solas i-nowȝe.
They lewȝe, so þei myȝt not sytte; 520
They seyd: »It was a nobull wytte,
Be Cryst we make a vow.«
The kyng send after hys stewerd
And seyd: »And he grante þe any reward,
Askyth it be þe law.« 525
The stewerd seyd and lukyd grym:
»I thynke neuer to haue a-do with hym;
I wold I had neuer hym knaw.«

XLV.

The kyng seyd: »With-outen blame,
Tell me, gode man, what is þi name, 530

517 and] a E. — 520 sitte fehlt
in E. Weber stellt um: so he nott
myght.

496 thinke] thnke O.

Nowe anon rygh*!*
[W. 520] »I higȝt sir Cleges, soo haue I blysse;
My ryght name yt ys i-wysse;
   I was ȝour owyn knyȝt.«
535 »Art thou sir Cleges, þat servyd me,
That was soo jentyll and soo fre
   And so stronge in fyght?«
»Ye, sir lord,« he seyd, »so mott I thee,
Tyll god in hevyn hade vesyte me;
540   Thus pouerte haue me dyȝt.«

XLVI.

The kynge yaue hym a-non ryȝt
[W. 530] All þat longed to a knyȝt,
   To rech hys body wyth;
The castell of Cardyffe he yaue hym thoo
   [Das letzte blatt fehlt in E.]

Be-fore me anon ryght!«
»My lege, he seyd, þis man ȝou tellys,
Som tyme men called me sir Cleges;
   I was ȝour awne knyght.«
»Arte þou my knyȝht, þat seruyd me, 535
That was so gentyll and so fre,
   Both strong, herdy and wyght?«
»Ȝe, lord,« he seyd, »so mote I the,
Tyll god allmyght hath vyset me;
   Thus pouerte hath me dyȝht.«   540

XLVI.

The kyng gaffe hym anon ryȝht
All þat longes to a knyght,
   To a-ray hys body with.
The castell of Cardyff also
With all þe pourtenans þer-to,   545
   To hold with pes and grythe.
Than he made hym hys stuerd *fol. 73 a*
Of all hys londys after-werd,
   Off water, lond and frythe.
A cowpe of gold he gafe hym blythe, 550
To bere to dam Clarys hys wyfe,
   Tokenyng of joy and myrthe.

XLVII.

The kyng made hys son squyere
And gafe hym a colere forte were
   With a hundryth pownd of rente. 555
When þei com home in þis manere,
Dame Clarys, þat lady clere,
   Sche thankyd god verament.
Sche thankyd god of all maner,
Fore sche had both knyght and squyre 560
   Som what to þer entente.
Vpon þe dettys þat they hyght,
They payd als fast as þei myght,
   To euery man wer content.

531 ryght] rygh *E.* — 545 *Weber's
ergänzung der strophe 46 lautet:*
[With many other yeftes moo
Miri to lyue and blyth.
The knyght rode to dame Clarys, his
          wyue,
Fairer ladie was non olyue,
He schewyd his yeftes swyth.
Now to Mari, that hende may,
For all yowr sowlys Y her pray,
That to my talys lythe.]

XLVIII.

A gentyll stewerd he was hold;   565
All men hym knew, ȝong and old,
  In lond wer þat he wente.
There fell to hym so grete ryches,
He vansyd hys *k*ynne, mour and les,
  The knyght curtas and hend.   570
Hys lady and he lyued many ȝere
With joy and mery chere,
  Tyll god dyde fore them send.
Fore þer godnes, þat þei dyd here,
There saulys went to heuen clere,   575
  There is joy with-outen ende. Amen.

566 old] hold *O*. — 569 kynne]
lynne *O*.

DANZIG, Februar 1896.   A. Treichel.

WAS ROBERT GREENE SUBSTANTIALLY THE AUTHOR OF TITUS ANDRONICUS?

I shall answer the question at the head of this Paper, in the affirmative; but I must ask in the outset that it be noted that I qualify Greene's authorship by »substantially«. I do so, because I accept the stage-tradition of Ravenscroft, in his preface to his adaptation of Titus Andronicus, which he sub-entitles »the Rape of Lavinia«. It seems expedient at this point to quote the passage (the spacing out ours): —

»'Tis necessary I should acquaint you that there is a Play in Mr. Shakespeare's Volume under the name of Titus Andronicus, from whence I drew part of this. I h a v e b e e n t o l d b y s o m e a n c i e n t l y c o n c e r n e d w i t h t h e S t a g e, t h a t i t w a s n o t O r i g i n a l l y h i s, b u t b r o u g h t b y a p r i v a t e A u t h o r t o b e A c t e d, a n d h e o n l y g a v e s o m e M a s t e r - t o u c h e s t o o n e o r t w o o f t h e P r i n c i p a l P a r t s o r C h a r a c t e r s: this I am apt to believe, seeing 'tis the most incorrect and indigested piece in all his Works« (p. 16ȝ).

I make two remarks on this quotation : —

a) Ravenscroft wrote this in 1687, and historic-biographic facts show, that his informant might easily have personally known both Greene and Shakespeare, e. g. Charles Macklin acted »Shylock« in his 100th year (1697). Suppose an earlier Macklin who also died in his 100th year, and we should be carried back to contemporaries. Then, there is the happily still living Mrs. Keeley (in her 90th year). Hence the tradition told Ravenscroft might have been communicated to him by one or other of the »intimates« of the actors of the period.

b) Charles Knight (in his Shakespeare) charges Malone with concealing Gerard Langbaine's drastic exposure of Ravenscroft's preposterous claims of originality in his »Rape of Lavinia«. But the charge is groundless, seeing that the play-writer's literary vanity had nothing to do with the matter-of-fact he records. He well-merited Langbaine's courageous reprimand — Ravenscroft being then living — but the critic does not in one iota challenge the tradition.

Therefore, I for one concede »Master-touches« by Shakespeare, while holding (as I have put it) that substantially Robert Greene wrote »Titus Andronicus«. That is to say, that Robert Greene was the »private Author« who »brought it to be acted« — understanding »private Author« to distinguish him from an actor or public dramatic author.

In limine, I assume two things : —

a) That no one at all likely to be interested in. our inquiry, needs to be informed generally on the tragically pathetic story of Robert Greene, or specifically, on his resentment of Shakespeare's plagiarisms. (I accentuate en passant that it was the »factotum« or theatre-hack and unfamous, not the immortal Shakespeare of Hamlet, or Macbeth, or Othello, or Lear, who was attacked.) Any one who needs information on either, and all others, are referred to the annotated Life of Greene by Professor Storojenko, which forms Vol. I of our collective edition of his complete Works in the Huth Library (15 vols. 1881—86), or to Mr. Richard Simpson's too little known »The School of Shakespeare« (2 vols. 1878).

b) That pace Dr. M. M. Arnold Schröer (Ueber Titus Andronicus. Zur kritik der neuesten Shakespeare-forschung: Marburg 1881) and H. Kurz (Zu Titus Andronicus, im Jahrbuch der deutschen Shakespeare-gesellschaft V, 1872), no Shakespeare critic of full knowledge and insight now disputes the non-Shakespearean authorship of Titus Andronicus — save in purple patches (as before).

This conclusion is supported by Theobald — one of the most penetrative and well-furnished as he is the modestest of editors, and too often availed of without acknowledgement — Pope — Rowe — Dr. Johnson — Dr. Farmer — Malone — Stevens — Boswell — Dr. Drake — Ritson — Mason — Cole-ridge (father and son) — Singer — Sidney Walker — Keightley — Dr. Ingleby — Dyce [1]) — Craik — Halliwell-Phillipps — Staunton — Gervinus [2]) — Dowden — Rolfe. It has been dis-puted by Capell — Charles Knight — Collier — Ulrici — Delius — Simpson — Cohn — Franz Horn — Schlegel — Kreyssig — Verplanck. (Both sets of names given currente calamo, not chronologically.)

Delius, Schröer, Kurz and Charles Knight overglorify the Play and feel bound to worship it as Shakespeare's. To them the calf is golden. Nevertheless we shall see in the sequel, I am prepared to admit and shew that there are »brave translunary things« in Titus Andronicus alike of Shakespeare's and of Greene's.

Dr. F. J. Furnivall — accepting the Ravenscroft tradition (ut supra) — thus delivers his verdict (Introduction to the »Leopold Shakespere«): —

»Titus Andronicus I do not consider here, although it is in Meres' list and in the First Folio; for to me as to Hallam and many others, the Play declares as plainly as Play can speak »I am not Shakespeare's«; my repulsive subject, my blood and horrors, are not and never were, his« . . . . »I advise my readers not to read Titus till they have read all the rest of Shakespeare, and are in a position to judge what is his work, and what is not« (p. XXII). Excellent conclusion and counsel, for which we may forgive the tautology of »are not and never were«. Even more strenuously, Gerald Massey thus writes: —

---

[1]) Dyce goes so far as to exclude nearly the whole of Titus Andronicus words of our lists from his »Glossary«. The same must be said of Jephson's »Glossary to Shakespeare's Works« in Clark and Wright's »Globe« Shakespeare (1864) — extremely defective by omissions.

[2]) Gervinus says »There may be few, among the readers who cherish Shakespeare, who would not wish to have it proved that this piece did not proceed from the poet's pen«. l. 143.

»Shakespeare's is the tragedy of Terror; this is the tragedy of Horror. His tragedy is never bloodily sensual, his genius has ever a spiritualising influence. Blood may flow, but he is dealing with more than blood. The play is a perfect slaughter-house, and the blood makes appeal to all the senses. The murder is committed in the very gateways of the sense. It reeks blood, it smells of blood, we almost feel that we have handled blood; it is so gross. The mental stain is not whitened by Shakespeare's sweet springs of pity; the horror is not hallowed by that appalling sublimity with which he invests his chosen ministers of Death. It is tragedy and in the coarsest material relationships; the tragedy of Horror« (»Shakespeare's Sonnets and his Private Friends« 1866).

I shall take occasion to return on Massey's criticism; but meanwhile sufficient has been said to warrant our regarding the question of our Paper as not a closed but an open one.

Further preliminarily; it is of importance to correct certain errors (bibliographical and otherwise) and pseudo-difficulties relative to Titus Andronicus.

Even so supreme an authority as Dr. William Aldis Wright (in both Cambridge Shakespeare's vol. VI) and Mr. A. Wilson Verity (in the Sir Henry Irving Shakespeare, vol. VIII) seem to me to have misread and misinterpreted certain data before them (and available to us).

Gerard Langbaine's notice of this Play (in his »An Account of the English Dramatick Poets . . . . . 1691, p. 404« records a first edition of Titus Andronicus of 1594, thus: —

»Titus Andronicus his Lamentable Tragedy: This Play was first printed 4° London 1594, and acted by the Earls of Derby, Pembroke and Essex, their servants«.

Let it be noted he says »This Play« not another, actual or supposed. This statement exactly accords with and makes clear, the first entry in the Stationers' Register concerning Titus Andronicus, as follows: —

»6 February 1593.

John Danter. Entred for his Coppye under t'handes of bothe the wardens a book intituled a Noble Romane History of Titus Andronicus« (Arber II, 304 b).

The interval between 6 February 1593 (even if = 1594), and 1594, when Langbaine's quarto appeared, is synchronous therewith. Not only so, but equally coincident are three entries in Philip Henslowe's »Diary«, thus: —

Rd at titus and ondronicus, the 28 of Jenewary 1593 XXX^s
5 of June 1594 Rd at andronicus . . . . XIJ^s
12 of June 1594 Rd at andronicus . . . . VIJ^s
(Shakespeare Society: Collier 1845.)

With the sanction of these two authorities — Langbaine and the Stationers' Register, supplemented by Henslowe — I cannot share the doubt of a 1594 edition or of that edition not having been identical (save perhaps in the publisher) with the quartos of 1600 and 1611. Langbaine was painstaking, and self-evidently saw for himself the book-rarities he describes, and his words »this Play« are to me decisive. True, no exemplar of the 1594 *one* quarto seems to have survived from 1691; but this is a catastrophe common to many others; and only two copies are known of even the 1600 quarto.

It is also to be remembered that Ben Jonson in the Induction to Bartholomew Fair, (which was produced in 1614), girds at »Andronicus« thus: —

»He that will swear Jeronimo or Andronicus are the best plays yet, shall pass unexcepted at here, as a man whose judgment shows it is constant, and hath stood still these five and twenty or thirty years«.

Twenty-five years goes back to 1589 and »thirty years« to 1584; but »rare Ben« was not fixing a date, and spoke generally and loosely.

I see no reason to doubt that his reference was to Titus Andronicus and I agree with Bishop Percy earlier (»Reliques«) and Gerald Massey later (as before) that it is a strong presumptive evidence that he knew Titus Andronicus was not Shakespeare's (then living). Only those creatures against whom Gifford waged relentless and superfluous warfare, who saw malignancy in every reference of Jonson to his mighty contemporary, can regard it as credible that he would have dared or thought of 'girding' at an acknowledged play of Shakespeare's.

But Dr. W. Aldis Wright makes a difficulty from other entries — wholly illusory (m e o j u d i c i o). For the explanation is, that between the Stationers' Register entry of 6 February 1593 and 1600, John Danter must have transferred his rights in (probably) the quarto of 1594, to Edward White whose name appears as publisher of both the quartos of 1600 and 1611; while again a Thomas Millington must have acquired some interest in it. The following Stationers' Register entry establishes this: —

»19th April 1602.

»Thomas Pavier. Entred for his copies by assignment from Thomas
Millington these books following Saluo Jure cuiusque, viz

    A Booke called Thomas of Reading . . . . VI d
    The first and Second parte of Henry the VI th II books XII d
    A booke called Titus and Andronic[us]. (sic) . . . . VI d

Entered by warrant under Master Seton's hand« (Arber III, 80 b).

Pavier was a notorious piratical publisher and the bit of
Latin seems to suggest some suspicion of him. But be this as it
may, the entry allows of other impressions between 1594 and 1600
by Pavier and Millington, and a further assignment in 1600 to
Edward White, and again (temporarily?) by him to Milington or
other, and repurchase or re-obtainment between 1600 or 1602 on
to 1611. Later impressions are of no interest (1626 etc.) Exemplars may yet be recovered to shed light on these varying pub-
lishers, and it is no objection as to other impressions between 1594
and 1600 that no entries in these years (beyond the one given)
appear in the Stationers' Register. This applies to numerous
known books, earlier and later.

I must therefore reject, with all respect but unhesitatingly,
Dr. Wright's and Mr. Verity's conclusions. The former thus runs: —

»In the Registers of the Stationers' Company are the following
entries (as before given by us) with regard to a book called »Titus
Andronicus«, but it is more than doubtful whether any of them
refer to the editions of the play of that name which have come
down to us« (VI, pp. X—XI). The latter thus: — »These three
allusions (as before) cannot be concerned with the same work,
and possibly not one of them really refers to the play printed in
1600 and subsequently assigned to Shakespeare« (as before).

I can only exclaim with Dominie Sampson »prodigious« (in-
credulity and ingenuity)! This duplication if not triplication of
plays named Titus Andronicus also recalls the story of the old
bibulous Scotch judge who crossing a bog lost his wig and on
its being recovered and pressed all dripping over his flaming face
remonstrated with his servant »This is no my wig« and got for
answer »Ay, ay, my lord, there's nae waill (choice) of wigs here.«
Similarly, with all its limitations, Titus Andronicus is not so inferior as to have had another· and another form [1]).

---

[1]) Incidentally, an evidence that our present Titus Andronicus was being
acted at and before 1598—99 ·is found in an inventory of the theatrical pro-

The one slender ground on which an earlier and differing Titus Andronicus has been created is, on the one hand a like misreading of entries in Henslowe's »Diary« and of an early German translation (so-called) of Titus Andronicus.

I would now look at both of these points:

I. The following are the entries in question in Henslowe (Collier, as before, p. p. 24—20).

> Rd at tittus and Vespacia the 11 of aprel 1591.
> Rd at tittus and vespacia, the 20 of aprel 1591.
> Rd at tittus and vespacia, the 8 of maye 1592.
> Rd at tittus and vespacia, the 24 of maye 1592.
> Rd at tittus and Vespacia, the 6 of June 1592.
> Rd at titus, the 6 of Janewary 1592.
> Rd at titus, the 29 of Janewary 1593.

The whole of these entries belong to a Play whose subject manifestly was not Titus Andronicus but »Titus and Vespacia« and not 'Vespatian' but 'Vespacia', although from Malone onward to our day (e. g. Fleay) Vespatian has been substituted. No exemplar of a Play entitled »Titus and Vespacia« being known, it is impossible to say and uncritical to dogmatise, whether or no Vespacia was a feminine name (as wife or empress) or whether »Vespacia« stood for Vespatian. Some years onward the Stationers' Register furnishes an entry wherein Titus and Vespatian are connected: —

> »5 January 1598.
>
> Thomas purfoote   Entered for their Copie under t'hand
> senior.   of master Warden man / The Destruction
> Thomas purfoote   of Jerusalem by Tytus, sonne of
> junior.   Vespatian in English meter«.

(Arber III, 28 b.)

This may or may not have been a metrical Play (after the old style), but it must be accentuated that Henslowe's entries refer to a Play of »Titus and Vespacia«. When he does refer to Titus Andronicus, his entries, with all their eccentricities of spelling, distinguish the two, as thus (Collier pp. 33—36):

> Rd. at titus and[1]) ondronicus the 23 of Jenewary   IIIJ?I VIIJ»
> 5 of June 1594 Rd at andronicous . . . . .   XIJ»
> 12 of June 1594 Rd at andronicus . . . . .   VIJ»

---

perties of the Rose theatre (March 1598—99). Mention is therein made of »the More's lymes« (limbs) and Malone suspects these were the limbs of Aaron the Moor in Titus Andronicus who in the play was probably tortured on the stage. See Malone and Rolfe's Titus Andronicus (p. 12).

   [1]) Doubtless this 'and' was meant to form the first syllable of Andronicus, the Scribe having been interrupted in making the entry.

The year-entries and the wording are wholly separate. In the teeth of these distinctive entries, it is out of the question to make them refer to the same Play or the same subject. There is no Vespacia or Vespatian in Titus Andronicus to support such a supposition or anything to preclude the possibility of Titus and Vespacia having been a Play on the destruction of Jerusalem.

2. An early German translation (so-called) has been dragged in to buttress the notion of an earlier and later Titus Andronicus. The tragedy (»Lamentable tragedy«) of Titus Andronicus (so designated in the title, not Titus and Vespatian) forms part of Vol. 1st of »Englische Comedien vnd Tragedien« 1620 (republished in 1624, and again by Tieck in Deutsches theater, band 1, Berlin 1817, pp. 367—497; and finally by Cohn (»Shakespeare in Germany« 1865, pp. 156—235).

One of the characters introduced into this German re-hash of Titus Andronicus is Vespatian, and lo1 because of this, we are asked to believe that originally a Vespatian must have been in Titus Andronicus! But by this way of reasoning (unreason rather) Titus Andronicus must have likewise (originally) had these associates with Vespatian, —

> The Roman Emperor.
> Andronica.
> Aetiopissa, Queen of Ethiopia, Empress.
> Morian.
> Helicates, eldest son of Aetiopissa.
> Saphonicus, second son of Aetiopissa.
> Consort of Andronica.
> Victoriades.
> Messenger.
> White Guards.

Not one of these (except the first) in in Titus Andronicus. More than that, not one of the following characters in Titus Andronicus is found in the German Play: —

Saturnius, son to the late Emperor of Rome, and afterwards declared Emperor.
Bassianus, brother to Saturnius, in love with Lavinia.
Marcus Andronicus, tribune of the people and brother to Titus.
Lucius ⎫
Quintus ⎬ sons of Titus Andronicus.
Martius ⎪
Mutius ⎭
Young Lucius, a boy, son to Lucius.
Publius, son to Marcus Andronicus.
Aemilius, a noble Roman.

Alarbus
Demetrius } sons to Tamora.
Chiron

Aaron, a Moor beloved of Tamora.
A captain, tribune, messenger, and clown.
Romans and Goths.
Tamora, Queen of the Goths.
Lavinia, daughter of Titus Andronicus.
A nurse and a black child.
Senators, tribunes, officers, soldiers and attendants.

The mere enumeration of the absent and of the new-introduced characters prepares us to find that as with the entire collection the translator (save the mark!) dealt with his originals as he wilfully or stupidly chose. The introduction of Vespatian is in keeping with his introduction of other characters. It does not give a shred of reason for asserting that he found him in Titus Andronicus. Identically the same thing is done with the legend of Shakespeare's »Two Gentlemen of Verona« in »Julia and Hypolita« in the same collection. »Julia« (spelled 'Julio') is the one solitary character retained; and yet even this travesty bewrays (I venture to affirm) that the »Two Gentlemen of Verona« was before the translator (conceding the name), not merely Montemayor [1]).

That Titus Andronicus and no Titus and Vespacia or Vespatian was the text that was mutilated and barbarized, there cannot be a shadow of doubt. It is demonstrated by the briefest quotation from the »blood and horrors« of our Titus Andronicus as well as by the title — Eine sehr klägliche Tragœdia von Tito Andronico vnd der hoffertigen kayſerin, darrinen denckwürdige actiones zubefinden. 1620.«

I limit myself to the following from Cohn (as before, pp. 135—256).

Enter Helicates and Saphonicus, who had gone into the forest with Andronica upon whom they satisfied their lust. Having also barbarously mutilated her, cut off both her hands, and torn out her tongue, they now bring them with them.

Helicates. Thus must a man act when he has slept with a handsome woman, so that she may not divulge it. He must cut off her tongue, that she may

---

[1]) As I write, we have a like change of title in Björnson's »Over Ævne«, which mystic title (= beyond human powers or limits) is transformed into »Pastor Sang« one of the principal characters in the Play. So in the German Titus Andronicus and Julia and Hypolita. I add that in the 1620 vol. (»Englische Comedien«) the play is entitled »Von Julio and Hypolita« (not a but o, ut supra).

not tell it, and cut off both her hands, that she may not write it, as we
have done to this one. But what shall we do with her now? We must
leave her in this dismal forest, that she may be devoured by wild beasts.
Come, dear brother, let us go. Farewell now, Andronica. (Exeunt.)

(Andronica alone, sighing and looking up weepingly to heaven. Presently
enters her uncle Victoriades. He perceives her; but on seeing him she runs
into the wood.)

Victoriades. Woe is me! What great misfortune do I find here! Andronica
no longer in the resemblance of a human being! O hide not yourself from
me. (He runs out to bring her back.)

O you poor creature, who has cruelly and foully maimed you? Alas!
your tongue is torn out, both your hands are cut off. O this is enough to
melt a stone! Come with me; you shall not remain here«.

These must suffice. Throughout besides, the successive
speeches distinctly echo Titus Andronicus and prove that our Titus
Andronicus was present to the Translator. But the whole thing
is a travesty of translation. The Vespasianus is un-historical and
the whole characters are ignorantly confused. Bits are arbitrarily
taken and others are arbitrarily left out. It seems mere unreason
to create another Titus Andronicus out of »Titus and Vespacia«
merely to cover the nakedness of this theory [1]).

Finally, preliminarily: —

1. The Skakespeare authorship of Titus Andronicus is main-
tained, because Meres places it among the tragedies of Shakespeare. But whilst I honour Francis Meres as having done much
to transmit what otherwise should have been lost information on
our greatest literature, a close examination demonstrates that his
bringing together of the summary-titles of his authors' writings
was extremely artificial and pedantic. It has not been sufficiently
remembered that Dr. Brinsley Nicholson long since pointed out
in the New Skakespeare Society's Transactions for 1874, that
Meres arranges his titles (as a rule) in sixes and so (supposing
no mistake otherwise) probably eked out in 1598 his required six
with Titus Andronicus on the strength or weakness of his knowledge that Shakespeare had had something to do with it.

The introduction of Titus Andronicus into the folio of 1623
has had (I humbly think) too much weight attached to it by
Gervinus and by Dowden. According to the Ravenscroft tradition
Shakespeare had the MS of the »private author« in his possession.

---

[1]) One is disappointed to find Herford's »Literary Relations of Germany
and England in the 16th Century« (1886) — an admirable book — shewing
no knowledge of 'Englische Comedien'.

It was »brought« to him to be »acted« — and certainly was acted and became exceptionally popular. Accordingly, it seems manifest that the »factotum« had taken the pains to transcribe the whole Play — correcting and touching as he went along — and so leaving the MS amongst his Theatre property Heminge and Condell obtained it with his other MSS. that they claim to have used; and then Meres' statement (mistake or not) was willingly accepted. The insertion of Act III. Sc. I. in the folio that is not found in the quarto reveals a MS.

We have fortunately an example of such MSS, original and ·corrected, in the Play of Sir Thomas More preserved in the Harleian Collection 7368. There we see the whole process of »four hands« working on it; and with poor Greene dead in 1592 one can understand like treatment of his Play (or Plays). Hence I look on the external evidence as very weak. But in a case of this kind even had the external evidence been infinitely stronger, we could not have acquiesced in the Shakespeare authorship. For as Gerald Massey effectively puts it — »It is surely more possible that Meres made a mistake than that Shakespeare was the author of this (to him) impossible Play«.

I ask my readers to give weight to these preliminary facts and corrections and to keep a firm grip of this, that the quartos of 1600 and 1611 and all but certainly the quarto of 1594 (for if it had borne his name it should have reappeared in 1600 and 1611) did not bear Shakespeare's name. This too when in the same year 1600 six quarto plays of Shakespeare were published and every one of them with his name on the title-page [1]).

These prolegomena being dispatched, I proceed to submit three lines of proof, with subsidiary evidence, of my thesis, that

---

[1]) It has been argued that the absence of Shakespeare's name from Titus Andronicus is nullified by his name not having been given in 4[tos] of Richard II., Richard IV., Henry IV. Part I, nor in the first three editions of Romeo and Juliet, nor Henry V. But these were all unauthorised and furtive. — These facts belonging to 1600, are the more to be observed, inasmuch as in this same year the play called »The first part of the true and honourable History of Sir John Oldcastle the good Lord Cobham«, bore the name of Shakespeare fraudulently in some copies. Henslowe's Diary informs us that it really was the (not at all brilliant) united production of Munday, W[il]son, Hathway and Drayton (p. 158). Let it also be noted here that as with »Selimus« this play is entitled »The first part«. This seems to have been a catch-penny and tentative phrase, theatrical success or successes determining continuation or discontinuation of a given play. In Greene's case the »lean fellow« stopped all continuations. But in this case a »second part« was certainly prepared, though never printed.

Robert Greene was substantially the author of Titus Andronicus.
I wish to do this undogmatically and unpolemically, as wishful
to cooperate with my fellow-lovers of Shakespeare in determining
a matter wherein his name and fame are involved.

1. I was first led to assign Titus Andronicus to Robert
Greene, by the earlier occurrence twice over of a noticeable line
of the Play and a noticeable single word in juxtaposition with it,
in his acknowledged books, viz: in »Planetomachia« (1585) and
»Perimides« (1588). Let these dates be remarked — 1585 and
1588. Then, Shakespeare was in his 21st year (1585) and 24th
year (1588) respectively, and unknown to fame, albeit he had
wooed and won fair Anne Hathaway.

Before giving the two quotations from Greene's two books,
I place here the passage in Titus Andronicus (II. 1):

»Chiron.   Aaron, a thousand deaths
                Would I propose to a c h i e v e her whom I love.
Aaron.   To a c h i e v e her, how?
Demetrius.   Why makst thou it so strange?
                She is a woman, therefore may be woo'd;
                She is a woman, therefore may be won;
                She is Lavinia, therefore must be lov'd.«

The spaced out lines I opine are those that most of us remember
in thinking of Titus Andronicus. The more noteworthy, therefore,
is it, that in this very place we have phrasing that three times
over recurs in Shakespeare. Let us see: —

    a) »Gentle thou art and therefore t o be won«
                                        (Sonnets XLI.)
    b) »Was ever woman in this humour woo'd?
       Was ever woman in this humour won?
          (Gloster on Lady Anne in Richard III., I, 11, l. 228/9.)
    c) »She's beautiful, and therefore to be woo'd;
       She is a woman, therefore to be won.«
                                (I Henry VI., V, 3, l. 78/9.)

Is it too much to affirm that there we have one of the
feathers that »Mr. Shake-scene« the »upstart crow« was complained
of by Greene as having stolen? That in each instance Greene
was appropriated there cannot be dispute, as witness these: — (1)
»Planetomachia« 1585«, —

    »Cupid not willing to take so slender a repulse, sought straight to raze
out these despairing thoughts with the comfortable conserves of hope, and to
draw Rodento out of the labyrinth of distrusting fear, with the assured
possibility of a c h i e v i n g his enterprise. He therefore began to encourage
his champion with these plausible conjectures; that although there had been

a perpetual division between the two Houses, yet there might grow a great friendship in their hearts, that the enmity of the parents could not hinder the amity of the children, that Pasylla was a woman, and therefore to be won; if beautiful with praises; if coy, with prayers; if proud, with gifts; if covetous, with promises; in fine, that there is never &c.« (Works V, 567.)

Next (2) »Perimides« 1588 — characteristically; for frequently when Greene thought he had said what he regarded as a good thing, he was wont to repeat it: —

»Bradamont seeing himself pained with those unacquainted fits, was driven into a quandary, whether he should valiantly resist the enchanting tunes of Cupid's sorcery, and so stand to the chance whatsoever the man were, or else yield to the alluring call of Beauty, and so spend his youth in seeking and suing for doubtful though deserved favors. Tossed a while in these contrary thoughts, and pinched with the contention of his own estate, he began to think that to fix his fancy upon Melina was with the young Griphons to peck against the stars; and with the wolves to bark against the moon, seeing the baseness of his birth and such a rich rival as Remelius was, would greatly prejudice his intended suit. These considerations began somewhat to repress his doting fancies, but Cupid, not willing to take so slender a repulse, thought straight to raze out these despairing thoughts, with the comfortable conserves of Hope, and to draw Bradamont out of the labyrinth of distressing fear, with the assured possibilities of atchieving his enterprize. He therefore began to encourage his champion with the plausible conjecture that Melina was a woman and therefore to be won; if beautiful &c.« (Works VII, 67/8.)

It is also to be observed that the double phrasing is not limited in Greene to these two places. Here are other two, and I rather think there are more: —

»Pasylla being so young, beautiful, and a woman, could not live so long but erre this tyme affection had puld her by the sleeve.« (»Planetomachia« V, 56.)

»Pasilla is beautiful and vertuous, to be wonne wit intreatie«. (ibid. 62.)

Nor is the following additional use of 'achieve' to be overlooked: —

»They think no man so able to atchieve any enterprizes as he, vanting of his wishes«. (III, 67.)

In the light of these two places, especially noting the odd use and juxtaposition in both of the word 'achieve' and that in Perimides the persuasive argument leads up to the conclusion identically as in Titus Andronicus — I must think that, their author was the author of Titus Andronicus. On any theory of the chronology of the Plays 1585 and 1588 give precedence to Robert Greene in the coinage of the particular phrasing. I ask my Readers to return to the passage in Titus Andronicus and to ponder the thrice repeated 'achieves' and the dulcet couplet »She is a woman &c«.

I will concede that the line »She is a woman, therefore may be won« as it occurs and recurs in Greene and in Titus Andronicus, has the look and ring of a proverbial saying. But I dare to affirm that the explanation here — as in many other instances — is, that the popularity of Greene's books put it into men's mouths and into proverbial speech. I further venture to affirm — in all modest certainty — that the line is not to be found in our Elizabethan literature prior to Robert Greene. If anywhere one would have expected it — had it not been Greene's own — in »Euphues: the Anatomy of Wit: 1579« but it does not there occur, nor in Sir Philip Sidney, nor Sir Thomas More, nor in Marlowe nor Peele, nor Marston, nor Thomas Kyd.

The only attempt to prove it a proverbial saying or adage is not fortunate, to wit, Mr. Arthur Symons' quotation from the »Birth of Merlin or the Child has found his father« (in his excellent Introduction to Pretorius's facsimile of the Titus Andronicus of 1600) — in forgetfulness that William Rowley its associate if not sole author (Shakespeare being utterly impossible) was almost certainly unborn when »Planetomachia« appeared (1585) not to say that the »Birth of Merlin« was not published until 1662. The bit quoted is a mere half-echo of Greene, as thus —

>For her consent let your fair suit go on;
She is a woman, sir, and will be won«. (Act. I, sc. 1.[1])

I add here that only two things in Titus Andronicus have been found elsewhere. The first is a vivid line —

>Here stands the spring whom you have stain'd with mud,
The goodly summer with your winter mix'd«. (V, 1, l. 171/2.)

Curiously enough this reappears in a play that Richard Simpson assigns to Greene and Peele and Shakespeare (?) — »Stuckley«, as thus: —

---

[1]) Michael Drayton probably also had Greene's line in unconscious re-collection when a decade of years later he wrote:
Who wins her grace must with atchievements wooe her;
As she is blind, so never had shee eares;
Nor must with puling eloquence goe to her,
Shee understands not sighes, she heares not prayers;
  Flatter'd shee flyes, controld shee ever feares,
  And though a while shee nicely doe forsake it,
Shee is a woman, and at last will take it. (»Mortimeriado« 1596.)
Let 'atchievements' again be noted.

>Mix not my forward summers<,

(Simpson's reprint I, 188, 1. 754.)

Then, >gallop the Zodiack< (II. 1. 6/7) is cited by Verity (as before) from Peele; but besides that Peele and Greene were co-mates, it is a commonplacephrase.

My argumentative hypothesis, therefore, is, that Shakespeare while the Sonnets were being wrought, read the line now before us in >Planetomachia< and >Perimides< and laid it up in his all-embracing memory and Milton-like royally used it therein and in Richard III., and 1 Henry VI. when it suited him, but that the already noted juxtaposition of 'achieve' and the resemblances in the places in >Planetomachia< and >Perimides< forbid the recurrence in Titus Andronicus being set down as a fourth Shakespearean use of the earlier plagiarism. More on 'achieve' in the sequel.

As confirming that the three uses of the line was from Greene, I recall that Shakespeare was well-read in his >pamphlets< (apart from Greene's share in the Henry VI. Plays wherein one. occurs). Admittedly he drew the story of the >Winter's Tale< from Greene's >Pandosto or Triumph of Time, or Historie of Dorastus and Fawnia< (1588) whilst he >conveyed< his Benedict in >Much Ado About Nothing< from Greene's Benedetto in his >Farewell to Follie< (1588—91) measurelessly pathetic — and his Polonius and Laertes from Greene's >Mourning Garment< (1590), especially Philador's father's dying counsels to his prodigal son; and his treatment of >Troy's tale divine< in Troilus and Cressida, is drawn from >Euphues his Censure to Philautus< whilst it is by Shakespeare 'teste' the Pinner of Wakefield was reclaimed for Greene [1]). So much for our first line of proof that substantially Robert Greene was author of Titus Andronicus.

—— 2. A second line of proof — again quoting Dr. Furnivall — is >the repulsive subject, blood and horrors< of Titus Andronicus, which while non-Shakespearean is out and out after the manner of Robert Greene.

In proceeding to present this new factor in the problem, I am compelled again to ask my Readers to consult the Huth Library edition of the Works of Greene, and there critically study the reclaimed play of >Selimus< (for the first time reclaimed to Greene

---

[1]) I was gratified to find my own earlier conclusions (ut supra) in every case confirmed by Dr. Brooke Herford's admirable paper on Greene V. Shakespeare in the New Shakespeare Society Transactions 1889.

on the basis of multiplied evidence given in the place [Vol. XIV] and in the annotated Life) [1]).

The following is the title of this extremely remarkable Play — apparently wholly unknown to Shakespeare critics and students, being left un-named by even Mr. J. A. Symonds, Dr. Furnivall and German Shakespearean scholars.

»The First part of the Tragicall raigne of Selimus, sometime Emperor of the Turkes, and grandfather to him that now raigneth. Wherein is showne how he most unaturally raised warres against his owne father B a i a z e t , and prevailing therein in the end caused him to be poysoned. Also with the murtherings of his two brethren Corcut and Acomat. As it was played by the Queene's Maiesties Players. London Printed by Thomas Creede, dwelling in Thames streete at the signe of the Kathren wheele, neare the olde S w a n n e, 1594«.

Here in the outset, the year-date 1594 is to be emphasized, seeing that as before noted, Langbaine knew an exemplar of Titus Andronicus of the same year.

I would also note that »Selimus« is called a »F i r s t P a r t«, so preparing for another Play of the same kind though with different characters. Again I can see no difficulty in regarding Titus Andronicus as such resembling Play. Greene was erratic and fitful and might easily change names and events while working out the same vein.

I do not forget that Robert Greene was dead in 1594 (1592). That is, was dead when »Selimus« and »Titus Andronicus« alike were first published. The delay of publication is explainable by the poor Author's MSS., having been in possession of the Theatres. Some of his best books were posthumous.

It is seen at a glance that »Selimus« far more than Titus Andronicus prepares us by its title-page for a »repulsive subject, blood and horrors«. In addition the Prologue is in accord with the title-page — the spacing-out mine.

>»No fained toy nor forgèd Tragedie
>Gentles, we here present unto your view
>But a most lamentable historie
>Which this last age acknowledgeth for true.
>Here shall you see the wicked sonne pursue

---

[1]) Thomas Kyd and other of the Elizabethan dramatists have been proved to be writers of anonymous plays only by casual allusions and quotations. A more careful and critical reading of the anonymous Plays of the period would, I am satisfield, reveal their authorship in most cases. Allott would also be helpful by his quotations — sometimes from MSS.

> His wretched father, with remorseless spight
> And danted vice, his force again renue,
> Poyson his father, kill his friends in fight.
> You shall behold him character in blood
> The image of an implacable King,
> And like a sea or high resurging flood
> All obstant lets, down with his fury fling.
> Which if with patience of you shall be heard,
> We have the greatest part of our reward«.

I would call attention to the wording in the prologue »a most lamentable historie«. It will be remembered that Titus Andronicus is similarly described as »a Lamentable Tragedy«.

Turning now to the plot of »Selimus« itself, we are instanter made aware that its plot was laid on the lines of the School designated by the late Mr. J. Addington Symonds »the Tragedy of Blood« (albeit he like the rest was unaware of »Selimus«) and the language after »bombast Tamburlaine«. Specifically there is identically the same continuous slaughter and cruelty and brutal monstrosities of crime as belong to Titus Andronicus in e. g. a. IV. sc. 3.

I limit myself to one prodigious example of »blood and horrors« in »Selimus« in extenso, our full quotation, as shall be seen, serving a double purpose: —

a) To give a taste of Greene's quality and »mighty line« when he chose, in parallelism with the like in Titus Andronicus and nowhere in Shakespeare's avowed plays.

b) To illustrate once for all the Titus Andronicus-like repulsiveness and frenzy of utterance.

But the critical and sympathetic reader will naturally prefer to study the entire Play of »Selimus« alongside Titus Andronicus [1]).

(Enter Acomat, Vizier, Regan and their souldiers.)

Acomat. As Tityus in the countrie of the dead,
With restlesse cries doth call upon high Joue,
The while the vulture tireth on his heart;
So Acomat, reuenge still gnawes thy soule.
I think my souldiers' hands haue bene too slow
In shedding blood, and murth'ring innocents.
I thinke my wrath hath bene too patient,
Since ciuill blood quencheth not out the flames
Which Baiazet hath kindled in my heart.

---

[1]) I may be permitted to invite German scholars to get acquainted with »Selimus« (Works of Greene, Vol. XIV).

Vizier. My gratious Lord, here is a messenger.
           (Enter Aga, and one with him.)

Acomat. Let him come in; Aga, what newes with you?

Aga.   Great Prince, thy father mightie Baiazet,
           Wonders your grace whom he did loue so much,
           And thought to leave possessour of the crowne;
           Would thus requite his loue with mortall hate,
           To kill thy nephewes with reuenging sword,
           And massacre his subjects in such sort.

Acomat. Aga, my father traitrous Baiazet,
           Detaines the crowne injuriously from me;
           Which I will haue, if all the world say nay.
           I am not like the vnmanured land,
           Which answeres not his earers greedie mind;
           I sow not seeds vpon the barren sand;
           A thousand wayes can Acomat soon finde,
           To gaine my will; which, if I cannot gaine,
           Then purple blood my angry hands shall staine.

Aga.   Ah Acomat, yet learne by Selimus
           That hastie purposes haue hated endes.

Acomat. Tush Aga, Selim was not wise inough
           To set vpon the head at the first brunt;
           He should haue done as I do meane to do;
           Fill all the confines with fire, sword, and blood,
           Burne vp the fields, and ouerthrow whole townes:
           And when he had endammagèd that way,
           Then teare the old man peecemeal with my teeth,
           And colour my strong hands with his gore-blood.

Aga.   O see my Lord, how fell ambition
           Deceiues your senses and bewitchyes you;
           Could you vnkind performe so foule a deed,
           As kill the man, that first gaue life to you?
           Do you not feare the peoples aduerse fame?

Acomat. Is is the greatest glorie of a King
           When, though his subjects hate his wicked deeds,
           Yet are they forst to beare them all with praise.

Aga.   Whom feare constraines to praise their prince's deeds,
           That feare, eternall hatred in them feeds.

Acomat. He knowes not how to sway the kingly mace,
           That loues to be great in his people's grace;
           The surest ground for Kings to build vpon,
           Is to be fear'd and curst of euery one.
           What, though the world of nations me hate?
           Hate is peculiar to a prince's state.

Aga.   Where there's no shame, no care of holy law,
           No faith, no justice, no integritie,
           That state is full of mutabilitie.

Acomat. Bare faith, pure vertue, poore integritie,
Are ornaments fit for a priuate man;
Beseemes a prince for to do all he can.

Aga. Yet know it is a sacrilegious will,
To slaie thy father, were he nere so ill.

Acomat. 'Tis lawfull gray-beard for to do to him,
What ought not to be done vnto a father.
Hath he not wip't me from the stubborne Janizaries,
And heard the Bassaes stout petitions,
Before he would giue eare to my request?
As sure as day, mine eyes shall nere tast sleepe,
Before my sword haue riuen his periur'd brest.

Aga. Ah, let me neuer live to see that day.

Agomat. Yes, thou shalt live, but neuer see that day;
Wanting the tapers that should giue thee light:
                    (Puts out his eyes.)
Thou shalt not see so great felicitie,
When I shall rend out Baiazet's dimme eyes,
And by his death install myselfe a king.

Aga. Ah cruell tyrant and vnmercifull,
More bloodie then the Anthropaphagi,
That fill their hungry stomachs with man's flesh.
Thou shouldst haue slaine me barbarous Acomat,
Not leaue me in so comfortlesse a life;
To liue on earth, and neuer see the sunne.

Acomat. Nay let him die that liueth at his ease,
Death would a wretched catiue greatly please.

Aga. And thinkst thou then to' scape vnpunishèd?
No Acomat, though both mine eyes be gone,
Yet are my hands left on to murther thee.

Acomat. 'Twas wel rememb'red: Regan cut them off.
          (They cut off his hands and giue them Acomat.)
Now in that sort go tell thy Emperour
That if himselfe had but bene in thy place,
I would haue vs'd him crueller then thee:
Here take thy hands, I know thou lou'st them wel.
              (Opens his bosome, and puts them in.)
Which hand is this? right? or left? canst thou tell?

Aga. I know not which it is, but 'tis my hand.
But oh thou supreme architect of all,
First mouer of those tenfold christall orbes,
Where all those mouing and vnmouing eyes
Behold thy goodnesse euerlastingly;
See, vnto thee I lift these bloudie armes:
For hands I haue not for to lift to thee;
And in thy justice, dart thy smouldring flame,
Vpon the head of cursèd Acomat.

Oh cruell heauens and injurious fates!
Euen the last refuge of a wretched man,
Is tooke from me: for how can Aga weepe?
Or runne a brinish show'r of pearled teares,
Wanting the watery cisternes of his eyes?
Come lead me backe againe to Baiazet,
The wofullest, and sad'st Embassadour
That euer was dispatch'd to any King.

Acomat. Why so, this musicke pleases Acomat.
And would I had my doating father here,
I would rip vp his breast and rend his heart;
Into his bowels thrust my angry hands,
As willingly, and with as good a mind,
As I could be the Turkish Emperour.
And by the cleare declining vault of heauen,
Whither the soules of dying men do flee,
Either I meane to dye the death my selfe,
Or make that old false faitour bleed his last.
For death, no sorrow could vnto me bring,
So Acomat might die the Turkish King.
                              (Exeunt All.)
                    (p. 243—48, l. 1270—1396.)

Long as this quotation is, it is necessary to add more
briefly the reception of Aga by Baiazet, as follows:

(Enter Bajazet, Mustaffa, Cali, Hali, and Aga let by a souldier: who shewn
      kneeling before Bajazet, and holding his legs, shall say):

Aga.   Is this the bodie of my soueraigne?
Are these the sacred pillows[1]) that support
The image of true magnanimitie?
Ah Bajazet, thy sonne false Acomat
Is full resolued to take thy life from thee;
'Tis true, 'tis true, witnesse these handlesse armes,
Witnesse these emptie lodges of mine eyes,
Witnesse the gods that from the highest heauen
Beheld the tyrant with remorselesse heart,
Pull out mine eyes, and cut off my weake hands.
Witnesse that sun whose golden-coloured beames
Your eyes do see, but mine can nere behold;
Witnesse the earth, that suckèd up my blood,
Streaming in rivers from my tronkèd armes;
Witnesse the present that he sends to thee,
Open my bosome, there you shall it see.
(Mustaffa opens his bosome and takes out his hands.)

---

   [1]) We have this in Daniels' »Tethys Festival« (Walz by us III, 316).
»Neeces (= niches) whereof that in the middest had sone slender pillowes of
whole round«.

> Those are the hands which Aga once did vse,
> To tosse the speare, and in a warlike gyre
> To hurtle my sharpe sword about my head;
> These sends he to the wofull Emperour;
> With purpose so to cut thy hands from thee.
>> Why is my soveraigu silent all this while?

Bajazet.   Ah Aga, Bajazet faine would speake to thee,
> But sodaine sorrow eateth vp my words.
> Bajazet, Aga, faine would weepe for thee,
> But cruell sorrow drieth vp my teares.
> Bajazet, Aga, faine would die for thee,
> But griefe hath weakned my poore agèd hands.
> How can he speak, whose tongue sorrow hath tide?
> How can he mourne, that cannot shed a teare?
> How shall he liue, that full of miserie
> Calleth for death, which will not let him die!

(p. 249—49, l. 1397—1432.)

It needs no italics or spacing out to accentuate the repulsive subject, »blood and horrors« of all this; but I must invite attention to the enormity, the prodigiousness of brutality common to both Plays — Titus Andronicus and Selimus. We have not only the putting out of the »lodges of the eyes« but the cutting off of the hands and placing of these hands in the bosom of the mutilated victim in each play. Be it, therefore, marked and remarked and weighed, that alone in Selimus and Titus Andronicus have we these monstrosities of cruelty. I have read and re-read the »Spanish Tragedy« and »Jeronimo« and »Lust's Dominion« and the »Atheist's tragedy« as well as Marlowe and Peele, and nowhere is there an approach to such horrors heaped on horrors. All the plays enumerated by Mr. Symonds under the »Tragedy of Blood« yield nothing comparable with Titus Andronicus and Selimus equally [1]).

But not only do the »handlesse armes« of Selimus correspond with the »bloody stumps« of Titus Andronicus, and all the other barbarities; but throughout both plays (as a subsidiary yet distinctive element, be it stated) the most hasty examination will demonstrate that the metrical system of Titus Andronicus and Selimus have much in common. The first 459 lines in Selimus are all but entirely rhymed and so considerable portions elsewhere; but

---

[1]) It may be recalled that when his schoolmaster Murdoch read Titus Andronicus in the family, young Robert Burns cried out on hearing the brutality of the treatment of Lavinia, and would hear no more. R. Louis Stevenson tells the authenticated story vividly.

507—694, (especially 537—663), are blank verse; and so throughout. As in Titus Andronicus — which has a larger aggregate of rhymed lines than on a first look appears — so in Selimus, we have alternating blank verse and rhymed — sometimes as in the former a couplet, sometimes four lines rhymed; while a peculiarity of ›Selimus‹ is that the rhyme sometimes breaks into blank verse and conversely. It is the exception to find rhyme in Titus Andronicus save as endings of acts or scenes. A critical study of the two plays reveals the same tricks of intermission and return. It must likewise be kept in mind that Robert Greene in even the poor flotsam and jetsam of his surviving Plays, notoriously varies his verse and shows that he could and did write as it came up his back (if the colloquialism be allowable) now like Selimus and now like Titus Andronicus, and often mockingly like Marlowe and Kyd and others. Before passing from Selimus to Titus Andronicus I remark that if space permitted, it might be shewn further, that Greene's indroduction of animals and birds, plants and precious stones while un-Shakespearean, is as in Titus Andronicus. He abounds in tuneful and quaintly-superstitious descriptions of them all. In our special list of Plants, Animals &c in vol. XV of his works (pp. 213—228) there are several hundred references to these, with folk-lore and exquisite touches of character (409 names). I wish to go forward, but for flowers take these, to place beside the flower-beauty of Titus Andronicus (l. 11 and elsewhere).

›There are sweete lillies, God's plenty, which showed faire virgins neede not weepe for wooers‹ (XI, 219). ›I fell in a dreame, and in that drowsie slumber, I wandered into a vale all tapestried with sweete and choice flowers: there grew many simples whose vertues taught men to be subtill and to thinke nature by her weeds warned men to be wary and by these secret properties to checke wanton and sensual imperfections. Amongst the rest there was the yellow daffodille, a flowre fit for gelous dottrels, who through the bewty of their honest wives grow suspitious and so proue themselues in the end cuckold heretikes: there buded out the checkred pannsie or partly-coloured hartes ease, an herbe seldom seene, either of such men as are weded to shrewes, or of such women that haue hasty husbands, yet ther it grew, and as I stept to gather it it slipt from me like Tantalus fruit that failes their maister. At last wondering at this secret quality, I learned that none can weare it, be they kings, but such as desire no more than they are borne to, nor have their wishes aboue their fortunes.‹ (XI, 213—14.)

I would ask the Reader next to turn to the description of the greenwood scene in Titus Andronicus (II 3) and then read this in ›Greene's Orpharion‹ (XII: 12—13): —

»From thence I posted to Erecinus: the mountain was greene and pleasant to the eye, the stones that appeared higher than the grasse seemed like jacinthes, the mosse was flowers, the very rubbish below pearles, so that Nature seemed to have conquered art and art Nature, and a supernatural glory both«.

It is thus with Greene's most incidental mentionings of animals and gems. Of the former the panther — never found in Shakespeare, but in Titus Andronicus — must have had a strange fascination for him. It is everywhere introduced. His gem-allusions are abundant, and nowhere else has there been brought together so much out-of-the-way lore and legend concerning them. Onward I notice the extraordinary passage in Titus Andronicus (II. 4) about the jewel on the dead man's bloody finger that illuminated the darksome pit. This is thoroughly after Greene's manner, and un-Shakespearian. Shakespeare introduces a »ring« by the hundred times, but in no instance as in Titus Andronicus. This is the more observable as in 'Romeo and Juliet' V. 3, 31, was just the place for the introduction of the notion in Titus Andronicus — »take then we from her dead finger a precious ring, a ring that I must use to dear employment«. Our special list (as before) may profitably be consulted under almost every precious stone.

Still briefly lingering, in order to complete our notices of Greene before passing to Titus Andronicus, I might pursue the same vein of parallelism in Greene's working out of his similies, in his pat quoting of Latin scraps, in his inevitable allusions to classical myths and names — from Tereus and Progne to Actæon and Typhon and the whole circle of immortals; and famed places, from Nilus to Scythia — all identically as in Titus Andronicus, and un-Shakespearian. I content myself per force with two treatments of similies in Titus Andronicus (IV. 4. 836). —

1.   »The eagle suffers little birds to sing
           ·And is not careful what they mean thereby;
           Knowing that with the shadow of his wing
           He can at pleasure stint their melody«.

Place beside this: —

»When the eagle fluttereth, doves take not their flight«. (V, 72.)

2. (III. 18): —

          »O earth, I shall befriend thee more with rain,
          That shall distil from these two ancient urns
          Than youthful April shall with all her showers.«

Cf. »Faire is my love for Aprill in her face«. (VII, 90 and context)').

') Thomas Morley in his »Madrigals« (1600) has a fine song that begins »Aprill is in my Mistris face«.

Returning now on the »blood and horrors« of Titus Andronicus as repeated and reflected in »Selimus«, we read again and
again »he dies« — »he dies« — »he dies« — »strangles him« —
»strangles her« and the like. Any student of Titus Andronicus
will recognise off-hand in the bloody speeches and brutalities of
Acomat, another Aaron, and be it marked, both are Jews; e. g.
in Selimus, —

> »Bajazet hath with him a cunning Jew
> Professing physicke; and so skilled therein
> As if he had pow'r over life and death.
> Withal a man so stout and resolute
> That he will venture anything for gold.
> This Jew with some intoxicated drink
> Shall poyson Bajazat . . . . . Abraham the Jew.
>   (p. 256, l. 1612—20 and read also p. 257—60.)

A very brief series of quotations from Titus Andronicus will
further verify our thesis of its Greene (substantial) authorship by
comparison with »Selimus«. —

As a typical example of parallel let the agonizing interview
of Lavinia with Tamora (act II, sc. 3) be placed alongside our
full quotation from the like interview between Acomat and Aga,
which ended in the ravishment and — be it re-noted — cutting
off of the hands of Lavinia after her tongue; and I for one think
it must be conceded that hardly another one could have conceived
such repulsive »blood and horrors« crime and cruelty. Ergo
the one in either case must have been Robert Greene.

Following up the scene indicated, comes Act II. sc. 5 of
Titus Andronicus, which may be left without note or comment to
affirm its kinship with »Selimus«: —

»Enter Demetrius and Chiron, with Lavinia ravished: her hands cut off and
                        her tongue cut out.

Demetrius.   So, now go tell, an' if thy tongue can speak,
             Who 'twas that cut thy tongue, and ravish'd thee.
Chiron.   Write down thy mind, bewray thy meaning so;
             An' if thy stumps will let thee, play the scribe.
Demetrius.   See, how with signs and tokens she can scrawl.
Chiron.   Go home, call for sweet water, wash thy hands.
Demetrius.   She hath no tongue to call, nor hands to wash;
             And so let's leave her to her silent walks.
Chiron.   An' 'twere my case, I should go hang myself.
Demetrius.   If thou hadst hands to help thee knot the cord.
                        (Exeunt Demetrius and Chiron.)
             Enter Marcus, from hunting.

Marcus.   Who's this? My niece that flies away so fast?
Cousin, a word: where is your husband?
If I do dream, 'would all my wealth would wake me!
If I do wake, some planet strike me down,
That I may slumber in eternal sleep! —
Speak, gentle niece, what stern ungentle hands
Have lopp'd and hew'd, and made thy body bare
Of her two branches, those sweet ornaments
Whose circling shadows kings have sought to sleep in,
And might not gain so great a happiness
As have thy love? Why dost not speak to me?
Alas! a crimson river of warm blood,
Like to a bubbling fountain stirr'd into mud
Doth rise and fall between thy rosèd lips,
Coming and going, with thy honey breath:
But sure some Tereus hath deflowred thee,
And, lest thou shouldst detect him, cut thy tongue.
Ah! now thou turnst away thy face for shame;
And, notwithstanding all this loss of blood
As from a conduit, with three issuing spouts;
Yet do thy cheeks look red as Titan's face
Blushing to be encounter'd with a cloud.
Shall I speak for thee? shall I say 'tis so?
O that I knew thy heart, and knew the beast
That I might rail at him, to ease my mind.«

It will be well to study act III sc. I with the preceding, and before making the necessary quotations I observe that it is surely extremely noticeable that this very portion is the addition to the quartos of 1600 and 1611 first given in the folio of 1623. My interpretation of this is (as anticipatively stated) that the MS. which Ravenscroft's »private author« had »brought to be acted« was in the interval found and utilised by Heminge and Condell.

The speech of Titus that I am about to quote, before he departs to avenge Lavinia, has just that touch of the grotesque that to anyone acquainted with Greene presents »Robert Greene his mark«: — spacing out again mine, here and always: —

Titus.   Ha, ha, ha!
Marcus.   Why dost thou laugh? It fits not with this hour.
Titus.   Why, I have not another tear to shed[1]):
B e s i d e s , this s o r r o w is an e n e m y ,
And would u s u r p vpon my watery eyes,
And m a k e t h e m b l i n d , with t r i b u t a r y t e a r s :

---

¹) En p a s s a n t it may be here noted that Dr. Schröer sublimes this line and sublimes Titus into (it might seem) the equal of Lear.

Then when we and I the Revenges have?

For now we meet to seem to speak to see

...

...

...

...

...

...

...

The vow is made. — ... take a head;

...

... in all I in these things;

Bear ... sweet words between thy teeth,

I repeat, impossible to Shakespeare the spaced out lines are ... artistic genius.

Reviewing it Titus almost wordless and tearless sorrow on discovering the appaling mutilation of hands and tongue in our ... picture. I again quote beside it Bajazet's speech in his like discovery of Amurath's like wrong —

Aga, Bajazet fame would speake to thee.
But ... sorrow stoppe vp my words.
Bajazet, Aga, fame would weepe for thee,
But cruel sorrow drieth vp my ...
Bajazet, Aga, fame would die for thee,
But greefe hath weakened my poore aged limbs.
How can he speake, whose tongue sorrow hath tide?
How can he mourne, that cannot shead a teare?
How shall he liue, that full of misere
Calleth for Death, which will not let him die.

(Selimus l. 1413—32)

This opening of Titus speech placed beside Bajazet's in »Selimus« reveals identity of thought, emotion and phrasing.

Thus it is throughout Titus Andronicus. I take only two other examples of parallels from »Selimus«. To my ear there is the swing and ring of Saturnius and Bassianus' and Marcus Andronicus' proud words, in Selimus's denunciation of Acomat, as follows: —

Selimus. What are the vrchins crept out of their dens,
Vnder the conduct of the porcupine?
Doest thou not tremble Acomat at vs,
To see how courage masketh in our lookes,
And white-wing'd victorie sits on our swordes?

---

[1]) An odd misprint of the Leopold Shakespeare here is »write« for »right« one of those vexatious slips that the most lynx-eyed editor fails to see.

Captaine of Ægypt, thou that vant'st thy selfe
Sprung from great Tamberlaine the Scythia theefe;
Who bad thee enterprise this hold attempt,
To set thy feete within the Turkish confines,
Or lift thy hands against our maiestie?

Acomat. Brother of Trebisond, your squarèd words
And broad-mouth'd tearmes can neuer conquer us;
We come resolv'd to pull the Turkish crowne,
Which thou doest wrongfully detaine from me,
By conquering sword from off thy coward crest.«

(p. 285—86, l. 1582—97.)

Now compare Titus Andronicus' speech (Act I, sc. 2) in answer to Marcus Andronicus, »A better head »&c with the dying speech of Bajazet, —

»Ah, wicked Jew, ah cursed Selimus,
How haue the destins dealt with Bajazet,
That none should cause my death but mine own son!
Had Ismael and his warlike Persians
Piercèd my bodie with their iron spears,
Or had the strong vnconquer'd Tonumbey
With his Ægptians tooke me prisoner,
And sent me with his valiant Mammalukes
To be praie vnto the crocodiles;
It neuer would haue grieu'd me halfe so much.
But welcome death, into whose calme port
My sorrow-beaten soule joyes to arriue.
And now farewell my disobedient sonnes;
Vnnaturall sonnes, vnworthie of that name
Farewell sweete life, and Aga now farewell,
Till we shall meete in the Elysian fields. (He dies.)

(p. 262—63, l. 1774—90.)

Specifically — as illustrating another characteristic of Robert Greene but not at all of Shakespeare — a characteristic that drew one of his most sarcastic jibes from Thomas Nashe — I make a closing quotation from Titus Andronicus, Martinus' answer to Quintus on finding the bodies of the murdered victims of revenge. (II. 4.) Earlier I have promised this: —

Quintus. If it be dark, how dost thou know 'tis he?
Martinus. Upon his bloody finger he doth wear
A precious ring, that lightens all the hole;
Which like a taper in some monument
Doth shine vpon the dead man's earthy cheeks,
And shows the rugged entrails of this pit:
So pale did shine the moon on Pyramus,
When he by night lay bath'd in maiden blood«.

Our indices to Greene (vol. XV) will satisfy that alike the
credulousness about the »precious ring« and the closing classical
allusion were commonplaces with him.   I shall return on this
onward.

Doubtless other parallels will suggest themselves to others as
between Titus Andronicus and »Selimus« and other of Greene's
plays and books.   For the present this must suffice.

I must specifically re-accentuate in closing our second line
of proof of the substantial authorship of Titus Andronicus belonging
to Robert Greene, that in no single one of the Plays mentioned
or quoted from by Mr. J. Addington Symonds in his already
named chapter on the »Tragedy of Blood« is there anything at
all resembling the repulsive horror of the cutting off of the hands
in »Selimus« and Titus Andronicus.   Their being thus found in
»Selimus« and in Titus Andronicus and in them alone, surely
goes far to establish our thesis that the two Plays had one
author — Robert Greene[1])?

3.   A third line of proof suggests itself to everyone who
reads with open eyes and a good memory Titus Andronicus,
along with the Plays and other writings of Robert Greene, viz:
that Titus Andronicus is full of classical allusions exactly as with
him and of his favourite and often out-of-the-way words.   These
successively.

---

[1]) Mr. Symons in his Introduction to Pretorius's facsimile of Titus Andronicus has very well compressed from Mr. J. A. Symonds' Shakespeare's
Predecessors in the English Drama, the successive tragedies of blood.
He has also read carefully for himself; but in no single instance is a parallel
produced to the »blood and horrors« of Titus Andronicus and Selimus.   Present
in both of these and in these alone, the conclusion of a common authorship
is inevitable.   Curiously enough a vivid accumulation of mutilating »blood and
horrors« is found of all strange places in the 2d Ecclogue of Alexander Barclay
(1475—1552) as thus:
>But heare Coridon what vnto these befell,
For that Calistines forbad men to honour
Great Alexander as God of moste valour,
After such custome as was in Persy lande,
Therefore had he cut from body foote and hande,
His nose and eares off trenchéd were also
His eyne out digged for to increase his wo.
Then by commandement of the conqueror
Was thrust into prison to bide in more dolour,
Enduring his life there even to remayne:
But when Lisimachus for to make short this payne
Reacheth him poyson, his cruell conquerour
Made him be throwen to lyons to devour«.

1. **Titus Andronicus bubbles over with classical names and incidents and tags of reading in Greek and Latin**, precisely as we would expect from one whose boast on well-nigh every title page was that he was M. A. of »both universities«. This is not in keeping with Shakespeare's ordinary manner. Had the controversialists of the Variorum Shakespeare (1803: 21 vol.) — never likely to grow obsolete — only recognised this, they would have spared themselves much angry writing on the »learning of Shakespeare« and not at all admired (in the old sense) at the reminiscences of Euripides and Sophocles, much less of Cicero and Seneca, Horace and Virgil, Ovid and Propertius and Ennius found in Titus Andronicus. The very scraps of the Play might have been »conveyed« from Greene's »pamphlets«. My notice in Greene Vol. XIV, will superabundantly guide to proof upon proof of this usage of Greene. Passing from this I would now look at

2. **Favourite words of Greene as found in Titus Andronicus.** This is to be held as contributary proof, inasmuch as that speaking broadly Greene's vocabulary is un-archaic e. g. compared with Spenser or Lylly. His English is noticeably modernlike. All the more distinctive therefore is it, that Titus Andronicus equally with »Selimus« has relatively few unusual or obsolete words. But note that such as are unusual or obsolete while not found in Shakespeare are found in Greene. I do not wish to risk dryness or wearying with too many examples — nor indeed are many needed or to be expected (ut supra); but take these, which are found in Titus Andronicus alone, and in Greene [1]).

1. Titus Andronicus.

1. Alphabet III, 2, 44, »wrest an alphabet«.
2. Architect V, 3, 122, »architect and plotter of these woes«.
3. Battle-axe III, 1, 169, »reared aloft the bloody battle-axe«.

---

[1]) Fleay drew up a list of words peculiar to Titus Andronicus (New Shakespeare Society Transactions 1884, as onward). It is extremely ill done. He includes about 50 that are found in Shakespeare and does not include a goodly number that are peculiar to Titus Andronicus. Excluding repetitions and Latin scraps, he enumerates 108, from which deduct 48, leaves 60, whereas there are 121 words only found in this Play. Mr. Verity (as before VII, 308) has given a much more reliable list, but even he has included and excluded several erroneously, as our word-lists will evidence. He records 129 words as found only in Titus Andronicus, but 8 of these he himself gives elsewhere in Shakespeare — and there are others.

 4. Bear-whelps IV, 1, 96, »these bear-whelps«.
 5. Big-boned IV, 3, 40, »no big-boned men fram'd of the Cyclops size«.
 6. Continence I, 1, 15, »justice, continence«.
 7. Dandle IV, 2, 161, »the emperor dandle him«.
 8. Dazzle III, 2, 85, »mine eyes begin to dazzle«.
 9. Devourers III, 1, 57, »from these devourers to be banished«.
10. Enceladus IV, 2, 93, »Enceladus«.
11. Extent IV, 4, 3, »th' extent of egal justice«.
12. Fere IV, 1, 89, »woeful fere«.
13. Gad IV, 1, 103, »a gad of steel«.
14. Headless I, 1, 186, »set a head on headless Rome«.
15. Hymeneus I, 4, 325, »readiness for Hymeneus stand«.
16. Love-day I, 1, 491, »this day shall be a love-day«.
17. Metamorphosis IV, 1, 42, »my metamorphosis«.
18. Overshade II, 3 (letter), »overshades the month«.
19. Panther I, 1, 493, »hunt the panther«.
          II, 2, 21, »the proudest panther«.
          II, 3, 194, »espied the panther fast asleep«.
20. Philomela II, 4, 38, »fair Philomela« and
          IV, l. 52, »wrong'd as Philomela«.
21. Progne V, 2, 196, »as Progne will I be revenged«.
22. Passionate III, 2, 6, »passionate our tenfold grief«.
23. Resalute I, 1, 75, »resalute his country with his tears«.
          1, 326, »I will not resalute the streets of Rome«.
24. Unrecuring (See list onward of Shakespeare words in Greene, no. 23).
25. Venereal II, 3, 37, »these are no venereal signs«.

I place this word ('venereal') here, because the usual gloss
(e. g. Schmidt) »pertaining to sexual intercourse« cannot well be
the meaning in this place. It seems to me simply equivalent to
'venery' i. e. pertaining to Venus, goddess of love, and so love.
The next line »Vengeance is in my heart« shows this. 'Venery'
is frequent in Greene e. g. »the greatest enemies to the measure
was venerie« (VII. 314. »Exchange«) and »unlawful venery«
(v. 107 »Planetomachia«). It may here be noted that veneral
(same as venereal) occurs several times in Alexander Barclay's
Eclogues (as before) e. g.

   1. Crueltie, malice, ambition and envy.
      But namely Venus or luste venerall (3rd Ecl.)
   2. It were a great wonder among the women all
      If none were partie of luste venerall. (2nd Ecl.) [1])

---

[1]) I must also note that there are other Titus Andronicus words that
are found in Greene under other forms, e. g. 'auditory' as 'auditors' (VI, 262)
»silent auditours to his pride« — childing = chilling (XII, 237) »the
childing cold of Winter makes the Sommer's sun more pleasant« — 'cleare'
for 'clearly' (VIII, 200) »no cleare appear'd in the azur'd sky« — 'dismole'

2. Robert Greene.

I place after these 25 examples of words in Titus Andronicus a similar list of 25 found in Greene's other books.

---

i. e. dismal for 'dismallest' (XI, 150). So too Cimmerian »swarth Cimmerian« (II, 3) occurs and recurs as Cimbrian e. g. »the Cimbrians looked so long at the sunne that they were blind« (V, 190 »Penelope's Webbe«) »as the Cimbrians held their idols in account« (VI, 40 »Carde«). Again for Typhon's broad« (IV, 2) we have »Tiphes who, the poets fame did war against the goddes«. (V, 280 »Masquerado«.) Once more 'egal' in »egal justice (IV, 4 »Carde«) means 'equal' and equal is frequent in Greene, e. g., »so equall was the actual proportion of her behaviour (V, 175 »Euphnes«) »so equal a demand« (XI, 185 »Philomela«) »the heavens still beare an equall eye« (»Selimus« 1520). Similarly 'orator' is found as 'oratresse' e. g., »this pretty oratresse« (V, 230 »Penelope's Webbe«) »Venus would be oratresse« (VIII, 53 »Never too late«) »This good oratresse« (X, 236 »Conny catcher«). Similarly »baleful misletoe« (II, 3) one of Schmidt's few omissions — appears in Greene as 'baleful musselden' i. e. differently spelled »as none comes neere the fume of the musselden but he waxeth blind« (VIII, 174 »Never too late to Mend«). So, though he has not 'raven-coloured', in Selimus is 'golden-coloured' (l. 1410) — same word-form. En passant one line in Titus Andronicus (V, 1) is illustrated by one of Sir John Davies's epigrams:

»As down amongst the bears and dogs he goes
Where whilst he skipping cries, 'to head, to head'
His satin doublet and his velvet hose
Are all with spittle from above bespread.«

(See my edition of Sir John Davies's complete works.)

The occurrences of words peculiar to Titus Andronicus are the more noticeable in that not a single one of them (except »passionate« = sorrowful, Cunningham's Marlowe II, 2), occurs in the whole of Marlowe's works — the only other named in association with the play, save preposterous guess-work.

With relation to Marlowe, it was perhaps inevitable that Mr. A. H. Bullen as editor of Marlowe — first of a noble Series — should have caught at any straws whereby to make out the object of his literary idolatry author in whole or part of the questioned and questionable Shakespeare plays. But in so far as Titus Andronicus is concerned, my good friend shews less of his acumen and insight than usual, e. g., he tells us there is the ring of Tamburlaine in such lines as these (II, 1):

As when the golden sun salutes the morn
And, having gilt the ocean with his beams,
Gallops the zodiac in his glistering coach,
And overlooks the highest-peering hills:

Perhaps to be granted; but it is only another example of Greene's imitations — half-mocking often — of Marlowe. Then, Peele (as seen elsewhere in our paper) has »gallop the zodiac« as well as Titus Andronicus. My ear cannot detect either Marlowe's earlier or later rhythm or diction in the other lines. Mr. Bullen has quoted:

Madam, though Venus &c. (II, 3.)

To me they lack Marlowe's strength and it must be accentuated that the »mighty line« came early not later — the tide strangely ebbing.

I cannot comprehend my friend's remark that »Aaron's confession of his villainies (in V, 1) will recall to every reader the conversations between Barabas and Ithamore in the third scene of the second act of the Jew of Malta«. I have read and reread the two scenes respectively and I cannot discern either resemblance or imitation, or a touch of »power« in the Jew of Malta's scene.

1. Alphabet XIV, 264, »I was forced to run through a whole alphabet«. (Cf. 'forced' and 'wrest' in no. 1 of Titus Andronicus list.)
2. Architect XIV, 247, »supreme architect«.
3. Battleaxe XI, 235, »burgants to resent the stroke of a battleaxe«.
4. Bear-whelp XI, 110, »licking it as little as the beares their whelps«.
5. Big-boned XIV, 197, »big-bon'd Turks«.
6. Continence VII, 119, »the staid continence of the maid«.
7. Dandle XIV, 12, »delicious pleasures dandle soft«.
8. Dazzle VII, 230, »lyeth a long while dazeled« and »dazzled with thy beauty« (III, 228).
9. Devourers IV, 136, »ready to devour« and »in danger of devouring«.
10. Enceladus VII, 59, »hotter flames than Enceladus«.
11. Extent XI, 56, »Though all the world make extent« and XII, 196, »I know you are greatly indebted: I doubt ... extent against your lands«.
12. Fere III, 197, »none is worthy to be thy fere but Arbasto«.
13. Gad VII, 77, »Love with his gad« (but cf. Lear I, 2, 76).
14. Headless? (Reference mislaid but I think I have seen it in Greene.)
15. Hymeneus III, 76, »ceremonies Hymeneus observed«, et freq.
16. Love-day IX, 151, »Oft have I heard my liefe Coridon report on love-day«.
17. Metamorphosis II, 18, »made a metamorphosis«. So II, 277 et alibi.
18. Overshade XIV, 11, »the hand of misery overshead her head«.
19. Panther II, 44, 51, 60, 207, 233, 255, 279 et freq.
20. Philomela — title of book »Philomela the Lady Fitzwalter's«. 1592.
21. Progne IV, 29, »What gaines got Tereus in winning Progne but a loathsome death, for a little delight« — »his daughter Progne« (ib. p. 146) — »I confesse Progne poor wench loved Tereus« (ib. p. 147).

Mr. Bullen must indeed have nodded when he thus purblindly wrote: »What share Shakespeare had in the play (of Titus Andronicus) I must confess myself at a loss to divine. I have sometimes thought that there are traces of his hand in the very first scene, — and not beyond it; he began to revise the play, and gave up the task in disgust.« Surely any critical reader will agree that the »master-touches«, the most indisputably Shakesperean, come onward and run to the close. Mr. Arthur Symons (as before) recognises 'improvement' only from Act II and later (in Act III, l. 10—29) impresses him »as the most melodious and sweet-fancied in the play; and more than that, a really beautiful interlude«. I add that it is quite after Greene's finer manner, in his acknowledged plays (See also my remarks on Mr. Wheatley's recognitions toward close of this paper). The abundant rhymelines of Titus Andronicus have no parallels in Marlowe but (as seen and shewn by us) exactly answer to »Selimus«. This alone might have opened Mr. Bullen's eyes. Finally, there is much more than »frantic raving« in old Andronicus. Lamb's suggestion is that they recall the writer who contributed the marvellous »additions« to the Spanish Tragedy. But this dismisses itself when we remember that Ben Jonson was all but certainly the writer of these »additions« and he ridiculed Titus Andronicus! (See Bullen's Marlowe vol. I. Introduction p. LXXVI—LXXVIII).

22. Passionate VI, 264, »appeased the passionate ghosts« — »thou canst not obtain by being passionate«. »Flavio grew passing passionate«.

23. Resalute V, 333, »courteously re-saluting him« and IX, 82, »he saluted and . . . being resaluted«.

24. Unrecuring. This form does not occur in Greene, but its meaning of 'irrecoverable' is found in VIII, 223, »cut and recure«. XIII, 288, »see how carefully recured«. ib. 253 »foolish to bewail recurelesse things«. XII, 128 »perish recurelessly«.

25. Venereal. See our remarks on this word after Titus Andronicus list.

Equally interesting and suggestive is another set of words that occur in Titus Andronicus and in Shakespeare and in Greene. As a subsidiary argument I have now to submit, well-nigh a century of other words that found in Titus Andronicus are also found in Greene and whilst frequently in him most infrequently in Shakespeare, in a large proportion. Wrought into the very texture of Greene's writing these Titus Andronicus-occurring words most inestimably supplement our prior lists of words that occur alone in Titus Andronicus and are found in Greene. I arrange the words alphabetically, placing first the occurrence in Titus Andronicus and then beneath occurrence or occurrences in Greene: —

1. Aetna = burning mountain — »hot Aetna cool in Sicily«.
   (III, 1, l. 242) »the flames of Aetna«. (Never Too Late VIII, 40.)
2. Affy = trust — »so I do affy« (I, 1, l. 247).
   »Castania affying greatly in her brother's faith«. (Carde of Fancy IV, 185.)
   »Cursed that I was too affy in your courtesy«. (Reports of the Shepherds VI, 99.)
3. Affected = liked — »may for aught thou knowest affected be«. (II, 1, l. 229.)
   »devoted favors with affected duties« (Philomela XI, 164 et freq.).
4. Approve = prove — »my sword upon thee shall approve«. (II, 2, l. 35.)
   »my life is lost unless I give approve« (Reports VI, 87).
   »I will approve with a sonnet«. (Tully's Love VII, 136 et freq.)
5. Brag = boast — »that proud brag of thine« (I, 2, l. 243).
   »as they brag it on the stage« (Never Too Late VIII, 133).
   »be not so brag of thy silken robes« (ibid.)
   »brag with your buzzard on your fist as a sow under an apple tree« (ibid. 195).
6. Bandy = toss — »one fit to bandy« (I, 2, l. 249).
   »it little fits to bandy taunts of love« (Reports VI, 77).
7. Braves = boasts — »bear me down with braves (II, 1, l. 130).
   »their presumptuous braves pulled down«. (Masquerado V, 240.)
   »hearing their great braves against him« (ibid. 254 et freq.).

8. Brook = endure — »cannot brook competition« (II, 2, l. 76).
   »could not brook« (Tritameron III, 124 et freq.)

9. Baleful = evil — »baleful misletoe« (II, 2, l. 95).
   »bitter tears and baleful terms« (Mamillia II, l. 156).
   »baleful beauty of women«. (Carde IV, 39 et freq.)

10. Bail = security for — »thou shalt not bail them« (II, 4, l. 108).
    »nought else but death from prison shall him bail« (Alphonsus XIII, 367, l. 931).

11. Boots = profits — »what boots it thee to call thyself a son« (V, 3, l. 18).
    »such as may boot company« (Metamorphosis IX, 36 et freq.)

12. Bootless = profitless, fruitless — »plead bootless unto them«. (III, 1, l. 37.)
    »either needless or bootless«. (Anatomy III, 231 et freq.)

13. Bottomless = deep — »my passion bottomless« (III, 1, l. 217).
    »filled the bottomlesse« (Euphues VI, 213).

14. Brave = boast — »go brave it at the Court« (IV, 2, l. 123).
    »Boast, it in the town and brave it in the field«. (Never Too Late VIII, 165.)

15. Bay = hard-pressed — »I would we had a thousand Roman dames at such a bay«. (IV. 2, l. 41—42.)
    »letting pass neither time nor toil till she hath brought wisdom to such a bay« (Planetomachia V, 107).

16. By'r lady = by our Lady — »hang'd by'r Lady«. (IV, 4, l. 48.)
    »by'r lady thirty six is a fair deal of money« (James IV, XIII, 281, l. 1766).

17. Brain-sick = brain-weary — »brain-sick fit« (V, 2, l. 71).
    brain-sick and illiterate surmises«. (Dreame XIV, 313, l. 282.)

18. Brinish = salty — »surge in his brinish bowels« (III, 1, 97).
    »raine a brinish shower« (Selimus XIV, 247).
    Shakespeare 3, Henry VI, III, 1, l. 41 and in Lucrece 1312, Complaint 284.

19. Chaps = jaws — »chaps of age« (V, 3, l. 77).
    »hard-opened chaps«. (Looking-glass XIV, 72.)

20. Circumscribed = enclosed — »where he circumscribed with his sword«. (I, 1871.)
    »love is not circumscribed within reason's limits«. (Tully's Love VII, 216.)
    »his estimation is so circumscript« (Royal Exchange ibid. 222).

21. Churl = fellow — »left me like a churl«. (I, 2, l. 423.)
    »the old churl listened«. (Never Too Late VIII, 34.)
    »at last the old churl began« (ibid. 147 et freq.).

22. Checkered = variegated — »checkered shadow« (II, 3).
    »the golden ayers that checker in the day«. (Never Too Late VIII, 93.)
    »Flora did checker all the treading place«. (ibid. VIII, 201.)

23. Controlment = control — »without controlment, justice or revenge« (II, 1, l. 68).
    »enjoying liberty without controlment« (Mamillia II, 185).
    »would lead her eye without controlment«. (Planetomachia V, 44.)

»Semiramus demanded . . . without cloak or c o n t r o l m e n t.« (Farewell IX, 319.)

24. Complot = conspiracy — »the c o m p l o t of the timeless tragedy« (II, 3, l. 265).

»present her wanton c o m p l o t« (Groatsworth XII, 123).

25. Coal-black = black as coal — »a c o a l - b l a c k Moor« (III, 2, l. 77).

»c o a l - b l a c k is better than another hue« (IV, 2, l. 100).

»c o a l - b l a c k calf« (V, 1, l. 32).

»c o a l - b l a c k silence in the world still reigns«. (Selimus XIV, 261, l. 1742.)

26. Daunt = intimidate — »discontent d a u n t e d all your hopes«. (II, 2.)

»With disdainful countenance she gave him his d a u n t« (Carde IV, 51),

27. Date = time — »fame's eternal d a t e« (I, 1, l. 168).

»the d a t e d time of marriage is not mislike but death«. (Penelope's Web V, 191.)

»the d a t e d bosoms of the destinies« (Reports VI, 35 et freq.).

28. Dumps = sorrows — »these dreary d u m p s« (I, 2, l. 328).

»amidst these sundry d u m p s (Mamillia II, 100).

»struck such a d u m p« (ibid. 149).

». . . . sudden departure . . . brought you into the d u m p s« (Ibid. 158 et freq.).

29. Deciphered = interpreted — »you are both d e c i p h e r e d« (IV, 2, l. 6).

»I wanted trickling tears to d e c i p h e r my sorrow«. (Carde IV, 73.)

»grief d e c i p h e r e d in disgrace« (Never Too Late VIII, 14).

»rather disparage his honours than d e c i p h e r his virtues«. (Maiden's Dreams XIV, 298.)

30. Distract = maddened — »thus d i s t r a c t (IV, 3, l. 26).

»I rest as one d i s t r a c t« (Carde IV, 112).

31. Embrewed = bloody — »lies e m b r u e d here« (II, 3, l. 222).

»i m b r u e d with« (Carde IV, 13).

> »Her cheeks were ruddy hued
> As if lilies were i m b r u e d
> With drops of blood, to make the white
> Please the eye with more delight.«
> (Mourning Garment IX, 143) Shakespeare bis.

32. Empery = empire — »rule and e m p e r y« (I, 1, l. 19).

»Roman e m p e r y« (I, 1, l. 22).

»a quiet life doth pass an e m p e r y« (Alphonsus l. 158).

»thou shalt possess the Turkish e m p e r y« (ibid. l. 2086).

»Achmet in the e m p e r y« (Selimus XIV, 149).

33. Entreat = beseech — »e n t r e a t pardon« (I, 2).

»e n t r e a t both« (Carde IV, 14, frequent in Shakspeare).

34. Fraught = freight — »discharged her f r a u g h t« (I, 2, l. 10).

»their whole f r a u g h t is a mass of mischiefe« (Mamillia II, 1. 181).

»f r a u g h t with hope« (Reports VI, 35).

»the trees f r a u g h t with pleasant fruit« (Mamillia II, 43).

»mind f r a u g h t with concupiscence« (Mirror of modesty III, 20 et freq.).

35. Flourished = displayed — »him that flourished for her with his sword
(I, 2, l. 247).
»flourisht upon ivory« (Orpharion XII, 70).

36. File = smooth — »she shall file our engines« (II, 1, l. 123).
»his subtle tongue doth file« (Selimus XIV, 209, l. 378 et freq.).

37. Flout = jeer — »Sorrow flouted at is double death« (III, 1, l. 245).
»Others will flout« (Farewell IX, 232).
»Seek to flout me« (Alphonsus XIII, 339, l. 205).

38. Gratulate = congratulate — »gratulate his safe return« (I, 2, l. 158).
»to gratulate thee I bought those antiques« (James IV, XIII, l. 97).
»gratulate your highnesse« (Selimus l. 1224).

39. Gramercy = great mercy — »and grammercy too« (I, 2, l. 432).
»scarce had I said grammercy« (Tully's Love VII, 194 et freq.).

40. Gear = business — »come to this gear« (IV, 3, l. 52).
»all this gear changed« (Never Too Late VIII, 100).
»I pray you to this gear« (Looking glass XIV, 39, l. 807).
»this gear goes hard« (ibid. 40, l. 835).

41. Hunt is up = tune — »the hunt is up« (II, 2, l. 1).
»play him hunt's up« (Orlando Furioso XIII, 134).

42. Hammer = cogitate — »blood and revenge are hammering in my
head«. (II, 2, l. 139).
»he hammered in his head many means« (Reports VI, 131).
»this hammering in the head« (Metamorphosis IX, 41).

43. Insult = triumph — »I will insult on him« (III, 2, l. 71).
»his insulting over their children« (Reports VI, 98).

44. Insinuate = wheedle — »basely insinuate and send us gifts« (IV, 2, l. 38).
»slily insinuate« (Euphues VI, 251).
»by his liberality to insinuate« (ibid. 272).
»I know not how to insinuate any exordium« (Tully's Love VII, 197).

45. Jet = strut — »dangerous to jet« (II, 2, l. 64).
»streetwalkers now jet« (Coney-catching X, 42).
»jetting up and down« (Quip XI, 121 et freq.).

46. Jar = quarrel —. »for that you jar« (III, l. 104).
»they fell to jar« (Euphues VI, 253).

47. 'Larums = alarums — »loud 'larums« (I, 2, l. 84).
»the larum rings« (Looking glass XIV, 113, l. 2622).

48. Lesson = instruct — »well hast thou lesson'd us« (V, 2, l. 110).
»he lessons the drab« (•Coney-catching X, 157).

49. Lively = living — »thy lively body« (III, 1, 109).
»lively represent« (Penelope's Web V, 163).
»the lively image« (Mamillia II, 50 et freq.).

50. List = choose — »what she list« (IV, 1, l. 182).
»dispose as I list« (Mamillia II, 106 et freq.).

51. Miry = muddy — »miry slime« (III, 1, 26).
»more fit for a miry sowe to feede« (Mamillia II, 277).

52. Minion = darling — »this minion stood upon her chastity« (113, l. 124).
»a perverse minion« (Anatomy III, 222).
»that ruthless minion« (ibid. 238 et freq.).

53. Map = picture — »map of woe« (III, 2, l. 12).
»map of discontent« (Reports VI, 44).
»a map of many values« (Selimus XIV, 199, l. 110).

54. Maugre = spite of — »maugre all the world« (IV, 2, l. 111).
»fared maugre their foes« (Mamillia II, 251).
»I will conquer maugre envy« (Tritameron IV, 120 et freq.).

55. Meed = reward — »meed for meed« (V, 3, l. 68).
»requite thy merit with meed«. (Anatomy III, 194.)
»the meed of his merit« (Carde IV, 132).

56. Motion = solicitation — »doth this motion please thee« (I, 2).
»this unlookt for motion« (Carde IV, 51).

57. Nilus = Nile — »like Nilus« (III, 1, l. 71).
»Nilus flowing« (Dorastus IV, 279).

58. Onset = assault — »for an onset« (I, 1, l. 76).
»gave her the onset« (Mamillia II, 57).
»he had the onset« (Carde IV, 41).

59. Party = person — »a special party« (I, 1, l. 21).
»many write before they know the party« (Mamillia II, 101).
»so your daughter like and love the party« (ibid. 272).
»whence the party is compelled« (Anatomy III, 207).
»when the parties are hethorogenus« (Penelope's Web V, 160).

60. Policy = expediency — »'tis a deed of policy« (IV, 2, l. 149).
»a new game called mischaunce that hath no policy nor knavery«.
(X, 21).
»sundry policies« (ibid. 77).
»by his policy« (ibid. 80 et freq.).

61. Pry = stealthy peep — »I pryed me through the crevice of a wall«
(V, 1, l. 114).
»pry into my imagination«. (Reports VI, 8.)

62. Quote = note, mark — »note how she quotes the leaves« (IV, 1, l. 52).
»Love the record of delight doth quote« (Reports VI, 123).

63. Reedified = rebuilt — »succeeding ages have re-edified« (Richard III.
III, 1, l. 71).
»sumptuously re-edified« (I, 3, l. 51).
»made or edified walles« (Apologie V, 24).

64. Ruffle = swagger — »to ruffle in the Commonwealth« (I, 2, l. 220).
»hearing the ass ruffle in his rude eloquence« (Never Too Late VIII, 192).
»every servile drudge must ruffle in his silks« (Quiq XI, 238).
»I ruffled out in my silks« (Reports XII, 172).

65. Sith = since — »sith true nobility warrants« (I, 2, l. 208).
»sith though he speaks« (Quip XI, 211).
»sith father's will« (Orlando Furioso XII, 141 et freq.).

66. Sequestered II, 3 — »why are ye sequestered from all?« Cf. As you
Like it II, 1, l. 33: »a poor sequestered stag«. VII, 302: »his
sonne Dolaballa sequestered himself Rome«.

67. Stale = decoy —·›make a stale‹ (I, 2, l. 241).
    ›strike at every stale‹ (Mamillia II, 17).
    ›enticed to the trap . . by a stale‹ (ibid. 20).
    ›it is good to keep a stale‹ (ibid. 93 et freq.).
68. Short = abrupt — ›you are very short with us‹ (I, 2, l. 346).
    ›hearing his friend . . . so short‹ (Philomela XI, 151).
69. Shipwreck = wreck of ship — ›his shipwreck and his common‹ (II, 1).
    ›make shipwreck of her honesty‹ (Reports VI, 56).
    ›I arrived in Arcady shipwrecked‹ (ibid. VI, 62).
                    So, frequent in Shakespeare.
70. Suppose = supposition — ›vain suppose‹ (I, 2, l. 377).
    ›cease from your supposes‹ (Tritameron III, 102).
    ›such a suppose‹ (ibid. 165).
    ›such fearful supposes‹ (Carde IV, 71).
71. Sweetheart = loved one — ›sweet heart look back‹ (I, 2, l. 418).
    ›spent their wits in courting their sweethearts‹ (Farewell IX, 231).
72. Snatch = scrap — ›some certain snatch‹ (II, 2, l. 93).
    ›if he like the wench well a snatch for himself‹. (Quip XI, 256.)
73. Square = quarrel — ›are ye such fools as to square for them‹ (II, 1,
    l. 100).
    ›squaring in the streets‹ (Never Too Late VIII, 165 et freq.).
74. Shift = expedient — ›forced us to this shift‹ (IV, 1, l. 77).
    ›this subtell shift‹ (Mirror of Modesty III, 15 et freq.).
75. Subscribes = submit — ›we all subscribe‹ (IV, 2, l. 131).
    ›he . . . subscribes to thee‹ (Never Too Late VIII, 170).
76. Stint = stop — ›stint their melody‹ (IV, 4, l. 84).
    ›stint the strife‹ (Carde IV, 177).
    ›streaming tears that never stint‹ (Reports VI, 43).
77. Scath = harm — ›hath done you scath‹ (V, 1, l. 5).
    ›they shall amend the scath‹ (Pinner XIV, 145, l. 531).
    ›the boldest that offereth scath‹ (ibid. l. 879).
78. Train = guide and misguide — ›trained thy brethren to that guileful
    bale‹ (V, 1, l. 104).
    ›tigers train their young ones‹ (Looking glass XIV, 102, l. 2358).
    ›they followed and trained the fox‹ (Groatsworth XII, l. 121).
79. Thunder's crack = lightning's roar — ›secure of thunder's cracks‹
    (Reports VI, 43).
80. 'Ticed = enticed — ›'ticed me hither‹ (II, 1).
    ›there so enticed these quaint squires‹ (XI, 218).
81. Trull = harlot — ›this trull‹ (II, 3, l. 191).
    ›such homely trulls (Dorastus IV, 280 et freq.).
82. Uncouth = strange — ›an uncouth fear‹ (II, 4, l. 20).
    ›a multitude of uncouth cares‹ (Reports VI, 53).
83. Vild = vile — ›their vild hearts (V, 2, l. 201).
    ›most vild‹ (Mirror III, 26).
    ›vild intent‹ (ibid. 28).
84. Weeds = garments — ›attired in fine weeds‹ (III, 1, l. 43).
    ›his palmer's weed‹ (Mamillia II, 181).

85. Welkin = sky — »the welkin dim« (III, 1, l. 211) and
»threaten the welkin« (l. 224).
>the welkin had no rack« (Never Too Late VIII, 68).
»her face was like the welkin's shine« (Mourning Garment« IX, 202).

I return for a moment on 'bay'. As noted in the place, it is thus used in Titus Andronicus: —

> Uncouple here, and let us make a bay
> And wake the emperor and his lovely bride
> And rouse the prince and ring a hunter's peal
> That all the court may echo with the noise.«
>
> (II, 2, l. 13—16.)

Schmidt (and Verity following suit) explains »barking«. But I query if 'bay' does not here mean 'make a stand'? It has this meaning in Greene: —

> »letting passe, neither time nor toile till shee hath brought wisdome to suche a bay as either she must yielde to he her masking follie, or buy her quiet with perpetuall torment«. (Planetomachia V, 107.)

It will be noted by the careful reader that not only do the preceding words appear and reappear in Greene, but with hardly an exception in the same, often unusual sense as used in Titus Andronicus. Moreover Greene's unusual use and phrasing belong to himself. Familiar with the Elizabethan-Jacobean literature, I make bold to say that save when he was assailing Marlowe and others, his vocabulary was very much his own. But Shakespeare held it in living recollection.

Looking back on the relatively considerable aggregate of words that occur in Titus Andronicus but are not found elsewhere in Shakespeare, whilst they are found in Greene, many of them tempt me to annotation. But my Paper has lengthened out beyond my intention and therefore I shall rest satisfied with recalling attention to the classical proper names e. g. Enceladus, Progne, Semiramis, that like the others appearing in Titus Andronicus do not appear elsewhere in Shakespeare, but do appear in Greene. I am not forgetting that the last — Semiramis — does occur in the »Taming of the Shrew« but in a passage impossible to have been written by Shakespeare as indeed nearly equally impossible is the entire Play save (as in Titus Andronicus) bits here and there (Cf. »Shrew« Induction l. 41).

Before giving my concluding promised estimate of Titus Andronicus, it only remains that I consider — and it shall be briefly — two characteristic notices in Mr. F. E. Fleay's »Chronicle of the English Drama« (2 vols 8vo. 1891). For reasons that will

appear I give it in full and literatim and with small figures
I. 2. 3. etc., at points I must speak of: —

›One New Play Extant.

128. Titus Andronicus, 23rd Jan. 1594. See Life of
Shakespeare. The authorship of this play, will, I fear, long
remain a puzzle to critics. How such a play came to be produced
by Sussex men, who have left us no other play whatever (except
George a Greene, (1) and that was probably not originally
theirs), is a mystery. I cannot believe that either Kyd or Marlowe
would have written for these strollers, who only appear in London
between 27th Dec. 1593 and 4th April 1594, in consequence,
perhaps, of their one Court play of 2nd Jan. 1592 (the theatres
were closed remember, from June to December 1593). The more
likely view (2) is that the author was dead (3), and they got the
play cheap in some exceptional fashion. Again, the absence of
any trace of allegorical personages or Induction militates against
its being Kyd's work. I.fear it is Marlow's (4). But the most
puzzling thing of all is, that it is so close a reproduction of the
Titus and Vespasian of 1592 in plot and treatment (5), for
this is the first instance I can find of any such use of a preceding
play. Shakespeare often did this, notably in his John, Henry IV,
Henry V, Hamlet, Taming of the Shrew &c., but never while the
play thus used as a foundation for his new one was in possession
of a rival company. This consideration persuades me that this
play was such a refashioning of the Titus and Vespasian
written for L. Strange's men; and if so, probably by Marlow, (6),
who was writing for them up to the closing of the theatres on
January 1593. At his death in September, the MS might easily
stray to Sussex' men, but we know that Derby's (who had been
L. Strange's) took care to get it before 16th April. Sussex had
it in February; sold it to Pembroke's (probably soon after breaking
on Feb. 8.); and about two months after Pembroke's parted with
it to Derby's, who having become the Chamberlain's men, acted
it 5th June as well as other plays‹ (pp. 299—300)‹.

Again: on Selimus.

›240. The First Part of the Tragical reign of
Selimus (with his wars against his father Baiazet, and the
murthering of his two brothers Crocut and Acamat), 1594, by
T. Creede: 1638 ›by T. G.‹ was played by the Queen's players.
The Second Part, like that of Orlando, was not produced.

This play has been assigned to Greene by Dr. Grosart, who has for some ten years kept his subscribers waiting for the completion of his edition of Greene's works; when he issues his promised justification of this assued authorship, I shall examine its value (7). Meanwhile it is enough to say that while the most cursory reading shows that Greene had a hand in Selimus, his worst enemy would not, I think (8), assert that he wrote the whole of this wretched production (9). The date is c. 1588 (10), soon after Tamberlane, but probably before Alphonsus of Arragon. The Prologue calls it a true »lamentable history« (11). The greater part of the play seems to me to be by Lodge (12). Greene certainly wrote Sc. 24; probably Sc. 9, 11, and after scenes. I have not looked into the question (13). The apocryphal T. G. of the 1638 edition was no doubt meant to indicate T. Golfe« (14) (p. 315).

These jumblings of »fact and fiction« as even so level-headed a man and editor as Mr. A. H. Bullen has severely but accurately described the sum-total of Mr. Fleay's literary labours, I thus summarily annotate according to the numbers placed in his text: —

1. »except George a Greene«. But surely this is a noticeable exception, seeing that it was (as before) by Shakespeare's 'teste' that this Play was found to be by Robert Greene. »These strollers« were just the men to have been intimate with poor Greene.

2. »The more likely view« — query, more likely than what other view?

3. »The more likely view is that the author was dead.« Just so — and Robert Greene was dead.

4. »I fear it is Marlow's«. One of the perpetually amazing and amusing originalities of Mr. Fleay is his assignation — without a shred of warrant — of Plays to Marlowe and Lodge and Peele. On Marlowe I will let Mr. Arthur Symons speak for me: —

    »The devilish utterances of Aaron (Act. V, Sc. 1) — some of the most noticeable speeches in the book — are absolutely un-Shakespearean, while distinctly in the manner of Marlowe. Indeed so closely are they imitated from the confession of Barrabas (Jew of Malta Act II, Sc. II) that we can hardly be surprised at the occasional attribution of the play to Marlowe — worse than foolish as this is on

every reasonable ground« . . . »to father on Marlowe, in
especial, the meaner parts of the play, is a quite gratuitous
insult to his memory.« (9 lebe p. XVI, XVII).

Be it noted that all but avowedly Greene did mockingly
imitate Marlowe in his »sound and fury«. (See my words
in Life Vol. I, p. XXVII—XXVIII).

5. »The most puzzling thing &c.« The puzzle is a selfevolved
one. Neither Mr. Fleay nor any one else has ever seen
the play of »Titus and Vespasian« of 1592 (sic) so as to
pronounce that its »plot and treatment« are reproduced.
(See our earlier statements on the German translation). The
»plot and treatment« of the German travesty-translation of
Titus Andronicus do not even »reproduce« Titus Andronicus
of 1600 or 1611, although as we have seen it was before
the adapter.

6. »Probably by Marlow«. (See note 4).

7. »Selimus . . . . . This play has been assigned to Greene
by Dr. Grosart, who has for some ten years kept his subscribers waiting for the completion of his edition of Greene's
works.«

This was written in 1891 and the complete Works of
Greene had been issued by me a good five years before
that. Nor can I acknowledge having kept my subscribers
waiting, as witness:

Vol. I, early in 1886.

Vol. II. —XV. 1881 to 1886

or nearly 4 considerable volumes annually from commen-
cement. In short the Works were duly delivered without
intermission or delay. Hence Mr. Fleay might and ought to
have seen my statement of the grounds on which »Selimus«
was included in Greene's Works, seeing that the evidence
was accessible early in 1886. Will he now »look into the
question« by reading Greene's Works, Vol. I. p. LXXI—
LXXXVII, where I answer the question — is our inclusion
of 'Selimus' among Greene's Plays justifiable?

Personal controversy is distasteful to me and I am
willing to give Mr. Fleay all credit for his laborious researches
and recoveries; but his so-called »facts« are so mingled with
erroneous inferences — and these, unluckily as confidently
stated as his facts — as to make him a painfully unreliable

authority.   The waspish temper of Joseph Ritson (but without his brains) seems to have transmigrated to Mr. Fleay and I doubt not that my simple correction of above typical vituperation will draw down on me like abuse as on Mr. Bullen, and that like my good friend I shall be charged with libelling his moral character whereas the whole thing is simply perpetual blundering and over-ingenuity spiced with scorn of some of the most capable Shakespeare students.

8. »I think« — an abundant alternative with 'it seems to me' in Mr. Fleay's lucubrations; but as the little boy said 'I do not think much of his think'.

9. »wretched production«. By far too sweeping and unseeing a judgment. There are »brave translunary things« in Selimus. His slovenly given title of the play makes me doubt if he has ever read it save in extracts. Is there another accessible copy of »Selimus« than that I had from the late Duke of Devonshire? I know of none, and query where Mr. Fleay could have seen it since he denies having seen my Vol. XIV of Greene, in which it was reproduced.

10. Sic. I know not on what authority 1588 is given.

11. »lamentable history«. The very words I reiterate of Titus Andronicus title.

12. »The greater part of the play seems to me to be by Lodge.« No Shakespearean scholar of any rank has accepted Mr. Fleay's hap-hazard and egregious mis-attributions.

13. »I have not looked into the question«. What an admission in the face of his dogmatic pronouncements! But like Sidney Smith's joking remark, it is safest to air such fantastique Theories as Mr. Fleay's without reading the books or »looking into the question«.

14. »T. G.« — given as an original discovery but known before Mr. Fleay was born.

Such are the three lines of proof that lead me to claim Titus Andronicus as substantially the work of Robert Greene. I must ask as in the outset, that my qualifying word »substantially« be not overlooked. For myself I have no difficulty in agreeing with Mr. H. B. Wheatley's selection of lines wherein the »Roman hand« of Shakespeare is detected. I would even add to them; for I query if the speech of Tamora (Act II, Sc. 3, 11, 10—29) »My lovely Aaron« &c., be not his, albeit the closing lines

> »Be within as in a nurse's song
> Of lullaby to bring her babe to sleep«.

inevitably recalls Greene's exquisite Lullaby for his own base-born babe. I would also assign to Shakespeare the playing on the word and thing »hands« (Act III, Sc. 2) »Fie brother« &c., Such an opportunity was leapt to by quip-loving »gentle Will«. The allusions to Aeneas and Troy is à la G r e e n e rather than Shake-spearean, but surely the Master worked over the passage. Earlier also (Act II, Sc. 5) it seems to me to be self-proven that again we have »master-touches« of the supreme task-taker. — »O had the monster &c.« There we have a passage as it came from Greene re-wrought by Shakespeare. It is simply wooden as Fleay, with Rolfe to assert that it is only the rhetoric of the Play that has been conceded to Shakespeare.

I add that as for years Robert Greene made his eheu! prevarious living — though a good one by his own acknowledg-ment, while it lasted — through writing and as it would seem adapting Plays, it is evident that many have been lost and that the seven extant Plays are the mere j e t s a m and f l o t s a m of a splendid wreck. One result of the present paper I hope for viz. increased attention to the now complete works of Robert Greene, and specially to his plays and manners-painting and patheti-cally autobiographical »pamphlets«. I have been gratified by the reception of my Greene, Nashe and Gabriel Harvey and other of the Huth Library worthies as well in France, Germany and Italy as in our own country and in America and our colonies. I venture to affirm that with all his limitations and faults and follies Robert Greene will abundantly reward the most patient study; while in relation to Titus Andronicus I further venture to believe that my Paper demonstrates that the resemblances between Greene's known writings and Titus Andronicus are no mere »imi-tations« but go deeper.

In conclusion, I must express my judgment that Titus An-dronicus has been equally unreasonably exalted and depreciated. Schröer, Kurz, Schlegel, Charles Knight and others are of the former; Gerald Massey and Verplanck may represent the latter. I agree with those who claim Shakespeare for entire author — as my acceptance of the Ravenscroft tradition shews — that there are things in Titus Andronicus not unworthy of him. More than that, as I follow Titus from scene to scene, especially after the jangling of the »sweet bells« of his reason, I discern consistency of conception and thrills of strange power. It may sound like high-treason to say so but I cannot help thinking that Shakespeare had Greene's Titus before him when he brought out Lear, and Tamora, when he conceived Lady Macbeth, and Aaron for Shylock as well as Marlowe's »mighty line«. Tamora hideous as she grew had a m o t i f to plot and glory in revenge. She had pleaded in vain for her son's life. Look at this: —

(Aside to Saturninus.)

> My lord, be ruled by me, be won at last;
> Dissemble all your griefs and discontents;
> You are but newly planted on your throne;
> Lest, then, the people, and patricians too,
> Upon a just survey, take Titus' part,
> And so supplant you for ingratitude,
> Which Rome reputes to be a heinous sin,
> Yield at entreats; and then let me alone:
> I'll find a day to massacre them all,
> And raze their faction and their family,
> The cruel father and the traitorous sons,
> To whom I sued for my dear son's life,
> And make them know what 'tis to let a queen
> Kneel in the streets and beg for grace in vain.«

(l. 442—455.)

This seems to me superb, and all along Tamora is no mere monster but a perfectly conceivable personality. The rage of her vengeance un-feminizes, de-humanizes her, but she is palpitatingly real.

Gerald Massey must have read Titus Andronicus with blinkers on in thus writing (to requote): —

»The mental stain is not whitened by Shakespeare's sweet springs of pity.« In reply I will simply note these things: —

T a m o r a. »Andronicus, stain not thy tomb with blood:
Wilt thou draw near the nature of the gods?
Draw near them then in being merciful:
Sweet mercy is nobility's true badge:
Thrice noble Titus, spare my first-born son«.

(I, l. 116—120.)

L a v i n i a. O Tamora! thou bear'st a woman's face . . . .
Sweet lords, entreat her hear me but a word . . .

(II, l. 137, 138.)

⁓   *   ⁓

'Tis true, the raven doth not hatch a lark:
Yet have I heard, — O, could I find it now!

The lion moved with pity did endure
To have his princely paws pared all away:
Some say that ravens foster forlorn children,
The whilst their own birds famish in their nests.
O be to me, though thy hard heart say no,
Nothing so kind, but something pitiful. (II, l. 149—156.)

*   *

Marcus.   O had the monster seen those lily hands
Tremble like aspen leaves, upon a lute.
                 (II, X, 4, l. 44—45.)

Titus.   Look Marcus! ah, son Lucius, look on her!
When I did name her brothers, then fresh tears
Stood on her cheeks, as doth the honey-dew
Upon a gather'd lily almost wither'd. (III, l. 110—113.)

*   *

Gentle Lavinia, let me kiss thy lips. (III, l. 120.)

*   *

Ah, Marcus, Marcus! brother, well I wot
Thy napkin cannot drink a tear of mine,
For thou poor man, hast drown'd it with thine own.
                 (III, l. 139—141.)

*

O gracious emperor! O gentle Aaron!
Did ever raven sing so like a lark,
That gives sweet tidings of the sun's uprise.
                 (III, l. 157—159.)

*

Ay, such a place there is, where we did hunt —
O had ne never never hunted there! (IV, l. 55—56.)

*   *

Marcus.   O why should Nature build so foul a den,
Unless the gods delight in tragedies. (ibid. l. 59—60.)

*   *

Marcus.   O Publius, is not this a heavy case,
To see thy noble uncle thus distract.

Publius.   Therefore, my lord, it highly us concerns
By day and night to attend him carefully,
And feed his humour kindly as we may.
                 (IV, X, 3, l. 25—29.)

Finally.

Lucius.   Come hither, boy; come, come, and learn of us,
To melt in showers: thy grandsire loved thee well:
Many a time he danced thee on his knee,
Sung thee asleep, his loving breast thy pillow;
Many a matter hath he told to thee,

Meet and agreeing with thine infancy:
In that respect, then, like a loving child,
Shed yet some small drops from thy tender spring
Because kind Nature doth require it so:
Friends should associate friends in grief and woe;
Bid him farewell; commit him to the grave;
Do him that kindness, and take leave of him.

(V, X, 3, L 159—171.)

DUBLIN, May 18. 1896.

Alexander B. Grosart, D.D, LL.D.

Postscript.

1. It may permitted me to appeal to fellow-students of our great literature (Elizebethan-Jacobean) to cooperate with me in tracing to their sources the two still untraced quotations in ›England's Parnassus‹ (1600) assigned therein to Greene. Seeing that of the 35 quotations in this inestimahle book thus assigned, the whole have been traced exept these, it seems a pity that they should go undiscovered. They are as follow.

1. Heavens are propitious unto fearfull Prayers.
2. The heavens on every side inclosed be,
   Black Stormes and foggs are blowen up from farre,
   That now the pilot can no load-starre see,
   But skies and seas do make most dreadfull warre;
   The billowes striving to the heavens to reach,
   And th' heavens striving them for to impeach.

Of course. they may have belonged to lost Mss. — for I think Allot had access to Mss. — but it is possible that either they have been mis-assigned to Greene (as others in E. P. by mixing of the slips) or that they are to be found in some anonymous or mis-assigned play or plays. The first is after Greene's style; the second closely resembles a passage in a ›Looking Glasse for London and England‹ (Works XIV, pp. 68—69).

I add this additional quotation in E. P. as though it be signed S. G. I have an impression this is a misprint for R. G.

In Paradise of late a dame begun
To peepe out of her bed, with such a grace
As matcht the rising of the morning sunne,
With droppes of honney falling from her face;
Brighter then Phebus fierie-pointed, beames
Or ycie crust of christall frozen sheames.

(in all 36 lines)

2. Mr. Arthur Symons (as before) somewhat hastily and in uncharacteristic ignorance of the facts says »I do not think it is very reasonable to try to assign the play, as originally written, to some well known author of the time, such as Greene or Marlowe, rather than to the »private author«. Such resemblances of these writers as occur might naturally be imitations« (p. XVII). But I cannot imagine Mr. Symons' so dealing with the »resem-·blances« (if that be the word) while to oppose Greene at least to the »private author« is uncritical.

II.

DIE REFORM DES HÖHEREN SCHULWESENS IN ENGLAND.

~~~~~~~

Im März 1894 wurde von Mr. Acland, dem vicepräsidenten des erziehungsamtes im liberalen ministerium, eine königliche commission ernannt, »die untersuchen sollte, welches unter berücksichtigung bestehender mängel und örtlicher einnahmequellen die besten methoden seien, ein wohlorganisirtes system der höheren erziehung in England zu begründen, und die zugleich demgemäss vorschläge machen sollte«. Zum präsidenten dieser aus 17 mitgliedern bestehenden commission wurde Mr. James Bryce ernannt, ein hervorragender universitätslehrer und schriftsteller, unter anderem der verfasser eines musterwerkes über die nordamerikanische republik, und ein mitglied des liberalen cabinets. Die übrigen waren elementarschulmänner, directoren höherer lehranstalten, universitätsprofessoren, grafschaftsräthe, geistliche und endlich drei damen, eine vorsteherin einer höheren mädchenschule und dr. der naturwissenschaften, die vorsteherin vom Newnham College in Cambridge und eine dame aus der hohen aristokratie.

Die commission hat ihre arbeiten jetzt vollendet und in neun umfangreichen bänden niedergelegt. Der erste band, der eben veröffentlicht ist[1]), enthält den eigentlichen bericht, während die

---

[1]) Report of the Royal Commission on Secondary Education. vol. I. 1895. 451 ss. Pr.: 1 s. 11 d.

übrigen, die erst zum theil erschienen sind, das material liefern.
Wir gewinnen aus demselben ein authentisches und vollständiges
bild des höheren schulwesens in England, wie es sich in den
letzten jahrzehnten entwickelt hat, ein bild, das auch für den deutschen
neuphilologen sowohl vom standpunkte des unterrichts als auch
der kenntniss des englischen lebens und der englischen cultur
vom höchsten interesse ist.

Die commissionäre beschränken ihre untersuchung allein auf
die organisation des höheren schulwesens; sie ziehen weder die
unterrichtsgegenstände noch die erziehungsmethoden in den kreis
ihrer betrachtung. Trotzdem ist das gebiet der untersuchung noch
ein ausserordentlich weites und zeigt eine grosse mannigfaltigkeit
an erziehungsmitteln, bald überfluss, bald mangel, vielfache, zum
theil concurrirende anstrengungen ohne einheitliche organisation.

Der boden der höheren erziehung ist, so sagt der bericht [1]),
mit so werthvollen gebäuden bedeckt, dass an eine niederreissung
derselben zum zwecke der errichtung eines neuen, symmetrischen
baues gar nicht gedacht werden kann. Und doch sind die bestehenden gebäude so schlecht geordnet, so schlecht verbunden
und desshalb so wenig zweckentsprechend, dass ein plan des neu-
baues unvermeidlich scheint. Dasselbe verhältniss besteht mit bezug auf die finanziellen hilfsmittel, die ebenfalls aus verschiedenen
quellen fliessen und zum grossen theile an heute nicht mehr zeitgemässe regeln und bedingungen geknüpft sind. Auch die grenze
zwischen secundär- und elementarerziehung ist theoretisch schwer
zu ziehen und besteht in praxis kaum; viele schulen liegen gleichsam zwischen beiden gebieten.

Der bericht der commission, der auf einem grossen, sorgfältig
gesammelten und gesichteten materiale beruht, zerfällt in vier
haupttheile: eine kurze historische skizze der früheren gesetzgebung,
eine beschreibung des gegenwärtigen standes des höheren schulwesens, die auseinandersetzung und discussion der aussagen und
ansichten der befragten zeugen und sachverständigen und endlich
die vorschläge der commissionäre.

Bei unserer besprechung folgen wir dieser eintheilung.

Die geschichte der staatlichen fürsorge für die
höheren schulen in England ist nicht sehr alt. Während
der staat im jahre 1833 zum ersten male durch eine geldbewilligung

---

[1]) Report, Introduction p. 1.

von 20 000 £ die pflicht anerkannte, für die elementarerziehung zu sorgen, ein schritt, der im weiteren verlaufe zur einführung des allgemeinen, obligatorischen und unentgeltlichen elementarunterrichts führte[1]), hat er in das höhere schulwesen nicht vor dem jahre 1861 eingegriffen. Bis dahin blieb diese wichtige nationale angelegenheit, soweit nicht stiftungen, besonders aus der grossen zeit der reformation und renaissance vorhanden waren, den segnungen der freien concurrenz und dem spiel von angebot und nachfrage überlassen — meist mit traurigen resultaten; ja selbst diese stiftungen, die im interesse aller und besonders der unbemittelten gemacht worden waren, hatte die herrschende aristokratie allmählich ihrem ursprünglichen zwecke entfremdet und in pflanzstätten des adels und der staatskirche umgewandelt. Gegen diesen missbrauch richtete sich die im jahre 1861' unter Lord Clarendon gebildete commission zur untersuchung der neun grossen »öffentlichen schulen« [2]). Der bericht dieser commission führte im jahre 1868 zum erlass der Public School Act, die gewisse nothwendige reformen in der verwaltung der sieben grossen alumnate einführte. Am 20. December 1864 war unterdessen eine andere commission zusammengetreten, die das ganze höhere schulwesen, insbesondere die stiftungsschulen, einer eingehenden untersuchung unterwarf und die resultate dieser untersuchung im jahre 1867 in 20 bänden veröffentlichte. Schon dieser bericht empfahl eine einheitliche organisation der höheren schulen, es kam aber nur zu der Endowed School Act von 1869, durch die eine Endowed School Commission zur besseren verwaltung der stiftungsschulen eingesetzt wurde; die übrigen vorschläge der commission fielen zunächst in's wasser. Seit 1874 sind die functionen der Endowed School Commission an die Charity Commission übergegangen, der mit ausnahme der sieben genannten öffentlichen schulen alle stiftungsschulen unterstehen, deren stiftungen aus der zeit vor 1820 herrühren. Für solche arbeitet die Charity Commission regulative aus. Bis jetzt haben 902 von 1448 stiftungsschulen in England den reformirenden einfluss dieser körperschaft erfahren. Auch die einrichtung der elementarschulbehörden (School Boards) ist nicht ohne einfluss auf das höhere schulwesen geblieben. Vielfach haben

---

[1]) 1870 wurde durch die Elementary Education Act der allgemeine elementarunterricht eingeführt; 1876 wurde er obligatorisch und 1891 unentgeltlich gemacht.

[2]) Eton, Winchester, Westminster, Charterhouse, St. Paul's, Merchant Taylors', Harrow, Rugby, Shrewsbury. St. Paul's und Merchant Taylors' sind day-schools, die übrigen sind boarding-schools.

dieselben »höhere elementarschulen oder classen« geschaffen, die der fortbildung dienen.[1]); ferner hat die einführung der unentgeltlichkeit des elementarunterrichts (1891) manche stiftungen für zwecke der secundären erziehung frei gemacht. Nach einer bestimmten richtung hin hat das »Science and Art Department« fördernd gewirkt; dasselbe ertheilt preise und unterstützungen für befriedigende leistungen in technischen, mathematischen und naturwissenschaftlichen fächern [2]), und viele schulen sind auf diese hilfe für ihre existenz angewiesen. Auch die gründung neuer universitätscollegien in den grossen industriestädten Manchester, Liverpool und Leeds sowohl als in London, Oxford und Cambridge, denen der staat seit 1889 eine jährliche unterstützung von 15 000 £ gewährt, hat belebend auf das höhere schulwesen gewirkt. Ferner haben die universitäten durch die sogen. »universitäts-ausdehnung«, die in volksthümlichen und doch gediegenen vorträgen und in prüfungen der höheren schulen besteht, sich ein grosses verdienst um die verbreitung der bildung erworben. Endlich hat der staat im jahre 1889 durch die Technical Instruction Act den durch das gesetz von 1888 neugebildeten grafschaftsräthen das recht verliehen, eine steuer von einen d. im £ für technischen und handfertigkeitsunterricht zu erheben und 1890 denselben behörden den überschuss der bier- und spirituosen-steuern, das sog. »biergeld«, zu dem nämlichen zwecke überwiesen [3]).

Während so von oben herab für die höheren schulen gesorgt worden ist, ist auch die privatinitiative nicht müssig geblieben. Die lehrer haben begonnen, sich, wie die ärzte und juristen, als stand zu constituiren. Eine reihe von vereinen, die alle in den letzten jahrzehnten entstanden sind, vertreten die interessen des ·lehrerberufs nach aussen hin [4]). Derselbe hat aufgehört, zum grossen theile eine versorgung für die staatskirchliche geistlichkeit zu bilden; nur noch wenige directorstellen der grossen öffentlichen

---

[1]) In England ausser London bestehen 74 solcher schulen oder classen mit 4606 knaben und 2023 mädchen; in London 3 schulen und 60 classen mit 1006 schülern. Rep. s. 53.

[2]) Der betrag der bewilligungen an schulen belief sich im jahre 1893/94 auf 143 869 £. Rep. s. 29.

[3]) Im jahre 1893/94 750 000 £, wovon 556 227 £ für technischen unterricht verwandt wurden.

[4]) National Union of Teachers (1870) mit 28 000 mitgliedern; Headmasters' Conference (1870), bestehend aus 89 mitgliedern, den directoren der grossen public schools; Association of Headmistresses (1874); Association of Women Teachers & Private Schools' Association (1883); Teachers' Guild (1885); Association of Assistant Masters (1892) etc.

alumnate werden statutengemäss mit geistlichen besetzt; im übrigen überwiegt das laienelement bei weitem [1]). Und wie unter den lehrern, so hat auch im publicum die erkenntniss von der hohen bedeutung der erziehung bedeutende fortschritte gemacht. Eine reihe von grossen gesellschaftsschulen (»proprietary schools«) ist entstanden, die privatschulen sind gediegener geworden, und der unterricht hat sowohl nach der seite der naturwissenschaften als der lebenden sprachen eine wesentliche erweiterung und vertiefung erfahren. Aber alle diese anstrengungen von staatlicher wie privater seite sind ohne zusammenhang und einheitliches ziel geschaffen und tragen den charakter ihres ursprungs an sich. »Wenn diese isolirung und unabhängigkeit«, so schliesst der historische theil des berichtes, »auch von der reichen mannigfaltigkeit unseres erziehungslebens und dem thätigen geiste, der es durchdringt, zeugniss ablegt, so bereitet sie doch den beobachter darauf vor, die gewöhnlichen resultate zerstreuter und unzusammenhängender kräfte zu erwarten, nämlich nutzlose concurrenz zwischen den verschiedenen thätigen factoren und ein häufiges übereinandergreifen der bestrebungen mit vielfacher daraus hervorgehender verschwendung an geld, zeit und arbeit.« [2])

Der zweite theil legt den gegenwärtigen stand der secundärerziehung in England dar. Die behörden, die mit dem höheren schulwesen in verbindung stehen, sind schon erwähnt worden. Sie verfügen, wenn alle hilfsquellen ausgenutzt werden, über die nicht unbeträchtliche summe von jährlich etwa $2^{1}/_{4}$ millionen $\mathcal{L}$ [3]). Um jedoch diese mittel vollständig zweckentsprechend zu verwenden, wäre eine einheitliche centralbehörde, sowie localbehörden mit ausgedehnten befugnissen nothwendig. Unter den jetzigen verhältnissen ist die erziehung oft sehr ein-

---

[1]) Nach Whitaker's Almanack for 1895 sind an den 53 grössten public schools 185 lehrer, geistliche und 961 laien. Von den directoren sind allerdings 38 geistliche und nur 15 laien, die letzteren zum grossen theile (10) an »day-schools«.

[2]) Rep. s. 18.

[3]) Diese summe setzt sich folgendermaassen zusammen: Stiftungen für erziehungszwecke 650000 $\mathcal{L}$, stiftungen in verbindung mit elementarschulen 100000 $\mathcal{L}$, Science and Art Department 1893/94 171069 $\mathcal{L}$, unterstützung durch das landwirthschaftsministerium für landwirthschaftliche zwecke 8000 $\mathcal{L}$, Local Taxation Act (sog. biergeld) 1893/94 für erziehungszwecke 531630 $\mathcal{L}$; communalsteuern von 1 d. im $\mathcal{L}$ würden ergeben 640000 $\mathcal{L}$; bewilligung des parlaments für fortbildungsschulen etc. 91540 $\mathcal{L}$; andere stiftungen, nicht unter staatlicher verwaltung, unbestimmt; communalsteuern, soweit sie für höhere elementarerziehung verwandt werden, unbestimmt. Vgl. Rep. s. 39 ff.

seitig. Technische gegenstände, wie zeichnen, stenographie u. s. w., ferner die naturwissenschaften und die mathematik werden auf kosten der sog. »litterarischen« fächer, d. h. der neueren sprachen, des Englischen, der geschichte u. s. w., über gebühr gefördert. Auch überwiegt der practische zweck zu sehr, so dass die geistige bildung nicht zu ihrem rechte kommt.

Die bestehenden schulen theilt die commission, darin ihrer vorgängerin von 1864/67 folgend, in drei classen ein, die jedoch, wie ausdrücklich bemerkt wird, nicht scharf gegen einander abgegrenzt sind. Die schulen ersten grades erziehen für die höheren berufsarten und die universität und behalten ihre schüler bis zum 18. oder 19. jahre; die schulen zweiten grades bereiten auf das kaufmännische oder industrielle leben vor und entlassen die schüler mit dem 16. oder 17. jahre; die schulen dritten grades endlich, deren altersgrenze das 14. oder 15. jahr ist, bilden knaben und mädchen für die werkstatt und den laden aus. Natürlich giebt es in jeder der drei classen stiftungs-, gesellschafts(proprietary)- und privatschulen. Die ersteren erziehen im ganzen etwa 0,25 proc. der bevölkerung [1]). Die grösseren unter ihnen befinden sich meistens in blühendem zustande. Dagegen steht es schlimm um die kleinen grammar-schools auf dem lande und in den kleinen städten. Ungenügende mittel, unvortheilhafte lage und unfähige leitung machen viele unter ihnen kaum existenzfähig. Oft werden sie an den leiter verpachtet (»farmed«), ein system, das im allgemeinen nachtheilig wirkt, indem es dem leiter neben den erziehungssorgen auch die finanzielle verantwortung aufbürdet. Desshalb sind sie zum theil nicht besser als schlechte elementarschulen und leben in elender weise von der hand zum munde. Es wäre daher gut, viele dieser grammar-schools zu schliessen oder an geeignetere stellen zu verlegen oder endlich mit anderen schulen zu vereinigen. Gesellschaftsschulen bestehen in grosser anzahl, und einige derselben, wie Marlborough-, Cheltenham-, Clifton-, Malvern-, Rossall- und Bath-College, stehen den alten stiftungsschulen aus der zeit der renaissance an rang vollständig gleich und werden mit der zeit selbst zu solchen. Besonders für die mädchenerziehung ist das letzte menschenalter, dank der anregung der commission von 1864/67, sehr fruchtbar gewesen, fast so fruchtbar wie das 16. jahr-

---

[1]) In 7 ausgewählten grafschaften 1893 21 878 knaben und mädchen. Rep. s. 424.

hundert für die knabenerziehung; allein die Girls Public School
Company besitzt 36 schulen mit 7111 schülerinnen. Auch die
grossen confessionellen secten haben besondere höhere schulen für
knaben wie mädchen.

Privatschulen giebt es in England 10—15 000, meist von geringer frequenz (etwa 40—60 schüler im durchschnitt). Viele der
kleineren, besonders an orten, wo öffentliche schulen bestehen,
führen eine prekäre existenz; andere sind durch die gunst der
lage und die tüchtigkeit des leiters recht einträglich. Zu nicht
geringem theile sind sie vorbereitungsanstalten für die öffentlichen
schulen. Obgleich ihre leistungen oft unbefriedigend sind, so haben
sie doch das verdienst, der erziehung eine grössere elasticität und
mannigfaltigkeit zu geben.

Im allgemeinen fehlt es an schulen dritten grades, besonders
auf dem lande und in kleinen städten, und die verbindung zwischen
den verschiedenen graden ist zu lose, so dass der übergang von
einer niederen zu einer höheren schule schwierig ist. Unter den
prüfungs- und aufsichtskörperschaften nehmen Oxford und Cambridge eine hervorragende stelle ein. Die von diesen universitäten
abgehaltenen örtlichen prüfungen geben zulass zum studium der
medicin, der jurisprudenz, des baufaches, der technik, der apotheker-
kunst, der thierarzneikunde u. s. w. Im jahre 1893 hat Oxford 3737,
Cambridge sogar 8817 schüler geprüft; auch ganze schulen werden
auf wunsch visitirt. Aehnlich wirkt das College of Preceptors,
das halbjährliche örtliche prüfungen abhält, und dessen zeugnisse
ebenfalls zum studium der medicin und jura berechtigen. Es hat
im jahre 1893 16 672 knaben und mädchen geprüft; 3236 privatschulen unterwarfen sich seinen prüfungen. Ferner halten auch
die behörden, welche preise und stipendien verleihen, besonders
das Science und Art Department, examina ab. Doch führen
diese, die fast nur schriftlich sind, in vielen fällen dazu, dass der
unterricht zu einem blossen geistlosen einpauken (»cramming«)
wird und desshalb nur einen beschränkten erziehlichen werth hat.
Daher verlangt die commission, dass, besonders auf den unteren
stufen, die prüfungen vorzugsweise mündliche werden und sich
mehr auf den gesammten bildungsstand der schule als auf posi-
tives wissen richten.

Die innere organisation der schulen lässt, besonders
was die vorbildung der lehrer angeht, manches zu wünschen übrig.
Während die elementarlehrer wissenschaftlich ungenügend vorge-

bildet sind, fehlt es den lehrern an den höheren schulen an pädagogischer ausbildung, an jener routine, die das resultat langer erfahrung ist, und die nach ansicht der commission mit unrecht
von vielen für überflüssig gehalten wird. Cambridge hat allerdings seit 1879 ein Teachers' Training Syndicate errichtet; dasselbe bildet aber nur lehrerinnen aus. Das College of Preceptors,
das schon so viel für das höhere schulwesen gethan hat, eröffnet
eben ein Day Training College (seminar) in London, das auch
gelegenheit zu praktischer übung im unterrichten geben wird.

Einer reform bedarf auch das anstellungswesen der lehrer.
Bis jetzt können die hilfslehrer von dem director und dieser von
dem curatorium der schule ohne weiteres entlassen werden. Es
wäre zu wünschen, dass beiden das recht der berufung an die
höhere instanz gewährt würde. Ferner sind die gehälter der hilfslehrer im durchschnitt zu niedrig und müssen erhöht werden.
Endlich ist es wichtig, dass bei dem unterricht mehr wie bisher
auf formale bildung des geistes als auf das erwerben nützlichen
wissensstoffes werth gelegt wird. Die schüler müssen nicht nur
unterrichtet, sondern auch erzogen werden, und eine besserung
in dieser beziehung kann nur von den behörden kommen, denen
die aufsicht über die schulen künftig anvertraut werden wird.

Mit der neuorganisation der schulen beschäftigen
sich der dritte und vierte theil des berichtes und zwar so, dass der
dritte theil die vorschläge der sachverständigen ausführlich discutirt,
der vierte den von der commission empfohlenen reformplan
giebt. Diesen reformplan wollen wir nun in seinen grundzügen darlegen. An der spitze des gesammten erziehungswesens soll ein dem
parlamente verantwortlicher erziehungsminister stehen, dem
ein permanenter, nicht mit der regierung wechselnder secretär als
chef des erziehungsamtes beigegeben wird. Alle bisherigen behörden, sowohl die der elementarerziehung als die der höheren
erziehung vorstehenden, sollen ihre befugnisse an dieses ministerium
abgeben. Doch wird ausdrücklich gefordert, dass die einmischung
des staates sich auf die engsten grenzen beschränke; seine aufgabe soll im wesentlichen darin bestehen, die localbehörden zu
beaufsichtigen, zu unterstützen und ihnen rath zu ertheilen, un-
nützer concurrenz vorzubeugen und die privat- und gesellschaftsschulen gegen ungerechte bedrückung und beeinträchtigung durch
die öffentlichen gewalten zu beschützen. Ein allmächtiges centralamt, das durch eine hierarchie von beamten auf grund eines bis

in's kleinste ausgearbeiteten systems das ganze schulwesen nach einem einheitlichen schema regiert, würde den englischen begriffen von freiheit und selbstregierung zuwiderlaufen.

Diesem ministerium soll ein e r z i e h u n g s r a t h von 12 mitgliedern zur seite stehen, von denen vier von der regierung, vier von den universitäten ernannt und die übrigen vier cooptirt werden sollen. Der erziehungsrath soll wenigstens viermal jährlich zusammentreten, wofern der minister ihn nicht häufiger beruft. Ihm soll auch die führung der amtlichen lehrerliste anvertraut werden.

Der schwerpunkt des ganzen reformplans beruht auf den l o c a l b e h ö r d e n, die das höhere schulwesen in den ländlichen und städtischen grafschaften überwachen sollen. Die majorität ihrer mitglieder soll von dem grafschafts- oder stadtrath gewählt werden; die übrigen sollen theils vom erziehungsminister ernannt, theils cooptirt werden. In den städten soll auch die elementarschulbehörde (der School Board) einen theil ($^1/_3$) der mitglieder stellen. Im allgemeinen soll sich die zahl dieser neuen schulräthe nach der grösse ihres verwaltungsbezirkes richten, auf dem lande zwischen 14 und 42 und in den städten zwischen 12 und 24 schwankend. Für London werden besondere bestimmungen aufgestellt [1]).

Dieser versammlung werden weitgehende befugnisse gegeben. Sie hat dafür zu sorgen, dass zweckentsprechende schulen in genügender anzahl bestehen; sie führt die aufsicht über die öffentlichen schulen und bis zu einem gewissen grade auch über die privat- und gesellschaftschulen; sie verwaltet alle für höhere erziehung verfügbaren gelder und soll das recht haben, grafschaftssteuern zu diesem zwecke auszuschreiben [2]). Doch ist ihr geringe zwangsgewalt gegeben, damit die private initiative nicht etwa ihrer herrschaft zum opfer fallen könne. Ihr einfluss auf gesellschafts- und privatschulen soll darin bestehen, dass sie dieselben zu »anerkannten schulen« erklärt, falls sie sich ihrer aufsicht und ihren forderungen mit bezug auf unterricht und lehrer unterwerfen. Diese »anerkannten schulen« sollen dafür gewisse finanzielle vortheile, bestehend in der zuwendung von stipendien und preisen,

---

[1]) Rep. s. 271.
[2]) Statt, wie bisher, 1 d. im £ soll sie eine steuer von 2 d. im £ für höhere erziehung erheben können.

geniessen. Alle höheren schulen aber sollen sich den gesundheit-lichen vorschriften der behörden zu fügen haben.

Die commission lehnt es ab, bestimmte regeln darüber auf-zustellen, wo eine schule ersten, zweiten oder dritten grades er-richtet werden soll; das muss den localbehörden nach berathung mit dem centralamt in jedem einzelnen falle überlassen bleiben. Auch mit bezug auf den lehrplan und die methoden will sie kein festes, einheitliches schema aufstellen; sie beschränkt sich auf an-deutungen und wünsche.

Die durchführung der geplanten organisation wird natürlich mit mancherlei schwierigkeiten zu kämpfen haben. Besonders auf dem lande, wo das bildungsbedürfniss gering ist, wird die entwicke-lung langsam sein. Doch hoffen die commissionäre, dass hier das angebot die nachfrage steigern wird. Die bestrebungen der be-hörden und curatorien sollen nicht, wie vielfach bisher in den stiftungsschulen, darauf hinausgehen, den unterricht für die wohl-habenden wohlfeiler zu machen, sie sollen vielmehr ihn den ärmeren classen durch die verleihung von freistellen, stipendien und preisen an begabte schüler leichter zugänglich machen.

Was die lehrer angeht, so sind die vorschläge der commission sehr gemässigt. Berufung gegen willkürliche entlassung durch den director, bessere gehälter und eine amtliche liste, in die jeder ein-getragen werden soll, der ein zeugniss über seine wissenschaftliche und praktische befähigung aufweisen kann — das sind die vor-theile, die der reformplan ihnen verspricht.

Fassen wir die grundzüge dieses planes noch einmal zusammen. Ein centralamt mit grosser macht der anregung und geringer executive, localbehörden mit umfassender aufsichts- und wenig zwangsgewalt, eine reiche mannigfaltigkeit an schulen, den bedürf-nissen der bevölkerung entsprechend, ohne strenge classificirung nach erziehung oder schulgeld — das ist das ideal, welches der commission vorschwebt. »Freiheit, mannigfaltigkeit, elasticität sind und waren die vortheile, die zum grossen theile die mängel in der englischen erziehung aufgewogen haben; sie müssen um jeden preis erhalten bleiben.« [1] Nichts vollständig neues soll geschaffen, sondern nach bewährter, englischer methode das bestehende den anforderungen der zeit entsprechend fortgebildet und umgestaltet werden. Besonders die mittleren classen in England leiden

---

[1] Rep. s. 326.

unter den nachtheilen einer ungenügenden erziehung; der handel und die industrie haben diesen mangel schon längst empfunden, aber nicht minder wichtig ist die schaffung eines idealeren, weniger philisterhaften und auf gelderwerb gerichteten sinnes in den grossen massen des bürgerstandes. Es ist anzunehmen, dass die vorschläge der commission in nicht ferner zeit, vielleicht schon in den nächsten jahren, wenn auch mit einzelnen abänderungen, gesetzeskraft erlangen werden [1]. Dann werden viele der auswüchse und mängel des gegenwärtigen zustandes verschwinden, ohne dass doch die allmacht des staates angerufen wird. Das neue erziehungssystem wird freiheit der bewegung mit einheitlicher organisation zu vereinigen suchen, es wird die initiative und die individuelle besonderheit nicht unterdrücken, sondern ermuthigen, anregen und überwachen und die mitte halten zwischen der jetzigen anarchie und der staatserziehung in Deutschland und Frankreich. Ob ein solches system nicht in höherem maasse als das unsere geeignet ist, den grossen anforderungen gerecht zu werden, die unsere zeit nicht bloss an den geist, sondern auch an den charakter des bürgers stellt, ob es nicht besser vermag, tüchtige, pflichtbewusste männer und frauen heranzuziehen, das ist eine frage, die ich hier nur stellen, aber nicht erörtern will.

BATH (England), November 1895.   Ph. Aronstein.

---

[1] Inzwischen hat der conservative unterrichtsminister, Sir John Girst, am 31. März dem parlament einen gesetzentwurf vorgelegt, der die wichtigsten vorschläge der commissionäre enthält. Nur schade, dass die regierung die sache der höheren schulen, die keine parteisache ist, mit dem vielumstrittenen gebiete des volksschulunterrichts verquickt hat! [Berlin, Mai 1896. Der verf.]

MISCELLEN.

I.

DIE RESTE DER HANDSCHRIFT G DER ALTENGLISCHEN ANNALEN.

Das MS. Cott. Otho B. XI[1]) des Brit. mus. zu London ist bei dem grossen brande der Cotton'schen bibliothek im jahre 1731 grossentheils ein raub der flammen geworden. Es bestand ursprünglich aus 231 blättern. Die reste der hs. sind jetzt wieder sehr sorgfältig in einem bande der bibliothek des Brit. mus. gesammelt. Er enthält 1) reste von Beda's Hist. Eccles. (blatt 1—38); 2) reste der Annalen (blatt 39—48); 3) reste von Alfred's gesetzen (blatt 49—53).

Man hat diese reste einzeln — ähnlich wie die bilder in einem photographienalbum — auf je einem starken quartblatte derartig befestigt, dass man beide seiten sehen kann. In diese quartblätter hat man ausschnitte gemacht, in welche die reste der einzelnen blätter der hs. genau hineinpassen. An den rändern hat man sie zur befestigung mit feinen, vollkommen durchsichtigen papierstreifen überklebt. Die quartblätter sind fortlaufend numerirt, so dass die nummern derselben nicht mit den nummern der ursprünglichen blätter übereinstimmen. Manchmal gehören mehrere reste, die einzeln auf verschiedenen quartblättern eingeklebt sind, zu einem einzigen blatte der zerstörten hs. So blatt 44 u. 45 und blatt 46 u. 47. Die schrift ist vielfach schwer und nur mit starkem vergrösserungsglas lesbar, da die blätter theils ganz verkohlt, theils von der hitze zusammengeschrumpft sind. Die gut erhaltenen theile des codex zeigen eine sehr sorgfältige, durchaus gleichmässige schrift, und man darf wohl annehmen, dass das ganze MS. Cott. Otho B. XI durchaus von einer hand geschrieben war. Thorpe, Earle und Plummer geben an, dass nur noch drei verstümmelte blätter von G vorhanden seien. Es sind deren aber mehr[2]). Nach den genannten herausgebern beginnen die noch erhaltenen einträge 837

---

[1]) Von den herausgebern der Mon. Hist. Brit., sowie von B. Thorpe und J. Earle in ihren ausgaben der Annalen ist die in diesem codex enthaltene hs. der ae. annalen mit dem buchstaben G bezeichnet worden.

[2]) Wir haben aus den von Thorpe nicht abgedruckten resten allein drei weitere blätter theilweise wieder herstellen können.

und gehen bis 871. Nach eigener einsicht der hs. sind wir indessen in der lage, einen eintrag zu an. 381 mitzutheilen und sodann theile von an. 890—962, die seit dem jahre 1644, wo Wheloc das damals noch unversehrte MS. nebst ergänzungen aus A (Parker MS.) herausgab[1]), nicht wieder veröffentlicht worden sind. Bei Thorpe sind die reste von G, soweit sie von ihm entziffert worden sind, auf s. 110—141 unter dem text abgedruckt. Ein facsimile eines blattes der hs. findet sich in Mon. Hist. Brit. bd. I und bei Thorpe (The Anglo-Saxon Chronicle, London 1861) Pl. VIII.

Blatt 39 a[2]) enthält nur 3 reihen von zahlen ohne einträge; auf bl. 39 b[2]) sind die zahlen 318—387 zu erkennen. In der 3. spalte ist auf dem stark verkohlten blatte mittels vergrösserungsglases zu entziffern:

(381) Her Maximianus se casere feng to rice he wæs on Britene londe geboren ⁊ þonon for [in][3]) Gallia

Hs. bl. 44 a und 45 a[4]). (890) . . . *ut on ea an*[d] *monige adrengton an dcccxci* Her [f]or se here east ⁊ earnul[f cy]ning gfeah[t wið þæm] *ræde here* [æ]r þa scipu cwom[o]n mid east francum ⁊ seax[um] ⁊ *Bæge*[rum ⁊ h]ine geflymde ⁊ þry scottas cwom[o]n [to Aelf]*rede cyninge* on anū bate butan ælcum grepum o[f Hibernia þonon hi hi] bestælon forþon þe hi woldo[n for godes lufan on elþiodign]esse bion hy ne rohton [hwær. se bat wæs geworht of þri]ddan hea[l]fre hyde þe hie on f[oron ⁊ hi namon mid him þæt hi] hæfdon to seofon nihtum [mete ⁊ þa comon hie ymb vii n]iht to londe on Cornwe[alum ⁊ foron þa sona to Aelfrede cy]ninge. þus hie wæron [genemde Dubslane ⁊ Maccbethu ⁊ Mæl]inmun. ⁊ Swifneh [se betsta lareow þe on Scottum wæs ge]for.

[an dcccxcii And þy ilcan geare ofer] eastron ymb[e] gangda[gas oþþe ær æteowde se] steorra þe mon on boc læden [hæt cometa. Sume] men cweþað on englisc þ hit sy feax[ede steorra forþæm] þær stent lang leoma of hwilum on [ane healfe h]wilum on ælce healfe.

[an dcccxciii He]r on þissum geare for se micel here þe [we gefyrn ymbe] spræcon eft of þam east rice west [weard to Bunnan ⁊] þær wurdon gscipode swa þ hie aset[tan hi on ænne sið ofe]r mid horsum mid eall[e ⁊ þa comon up limene muþan] mid [CC]L hund scipa se muþ[a is on easteweardre Cent æt þæs] micelan w[uda east ende þe we Andred hatað. se wud]u is ea[st lang ⁊ westlang hund twelftiges mila lang oþþre lengra ⁊ þrittiges mila brad. seo ea þe we ær ymbe spræcon]

Hs. bl. 44 b und 45 b.

lid ut of þæm [wealde] on þa ea hie[t]ugon [up] hiora scip[u oþ þone weald

---

¹) Chronologia Anglosaxonica. Wh. benutzte nach seiner eigenen angabe 2 manuscripte, quorum alterum habetur in Bibliotheca Collegii Corporis Christi Cantabrigiae, alterum in Bibl. Nobilis D. Tho. Cotton, D. Roberti . . . filii u. s. w. Das sind A und G. Die ergänzungen aus dem Parker MS. (A) kennzeichnet er durch den buchstaben B, was Bennet MS. bedeutet; denn das Corpus Christi College hiess früher Collegium S. Benedicti.

²) Mit a bezeichnen wir die vordere seite eines blattes, mit b die rückseite.

³) Was hier in eckige klammern eingeschlossen ist, fehlt in der hs. oder ist selbst mit starkem glase nicht mehr zu erkennen. Wir haben das fehlende nach Wheloc ergänzt.

⁴) Das cursiv gedruckte steht auf bl. 44, das übrige auf bl. 45. Das eingeklammerte ist nach Wheloc ergänzt.

iiii mila] from þam mu[þan] *uteweard*[um] ⁊ þær abræcon an ḡweorc inne
on þæ[m fenne] *s[æ]ton* [fea]wa cirlisce m[e]n on ⁊ wæs samwor[ht þa s]*ona*
æft [þ]am c[o]m hæsten mid LXXX scipā [up on T]*emese* [muðan ⁊ worhte
him geweorc æt] middeltune [⁊ se oþer here æt Apuldre].

[dcccx]ciiii On [þis ge]are þ wæs [ymb twelf monað þæs þe hie] on
þæm ea[st rice geweorc geworht hæfdon Norþh]ymbre ⁊ east[engle hæfdon
Aelfrede cyninge] aþas geseald ⁊ east[engle foregisla VI ⁊ þeh ofer þa treowa
swa oft swa þa oþre hergas mid ealle herige] ut foron þone foron hie oþþe
mid [oþþe on heora] healfe on þa geg[a]drode ælfred cyning [his fyrde] ⁊ for
þæt he gewicode betuh þam twam [hergum] ðær þær he neh[s]t rymet hæfde
for wu[du fæsten]ne ond for wæter fæstenne swa [þæt he mihte ægþer]ne
geræcan gif hie ænigne feld secan [wolden þa] foron hie siþþan æft‾ þam
wealda hloþ[um ⁊ floc]radum bi swa hwæþere efes swa h[it þonne fyrd]leas
wæs [⁊ hi] mon eac mid oþrū f[loccum sohte] mæstra daga ælc[e] oþþe on
[niht ge of þære fyrde] ge eac of þam bu[rgu]m hæfde [se cyning his fyrd]
on tu tonumen [swa þæt] hie [wæron symle h]ealfe [æt ham healfe ute butan
þæm monnum þe þa burga healdan s]cold[en].

Hs. bl. 46a und 47a[1]). *an̄. dccccxl* . . . .

an̄ d.ccccxliiii . . . . . *cyningas a*[nlaf] . . . .

(945) *an̄ dccc* . . . . . . [cumbra]*land* . . . . .

an̄ dcccc . . . .

(955) an̄ dccccl[v her] fordf[erde eadred cyning on scē Clementes]
mæssedæg on frome ⁊ [he] ri[xs]ade t[eoþe healf ger ⁊] þa feng eadwig to
rice eadmundes s[unu cyninges] . . . . . .

an̄ dccccvi an̄ dccccvii

an̄ dccccvii[2]) Her forþferde eadwig c[yng] ⁊ eadgar his broþor feng
to rice.

. . n̄ dccccxiii[3])

an̄ dccccxix[4]) an̄ . . . . cccclxi[5]) Her forþferde ælfgar [cyninges
mæg on defenum ⁊ h]is lic liþ on wiltune ⁊ sigeferð c[yning hine offeoll ⁊ his]
lic rest æt winburnan ⁊ þa [on geare wæs swyðe micel] mancwealm ⁊ se
micela . . . . .

Hs. bl. 46b und 47b. (962) . . . . *kl. Septembris*.

(963) . . [her forþferde Wulfstan diac]*on on cilda*[mæsse dæge ⁊ æfter
þon forþferde Gyric m]*æssepr*[eost] . . . . . .

(964) [her dræfde Eadgar cyning þa p]*reos*[tas on ceastre] . . . . .

(973) [Her Eadgar wæs E]ngla waldend corþre mi[celre to cyning] ḡhalgod
on þære ealdan byrig ace[mannes ceastre eac] hi buend oþre worde baþon
nēna[þ þær wæs blyss m]icel on þa ead[eg]an dæge eallū [geworden þonne
niða bearn] nemnað ⁊ cy[gað pen]tecostenes [dæg dær wæs preosta heap micel

---

[1]) Blatt 46 ist ein ganz kleiner, verkohlter fetzen. Was auf demselben
noch zu erkennen ist, haben wir cursiv gedruckt.

[2]) Ursprünglich hiess es an̄. dccccviii, der letzte strich der viii ist
wegradirt.

[3]) Ursprünglich . . viiii, der letzte strich wieder wegradirt.

[4]) Hier nach 1 rasur.

[5]) Hier wieder der letzte strich wegradirt.

muneca] þreat mine g̅fr[æge gleawra gegadrod ꞇ da agangen wæ]s tyn huud
wi[ntra getæled rimes fram gebyrd tyde breme]s cyninḡs l[eohta hyrdes buton
dær to lafe da agan] w[æ]s wint[er getæles] . . . . . .

.STRASSBURG im Elsass, Januar 1896.　　　　　　K. Horst.

ZU SHAKESPEARE'S CORIOLAN II, 2.

　　In den folgenden zeilen möchte ich auf eine stelle im Coriolan hinweisen,
die in ihrer gegenwärtigen gestalt für meine empfindung einen anstoss enthält,
die aber bisher, soweit ich gesehen habe, noch keinem herausgeber oder erklärer aufgefallen ist, mit ausnahme von Reichel, der in seinem wunderlichen
und verfehlten buche »Shakespeare-litteratur« unter der menge angeblicher
widersprüche im Coriolan auch diesen wirklichen streift (s. 58). Es handelt
sich um die eingangsworte der scene auf dem capitol II, 2, 41:

　　　　Having determined of the Volsces, and
　　　　To send for Titus Lartius, it remains,
　　　　As the main point of this our after-meeting &c.,

was die deutschen übersetzer meist etwa so wiedergeben:

　　　　Da ein beschluss gefasst der Volsker wegen,
　　　　und Titus Lartius heimzurufen, bleibt &c.

　　Die worte »To send for Titus Lartius« können, wie sie hier stehen,
nicht richtig sein. Der zusammenhang ist kurz folgender: In der 1. scene
des 2. acts zieht der siegreiche Coriolan mit den beiden anderen feldherren,
Cominius und Titus Lartius, in Rom ein; von da begeben sie sich nach dem
Capitol (220 On to the Capitol), während die beiden tribunen allein zurückbleiben, bis ein bote auch sie nach dem capitol bescheidet, weil »Marcius
consul werden soll«. In der sich unmittelbar daran anschliessenden scene auf
dem capitol hat der senat soeben wegen der Volsker beschluss gefasst und
hält jetzt noch eine besondere sitzung (after-meeting) zur ehrung Coriolan's.
Wie kann aber da Menenius sagen: To send for Titus Lartius, da doch dieser
mann gerade vorher mit in Rom eingezogen und mit ihnen zum capitol gegangen ist, also an der hauptsitzung theil genommen haben muss?

　　Zur beseitigung dieses offenbaren widerspruchs bieten sich zwei mittel:
Ausgehend von der thatsache, dass Titus Lartius in der einzugsscene II, 1
nicht spricht, und dass Coriolan ihn am ende des 1. actes nach Corioli
zurückschickt: I, 9, 75:

　　　　　　You, Titus Lartius,
　　　　Must to Corioli back; send us to Rome
　　　　The best with whom we may articulate &c.,

könnte man annehmen, dass die bühnenanweisung zu II, 1, die auch den
Titus Lartius in Rom einziehen lässt, falsch ist; dann wäre er gleich in Corioli
zurückgeblieben und träte erst nach dem förmlichen friedensschluss mit den
Volskern im anfang des 3. actes wieder auf; in diesem falle liessen sich die
worte To send for Titus Lartius einigermaassen verstehen. Aber diese bühnenanweisung zu II, 1: »Enter Cominius & Titus Lartius; between them Coriolanus«, steht schon in der 1. folio, also müsste der fehler sehr alt sein; vor

allem aber liegt ein deutlicher hinweis auf die persönliche anwesenheit des Titus Lartius in dieser scene in den worten des Menenius II, 1, 203: *You are three That Rome should dote on*, die sich nur auf die drei feldherren beziehen können, nicht etwa auf Coriolan und seine mutter und gattin, zumal da zwei zeilen weiter der geschwätzige alte seinen gruss widerholt mit den worten: *Welcome, warriors.*

Die einfachste lösung der schwierigkeit sehe ich in der annahme einer jener ungenauigkeiten, deren die folioausgabe so viele aufweist: statt *To send for Titus Lartius* haben wir zu lesen *To send forth Titus Lartius*. Dann ist alles in bester ordnung: Titus Lartius nimmt, wie das ja auch natürlich ist, am siegreichen einzug in Rom theil; in der darauf folgenden hauptsitzung des senats wird er als der geeignetste zu den friedensverhandlungen mit den Volskern abgesandt — Cominius als consul konnte Rom nicht gut schon wieder verlassen, noch weniger Coriolan als bewerber um das consulat —; darum fehlt auch des Titus Lartius name in der genauen bühnenanweisung für die nachsitzung II, 2, und er selbst tritt erst wieder am anfang des 3. actes auf, wo er, von seiner sendung eben zurückgekehrt (vgl. Coriolan's worte III, 1, 20: *Welcome home*), dem Coriolan seinen bericht über den friedensschluss abstattet.

LONDON, Juni 1896.   A. Höfer.

PATIENT GRISSILL [1]).

A few obscure passages of this comedy herr Hübsch has left unexplained, or explained in an unsatisfactory manner. If I mistake not I am able to throw fresh light upon some of them[2]).

100. *Babulo. Ile hamper some body if I dye, because I am a basket maker.*
Evidently this is a play upon the words *hamper* = *to obstruct*, and *hamper* = *basket*.

175—194. In his note herr Hübsch owns that he does not understand the meaning of *Fool* in the song and rejects Collier's emendation *foot* = burden, in which I believe he is quite right. I think the following explanation takes away all difficulty:

In line 173 Janiculo says: *Weele cunningly beguile it* (our labour) *with a song*, to which Babulo answers: *Doe master, for thats honest cousonage.* From this it is evident that Janiculo sings the song, but that he expects Babulo to take part in it. Now Babulo is, as herr Hübsch rightly says on page XXIV of his Introduction: *der clown des stückes, der mit seinen in der rolle des narren vorgebrachten derben wahrheiten und praktischen lebensansichten zu Laura einen gegensatz bildet*. Indeed, though we should not 'parva componere magnis', Babulo reminds one of the part the *fool* plays in King Lear. Hence I take 'foole' in line 182, and 'fool' in line 192 to be a stage direction referring to the *fool* of the play, i. e. to Babulo, and indicating that the burden:

---

[1]) The Pleasant Comodie of Patient Grissill, von Chettle, Dekker and Haughton. Herausgegeben von Gottlieb Hübsch. Vgl. Engl. stud. XX, 106—8.
[2]) Prof. Zupitza's article (Archiv 92) did not come to my notice (through Prof. Kölbing's Kindness) till after the above had been printed.

Worke apace, apace, apace, apace:
Honest labour beares a louely face,
Then hey noney, noney: hey noney, noney.

is to be sung by him.

478—482. There are surely some corrupt words in this passage, but the meaning is quite clear:

This yonker is (like your) *right* (= genuine) *Trinidado,* (your) *pure leafe Tobacco, for indeed hee's nothing* (but): *puffe, reeke, and would be tried — not by God and his countrie — but by fire;* (in which case) *the verie soule of his substance and needes would conuert into smoke.*

Purffe, if not a mistake of the present reprint, is an error of the original edition, and stands for 'puffe'. After *fire* a colon or semicolon is required.

632. *As God vnde mee.* The Welshman's language is corrupt to a hopeless degree. Might not then this expression stand for »As God wounde mee«? It would not be the most absurd among the many curious imprecations found in the English dramatists.

1045—1046. This is quite intelligible. There is again a play upon words, this time upon »turne out of doores«, and »to do one a good turne«. »To hit ith teeth« = »to cast in one's teeth«. The pun is not worse than many we find in Shakespeare.

1876—77. eyther hee's a craftie knaue, or else hee dogs Furio to byte him, for when a quarrell enters into a trade, it serves seauen yeares before it be free.

The editor says: »Das muss bedeuten: Es dauert sieben jahre. Doch habe ich *to serve* in dieser bedeutung nicht gefunden.« If herr Hübsch had thought of the expression »to serve an apprenticeship« these lines would have been quite clear to him, especially if he had remembered that an apprenticeship usually lasted seven years.

2362. If the editor had looked under *colstaff* he would have found that the word means: a staff for carrying burdens by two persons on their shoulders. Cole-staffe is merely an older way of spelling the word.

2447. I may remark that after »haue done« a colon or semi-colon should have been placed. The words do not belong to what follows, but to »Gracelesse«.

2222. *I haue seene under John Prester and Tamer Cams people, with heds like Dogs.* The second name seems to be a hopeless corruption. I would consider it as a kind of cross-breed between *Tamberlane* and *Tartar Cham.*

Patient Grissill appeared about the year 1599 (s. introd. XXV), Marlowe's Tamburlaine about 1590. The name of Tamburlaine was therefore not unfamiliar to an educated Englishman of those days; but the word was a long and difficult one. Even Marlowe does not always spell it in the same way, f. i. in line 340 Tamberlane, l. 341 Tamburlaine, l. 1134 Tamburlain. In Henslowe's Diary we read of »Marloes Tamberlen«; in the Stationers' Registers II, 262 b, ed. Arber, Tomberlein. The original form without *b* must have been common too, as it was still in use in 1681, when a play was printed called »Tamerlane the Great« [1]).

Cham on the other hand was also known as a title. It occurs f. i. in l. 206 of Tamburlaine. The name Tartar had been familiar since the days of Chaucer, and occurs in l. 281 of Tamburlaine. Now I suppose that the writer of this particular passage had a confused remembrance of *Tartar Cham* and *Tamberlaine* (in one of its numerous forms), and unconsciously made a new name *Tamer Cam* [2]).

In conclusion I wish to compliment Herr H. on his excellent edition of this interesting play.

ALMELOO (Holland), September 1895.   A. E. H. S w a e n.

GEORGE CHAPMAN [3]).

The 21st volume of Mr. Fisher Unwin's useful Mermaid Series, brings us five of George Chapman's plays, with an introduction and notes by William Lyon Phelps M. A. (Harvard), Ph. D. (Yale).

The introduction is concise, and mainly of a literary character, containing but few biographical particulars; but Mr. Phelps has succeeded in stating very clearly the peculiar traits which characterize Chapman's dramatic work. He does not see, as he observes in a note, that greatness in the dramatist, which Mr. Swinburne, Prof. Ward, and Mr. Lowell find in him. He owns that »in epic, in narrative, in descriptive poetry, he is all and more than we could wish«; but »his formlessness and weakness as a playwright have never been sufficiently estimated; and the infinite verbosity of his plays has caused much needless suffering to patient readers.

Mr. Phelps is full of praises for 'All Fools', really a delightful play, but seems to prefer »Dekker's Honest Whore«, and »Shoemaker's Holiday«. Of course this is a matter of taste, but I for one fail to see in what consists the greater excellence of the latter play over »All Fools«, even granting that the plot of Chapman's play is a little perplexing.

The plays included in this edition are: All Fools; Bussy D'Ambois; The Revenge of Bussy D'Ambois; The Conspiracy of Charles, Duke of Byron;

---

[1]) For particulars see: A. Wagner, Marlowe's Tamburlaine, einleitung.
[2]) Since writing the above I have found the two following places, interesting in this connection:

    And then I'll revel it with Prester John,
    Or banquet with great *Cham of Tartary*.
               Thom. Dekker, Old Fortunatus I, 2.
    A second I bestowed on Prester John,
    A third the great *Tartarian Cham* received.
                        ib. II, 1.

Cp. also: I will — bring you the length of Prester John's foot; fetch you a hair off the great *Cham's* beard. (Much ado II, 1.)

[3]) The best Plays of the old Dramatists. George Chapman. Edited, with an introduction and notes, by William Lyon Phelps. London, T. Fisher Unwin. 3/6.

The Tragedy of Charles, Duke of Byron. The text is a literal reprint of Pearson's Reprint of 1875, the spelling, however, being modernized. If we bear in mind what Prof. Sarrazin writes about 'modernized spelling' on p. 81, 82 of Englische studien XXII, 1, we cannot object to it in the present volume which is in the first place meant for the general reader and the literary student [1]). Why Mr. Phelps should have retained the antiquated spellings »autentical« p. 115, or '*femall*' p. 365, is not quite clear.

The introductions to the various plays are short but to the purpose, and the footnotes concise, merely giving a modern term for obsolete words. Here I find a few inaccuracies which the editor might have easily prevented. P. 55 '*gainst*', in »Come, let us practise '*gainst*' we see your father«, is explained as meaning '*before*'. Better would have been 'in anticipation of, in preparation for' (viz. your father's coming). Cf. N. E. D. in voce 'against', 18. P. 63. Sdruciolla = Dactyls is rather misleading. P. 69. 'a wittolly knave' is said to be a 'witless knave'. This is a blunder, the more so as the substantive '*wittoll*' occurs in the same play (p. 112), and the termination -*ly* is exactly the opposite of -*less*. 'naps' p. 131, is incorrectly rendered. They do not give the 'gloss' to clothes. 'To check at' p. 167, said of a kite, does not mean 'to pursue' but rather the opposite. To check = to pause, to stop at; hence: 'to forsake the quarry, and fly at any chance bird'. 'Annoy' p. 213, never occurs in the sense of 'destroy'. The sense required is 'to harm, injure', 'affect injuriously' (N. E. D. annoy, 4, 5). 'Battalous' p. 470, is 'warlike, bellicose' rather than 'angry'. If the spelling is correct, it must be rare, as N. E. D. does not give it. I suppose the original has 'battlouse', a form mentioned in N. E. D. 'Blowse' p. 93, is 'a trull, a callet, a doxy', rather than a 'ruddy wench' in this context. 'Advant' p. 63, is a present rather than a preterite, cf. '*draw*' in the previous line. 'Bench-whistlers' on the same page might have been explained.

These however are flaws which detract nothing from the value of the book, which, I repeat, is meant to serve a literary purpose. The neat, handy volume deserves a wide circulation, and will enable many to whom 'Chapman' is a mere name, to become acquainted with the highly interesting dramatic work of the translator of Homer. To this the price can be no obstacle.

ALMELOO (Holland), March 1896.   A. E. H. S w a e n.

ZU SHELLEY.

Ein gedicht Shelley's, 'The Dirge' (Tauchnitz ed. p. 95), beginnt:
      Old winter was gone
      In his weakness back to the mountains hoar.
Diese verse sind eine ziemlich wörtliche übersetzung der bekannten stelle aus Goethe's Faust I:

---

[1]) In Vanbrugh's Plays which I am preparing for the Mermaid Series, and which would have already appeared but for the fatal fire which destroyed the printing-works of Messrs. Unwin, I have retained the old spelling, which, in an 18th cent. author, can offer no serious difficulties to the general reader.

»Der alte winter, in seiner schwäche,
Zog sich in rauhe berge zurück.«

Shelley hat sich viel mit Faust beschäftigt und stellen daraus übersetzt. Er schreibt einmal: »I have been reading over and over again 'Faust', and always with sensations which no other composition excites.« (Vgl. Symonds' Shelley, in: English Men of Letters, p. 112.)

WOLFENBÜTTEL, Juni 1896.   Fr. Blume.

KLEINE BEMERKUNGEN.

1. Das dem Siege of Corinth vorangestellte citat: Guns, trumpets, blunderbusses, Drums and thunder scheint Pope's Imitations of Horace, Satire I, Courthope's ausg. vol. III, p. 290, entnommen zu sein.

Die ganze stelle lautet:

What! like Sir Richard, rumbling, rough and fierce,
With arms, and George, and Brunswick crowd the verse;
Rend with tremendous sound your ears asunder
With gun, drum, trumpet, blunderbuss and thunder?

Die anspielung bezieht sich auf die schlacht bei Oudenarde. Das vollständige citat befindet sich p. 179 in Abbott and Seeleys, English Lessons for English People, angeführt, capitel Metre.

Byron scheint ungenau aus dem gedächtniss citirt zu haben.

2. Zu Engl. stud. XIX, heft 2, p. 465 — booming — möchte ich auf eine parallelstelle in Scott's Lady of the Lake, I, 31, 643 hinweisen: *booming from the sedgy shallow*, bezogen auf die rohrdommel (bittern), wo 'booming' 'einen dem trommelschlage ähnlichen laut ausstossen' bedeutet (Thiergen); gewöhnlich heisst es 'dröhnen', 'stürmen'.

3. Elze's vorschlag zu Dryden's Annus Mirabilis 66, 4 (Anglia II, p. 174), für crests: breasts zu lesen (vgl. jetzt Engl. stud. XVI, p. 158 f.), beruht vermuthlich auf der annahme, man könne unmöglich von schwanenkämmen sprechen, höchstens von dem halse oder der brust des vogels. Es finden sich aber weitere litterarische belege für crests im sinne von hälsen oder köpfen, z. b. in the Lady of the Lake I, 10, 173: *With drooping tail and humbled crest*, wo *crest* nichts anderes bedeuten kann als den kopf bezw. den nacken der hunde. An dieser stelle lässt sich das wort kaum im bildlichen sinne = *crest* 'fallen, niedergeschlagen, muthlos' erklären, weil der zusammenhang dies verbietet.

BRESLAU, Juli 1895.   F. Pughe.

II.

SIEBENTER ALLGEMEINER
DEUTSCHER NEUPHILOLOGENTAG ZU HAMBURG.

Zu den verhandlungen des 7. neuphilologentages, des Verbandes der neusprachlichen lehrerwelt Deutschland's, welche am 26. und 27. Mai im realgymnasium zu Hamburg stattfanden, hatten sich etwas über 200 theilnehmer aus allen deutschen gauen eingefunden, selbst aus Oesterreich-Ungarn, Dänemark und England. Der senat, die bürgerschaft, die handelskammer und oberschulbehörde von Hamburg waren durch ihre präsidenten vertreten. Der vorsitzende des verbandes, prof. dr. Wendt (Hamburg), begrüsste die erschienenen in warmen worten. Hamburg, die residenz des handels, des sich selbst regierenden bürgerthums, sei für die bestrebungen des verbandes ein besonders geeigneter boden. Der verband könne mit grosser befriedigung auf das erste jahrzehnt seines bestehens zurückblicken. Vieles sei erreicht, aber viel bleibe noch zu thun übrig. Die neue methode habe zwar über die alte den sieg davon getragen, aber sie zeige noch lange nicht die festen formen des unterrichts; auf dem gebiete der realien sei sowohl von der universität wie der schule noch vieles zu leisten. Mit dem streben nach dem ideale hat ernste und strenge arbeit im einzelnen hand in hand zu gehen. Wir wollen in der jugend das verständniss für die lebenden culturvölker wecken, ihr die liebe zur fremden sprache als dem hauptreflex der fremden art einflössen. Je nachhaltiger das letztere geschieht, um so mehr bewahren wir sie vor chauvinismus und jingoismus, diesen zerrbildern echter vaterlandsliebe, und lehren sie durch den vergleich erst recht den eigenen werth und das unvergängliche gut würdigen, das wir alle im und am vaterlande haben. Als festschrift wurde eine geschichte des vereins für das studium der neueren sprachen in Hamburg-Altona überreicht. Herr senator dr. Stammann, welcher im namen des senats die neuphilologen willkommen hiess, betonte, dass in Hamburg die pflege von wissenschaft und kunst in hoher blüthe stehe, dass die stadt alles thue, um die errungenschaften der neueren zeit in immer weitere kreise zu tragen. Die lage und verkehrsinteressen Hamburg's bringen es mit sich, dass der blick des Hamburgers von jugend auf nicht bloss auf die heimath, sondern mehr als dies im binnenlande der fall ist, auf den weltverkehr und auf das thun und treiben der anderen an demselben betheiligten nationen gerichtet ist. Seit jahrzehnten hat die den wohlhabenden ständen entstammende Hamburger jugend ihre bildung vorzugsweise auf den realanstalten gesucht, nicht aus missachtung gegen die humanistische richtung, sondern aus der erkenntniss, dass für die besonderen aufgaben des handelsstandes eine andere schulbildung erforderlich sei, als das humanistische gymnasium sie bieten kann, — nicht freilich eine geringere. In der methodischen durchbildung der auf ihnen gelehrten materien hätten die realanstalten den gymnasien bisher nachgestanden. Gerade hierin sollten die neuphilologen wandel schaffen. Senat und bürgerschaft würden auch fernerhin alles thun, um die pflege der neueren sprachen und die ausbildung der neusprachlichen lehrer durch urlaubsbewilligung nach dem ausland und unterstützung zu fördern. — Nachdem die versammlung das andenken der seit dem letzten verbandstage verstorbenen mitglieder, prof. Zupitza (Berlin) und prof. Sarrazin (Freiburg) durch erheben von den sitzen geehrt hatte, wurden zu vorsitzenden gewählt prof. dr. Schipper (Wien) und geh. rath dr. Münch (Koblenz). Letzterer hielt den ersten vortrag, über das thema: Welche ausrüstung für das neusprachliche lehramt ist vom standpunkte der schule aus wünschenswerth? Redner bemerkte zunächst, dass er dies thema sich nicht selbst gewählt habe, sondern in seinen dienst getreten sei im auftrage des vorigen neuphilologentages im anschluss an die thesen von prof. Förster (Bonn). Man könne unter dem begriffe »ausrüstung« sehr wohl das zusammenfassen, was der lehrer in's amt mitbringt, was am einzelnen ausgebildet und von natur mitgegeben sei. Er wolle nicht ein ideal zeichnen, wie ein neuphilologe sein sollte. Wir müssen mit der wirklichkeit rechnen. Ein maass von gewissen persönlichen eigenschaften und geistiger begabung ist nothwendig. Jeder solle sich vor der entscheidung für seinen beruf prüfen, ob er auch in gesundheitlicher beziehung keine mängel habe, sprachfehler, ein unbiegsames organ oder gar einen gehörfehler, wie es leider in der praxis oft genug vorkomme. Eine gewisse natürliche beredsamkeit, unmittelbarkeit der auffassung und feinfühligkeit für fremde eigenart, sowie interesse für die erscheinungen des modernen lebens seien absolut erforderlich. Natürlich dürfe es an dem nöthigen ernst und der hingabe für das ideale werk nicht fehlen. Eine gute beigabe sei auch humor und ein bischen menschenhass und weltverachtung.

Der vortragende geht dann näher auf methodische fragen des neusprachlichen unterrichts ein. Die physische seite der sprache bildet ein ebenso wichtiges lerngebiet wie die geistige. Es giebt auf methodischem gebiet noch eine reihe streitiger fragen. Soll die fremde sprache ganz ohne mitwirkung der muttersprache gelehrt werden? Wie soll die kenntniss der grammatischen gesetze erfolgen? Soll praktische beherrschung bis oben hin vornehmstes ziel sein? u. dergl. Wir müssen auseinanderhalten, was die methode gewähren und was die persönlichkeit leisten kann. Die sache liege nicht so, dass der lehrer, welcher am besten Französisch und Englisch kann, auch die schüler am meisten fördert. Die wirkung ist zum grossen theil eine persönliche, von der natürlichen begabung des einzelnen ganz wesentlich abhängig. Das ziel der sprachbeherrschung kann nur relativ erreicht werden, sowohl vom lehrer wie vom schüler. Ziele und wege des neusprachlichen unterrichts seien noch weit entfernt, so festzustehen, wie die des altsprachlichen. Er sei für umbildung und fortbildung, nicht für umsturz. Für uns handelt es sich um harmonische ausbildung der kräfte, rechtes wissen und rechtes können. Wer die neueren sprachen richtig treibt, muss das wissen und das beherrschende können vereinigen. Man hat gegen die universitäten in bezug auf den lehrbetrieb der neueren sprachen mancherlei vorwürfe erhoben. Sie hielten die studirenden zu lange an den alten sprachperioden, textkritik u. dergl. fest. Das gesammte gebiet der sprache und litteratur muss gegenstand des universitätsstudiums sein. Die universitätsprofessoren sollen das gebiet der phonetik, die sprach- und litteraturgeschichte behandeln. Auch auf sprachphilosophie, die begründung und beleuchtung der sprachgesetze, sowie auf die ästhetischen ziele müssen wir unser augenmerk richten. Ein grosser übelstand ist es, dass die studenten während ihrer universitätszeit nur empfangen, dass sie nicht selbständig thätig sind. Für das studium der neueren sprachen sei eine solche thätigkeit absolut nothwendig. Diese eigene thätigkeit des jungen neuphilo-

logen sollte durch fachmännische vereinigungen und einen ausgedehnten betrieb
der lectüre gefördert werden; nicht minder sollte sie in seinen schriftlichen arbeiten sich bethätigen, um den fremdsprachlichen stil zu bewältigen. Dann
würden die neusprachlichen studien und leistungen wachsen, und viel würde
erreicht werden. Auf staatsmittel zum aufenthalt im auslande sei nicht viel
zu rechnen, da von allen seiten forderungen an den staat herantreten. Zu der
frage der neuphilologischen prüfungen bemerkt der vortragende, dass päda-
gogisch die beiden neueren sprachen einander viel näher stehen als jede andere
verbindung. Vor allen dingen ist es nöthig, dass eine vermittelung zwischen ideal
und bedürfniss erzielt wird, dass die ganze persönlichkeit für die ideale sache
eintritt; dann werde der neuphilologe für seine beste ausrüstung schon selbst
sorgen in treue zu seiner wissenschaft und fröhlichem wollen, sie praktisch zu
bethätigen. Der redner fasst den inhalt seines vortrages in folgende punkte
zusammen:

1. Zu vollbefriedigender verwaltung des neusprachlichen lehramtes ist eine
bestimmte natürliche ausstattung, insbesondere normale und gesunde beschaffenheit der sprachorgane, aber auch beweglichkeit und vielseitige,
empfänglichkeit des geistes nicht zu entbehren, und die wahl des berufes
sollte nicht ohne das vorhandensein bezw. eine gewisse vorhergehende
entwicklung dieser eigenschaften erfolgen.

2. Die fachliche ausbildung selbst muss entsprechend den neu gestalteten
zielen des schulunterrichts, deren wesen das gleichgewicht von wissen
und können ist, auch ihrerseits eine gleichmässige entwicklung von
wissen und können, von spracherkenntniss und sprachbeherrschung zum
gegenstand haben.

3. Verzicht auf wissenschaftlich-philologische durchbildung der studirenden
würde mit den höheren interessen der schulerziehung, sowie der neusprachlichen lehrerschaft selbst unvereinbar sein. Es muss aber erwartet
werden, dass das wissenschaftliche studiengebiet sich mehr und mehr
von einseitiger beschränkung löse und sich in gleichmässigerer weise
über die gesammte entwicklung der sprachen und litteraturen erstrecke.
Dabei ist auch eine stärkere aufnahme ästhetisch-litterarischer studien
wünschenswerth.

4. Den studirenden liegt es ob, die praktische übung in der fremden
sprache zur selbstverständlichen und ununterbrochenen aufgabe während
ihrer gesammten studienzeit zu machen und insbesondere auch abgesehen
von der durch die hochschullehrer gegebenen leitung auf jede weise gelegenheit hierzu zu suchen bezw. sich zu schaffen.

5. Die gesammtdauer der akademischen studienzeit einschliesslich der prüfungen darf gleichwohl keineswegs eine weitere ausdehnung erfahren,
sondern sollte womöglich auf das höchstmaass von 10 semestern zurückgeführt werden. Möglich muss dies werden durch geschickte zusammenfassung, durch gleichzeitige förderung der verschiedenen kräfte und be-
thätigungen, durch vermeiden zu weit gehender specialisirung sowie jeg-
licher verschleppung.

6. Zur ermöglichung einer fruchtbaren berührung der studirenden mit der
lebendigen fremden landessprache und der fremden landesart ist eine
bedeutende ausdehnung und vervollkommnung der dazu bis jetzt ge-

botenen gelegenheiten auf alle weise anzustreben. Oeffentliche förderung dieses zweckes kann in dem maasse erhofft werden, wie ein lebendiger und erfolgreicher betrieb der neueren sprachen als ein für gegenwart und zukunft immer unentbehrlicheres culturmittel erkannt wird.

Prof. Hengesbach (Meseritz) sprach sodann über die »reform« im licht der preussischen directorenconferenzen. An der hand der berichte dieser verhandlungen, soweit sie sich mit neusprachlichen themen beschäftigen, wies der vortragende mit grosser schärfe nach, dass die reform, wie sie in den lehrplänen von 1892 zum ausdruck gelangt sei, durch die directorenverhandlungen keinerlei förderung erfahren habe. Wohl seien gewisse methodische fragen, wie z. b. zweckmässigkeit eines lautcursus oder der lautschrift, sprechübungen, vocabularien, anschauungsbilder u. dergl., in den conferenzen zur sprache gebracht, aber mit sehr verschiedenen resultaten. Vielfach hätten es die berichterstatter an der nöthigen sorgfalt in abfassung ihrer referate fehlen lassen; der ton derselben sei zuweilen nicht frei von selbstüberhebung. Was die reform erreicht habe, verdankt sie der regierung, nicht jenen conferenzen, deren verhandlungen eine autoritative stellung nicht zukomme. — Die directoren Seitz (Itzehoe) und Schlee (Altona) nehmen die Schleswig-Holsteinische directorenconferenz gegen die vorwürfe des redners in schutz.

Es folgt sodann der vortrag des herrn prof. dr. Müller (Heidelberg) über die nothwendigkeit eines lectürekanons. Bei der ungeheuren menge von schulausgaben französischer und englischer schriftsteller ist der junge lehrer in der auswahl der lectüre den grössten missgriffen ausgesetzt. Die auswahl der lectüre darf weder dem zufall noch der willkür des einzelnen überlassen werden. Zwischen der lectüre der einzelnen classen von unten bis oben soll ein gewisser zusammenhang bestehen, ebenso mit den daneben in der schule gelehrten fächern, z. b. geschichte. Es sollte für jedes schuljahr auf den einzelnen classenstufen ein sich stets verjüngender kanon aufgestellt werden. Der jetzigen zerfahrenheit auf dem gebiete der schullectüre soll durch ein sachgemässes einschreiten des neuphilologentages abgeholfen werden. So liegen z. b. von 54 firmen ca. 1200 schulausgaben vor. Das material muss nach brauchbarem und unbrauchbarem gesichtet werden. Nach ausscheidung des unbrauchbaren soll ein kanon hergestellt werden. Erst nach fertigstellung des allgemeinen kanons können die sonderkanons nachfolgen. Redner schlägt vor, für jede schulgattung (realschule, oberrealschule, gymnasium, realgymnasium) je 2 mitglieder für Französisch und Englisch zu wählen, also mit einschluss des vorsitzenden eine 17gliederige commission. Mit hervorragenden schulmännern, wie director Walter (Frankfurt), Dörr (Bockenheim), prof. Kühn (Wiesbaden), hat redner sich über die allgemeinen gesichtspunkte bei herstellung eines lectürekanons verständigt und legt dieselben der versammlung zur berathung vor. Prof. Hausknecht (Berlin) vermisst den grundsatz, dass die schullectüre in beziehungen stehen muss zu den übrigen in der classe oder derselben schulperiode getriebenen fächern. Geh. rath dr. Münch erklärt sich für die anträge des prof. Müller; dem jetzt bestehenden heillosen zustande müsse ein ende gemacht werden. Er empfiehlt die pädagogische, planmässige analyse der einzelnen schriftwerke, vielleicht als stehende rubrik in den »Neueren sprachen». Prof. Scheffler (Dresden) weist darauf hin, dass auf seine und prof. Wülker's veranlassung für die sächsischen schulen ein kanon

31*

bereits aufgestellt worden ist. Er stellt denselben der commission zur verfügung. Die versammlung wählt eine commission von 17 mitgliedern, welche dem nächsten neuphilologentage einen lectürekanon unterbreiten soll. Folgende gesichtspunkte wurden für die sichtung der schullectüre als maassgebend anerkannt:

Grundsätze, nach denen die sichtung der schullectüre vorzunehmen.

I. Die äussere ausstattung einer neusprachlichen schulausgabe für autorenlectüre in rücksicht auf papier, druck, format etc. muss den strengsten anforderungen der schulhygiene entsprechen.

II. Der für die schule in betracht kommende werth oder unwerth des inhaltes ist vor allen dingen nach der geistig-erziehlichen bedeutung des inhaltes, als dem wichtigsten und ansschlaggebenden, zu beurtheilen.

III. Der inhalt der schulausgaben für neusprachliche autorenlectüre muss derart sein, dass er einen belehrenden und bildenden einblick bietet in die geschichte und cultur des öffentlichen und privaten lebens, in die unterscheidende eigenart an begabung und sitte gerade desjenigen volkes, dem der fragliche autor angehört.

IV. Er muss insbesondere dazu dienen, die schüler einzuführen in das verständniss der hervorragendsten geister dieses volkes, indem er sie, durch vermittelung der schullectüre, bekannt macht mit dem besten und edelsten, was dieses volk in litteratur und kunst, handwerk und industrie hervorgebracht hat, mit dem bedeutendsten, was es in krieg und frieden, in politik und socialer gestaltung geleistet hat, soweit jene schöpfungen und diese leistungen in der darstellung nicht die verständnisskraft der schüler übersteigen oder sonst durch ihre natur nach irgend einer seite hin für die behandlung in der schule ungeeignet sind.

V. Er darf, der hauptsache nach, nichts bieten, was nicht auch jetzt noch sprachlich mustergiltig wäre. Daher ist, der zeit nach, in beiden fremdsprachen nicht hinter die sogenannten »classiker« des 17. saec. zurückzugehen.

Auszuschliessen sind daher von dem neusprachlichen lectürecanon des neuphilologentages alle schulausgaben französischer und englischer autoren, welche.

1. den von dem ausschuss festgestellten schulhygienischen anforderungen nach irgend einer wichtigen richtung hin nicht entsprechen;

2. in erziehlicher hinsicht werthlos sind oder direct schädlich wirken können;

3. an sich zwar solchen bedenken nicht unterliegen, aber doch auch nicht für den unterricht geeignet sind, weil sie weder den unter III, noch den unter IV oder V angeführten maassgebenden gesichtspunkten positiver art entsprechen, also nicht als hinreichend nützliche schullectüre betrachtet werden können;

Anmerkung. Dass auch leichtere, mehr der unterhaltungs-
lectüre angehörige, sei's novellistische, sei's dramatische erzeugnisse in der schule nützliche verwendung finden können
und finden, namentlich mit rücksicht auf die in denselben mehr
in den vordergrund tretende umgangssprache, soll damit
keineswegs in abrede gestellt werden.

4. durch die art der bearbeitung in betreff der benützung im unterricht der schule gerechte bedenken erregen, sofern dieselbe

a) entweder den an sich werthvollen stoff in einer weise behandelt hat,
dass durch die daran vorgenommenen veränderungen (verkür-
zungen, umstellungen, ungeschickte oder ungenügende überarbeitung
oder umarbeitung u. dergl.) der ursprüngliche werth des stoffes
durch die schuld des herausgebers derartig beeinträchtigt und
gemindert ist, dass er als werthvolle lectüre nicht mehr
gelten kann;

b) welche in beigefügten anmerkungen sprachlich fehlerhaftes
und sachlich falsches entweder aus nachlässigkeit oder aus unkenntniss des bearbeiters nicht bloss ausnahmsweise, sondern wieder-
holentlich bieten;

c) welche nachlässig oder kenntnisslos verfasste vocabularien
enthalten, die schaden, statt zu nützen;

d) welche in unter dem texte stehenden anmerkungen die schüler zur
faulheit und zur unaufmerksamkeit während des unterrichts verleiten, indem sie dinge erklären, welche der schüler
selbst durch nachdenken finden kann und soll, wendungen übersetzen, von denen das gleiche gilt etc.

Anmerkung. Damit sollen erklärende und selbst erleichternde
anmerkungen unter dem texte keineswegs in allen fällen als
verwerflich bezeichnet werden (obgleich im allgemeinen
reine texte für die schule unzweifelhaft vorzuziehen sind), z. b.
nicht in büchern, die nur für die unteren classen oder die
ausdrücklich nur für die cursorische lectüre in oder ausser
der schule (als privatlectüre) bestimmt sind.

Nach einer halbstündigen pause wird die zweite sitzung unter vorsitz von
prof. Schipper (Wien) eröffnet. Zunächst macht prof. Scheffler (Dresden)
einige interessante mittheilungen. Es ist ihm gelungen, das buch aufzufinden,
aus welchem Schiller seine kenntniss der vorgänge beim glockenguss geschöpft
hat; es ist dies: Oekonomische encyklopädie oder allgemeines system der
staats-, haus- und landwirthschaft von dr. Georg Krünitz. Sodann besprach
er eine arbeit aus der Zeitschrift für astronomie über den franz. revolutions-
kalender; endlich legte er eine abbildung einer tapisserie vor, die in Molière's
Avare (II, 1) erwähnt wird, darstellend les amours de Gombaut et de Macée.
Sie ist in einer Histoire générale de la tapisserie française in der bibliothek
der kunst- und gewerbeschule zu Dresden aufgefunden worden.

Herr dr. Mühlefeld (Osterode) sprach über 'die lehre von der bedeutungs-
wandtschaft in ihrem verhältniss zur rhetorik, semasiologie, wortbildungslehre,
stilistik und synonymik'. Er zeigte an praktischen beispielen, wie dieses bisher
sehr vernachlässigte gebiet für den unterricht in I nutzbar gemacht werden

könnte. — Sodann berichtete prof. Vietor (Marburg) im auftrage des vorigen
neuphilologentages über die frage: 'Was ist im auslande zur praktischen förderung der (dortigen) neuphilologen in letzter zeit geschehen?' Redner hat an fachgenossen, meist mitglieder der Association
phonétique, in 20 verschiedenen ländern, darunter auch America, fragebogen
verschickt, um zu erfahren, was auf dem gebiete des neusprachlichen unterrichts
dort geschehen ist. Die fragen erstreckten sich auf einige ganz bestimmte
punkte: 1. Vertretung der betr. fächer auf der universität. 2. Praktische
übungen nach art der seminarübungen. 3. Stellung des modernen in der fachprüfung. 4. Zahl der hauptfächer im examen und im unterrichte. 5. Aufenthalt im auslande durch stipendien. 6. Feriencurse. In bereitswilligster weise
wurde überall bald mehr, bald weniger ausführlich auskunft ertheilt. Die beantwortung war desswegen schwierig, weil unter verschiedenen begriffen, wie
z. b. universität, professor u. a., verschiedenartige dinge bezeichnet werden,
andere wiederum im auslande gar nicht vorhanden sind. In Chile dauert das
neuphilologische studium 3 jahre, in Canada 4 jahre. In den meisten romanischen ländern giebt es überhaupt keine staatsprüfung; dafür tritt die doctor-
prüfung ein. In Schweden, Norwegen, Dänemark ist die mündliche fachprüfung
ganz in der fremden sprache abzulegen. In Chile war bisher das hauptziel,
tüchtige grammatische kenntnisse zu erwerben, doch wird in den neuen lyceen
der nachdruck mehr auf das mündliche und moderne gelegt, was dem einfluss
von prof. Lenz (schüler von prof. Förster) zuzuschreiben ist. Ein hauptfach
für die lehrbefähigung genügt in Frankreich, Spanien, Schweden, Dänemark,
Finnland. Keine akademische vertretung für neuere sprachen besitzen Oxford,
Italien, Portugal, Brasilien. In Frankreich — abgesehen von Paris — ist
Deutsch und Englisch vereinigt. In Oesterreich, Schweden, Canada sind neben
den professoren noch lectoren vorhanden. In Christiania ist seit 1873 ein
professor für Französisch und Englisch (Storm), der aber durch zwei docenten
unterstützt wird. — Ein aufenthalt im auslande ist nirgends obligatorisch, aber
z. b. in Frankreich so gut wie bedingung für eine anstellung. Reisestipendien
für neuphilologen giebt es in Oesterreich (jährlich 6000 gulden), Frankreich,
Schweden (durchschnittlich alle 5 jahre für jeden philologen), Dänemark (jährlich 3000 kronen). In Norwegen giebt es nur sehr wenig stipendien; America
gewährt reichlichen urlaub. Feriencurse sind im auslande selten. Schweden
hat im vorigen jahre damit begonnen, curse abzuhalten. Die Engländer helfen
sich durch feriencurse im auslande, wie z. b. in Jena, Caen, Paris. Im allgemeinen ergiebt sich, dass Skandinavien, Finnland, Frankreich, selbst Chile und
Canada in der ausbildung der neusprachler vorangehen. Manche der fortschritte
des auslandes in pädagogischer hinsicht sind Deutschen zu verdanken.

Den letzten vortrag am Dienstag hielt hr. lector Gauthey Des Gouttes
(Kiel): 'La littérature française contemporaine au point de vue scolaire'.
Redner kommt zu dem resultat, dass die neueste franz. litteratur für die schule
im allgemeinen nicht geeignet ist, dass man daher wieder auf die classiker
zurückgreifen müsse. — Nach schluss der nachmittagssitzung wurde um 5 uhr
eine fahrt durch die grossartigen Hamburger hafenanlagen und Elbabwärts
bis Blankenese unternommen, wo im führhause gegen 7 uhr das festmahl
begann, das unter zahlreichen trinksprüchen einen vorzüglichen verlauf nahm.

Die dritte sitzung wurde am mittwoch, den 27. Mai, früh 9 uhr, von prof. Wendt (Hamburg) eröffnet. Er macht zunächst mittheilung von dem in der vergangenen nacht erfolgten ableben des hochverdienten prof. dr. Friedländer, der stets ein eifriges mitglied des verbandes gewesen ist. Die versammlung ehrt sein andenken durch erheben von den sitzen. Auf vorschlag von director Dörr (Bockenheim) wird beschlossen, an einige hervorragende mitglieder des verbandes, die am erscheinen verhindert seien, wie prof. Ey (Hannover), prof. Förster (Bonn), prof. Passy (Paris), director Walter (Frankfurt) begrüssungsschreiben durch den vorstand richten zu lassen. Nachdem prof. Kühn (Wiesbaden) einen antrag, betr. den nachweis von geeigneten adressen gebildeter familien für neuphilologen, welche in's ausland gehen wollen, begründet hat, weist hr. Lipscomb (London) auf die bestrebungen der Modern Languages Association hin, welche jetzt ca. 250 mitglieder zählt. Die gesellschaft ist bemüht, das in England noch sehr vernachlässigte studium der neueren sprachen zu fördern. und will durch austausch von adressen den deutschen neuphilologen behilflich sein. Auf antrag von prof. Stengel (Greifswald) wird eine commission erwählt,: welche den adressennachweis im auslande zu regeln hat und dem nächsten neuphilologentage bericht abstatten soll. Hierauf hielt hr. dr. Aronstein (Berlin) einen vortrag über 'die entwickelung des höheren schulwesens in England'. Von den vor der reformation gegründeten schulen bestehen jetzt noch Winchester, Eton und einige andere. Auf die grosse blüthe des englischen knabenschulwesens im 16. jahrhundert folgte ein stillstand während des 17. und 18. jahrhunderts. Wer als kaufmann oder handwerker schiffbruch litt, konnte immer noch lehrer werden. Adam Smith ist noch der ansicht, dass die festen gehälter die lehrer verdürben. Die leistungen wie die disciplin liessen natürlich noch sehr viel zu wünschen übrig. Doch fehlten auch die lichtseiten nicht. Bei aller rohheit und unwissenheit wurde doch die charakterbildung gepflegt und eine aristokratie herangebildet, die England gross gemacht hat. Eine veredelte reform erfuhr das alte aristokratische erziehungssystem durch den grossen pädagogen Arnold, director von Rugby (1828—62). Sein ziel war, Christian gentlemen zu erziehen. Er schaffte das fagging system ab und gewährte auch der mathematik und den neueren sprachen einen, wenn auch sehr bescheidenen, raum. Dem drange der neueren zeit folgend entstanden viele neue schulen, vielfach auf actien gegründet. Der englische charakterzug, dass die private oder corporative thätigkeit der staatlichen vorangeht, tritt überall hervor. Noch immer blüht das einpauken und abrichten, doch hat man durch einführung von mündlichen prüfungen zu bessern gesucht. Vom parlament wurde endlich eine reform angestrebt, wobei das muster des auslandes herangezogen wurde. Jetzt sah man ein, wie kläglich es mit dem englischen schulwesen bestellt war. Durch regelung des elementarschulwesens (1870) wurde zugleich die grundlage zur besserung des schulwesens gelegt. Der höhere lehrstand wurde organisirt, schlechte elemente ferngehalten, das agentenwesen eingeschränkt, das standesbewusstsein gehoben. Durch den wettbewerb Deutschlands auf dem weltmarkte wurden die englischen kaufleute veranlasst, durch gründung von schulen die vorbildung ihres standes zu bessern. Im März 1894 wurde wiederum eine commission eingesetzt, um über die einrichtung des höheren schulwesens zu berathen. Das hervorragendste mitglied derselben war James Price, der bereits 1864 einer commission angehört hatte,

Zum ersten male befanden sich auch drei damen in der commission. Im jahre 1895 veröffentlichte dieselbe ihre berichte in neun bänden. Ihre hauptsächlichsten vorschläge sind: Ein erziehungsminister soll an die spitze des ganzen unterrichtswesens gestellt werden. Ein rath von 12 mitgliedern wird ausführende behörde. Eine amtliche lehrerliste soll geführt, die gehälter sollen aufgebessert werden u. dergl. Der staat soll die überwachung der schulen haben, die ausführung dagegen den privaten überlassen. Die fernhaltung des bureaukratischen zuges, die sich hierbei wieder zeigt, hält redner für einen haupterfolg der englischen erziehung.

Die versammlung tritt dann in die berathung der thesen über die neuphilologische vorbildung ein, welche seitens der in Karlsruhe (1894) erwählten commission dem 7. neuphilologentage vorgeschlagen waren. An stelle des erkrankten prof. Förster (Bonn) vertritt prof. Vietor (Marburg) die thesen und giebt zunächst eine übersicht über die entstehung derselben aus anlass der vorschläge von Banner, Wätzoldt und Rambeau. Die verhandlungen leitet hr. geh. rath Münch mit grossem geschick. Nach langen debatten werden folgende thesen von der versammlung angenommen:

1. Als normalzeit für das neuphilologische studium gelten acht semester. Zwei davon können im auslande verbracht werden.

2. Eine vorprüfung in nicht neuphilologischen fächern (z. b. Deutsch, religion und geschichte), nach art der juristischen und medicinischen vorexamina, ist abzuweisen.

3. Im examen ist ausser der wissenschaftlichen auch die praktische befähigung nachzuweisen; unerlässlich ist die ausreichende fertigkeit im gebrauch der fremden sprache in wort und schrift. Wünschenswerth ist eine entsprechende kenntniss der realien.

4. Im examen ist nachzuweisen: a) Lehrbefähigung für alle classen im Französischen *oder* Englischen. b) Lehrbefähigung für mittlere classen in drei weiteren fächern. In erster linie kommen in betracht: Englisch oder Latein für Romanisten, Französisch oder Deutsch für anglisten, sodann geschichte und geographie für beide. c) Die seither im Lateinischen geforderte nebenfacultas für unterclassen fällt weg. Der nachweis der erforderlichen kenntnisse im Lateinischen wird vor dem fachprofessor des Französischen, Englischen oder Deutschen abgelegt.

5. Die bisher im Französischen zulässige facultas für unterclassen fällt weg.

6. Das seminar-jahr kann durch einen mindestens einjährigen aufenthalt im auslande ersetzt werden. In diesem falle muss der candidat nachweisen, dass er während dieser zeit bestimmte punkte aus dem sprach- und culturleben des betreffenden volkes eingehender studirt hat.

7. Da neuphilologen durch die art ihres unterrichts, durch vorbereitung und correcturen besonders schwer belastet sind, ist eine herabsetzung der pflichtstundenzahl, möglichst nur 18, erforderlich. Auch ist das übermaass der schriftlichen arbeiten zu vermeiden.

8. Zur erhaltung der praktischen sprachfertigkeit und der realienkenntniss ist den neusprachlern sowohl an universitäten wie höheren schulen in regelmässigen zwischenräumen (längstens alle fünf jahre) urlaub in's ausland mit stipendien zu gewähren.

9. Ausserdem sind übungscurse im inland an geeigneten orten einzurichten. Als ersatz für den aufenthalt im auslande können diese curse nicht betrachtet werden. Sie dürfen nicht in die ferien fallen. Den theilnehmern sind urlaub und diäten zu gewähren.

10. Unterricht in neueren sprachen ist nur geprüften neusprachlern zu übertragen.

Diese thesen sollen den unterrichtsverwaltungen überreicht werden. Sie enthalten nur solche wünsche, deren erfüllung durch das wohlverstandene interesse des staates selber geboten ist. Der verband hegt die zuversicht, dass einsichtsvolle behörden diesen reiflich erwogenen anregungen folge geben, und dass sie vor allem maassnahmen treffen werden, welche den neuphilologischen lehrern einen wiederholten aufenthalt im auslande zur auffrischung ihrer sprachfertigkeit ermöglichen.

Als ort für den nächsten neuphilologentag wird auf einladung von prof. Schipper die kaiserstadt an der Donau gewählt, um auch einmal mit den österreichischen fachgenossen zusammen zu tagen. Nach einigen geschäftlichen mittheilungen wird der 7. neuphilologentag vom vorsitzenden, prof. W e n d t, geschlossen. Der vorstand des 8. neuphilologentages besteht aus den herren prof. S c h i p p e r (Wien), director F e t t e r (Wien) und prof. W e n d t (Hamburg).

Die den verhandlungen folgenden geselligen veranstaltungen — festcommers im Zoologischen garten und fahrt nach Helgoland (28. Mai) — werden allen theilnehmern in schönster erinnerung bleiben. Den herren des Hamburger ortsausschusses, welche alles aufgeboten hatten, um ihren gästen den aufenthalt in Hamburg so angenehm wie möglich zu gestalten, sei auch an dieser stelle herzlicher dank gesagt. Ganz besonders gebührt dieser dank allen denen, welche sich um das zustandekommen der prächtigen e n g l i s c h e n r e a l i e n s a m m l u n g verdient gemacht haben. Durch die bemühungen von prof. Wendt und schulvorsteher Krüger in England selbst und das entgegenkommen zahlreicher englischer verlagsbuchhändler war es gelungen, eine reiche sammlung von büchern, zeitschriften, karten, plänen und abbildungen aus England zusammenbringen, die das grösste interesse aller anwesenden erregten. Die ausstellung umfasste eine reihe von gruppen: Books of reference — darunter auch die 24 bändige Encyclopaedia britannica, Chambers' Encyclopaedia u. a. —, kirche und secten, unterrichtswesen, flotte und heer, gesellschaft, geschichte und geographie, land und leute, sitte und gebräuche, sport, englische, englisch-französische, englisch-deutsche wörterbücher u. a. Ein genaues verzeichniss aller ausgestellten werke wurde den theilnehmern überreicht. Es ist sehr erfreulich, dass diese so reichhaltige sammlung aus allen gebieten englischer realien dauernd in Hamburg (realgymnasium) verbleibt und allen deutschen neuphilologen zur verfügung steht. Eine sammlung französischer realien befindet sich im besitze von herrn prof. S c h e f f l e r (Dresden). Derselbe ist gern bereit, für feriencurse u. dergl. dieselbe zur benutzung zu überlassen. Das so wichtige studium der englischen und französischen realien wird dadurch hoffentlich mehr und mehr gefördert werden.

BREMEN, Juli 1896.   ·   A. B e y e r.

Pierer'sche Hofbuchdruckerei Stephan Geibel & Co. in Altenburg.

GLISCHE

STUDIEN.

Organ für englische philologie

r mitberücksichtigung des englischen unterrichtes auf höheren
schulen.

Herausgegeben von

DR. EUGEN KÖLBING,

o. o. professor der englischen philologie an der universität Breslau.

XXII. band, 1. heft.

Leipzig.

O. R. REISLAND.

1895.

Einzelne, hefte werden nur su

I. Teil: Die lebende Sprache.
II. Abteilung: Rede und Schrift.
40 Bogen gr. 8. Preis M. 11.—.

Hiermit ist das allseitig anerkannte Werk wieder vollständig (I u. II M. 20.—). Der zweite Teil wird nicht erscheinen.

Früher erschienen:

Spoken English.

Every day talk with phonetic transcription

by

E. T. True

french and german master, Harris Academy, Dundee

and

Otto Jespersen, Ph. D.,

Lecturer at the University of Copenhagen.

Third edition.
1895. IV, 60 Seiten. 8.
M. —.80; cart. M. 1.—.

Ein Ergänzungsheft zu „Spoken English", das den deutschen Text und Anmerkungen enthalten wird, befindet sich in Vorbereitung.

Ueber den

Ursprung der neuenglischen Schriftsprache

von

Dr. Lorenz Morsbach,

Privatdocent der engl. Philologie a. d. Universität Bonn.

1888. X, 188 S. M. 4.

English Dialog

With phonetic transcr

by

C. H. Jeaffreson, M.

und

O. Boensel, Ph. D

Neue Ausgabe 1895. XXVII 2
Geb. M. 2.—.

Elemente der Pho

des Deutschen, Englisch Französischen

von

Prof. Dr. W. Vieto

Dritte verbesserte A
1893/94. XII. 386 Seit
M. 7.—. Geb. M. 8.

Die

Aussprache des Schrift

von

Wilh. Vietor,

Professor an der Universität M

Mit dem „Wörterverzeichni deutsche Rechtschreibung brauch in den preussischen in phonetischer Umschrift, netischen Texten. Mit ein tung: Phonetisches. Ortl

Dritte, umgearbeitete
1895. 7 Bogen. M.